N A   H I S T O R I A   L Ę K U

Wydawnictwo Literackie

Moim Rodzicom

S E K

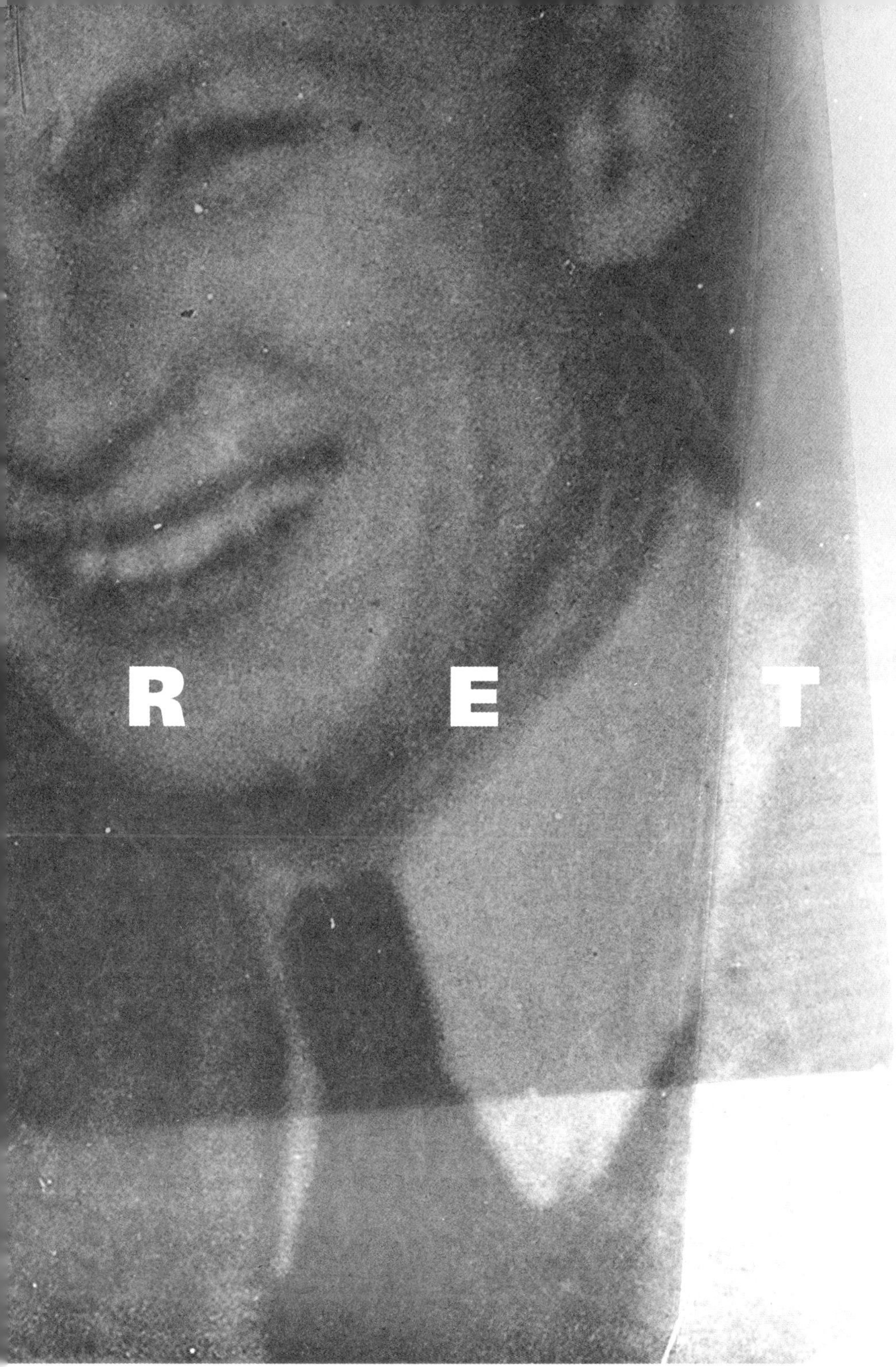
R E T

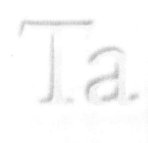

Ta książka jest we mnie od lat. Jak ta tajemnica. Od chwili kiedy dowiedziałam się, że nie jestem tym, kim sądziłam, że jestem. Od momentu kiedy moja matka zdecydowała się powiedzieć mi, że jest Żydówką.

Miałam dziewiętnaście lat, ale nie od razu zdałam sobie sprawę ze znaczenia tych słów. Ani z ich konsekwencji. Minęło co najmniej dziesięć lat, zanim zaczęłam oswajać się z tą myślą, i jeszcze kilka, zanim potrafiłam coś z tym zrobić. Wychowałam się w polskiej rodzinie. Długo żyłam w schizofrenicznym rozdwojeniu, nie umiejąc ujawnić światu tej strasznej, jak sądziłam, prawdy. Ta książka jest zapisem mojej historii.

Urodziłam się w Polsce, w Warszawie, kilkanaście lat po wojnie. Miałam niebieskie oczy i jasne włosy, co stanowiło niezrozumiały powód do dumy dla mojej czarnookiej i czarnowłosej matki.

Dziś wiem, że chciała mieć polskie dziecko, z obawy, że mógłby je spotkać los podobny jej własnemu. I choć wojna wydawała się przeszłością, w nowej socjalistycznej Polsce, gdzie wszyscy mieli być równi, zdecydowała się ukrywać swoje pochodzenie.

Jesteśmy pamięcią. Tym, co pamiętamy. I tym, co o nas pamiętają inni.

9

SEKRET

Coraz częściej myślę, że bardziej jeszcze jesteśmy niepamięcią. Tym, co zapominamy. Co w geście samoobrony wymazujemy z pamięci, wypieramy ze świadomości, omijamy w myślach. Unieważniamy, żeby było łatwiej lub lżej, żeby nie bolało albo nie przypominało bólu.

Nie pamiętam, kiedy moja matka powiedziała mi, że jest Żydówką. Nie pamiętam ani tamtego dnia, ani pory roku, ani miejsca przy stole lub oknie, ani tonu jej głosu, ani treści jej słów. Nie pamiętam takiej rozmowy. Nic nie pamiętam.

Może powiedziała, że podczas wojny ukrywała się w piwnicy. To nie musiało znaczyć nic więcej, w piwnicach i schronach ukrywało się wielu Polaków. Może powiedziała, że musiała uciekać przed Niemcami, znowu jak inni — ścigani przez Niemców, zabierani w łapankach, rozstrzeliwani na ulicach lub w lasach, zsyłani do obozów — Polacy.

Nie pamięta, jak to zrobiła, ale na pewno nie zaczęła od prześladowań i muru, piętna, naznaczenia, żółtej łaty. Zaczęła opowiadać mi historie. Najpierw o firance. Potem o mufce i o popielicach. Potem o dorożce sprzed murów getta. Nie od razu. Powoli. Żeby było łatwiej.

Nie chciała, żebym miała garb. Była szczęśliwa, że urodziła niebieskooką dziewczynkę z jasnymi włosami. Dziewczynka miała polskiego ojca. Wychowywała mnie do życia w tym kraju.

Nie chciała zrzucać dziecku na barki ciężaru, którego nie będzie w stanie udźwignąć. Nie chciała, żeby jej córka rosła w lęku i poczuciu krzywdy. Sądziła, że można poruszyć ten temat, kiedy będzie mogła to unieść i ewentualnie się bronić.

10

Twierdzi, że powiedziała mi to, kiedy skończyłam dziewiętnaście lat. Nie mam powodu jej nie wierzyć.

Każda rodzina ma historię. Wiele polskich rodzin ma historie tragiczne. W owych czasach nie zawsze dzielili się z dziećmi swoimi wojennymi doświadczeniami — udziałem w konspiracji, AK, walką w powstaniu warszawskim czy w lesie. Dopiero po latach zaczynali opowiadać o swoich przeżyciach, zarówno o cierpieniu, jak i o bohaterstwie. To budowało pokoleniowe więzi, wzajemnie dodawało sił. Ale wiadomość mojej matki nie należała do tego rodzaju. To było coś więcej. Bardziej. Nie tylko w rozmiarze cierpienia i tragedii, ale również w jej konsekwencjach. Nie było się czym chwalić, do czego nawiązać ani z czego czerpać. Nie istniał ani heroizm śmierci, ani patriotyczne wzory, ani świętość tradycji, ani nadzieja przyszłości. To trzeba było ukryć. To coś.

Musiały minąć lata, zanim znalazłam w sobie siłę na przyjęcie tej wiadomości. Zanim dopuściłam ją do świadomości, która się przed tym broniła. Potrzebowałam czasu, żeby to przyjąć. Ciągle — nie zaakceptować, ale rozważyć w sobie taką możliwość. I to się stało po kolejnych dziesięciu latach.

Czy się stało? Czy mogę o sobie powiedzieć: jestem Żydówką?
Nie.

Czy rzeczywiście moja matka opowiadała mi swoje wojenne historie? Czy opowiadała, czy może tylko chciała opowiedzieć, ale nie miała siły. Nie, nie wrogość pije się z mlekiem matki. Dziedziczy się lęk.

O futrze. Futro trzeba wietrzyć. Szczególnie tak porządne futro, jak popielice. A jeszcze futro, które leżało przez kilka lat na przechowaniu po aryjskiej stronie. Kiedy mama ze swoją matką wyszły z getta i zamieszkały w pierwszej kryjówce, wychodziły wieczorami na spacer. Bały się, że ktoś je zobaczy i doniesie, ale chciały zaczerpnąć powietrza i rozprostować kości. Babka chciała też wietrzyć futro. Ale ono i tak zaczęło się rozłazić. Może już przedtem za długo dusiło się bez powietrza. Futro szybciej się psuje niż człowiek. Z bólem serca babka kazała je pociąć na kołnierze. Na powojennym zdjęciu w Zakopanem moja mama ma mufkę z popielic, z futra, którego nie udało się uratować.

O firance. Ta historia to właściwie historia o soli. Mama z babką ukrywały się w niewielkim mieszkaniu na Krasińskiego 18, na IV Kolonii, gdzie przed wojną mieszkały. U dwóch sióstr służących, które pracowały w sąsiedztwie. A więc ukrywały się we wnęce kuchennej. Za firanką w granatową łączkę. Do jednej z sióstr, Helenki, przyszedł narzeczony.

11

SEKRET

Ugotowała mu zupę, krupnik, ale nie dosoliła. Narzekał. Poszła pożyczyć sól do sąsiadki. A on postanowił sam poszukać soli. Za firanką. Mama miała dwanaście lat i wstrzymała oddech. Jej matka przytrzymała firankę. Zorientował się. Musiały się wyprowadzić.

Gdyby zupa była przesolona albo po prostu dość słona, mogłyby zostać razem za firanką jeszcze jakiś czas. Aż do chwili, kiedy potrzebny byłby nagle młotek lub miska, bo je także tam chowano. Gdyby narzeczony chciał, mógłby od razu wysłać je na gestapo. Gdyby...

Jeśli to prawda, że w ogóle opowiadała, musiała opowiadać nie po kolei. Historia o dorożce, mimo iż dotyczyła tego, co wydarzyło się najpierw, nie nadawała się do opowiedzenia jako pierwsza. Może w ogóle nie należało jej opowiadać?

Kiedy moja mama wychodziła z zamkniętej dzielnicy żydowskiej na drugą stronę muru, było lato. Zimny sierpniowy dzień. Deszczowy. Nieduża dziewczynka z czarnymi warkoczami miała na sobie kilka par prążkowanych pończoch i dwie sukienki, założone jedna na drugą, no i jeszcze granatowy płaszczyk z kołnierzykiem i chusteczkę zawiązaną pod brodą. Szła ze swoją mamą, która trzymała ją mocno za rękę. Miały przejść przez budynek sądów na Lesznie. Wiedziała, że ma iść pewnym krokiem, bez wahania. Ciągle w tłumie, najlepiej w tłumie, jak inni, jak wielu — Żydów i nie-Żydów, po prostu interesantów, schodami na górę, korytarzami i znów schodami, w dół. Tylko tyle. Aż tyle. Mozolnie. Nie zauważyła, jak matka zdjęła opaskę. Nikt nie zwracał na nie uwagi.

Nie pamięta twarzy tych ludzi, którzy wyrośli przed nimi jak kolejny mur. Kilku mężczyzn i jedna kobieta, też w chustce, spod której wychodziły kosmyki włosów. Bały się Niemców. Ale to nie byli Niemcy. „Żydówo, dawaj, co masz", usłyszały. „Bo zawieziemy cię na gestapo".

Skuliły się, jak przyłapane na gorącym uczynku. Matka mojej mamy usiłowała się bronić, czemuś zaprzeczać, coś tłumaczyć, wreszcie prosić.

Nic nie odnosiło rezultatów. I wtedy nadjechała dorożka. Polski dorożkarz z sumiastymi wąsami stanął w ich obronie.

„Dajcie spokój tej kobiecie", krzyknął. „Czego od niej chcecie? Nie widzicie, że prowadzi dziecko, ledwo żywe ze strachu?" „Wsiadajcie!", zwrócił się do nich.

W pośpiechu wskoczyły do dorożki. Matka podała umówiony wcześniej adres. W jej głosie było coś więcej niż ulga. Ruszyli. Dziewczynka trzymała się poły jej płaszcza, kiedy mijali kolejne ulice. Jechali długo. Nie poznawały miasta, nigdy zresztą dobrze go nie znały. Zapadał zmierzch. Błyszczały sklepowe wystawy. Mijali tramwaje i czarne niemieckie auta. Jakieś roześmiane towarzystwo wychodziło z narożnej restauracji. Ozdobne kapelusze kobiet wyglądały jak prosto od modystki. Nieco dalej, na dużym placu koło kościoła, kilku chłopców kopało piłkę. Miasto było zajęte sobą. „Świat nie kończy się na Umschlagplatzu", myślały obie. Dorożka wjeżdżała w aleję Szucha, po chwili stanęła przed budynkiem gestapo.

Dorożkarz odwrócił się na koźle: „A co? Myślałaś, Żydówo, że cię nie oddam tam, gdzie twoje miejsce?" Uśmiechał się, popychając je w kierunku bocznego wejścia.

Na uciekinierów z getta czekali polscy policjanci. Zamknęli je w niewielkim pokoju i zażądali pieniędzy. Znowu strach był silniejszy niż jakiekolwiek inne uczucie. Zza drzwi słyszały głosy Niemców i stukot ich butów. W getcie znaczył śmierć. Dziewczynka patrzyła, jak jej matka zdejmuje z rąk pierścionek i obrączkę, a potem zegarek. Po chwili kobieta bez słowa zaczęła rozpinać płaszcz. Sięgnęła do paska od pończoch. Po kolei wyłuskiwała wszyte w płótno złote dwudziestodolarówki. Jedna, druga, trzecia, kładła je na drewnianym stole. Szósta. Stały teraz obie nieruchomo. „Mało", powiedział męski głos – „mało".

Nie miały już nic.

Zapytała, czy może zatelefonować. Chwilę się naradzali, wymieniając sumy, od których dziewczynce kręciło się w głowie. Matka powtórzyła je matowym głosem w słuchawkę. Z kim rozmawiała, kto gotów jest za nas tyle zapłacić? Przychodził jej na myśl tylko jeden człowiek, mąż ciotki,

13

który zorganizował ich ucieczkę z getta. Umówili miejsce i godzinę. Pod wskazanym adresem przekazano gotówkę.

Były na aryjskiej stronie.

Ta historia żyje we mnie wbrew mojej woli. Odradza się i odrasta w kolejnych wariantach snu. Wraca. Nie umiem się od niej uwolnić.

We śnie to ja jestem dziewczynką w prążkowanych pończochach. Chustka pod szyją jest na pewno moja, ma morski kolor, moje jest też wiaderko pełne piasku, które trzymam w ręku. Nie kopię kamyka, jak inne żydowskie dzieci z ciemnymi oczami, i we śnie zastanawiam się, dlaczego tego nie robię. Oczy mam przecież czarne i wystarczająco przestraszone. Trzeba je ukryć. Idę z mamą. Nie zawsze wiem, czy to jest moja mama, czy może jej mama, moja babka, której nie znałam. Nienaturalnie wyprostowana ściska moją rękę. Świeci zimne słońce.

Idziemy równym krokiem, choć chce mi się biec. Biec i krzyczeć, jakbym po wielogodzinnym błąkaniu się po ciemnym lesie odkryła nagle jasną polanę. Powietrze po drugiej stronie ma inny smak. Oznacza życie.

Wiem, co się stanie. Słyszałam wiele podobnych historii.

Nie pamiętam twarzy tych ludzi, który wyrośli przed nami jak kolejny mur. Myślę o dziewczynce, jej przecież nikt nie uprzedził, ma dwanaście lat i boi się Niemców. Ale to nie są Niemcy. „Żydówo, dawaj, co masz", słyszą, słyszymy. I jeszcze metaliczny dźwięk słowa: gestapo, gestapo, sta, po... Trzask. Potrzask. Nie znałabym tego słowa, mając wtedy tyle lat. Nie było jeszcze książek o wojnie. Znałam je później, choć ciągle nosiłam piasek w wiaderku.

Mama, a może babka, zasłania rękami twarz, jak dziecko, i powtarza w kółko: „Zostawcie nas, zostawcie..." Nie mogę się poruszyć. Patrzę na nich. I powoli rozpoznaję kolejne twarze... sąsiadów, znajomych, przyjaciół. Patrzę im w oczy. Ziemia się nie rozstępuje.

Wtedy nadjeżdża dorożka.

Dorożkarz ma wąsy, polskie wąsy, jak mój żydowski pradziadek, Henryk z Przedrynku w Łęczycy. Nawet porusza nimi jak on, kiedy trzymał swoją wnuczkę, moją mamę, na kolanach i śpiewał jej piosenkę o pani majstrowej i jej papierowych butach.

„Dajcie spokój tej kobiecie", krzyczy. „Czego od niej chcecie? Nie widzicie, że prowadzi dziecko, ledwo żywe ze strachu?" Skinieniem ramienia zaprasza nas do wnętrza swojej dorożki. Koń się uśmiecha.

Ale to nie jest dziadek Przedborski, to jego polski brat. Nie na darmo żyli razem, pod jednym dachem, tyle pokoleń. W imię tego domu, wspólnego przez dwa wieki, w jego polskie imię, nie może pozwolić, żeby stała się nam krzywda. Bierze nas pod swoje opiekuńcze skrzydła i oto zaczarowana dorożka turkoce po warszawskim bruku i wiezie nas, wiezie nas, wiezie. Już, już babka ma wymówić niezręczne słowa podziękowań, zduszone słowa, pełne poczucia wstydu i wdzięczności, i czego tam jeszcze, już ma się to stać, kiedy nagle gwałtownie skręcamy. Sypie się piasek z mojego wiaderka. „Wiaderko — myślę — skąd tu wiaderko". Klepsydra może, piasek, przesypujący się czas. Ostatnie chwile.

Zbliżamy się do alei Szucha.

„Myślałaś, Żydówo, że cię nie oddam tam, gdzie twoje miejsce?"

Co zrobić z tym snem, myślałam? Co zrobić z tym opowiadaniem? Życie kosztuje, kosztuje, trzeba się wypłacić, opłacić. Nie starczył pierścionek zaręczynowy i ślubna obrączka, nie starczył złoty zegarek Omega ani złote monety zaszyte w pasek od pończoch. Matce z córką dali jeszcze jedną szansę. Bogaty krewny. Nie zawsze znajdzie się bogaty krewny. Witajcie po aryjskiej stronie.

15

Jeszcze po przebudzeniu trzymam za rękę tę dziewczynkę. I bronię jej przed polskimi braćmi. A później zastanawiam się, jaka ja sama mogłabym być wobec niej. Zastanawiam się, czy nie bałabym się bawić z nią na moim podwórku, czy przyniosłabym jej wieczorem do zjedzenia moją kromkę chleba z cukrem. Czy starczyłoby mi sił, jak innym starczało, żeby ją ukrywać w mojej szafie albo na moim strychu. Także wtedy, kiedy już skończyły się pieniądze, a nadziei nie było.

Najłatwiej jest nic o tym wszystkim nie wiedzieć.

Czy o to ci chodziło, mamo?

SEKRET

Moi rodzice zaczynali od zera. Wzięli ślub w 1955 roku, pamiętnym dzięki Międzynarodowemu Festiwalowi Młodzieży i Studentów, kiedy do Warszawy pierwszy raz po wojnie zjechali młodzi ludzie z całego świata. Wkrótce oboje zamieszkali w sublokatorskim pokoju, we wspólnym mieszkaniu z dwiema innymi rodzinami. To był mój pierwszy dom, którego nie pamiętam. Po kilku latach rodzice otrzymali przydział na własne mieszkanie, co było przywilejem rzadko spotykającym młodych ludzi. Klocki jednakowych, betonowych bloków stały równo na polu, na którym jeszcze niedawno kopano ziemniaki. W odległej od centrum dzielnicy miasta, robotniczej Woli, ulicę nazwano imieniem rewolucjonisty Marcina Kasprzaka. Szara fotografia z tamtych lat przedstawia dziwaczny wózek spacerowy na małych kółkach, z wywiniętymi bokami, stojący przy trzepaku, który wkrótce stał się sercem podwórka. W środku leży tłusta dziewczynka z wydętymi jakby drwiąco wargami.

Nasze mieszkanie na pierwszym piętrze składało się z dwóch pokoi z kuchnią i balkonem. Było jasne i czyste. W łóżeczku z siatką szybko zaczęłam chodzić. Niewiele wcześniej moja jedyna babka, matka ojca, nie pytając nikogo o zgodę, zabrała mnie do kościoła i ochrzciła. Chrzestny zapomniał o uroczystości, grał w karty.

Ojciec pochodził z kolejarskiej rodziny z Łodzi. Mama miała krewnych jedynie w Warszawie. Moi rodzice byli młodzi i bardzo chcieli żyć. Bawić się i śmiać, zapomnieć o wojennym dzieciństwie. Popierali nową rzeczywistość. Podczas studiów na wydziale dziennikarskim działali w młodzieżowej organizacji ZMP, nosili czerwone krawaty, chodzili na wiece i klaskali na zebraniach kolektywu, pełni zapału dyskutowali tezy marksizmu i leninizmu. Chcieli budować swoje życie bez oglądania się wstecz. Stare płótna i złocone ramy wydawały im się przeżytkiem poprzednich epok, u siebie na ścianach wieszali reprodukcje paryskiej awangardy. Miró i Picasso, których wtedy nie umiałam nazwać po imieniu, straszyli mnie od dzieciństwa grymasami twarzy, wielością uszu i nosów. Pluszowe kanapy i biedermeierowskie fotele urągały nowoczesnej estetyce moich rodziców. Meble zamówili u modnego projektanta, który potraktował nasz salon jak eksperymentalny poligon dla swoich pomysłów. Połączenie czarnego metalu, szkła i jaskrawych plastyków tworzyło efektowną, lecz niezbyt funkcjonalną całość. Kolorowe krzesełka w kształcie odwróconych stożków z obciętymi wierzchołkami, na trzech nogach, stanowiły wymyślną torturę. Trudno było na nich wysiedzieć, jeszcze trudniej się od nich uwolnić. Krajobraz modernistycznego kaprysu ratowały książki, z czasem coraz tłumniej wypełniające półki, których zawsze okazywało się za mało.

Nasz dom był pełen światła. W niedzielne przedpołudnia, bardziej od innych leniwe, obserwowałam ciepłe plamy słońca falujące na miodowej podłodze w dużym pokoju. Zamykałam to jedno, to drugie oko i widziałam je za każdym razem z innej perspektywy, w innym kadrze, choć nie ruszałam głową. Nie rozumiałam tej zmiany optyki i zdawało mi się, że jest wynikiem jakiejś poważnej choroby, której się wstydziłam.

Ojca pamiętam z domu słabo. Nigdy nie widziałam rodziców razem we wspólnym łóżku, nigdy przy stole ani na spacerze. Na mojej ulubionej fotografii mama siedzi ojcu na kolanach, w plażowym koszu nad morzem. Obejmują się i śmieją, jakby wszystko jeszcze miało i mogło się zdarzyć.

Już w gimnazjum, w 1947 roku, ojciec założył szkolny radiowęzeł. Chciał być sprawozdawcą sportowym. Niedługo później zgłosił się na konkurs do radia, ale odrzucono go, twierdząc, że nie ma szans w zawodzie reportera z powodu zbyt „szpiczastego", jak to określono, głosu. Nie rezygnował.

„Tu helikopter, tu helikopter, mówi Bogdan Tuszyński", tak rozpoczynał relacje z kolejnych etapów dorocznego kolarskiego Wyścigu Pokoju na trasie Warszawa–Berlin–Praga. Głos mojego ojca znała cała Polska. **17**

Sport był wówczas sprawą narodowej wagi. Może z braku innych patriotycznych spełnień ten wyścig kolarski pasjonował wszystkich — dorosłych i dzieci. Wydawało się, że przez całe lata sześćdziesiąte w ciągu tych dwóch majowych tygodni nie działo się w kraju nic ważniejszego. Mężczyźni gromadzili się przed głośnikami na ulicach miast, słuchając transmisji z górskich premii i lotnych finiszów. Głos z radioodbiorników nastawionych na cały regulator w każdym niemal mieszkaniu odbijał się echem na osiedlowych podwórkach. Na moim także. Zewsząd dochodził głos mojego ojca. Napięcie sięgało zenitu tuż przed metą.

SEKRET

Miliony Polaków wstrzymywały oddech. Gdy był w dobrym humorze, pozdrawiał mnie na zakończenie. Relacje ojca z kolejnych etapów zmagań polskiej drużyny były czymś więcej niż tylko sprawozdaniami ze sportowego widowiska. Stawał się wyrazicielem zbiorowych uczuć, twórcą narodowej legendy. Dzielenie wspólnych emocji zbliżało go do słuchaczy i sprawiało, że czuli się sobie bliscy. Traktowano go jak swego. Ojciec, niewiele po trzydziestce, stał się postacią popularną w całym kraju. Gdzie tylko się pojawił — w sklepie, na poczcie, w kawiarni — poznawano go po głosie. Byłam z tego dumna.

Pamiętam kilka jego nocnych powrotów z daleka. Budził mnie wtedy, siadałam rozespana na podłodze, a on rozpakowywał pachnące dalekim światem walizki. Ich wnętrza były kolorowe, wzbierały szeleszczącymi ubraniami, apaszkami dla mamy, jedwabiem, cienką wełenką, której próżno było szukać w sklepach Galluxu, koronką, perfumami Chanel i niepowtarzalnym smakiem mlecznej czekolady Sucharda. On sam wydawał się inny, jakby miejsca, które odwiedzał, zostawiały na nim własne ślady. Trzeba było się od nowa do niego przyzwyczajać, do jego zapachu i dotyku rąk, a wtedy odjeżdżał znowu. Ojciec zawsze był w drodze.

Zagraniczne wyjazdy w owych czasach, kiedy o paszport należało się każdorazowo starać, stanowiły wielki luksus. Były furtką do świata zupełnie nam niedostępnego, którego zdobycze miały dla mnie smak coca-coli i czekoladek w błyszczących papierkach. Nie wyrzucałam ich i podziwiałam nie blednące kolory.

Powroty ojca wyznaczały kalendarz naszej codzienności. Uczyłyśmy się czekać obie. Ja bardziej cierpliwie, mama mniej. Przysyłał z daleka kolorowe pocztówki. Układałam je w niezliczone konstelacje — moje dziecinne pasjanse na podłodze. Innsbruck, Tokio, Mexico City, Paryż, Berlin... już same nazwy miast wywoływały niepokój i nie kończące się marzenia. Zanim poszłam do szkoły, dostałam w prezencie globus. Później zaczęłam zbierać mapy i uczyć się na pamięć stolic i flag obcych krajów.

Czytałam wcześnie i dużo. I jakoś tak zachłannie. Uciekałam w wymyślone światy, jakby ten, w którym uczestniczyłam, nie był dość rzeczywisty. Lubiłam bajki o czarodziejach i koraliku spełniającym życzenia.

Mama czytała mi wiersze. Wkrótce sama wybierałam książki, obok Mary Poppins i Ani z Zielonego Wzgórza — wspomnienia z okresu wojny, okupacyjne i obozowe pamiętniki, o Auschwitz i Birkenau. Nie wiem dlaczego, ale potrzebowałam tamtej lektury. Lubiłam grę w chowanego, pewnie bardziej niż moi rówieśnicy. Lubiłam się przebierać, mierzyć coraz to inne stroje i nakładać na twarz puder i szminki. Wiele godzin spędzałam w szafie. Miała duże lustro na drzwiach. Czasami zamykałam się w środku jak w pałacu lub twierdzy. Lubiłam siedzieć w kącie, ale lubiłam też występować na scenie. Miałam sześć lat, kiedy zagrałam królewnę w przedszkolnym przedstawieniu. Ciągnęły mnie światy inne niż mój.

Najpierw była droga. Jedyne bezpieczne chwile dzieciństwa, kiedy jechaliśmy w odwiedziny do Łodzi — do babci, do rodziny ojca. Wszystko miało sens, bo rodzice byli razem. Ojciec za kierownicą czarnej skody octavii, mama przy nim, ja na tylnym siedzeniu. Nie musieli zwracać na mnie uwagi — i tak byłam szczęśliwa. Słyszałam ich głosy, czułam ich obecność. Nic złego nie mogło się zdarzyć. Leżąc, patrzyłam na usuwające się spod nóg, a może spod kół, z pola mojego widzenia, kawałki nieba. Kolejny błękitny fragment zastępował następny i następny, pierze chmur i policzki obłoków zlewały się w jedno długie pasmo, jak ogon olbrzymiego latawca, który trzymałam na niewidocznej nitce. Potem robiło mi się niedobrze i siadałam, by patrzeć przez okno na inny kalejdoskop. Za szybą z podobną prędkością migały płoty, podwórka, drzewa i pola, zagrody i obejścia. Nie moje, ale gdzieś tam głęboko własne, za Sochaczewem, za Łowiczem, na przedmieściach Łodzi. **19**

Przez podmiejski dom mojej babci przejeżdżały pociągi. Dzwoniły szklanki i kieliszki w kredensie, chlupotała woda w wazonach, zupa pomidorowa wylewała się na talerz do drugiego dania. Babka niemylnie oznajmiała „pospieszny do Gdyni" albo „osobowy do Opola". Pociągi jechały przez okrągły stół w dużym pokoju, przykryty niedzielnym obrusem. Budziły koty drzemiące w rozgrzanych łatach słońca, naruszały spokój studni i drzew owocowych. Na Perłowej 4, niedaleko torów, wszyscy je znali. Nawet moje lalki z Warszawy po kilku dniach pamiętały bezbłędnie grafik przyjazdów i odjazdów ze stacji Łódź Kaliska. „Pociągami jadą podróżni do swoich królestw", tłumaczyłam im i sobie. A potem wybiegałam przed dom, żeby pomachać stojącym w oknach szczęśliwcom, których wagony wiodły do nie znanego mi, a przez nich wybranego celu. Droga była marzeniem, obietnicą przygody.

Mój pradziadek Jan, ojciec babki Mani i jej licznego rodzeństwa, był kolejarzem. Lubił chodzić w mundurze i nosił go tak, jakby się w nim urodził, choć pochodził z czworaków, z biednej wsi pod Koluszkami. W dzieciństwie pasł krowy i nie dojadał. Jako młody pracownik carskiej kolei, którą wtedy nazywano „żeleznodarożnaja", prowadził pociągi tysiące kilometrów w głąb Rosji, aż na Daleki Wschód. Jeździł tam kilkakrotnie i długo nie wracał, nie tylko z powodów służbowych. Jego żona, Rózia, zawsze przyjmowała go z powrotem. Urodziła mu jedenaścioro dzieci. Przeżyło pięcioro. Najstarsza była moja babka Mania.

Dom, do którego przyjeżdżaliśmy — drewniany, jednopiętrowy, niedaleko stacji — dziadek postawił w połowie lat trzydziestych. Długo musiał składać pieniądze, choć zarabiał dobrze. Nie pił wtedy ani kropli. Sam wybrał, zamówił i suszył drewno. Jego pierwszy wnuk, Boguś, mój ojciec, bawił się na kolanach u dziadka kolejarskimi pieczątkami i „cebulą" na dewizce, odliczającą minuty przyjazdów i odjazdów pociągów. Uczył się cyfr i punktualności.

Lata później pradziadek godzinami siedział na ławeczce przed domem w wyglansowanych butach i kolejarskiej czapce z daszkiem i złotym otokiem, jakby ciągle był na służbie. Kopiowym ołówkiem zapisywał w notesie słupki cyfr. Mruczał coś pod nosem. Liczył czas lub złoto. Byłam jego pierwszą prawnuczką. Pozwalał mi ciągnąć siwe wąsy i gnieść świeżo odprasowane spodnie od munduru.

Po pradziadku została prababka z cieniutkim siwym warkoczykiem, czerstwą, pomarszczoną twarzą, ogorzałą od słońca i wielogodzinnych wędrówek po lasach. Nauczyła mnie zbierać grzyby. Święto grzybobrania do końca nie straciło dla niej smaku niespodzianki i jestem pewna, że czekanie na deszczową jesień znacznie przedłużyło jej życie. Zmarła po dziewięćdziesiątce.

Jej córka, moja babcia Mania, żyła dla innych. Cała liczna rodzina, z tuzinami kuzynek i krewnych, była na jej głowie. Znała ich dolegliwości, diety, kłopoty z dziećmi i sytuację finansową. Pocieszała, przytulała, pomagała. Babcia była zawsze po mojej stronie, nawet kiedy musiała się sprzeciwić mojemu ojcu, ukochanemu synowi. A on się nie mylił. Przygotowywała kilometry makaronu, tysiące klusek na parze i knedli ze śliwkami. Wekowała gruszki i śliwki, marynowała i suszyła grzyby. Kiedy nikt nie widział, płakała. Pięknie haftowała kolorowym kordonkiem zwierzęta i ptaki, monogramy na przedszkolnych i szkolnych workach. Robiła kilimy pełne jesiennych liści. Miała chabrowe oczy i zabierała mnie na łąki za torami. Z nią chodziłam czasami w niedzielę na sumę. A po kościele na odpust, gdzie kupowała mi watę na patyku i złoty pierścionek z rubinowym lub szafirowym oczkiem. Nie odmawiała mi niczego.

Świat ulicy Perłowej był światem prostym. Jak podłoga z desek w kuchni, szorowana ryżową szczotką raz w tygodniu. Jak chłodna sień, gdzie stały wiadra z wodą, gumiaki, łapki na myszy i bańki na mleko. Mleko brało się od krowy, jarzyny z grządek w ogrodzie. Rwało się jabłka z drzew albo słuchało deszczu. Czytało znaki ziemi, nie książek. Nic się nie kryło pod podszewką tamtej codzienności.

Ojciec coraz więcej pracował. I wszystko było nieco inaczej, kiedy byłyśmy same.

Mama zabierała mnie do Kazimierza nad Wisłą, malowniczego miasteczka wśród wąwozów, w którym czas się zatrzymał. Rynek otoczony renesansowymi kamienicami, z drewnianą studnią pośrodku, przypominał obraz. Obok kościół farny i klasztor, tajemnicze ruiny zamku i Góra Trzech Krzyży. Bawiłam się tam często z dziećmi, zwykle przyjezdnymi jak ja, na wielkim zalesionym wzgórzu, położonym nieco na uboczu. Wśród paproci i mchu, w iglastej podściółce, na ścieżkach i w zaroślach natrafialiśmy czasem na kawałki kamiennych tablic. Składaliśmy je, próbując połączyć w płaskorzeźby dłoni, ptaków, ksiąg. Liśćmi omiataliśmy fragmenty napisów w niezrozumiałym języku. Odkrywaliśmy brzuch ziemi. Ktoś powiedział, że był tu żydowski cmentarz.

Żydów nie znałam.

SEKRET

Podobno kino z drewnianym sklepieniem, gdzie oglądałam filmy dla dzieci, w tym samym miasteczku nad Wisłą, było kiedyś ich kościołem. Mówiono o nim „synagoga". Miałam trudności z zapamiętaniem tej nazwy. Obrazy i akwarele, jakie artyści sprzedawali na rynku, zaludniali czarno ubrani mężczyźni. Na płótnach mieli brody, kapelusze lub małe okrągłe nakrycia głowy i loki okalające twarze. W ich oczach widziałam tęsknotę.

W domu słowo „Żyd" słyszałam rzadko. Tylko z ust ojca i zawsze szyderczym tonem. Żydzi uosabiali w jego oczach nieokreśloną, wszechobecną winę za wszystko, co nie szło tak, jak oczekiwał. Uważał, że się panoszą i odbierają innym należne przywileje. Obarczał ich odpowiedzialnością za niepopularne decyzje, doraźne kłopoty w pracy, brak opon do skody. Czasami wskazywał palcem postaci na ekranie telewizora, jakby się uczył odróżniać ich od innych. Oni. Inni. Było nie do pomyślenia, aby mogli się znaleźć nie tylko w naszym domu, ale nawet w kręgu znajomych.

Nie rozumiałam, co to wszystko znaczy. Nigdy nie spotkałam Żyda.

Moi rodzice rozeszli się, kiedy miałam siedem lat. Nie wiedziałam, dlaczego ojciec nas opuścił. Długo stawiałam w przedpokoju jego kapcie, wierząc, że wróci. Wstydziłam się przed koleżankami, że z nami nie mieszka, i mówiłam, że wyszedł tylko na chwilę. Sytuacja była tym trudniejsza, że wszyscy znali go i podziwiali. Dyrektorka szkoły mówiła o mnie „córka redaktora Tuszyńskiego". Wydawał mi się dzięki temu jeszcze ważniejszy, a tajemnica jego nieobecności bardziej wstydliwa. Tym większą wyrocznią było też każde jego słowo.

Zazdrościłam innym dziewczynkom białych sukienek do pierwszej komunii, długich, z koronkami, białych rękawiczek i wianka. Zazdrościłam pochodu w kwietnej majowej procesji i słów, które wypowiadały dygając: „Święty, święty, święty" — dyg — „pan Bóg zastępów..." Nie rozumiałam powodów, z których mnie to ominęło. Ale nie pytałam o nic. Jakbym gdzieś pod skórą czuła, że nie powinno mnie to dotyczyć.

Zaprzyjaźniłam się wtedy z drugą dziewczynką, która też nie chodziła do kościoła i na lekcje religii. Razem bawiłyśmy się na trzepaku i zagrzebywały w ziemi kolorowe szkiełka. Założyłyśmy bractwo listowe, które porozumiewało się codziennie za pomocą korespondencji lakowanej pieczęciami z kolorowej parafiny lub prawdziwego laku. Odpowiadałyśmy sobie na pierwsze, najważniejsze pytania.

Lubiłyśmy pochody pierwszomajowe. W najbliższej okolicy mieściło się kilka fabryk: Zakłady Radiowe imienia Marcina Kasprzaka, Zakłady Wytwórcze Lamp Elektrycznych imienia Róży Luksemburg i produkująca leki Polfa. Zakładowe orkiestry zaczynały już od rana grać marsze, robotnicy w odświętnych ubraniach z transparentami i szturmówkami gromadzili się na ulicach. Panował nastrój uroczysty i pełen uniesienia. Zbieraliśmy się przed szkołą, w harcerskich mundurkach i białych podkolanówkach, tego dnia zawsze nowych. Wyznaczano starszych do pocztu sztandarowego i czworo ochotników do niesienia hasła-motta z Maksyma Gorkiego, patrona naszej szkoły – „Człowiek to brzmi dumnie". Później wraz z innymi maszerowałyśmy przed trybunami naprzeciwko Pałacu Kultury i Nauki imienia Józefa Stalina, wielkiej budowli w kształcie tortu, daru ZSRR dla naszej stolicy. Śpiewałyśmy „W majowe święto", wykrzykiwałyśmy „Niech żyje 1 maja!", wymachiwałyśmy wesoło chorągiewkami i kwiatami z czerwonej krepiny. A potem w poczuciu spełnienia jadłyśmy lody Bambino o smaku waniliowym.

Uważałam się za lepszą, a jednocześnie gorszą od innych. Łatwo przystosowywałam się do różnych warunków i sytuacji, które rozwiązywałam bez problemu, ale rzadko zdobywałam się na samodzielne kroki. Lubiłam być w grupie, należeć, a gdzieś tam w środku czułam się wyróżniona i w nieokreślony sposób obdarowana, ważniejsza niż inni. Wykonywałam bez zarzutu wszystkie zadania. Starałam się spodobać innym, wypełniając ich rzekome lub rzeczywiste życzenia. Byłam echem.

Poczucie gorszości tkwiło gdzieś płytko, ale nie potrafiłam odnaleźć jego źródła. Wydawało mi się, że z jakiegoś powodu muszę starać się być lepsza niż inni. Że to jest ważne i wiele od tego zależy. Lepsza, bo tak naprawdę jestem gorsza. Ale tego nikt nie powinien odkryć.

Uczyłam się dobrze. Moje wypracowania o papierowym ptaku lub *Sercu* Amicisa kazano mi czytać na głos wobec całej klasy. Recytowałam

23

wiersze na akademiach. Przynosiłam piątkowe świadectwa i odznaki wzorowego ucznia. I mnie, i mojej mamie wydawało się to oczywiste. Moja fotografia jako przodownicy nauki wisiała w gablocie na niedalekiej ulicy Wolskiej, tuż obok jednego z niewielu domów towarowych w naszym mieście. Ojciec nie miał czasu jej obejrzeć. Latem pytał, czy gram w piłkę i jeżdżę na rowerze, zimą sprawdzał, czy chodzę na lodowisko. Jeździłam na obozy harcerskie i zdobywałam wszystkie możliwe sprawności terenowe.

Chciałam być duża. Głównie dlatego, żeby w końcu zacząć żyć. Nie czekać, aż życie się zacznie. Chciałam być duża, bo dorośli wiedzą i nie boją się. Dziecinny mój świat pękł na dwie części, których nigdy nie udało się skleić. W miarę upływu lat coraz trudniej było mi uwierzyć, że kiedykolwiek stanowiły całość. Siła, w każdym znaczeniu, została po stronie ojca. Stanowczy, pewny siebie, znany, z zapleczem rozległej rodziny, mocno stał na ziemi i na własnych nogach. Mama, choć pozostająca w związku z innym mężczyzną, wydawała mi się bezbronna.

Na święta Bożego Narodzenia ubierałyśmy z mamą choinkę. Pachniała lasem, jak u innych, ale nie była taka sama. Robiła wrażenie biednej krewnej, której wcale nie należy się odświętny strój. Najprawdziwsza i najweselsza była choinka u babci w Łodzi. Wisiały na niej aniołki, zabawki i orzechy, baletniczka w złotych pantofelkach i myszka w czerwonej czapeczce z dzwoneczkami. Na czubku świeciła gwiazda betlejemska. „Wśród nocnej ciszy, głos się rozchodzi, wstańcie pasterze, Bóg się wam rodzi..." Rozłożyste drzewko obsypywano papierowymi gwiazdkami, które babcia plotła wieczorami z pasków papieru razem ze swoimi siostrami. Pachniało drożdżowe ciasto. Czekano na święto narodzin. „Poszli, znaleźli Dzieciątko w żłobie..." — śpiewano kolędy. Szykowano się na przyjęcie Zbawiciela.

Na naszym świątecznym stole leżał opłatek, ale wyglądał gorzej niż gdzie indziej. Długo nie rozumiałam, co symbolizuje. Wydawało mi się, że jest stary, zeszłoroczny, zawsze ten sam. Miał smak kurzu i kiedy należało się nim dzielić, czułam jedynie zażenowanie. Gdzieś był fałsz, ale

24

nie umiałam go odnaleźć. Coś nie wyjaśnionego, tajemniczego kryło się pod skórą tego dzieciństwa.

Wyczekiwane przez innych święta sprawiały mi kłopot. Czekałam, aż się skończą. Życie biegło w tych dniach gdzie indziej. Zawsze byłyśmy wtedy z mamą same. To mnie bolało. W powietrzu wisiało jakieś nieokreślone niebezpieczeństwo, a wszystkie rytuały wydawały mi się skrojone na inną miarę, kalkowane z cudzego wzoru. Byłyśmy jakby poza nawiasem. Pogłębiała się nasza osobność. Sąsiedzi na piętrach, w oknach naprzeciwko, tworzyli solidne kręgi, spleceni radością wspólnej modlitwy nie dawali do siebie dostępu. Bardziej niż kiedykolwiek byłam im daleka.

Nie cieszyły mnie też specjalnie niespodzianki prezentów. Codzienne marzenia dotyczyły zwykle kolejnych książek i spełniane były na bieżąco. Matka nie pochwalała bezmyślnego wydawania pieniędzy, w myśl zasady: pieniądze trzeba mieć, bo nigdy nie wiadomo, co się stanie. To jej zostało z wojny.

Ojciec mamy, dziadek z Puławskiej, z przedwojennym dyplomem inżyniera, kierował przedsiębiorstwem remontowym zajmującym się odbudową stolicy. Lubił swój gabinet z szerokim biurkiem i dwoma czarnymi telefonami. Często podnosił głos. Fotografował się z wysokimi urzędnikami państwowymi na ceremoniach otwarcia coraz to nowych obiektów i osiedli, przy okazji odsłonięcia pomników i cmentarzy żołnierzy radzieckich, których budowę nadzorował. Wyjeżdżał w delegacje służbowe do Chin i Związku Radzieckiego, skąd przywoził komplety cyrkli, latarki **25** lub aparaty fotograficzne marki Smiena. Skrupulatnie prowadził codzienne rachunki, ograniczając wydatki do koniecznego minimum. Wiele rzeczy uważał za ekstrawagancję, nie tylko papierosy i alkohol, także zelowanie butów w miesiącu, w którym ta pozycja nie znalazła się w planowanym budżecie.

Pomagał mi w pisaniu listów po rosyjsku do Walerki z Leningradu, którą przydzielono mi w szkole do obowiązkowej korespondencji. „No co jest, co?" — mówił do mnie na przywitanie i wykręcał mi ucho. Miało to być wyrazem czułości tego potężnego, surowego mężczyzny, który czułości nie umiał lub może ją zapomniał. O mojej babci nie mówił nigdy. W 1949 roku ożenił się po raz drugi, z rozsądku, z oschłą i wyniosłą sąsiadką z tego samego piętra. Ślubu udzielał im burmistrz Warszawy. Nie opuszczali cotygodniowych koncertów w warszawskiej filharmonii. Miał podobno absolutny słuch, w młodości grywał na skrzypcach. W piątkowe wieczory w rodzinnym salonie występowali z siostrami w repertuarze kameralnym Ravela i Brahmsa.

Nie wiedziałam, skąd pochodzili i kim byli ich rodzice. Nie widziałam żadnych starych fotografii. Nie mogłam się pochwalić kuzynkami ze strony matki. Ani ich grobami. Ani grobami ich przodków. Nie było wśród nich walecznego powstańca ani bohatera żadnej wojny. Nie pielęgnowano rodzinnych legend. Ani ceremonii.

Najważniejszym zapachem mojego dzieciństwa była woń kuchni ciotki Bronki, siostry dziadka. Uwielbiała gotować i częstować gości. Mieszkali w kolonii małych drewnianych domków na Jazdowie, w środku miasta, nieopodal sejmu i starych parków, jak na wsi. Już od wejścia czułam ten zapach, który po latach rozpoznałam jako zapach czosnku. Byłam w piątej klasie, kiedy ciotka z rodziną nagle wyjechała z Polski. W naszym domu przybyło kuchennych naczyń. Pojawiły się pękate gliniane miseczki na zsiadłe mleko i wielki wybór przyrządów do robienia ciasta. Plastykowe skrobaczki do czyszczenia makutry miały jeszcze smak keksów, szarlotek i niewielkich rogalików z rodzynkami. Moja matka z niepokojem i wypiekami na twarzy słuchała nocą zachodniego radia. A potem pisała za granicę długie listy. W miejscu nadawcy podawała coraz to inne wymyślone nazwiska. Podpisywała listy imieniem naszego psa, jamniczki Nutki. Bała się.

Mój dziadek przestał wymieniać imię ukochanej siostry, a wkrótce potem położył się na tapczanie i nie chciał wstać. Z podsłuchanej rozmowy dowiedziałam się, że jego drzwi wysmarowano ekskrementami. Wyrzucono go z partii i posłano na wcześniejszą emeryturę. Przestał pracować.

Wiele lat później dowiedziałam się, czym był marzec 1968 roku w historii mojego kraju. Antyżydowska nagonka spowodowała ostatnią wielką falę emigracji Żydów z Polski. Wyjechali ci, którzy zdecydowali się zostać po wojnie i po pogromie kieleckim ani nie skorzystali z możliwości opuszczenia kraju w 1956 roku. Ci, którzy najbardziej czuli się Polakami.

W ogródku na Jazdowie ktoś inny zbierał truskawki i wiśnie. Nawet w Łodzi, na Perłowej, nie było jak dawniej. Zachorowała babcia. Odwiedzaliśmy ją w szpitalu. Dopóki starczało jej sił, pisywała do nas listy. Umarła podczas wakacji. Miałam dwanaście lat, ale nie ja płakałam na pogrzebie. Płakał ojciec. Przy pomniku z białego marmuru z fotografią w sepii, na której nie jest do siebie podobna, postawiono ławeczkę. Przyjeżdżaliśmy tam do niej, choć od początku wiedziałam, że tam najbardziej jej nie ma. Dużo później zdałam sobie sprawę, co oznacza dla mnie jej nieobecność.

Wszystkiemu musiałam stawić czoło sama. Ojca dzieliłam już nie tylko z jego nową żoną, ale i dwiema małymi córkami. Nie było babci, nie było pocieszenia. Nie radziłam sobie z upokorzeniem i nie wiedziałam, na czym polega moja wina. Z niedzielnych obiadów od ojca (zupa pomidorowa, kotlet schabowy, kompot z gruszek) wracałam najedzona i smutna. Nasz dom wydawał mi się pusty, a wysiłek, by ojciec mi przebaczył — daremny.

Stawałam na przystanku tramwajowym w alei Niepodległości we wczesne niedzielne popołudnia. Byłam sama. Już zdecydowali się wypuszczać mnie z domu samą. Ściskałam w ręku sztywny banknot tysiączłotowy. Alimenty, suma, którą ojciec co miesiąc od kilku lat dawał na **27** moje utrzymanie. Sposób, w jaki moi rodzice po rozstaniu porozumiewali się ze sobą w mojej sprawie. Banknot był zwykle nowy, jakby wyjęty spod prasy drukarskiej. Wiedziałam, że nie mogę go zgubić. Kiedy byłam mniejsza, wyobrażałam sobie, że to duża suma. Później poznałam wartość pieniądza i zastanawiałam się, dlaczego tak mało jestem dla niego warta.

Czekałyśmy wszystkie. Zwykle w domu, w kolejnym jego mieszkaniu, które zmieniał w miarę możliwości i powiększania się rodziny. Dzwonił kilkakrotnie, z impetem otwierał wejściowe drzwi, wnosząc duże walizki i torby. Potem witał się z żoną i dwiema małymi córkami, zanim przyszła moja kolej. Najstarszej. Tej obcej. Tej od innej matki. Zawsze miałam wrażenie, że im przeszkadzam, że przeszkadzam, kiedy witają się po tygodniach niewidzenia. Że przeszkadzam, kiedy chcą cieszyć się sobą i w spokoju odbyć kolejną uroczystość podziału prezentów. Ileż razy obiecywałam sobie, że już nigdy nie znajdę się wtedy w jego domu. Ileż razy powtarzałam to sobie, żeby już na pewno zapamiętać i nie zapomnieć. Ale wracałam. Wracałam przyciągana niepojętą siłą. Jak upokorzona na miejsce swojej klęski. Potem uciekałam do łazienki albo na dół, do gabinetu ojca, gdzie była szafa, w której można się było schować. Stamtąd nic nie było słychać, ani ich radości, ani mojej rozpaczy.

Kiedy urodziła się moja pierwsza przyrodnia siostra, miałam dziewięć lat. Przywieziono do Łodzi do domu babci zawiniątko, które wszyscy członkowie rodziny przyjęli z entuzjazmem. Po rozpakowaniu okazało się chudą dziewczynką o bardzo białej skórze. Krzyczała. Razem z nią przyjechały zabawki — piszczące słoniki i zajączki, kolorowe dżdżownice, wymyślne grzechotki w kształcie serduszka i wielobarwne łańcuchy, przyczepiane do łóżka lub wózka. Imponowały mi bogactwo i obfitość ekwipunku tej małej istoty. Byłam starsza od moich sióstr o dziewięć i dwanaście lat. To dużo, kiedy się jest dzieckiem. Kiedy się rodziły, czułam, że wszystkiego dla mnie ubywa.

Potrzebowałam ojca. Nie umiałam mu wtedy powiedzieć, jak bardzo. Wydawał się chwilami taki daleki. Nie znajdowałam w sobie winy. Za
28 późno zrozumiałam, że byłam dla niego nie tylko córką, ale i figurą na szachownicy w rozgrywce z moją matką. Nie umiał jej przebaczyć porzucenia i braku miłości. Ale ja o tym nic nie wiedziałam. W moich oczach i w mojej głowie to on odszedł z domu. Często miałam wrażenie, że mnie nie lubi, a więc może to jednak ja byłam powodem jego odejścia? Wracałam co niedzielę. Siadałam mu na kolanach. Żartował ze mnie, z moich dużych stóp, nosa, uczesania, ale nie umiałam się śmiać. Jego żarty bolały. Nawet to, że dużo czytałam, prowokowało kąśliwe uwagi. Wydawało mi się, że moje piątkowe świadectwa szkolne nie robią na nim żadnego wrażenia. Nie pamiętam pochwał z jego ust ani potwierdzenia,

że spełniam jego oczekiwania. Nie wiedziałam, co zrobić, żeby go zadowolić. A tego chciałam.

Dlaczego przez tyle lat do niego wracałam? Szukałam go potem przez całe lata w mężczyznach w jego wieku. Nawet dziś, kiedy wszystko już wiem i rozumiem, trudno mi z tym żyć. Trudno się pozbyć żalu i głodu akceptacji.

Podobno był ze mnie dumny. Nigdy tego nie odczułam jako dziecko.

Pamiętam pocztówki z dzieciństwa, błyszczące, wielobarwne, czasem okrągłe lub bardzo długie. Wszystkie podpisywał „Tata". Kiedy dziś widzę kartkę, którą podpisuje tak samo jak przed tyloma laty, wraca tamten czas i tamta tęsknota.

Zawsze pisał długopisem, parkerem, czarnym lub niebieskim. „Te" stoi osobno na twardej nóżce, jego daszek-nakrycie łączy się niemal niewidzialną nitką z podstawą, także jest twarde i stanowcze. „A" wygląda jak „o" z niewielkim ogonkiem, zarysowanym łagodnie i łączy się z kolejnym „t", podobnym do krzyża, przyczepionego do małej literki „a". Tata. Mój tata. Kiedy to widzę, mam łzy w oczach.

W drodze do szkoły przechodziłam obok dawnego domu sierot doktora Janusza Korczaka. Znałam jego książki, ale nie miałam pojęcia, że sam był Żydem i że poszedł na śmierć ze swoimi żydowskimi wychowankami.

Byłam w drugiej klasie liceum, kiedy mój kolega, rudy Arturek, wygłosił na lekcji wychowania obywatelskiego pochwalną mowę na temat Hitlera, który rozwiązał problem żydowski. Mówił, że oczyścił Polskę z „żydowskich parchów", o co bezskutecznie starano się przed wojną. Wychowawczyni, rusycystka, nie protestowała. Ciągle nie rozumiałam, o czym jest mowa.

Nie rozumiałam, dlaczego mama rozpłakała się na filmie przedstawiającym warszawskie getto. Nie można jej było uspokoić. Nic nie wiedziałam o przedwojennej dzielnicy żydowskiej w Warszawie, a ulice Pawia i Miła z wierszy, które mi czytała, nie miały z tym nic wspólnego.

SEKRET

Krawiec Izaak Gutkind mógł się nazywać Jan Kowalski, imię Izaak nie miało żadnego piętna, brzmiało jak Mieczysław lub Piotr. Żydzi byli dla mnie równie odlegli jak Egipcjanie, równie egzotyczni jak Indianie. Na pewno żadnego nie znałam. Długo żyłam w tym przekonaniu. Maturę zdałam z wyróżnieniem.

Świat książek zastępował mi codzienność. Na balu z Anną Kareniną czułam się lepiej niż na prywatce u koleżanki z sąsiedniego podwórka. Wolałam spacer z czechowowską panią z pieskiem od rzeczywistego. Literacka fikcja dawała tylko przywileje, pozwalała uczestniczyć bez konsekwencji. Tam byłam bezpieczna. Emma Bovary co prawda się otruła, ale można było zacząć czytać od początku. Nie widziałam nic śmiesznego w walce Don Kichota z wiatrakami. Zamiast ciotek i nauczycielek podziwiałam Fedrę i Antygonę, a kuzynka Bietka i wujaszek Wania tworzyli moją najbliższą rodzinę. Sztukowałam własny los, dostarczając sobie emocji ciągle mi niedostępnych.

Długo nie zdawałam sobie sprawy, że żyję w cudzej skórze. Nie miałam przeczuć. Nie stawiałam żadnych pytań. Nigdy nie przyszło mi przez myśl, że mama, moja mama, jest Żydówką. Równie dobrze mogłaby być Chinką. Nie mogłam tak pomyśleć. Bycie Żydem było czymś niegodnym. Było winą. To wynikało ze słów ojca.

Matka twierdzi, że zdecydowała się powiedzieć mi prawdę o swoim żydowskim pochodzeniu i wojennych losach, kiedy skończyłam dziewiętnaście lat. Ale ja tego nie pamiętam. Idąc za jej instynktem, ukryłam to nie tylko przed światem, ale i przed samą sobą. Potraktowałam jej tajemnicę jako upokorzenie i naznaczenie, jako coś, czego należy się wstydzić. Gdyby było inaczej, nie zataiłaby tego przede mną. Żydzi, o których istnieniu przedtem niewiele słyszałam, a którzy byli przedmiotem niepojętych ataków mojego ojca, nagle okazali się moimi krewnymi.

Ona milczała, żeby odgrodzić mnie murem, jak mówi, od wszystkiego złego, co mogłoby mnie w tym kraju spotkać z racji jej pochodzenia. Staram się zrozumieć, że był to dowód największej miłości matki do dziecka.

Wielu ocalonych Żydów wolało po wojnie w Polsce milczeć o swoim pochodzeniu. Przeżyli i postanowili, że nigdy więcej nie będą Żydami. Lepiej się nie przyznawać, nigdy nie wiadomo, kiedy znowu na ciebie zapolują. Nie chcieli czuć się jak zaszczute zwierzęta. Tego lęku przed upokorzeniem pragnęli oszczędzić swoim dzieciom. Wszystko było lepsze od pogardy.

Rodzina mojej mamy mieszkała na terenach Polski od dwóch stuleci. Dziadkowie ze strony jej ojca — Przedborscy i Hermanowie — należeli na początku XX wieku do zasymilowanej „arystokracji" żydowskiej miasteczka Łęczyca, odległego o ponad 100 kilometrów od Warszawy. Mieli kamienice, drukarnię, skład win i wódek. Pracowali społecznie jako radni miejscy. Goldsteinowie, ze strony matki, byli biedniejsi i ortodoksyjnie religijni.

Kiedy wybuchła wojna, moja mama miała iść do drugiej klasy szkoły powszechnej. Pamięta, jak część łęczyckiej rodziny przyjechała do Warszawy i wszyscy razem przenieśli się do getta. Mieszkali tam blisko dwa lata w coraz gorszych warunkach. A potem kolejno zabierano ich na Umschlagplatz i wywożono do Treblinki. Pojechała prababka i babka, jej siostry i bracia, córka z rodziną, kuzyni i kuzynki. Ponad dwadzieścia osób. Ci, którzy zostali w getcie w Łęczycy, zginęli w obozie w niedalekim Chełmnie nad Nerem.

Ocaleli tylko ci, którym udało się wyjść na aryjską stronę i ukrywać na fałszywych papierach. Prócz mamy i jej matki, którą zabito na ulicy pod sam koniec wojny, ocalała ciotka mamy z synem. I druga ciotka, siostra tamtej, zamężna z Polakiem. Ich brat, mój dziadek, spędził pięć lat okupacji w niemieckim oflagu w Woldenbergu.

31

Nie od razu dowiedziałam się tego wszystkiego. Przeszłość odsłaniano mi stopniowo i ciągle szeptem. Jakby nadal lepiej było tego nie wiedzieć. Jakby bezpieczniej było mieć cudze dokumenty. Być jak inni, nie wyróżniać się. Być Polakiem w Polsce. Obca skóra i teraz miała pomóc w przeżyciu, mimo że wojna dawno się skończyła i nie było Niemców.

SEKRET

Byłam za mała, by rozumieć, co działo się w Polsce w marcu 1968 roku. Nie znałam powodów, dla których moja ciotka z rodziną opuściła kraj. Antysemicka nagonka wygnała z Polski tę resztkę Żydów, którzy po wojnie zdecydowali się zostać i czuli się tu u siebie. Atmosfera marca musiała przypomnieć matce okres polowania na Żydów i utwierdzić ją w przekonaniu, iż postępuje słusznie, izolując mnie od wszystkiego, co ma z tym jakikolwiek związek.

Za wszelką cenę chciała mi oszczędzić lęku i upokorzeń, jakie ją spotkały. Chciała chronić mnie przed polskim światem, który — według jej oceny — mógł stwarzać zagrożenie. Zataiła przede mną prawdę i pozbawiła mnie prawdziwej tożsamości, w imię miłości i mojego bezpieczeństwa.

Nie jest dla mnie jasne, dlaczego przez pierwsze lata umiejętnie zamazałam to w sobie, nie dopuszczając do świadomości mojej drugiej połowy. Żyłam nadal tak jak przedtem, jakbym nic nie wiedziała. A przecież w ukryciu, na aryjskich papierach mojej matki.

D O

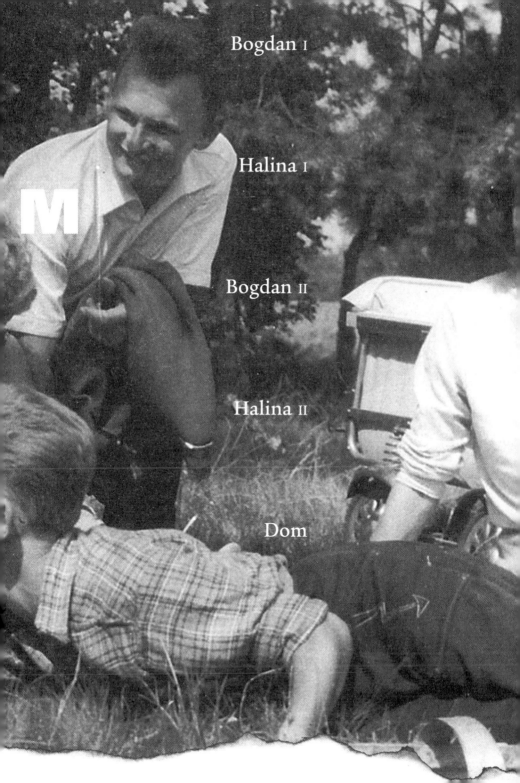

Bogdan I

Halina I

M

Bogdan II

Halina II

Dom

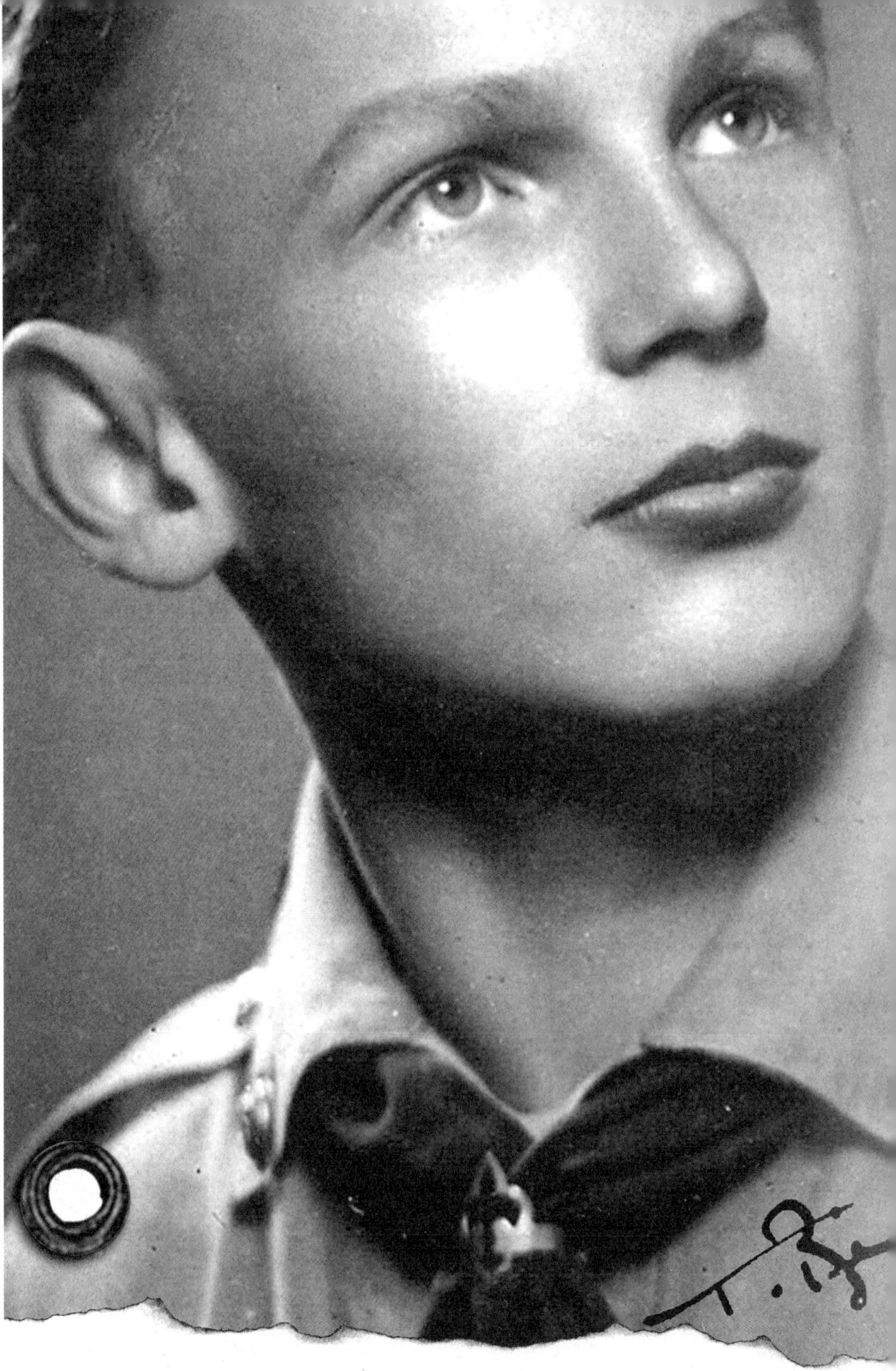

Bogdan

Rodzice. Dlaczego ciągle pozostają dla mnie za szybą? Wymykają się wszelkim opisom. Moje słowa, moje próby ślizgają się po nich, jakby byli ubrani w nieprzemakalne płaszcze, uzbrojeni, lub jakbym chciała zrobić im krzywdę. Nie chcę krzywdy. Nie chcę nawet prawdy. Każdy zostanie ze swoją. Chcę pamiętania, które jeszcze raz pozwoli mi z nimi pobyć. A potem ich zostawię. Ale innych, raz jeszcze przeze mnie doświadczonych.

Rodzice, czyli dom. Dom powinien mieć ściany z ich ramion. I dach.

Nie miałam rodziców. Nie pamiętam ich. Miałam matkę. Miałam ojca. Każde osobno. Każde wyraźnie osobno.

Dlaczego nie umiem zobaczyć moich rodziców dziecinnymi oczyma? Czy są za blisko, czy za daleko? Co mi przeszkadza w przygarnięciu ich do siebie, po tylu latach, by poczuć zapach. Nasz wspólny. Przecież kiedyś byliśmy rodziną.
Czy to, że przestaliśmy nią być, już nigdy nie pozwoli mi ich sobie przypomnieć?

Nie dają trzymać się za ręce, oboje, każde za jedną, nic takiego — mama i tata na niedzielnym spacerze w parku. Razem. Mama i tata z dziewczynką w odświętnej niebieskiej sukience. Zjadła już watę na patyku, a teraz idzie spokojnie przy rodzicach, patrzy to na jedno, to na drugie, upewnia się, że są i idzie dalej. Nie jest zmęczona. Kilka razy poprosiła, żeby przytrzymali ją, kiedy przeskakuje kałużę. Wczoraj był deszcz, ale wypogodziło się i wszystko dokoła jest jasne.

Czy takiego spaceru nigdy nie było?
Nie pamiętam rytmu wspólnych ceremonii. Niedzieli zwykle trochę się bałam.

Łatwiej mi pisać o babce Deli, której nie znałam. I o pradziadku Henryku. Trudniej o tych, których mogę dotknąć. To, czego nie ma, choć wywołuje tęsknotę, pozwala się opowiedzieć, daje ukojenie. Żywi bliscy bolą, ich życie w nas jest nie zamknięte, trwa. Trwa w walce, w miłości lub jej braku. W wielkiej potrzebie bliskości.

Tamci nieznajomi są sumą mojej wiedzy i wyobraźni, bliscy a obecni łączą cały splot uczuć i wzajemnych zależności. Wspólną historię. Jesteśmy sobie świadkami.

Jak patrzę na moich rodziców? Gdzie jest miejsce, z którego na nich patrzę? Z dołu do góry, jak mała córeczka, czy później, albo jeszcze później — dziś?
Przez lata nie znałam ich przeszłości. Może też nie byłam jej ciekawa. Przeszłości głębokiej i tej codziennej, która stawała się gdzieś poza zasięgiem mojego dziecinnego doświadczenia.

Mój ojciec.

Czy jestem dla niego niesprawiedliwa?
Czy nadal, po tylu latach, nie umiem mu przebaczyć? Nie pogodziłam się nigdy z jego brakiem przy mnie.

Czego nie mogę zapomnieć? Że nie było go z nami? Nie chciał odchodzić. To nie była jego decyzja ani nie jego pragnienie. Został postawiony przed faktem dokonanym. Nie miał wyboru. Próbował. Przegrał.

Próbował tłumaczyć swojej żonie, że mają dziecko. Próbował zrozumieć, że się zakochała, i wierzył, że to minie. Odwoływał się do poczucia obowiązku. Błagał.

Tego wszystkiego nie wiedziałam.

I nawet teraz, gdy wiem, trudno mi to sobie wyobrazić. Nigdy nie widziałam go pokonanego. Nigdy nie sądziłam, że potrafi cierpieć z miłości. Raz widziałam, jak płakał. Po pogrzebie swojej matki, mojej babci. Wtedy się bałam.

Rzadko myślę o nim z czułością. Może z wyjątkiem chwil, kiedy patrzę na jego fotografie z młodości, na roześmianego, trzymającego w ręku ukochany mikrofon. I jeszcze ciągle, do dziś, też rzadko, gdy widzę jego podpis na kartce pocztowej lub liście, tamten pamiętany z dzieciństwa, ten sam „Tata". Wtedy mnie wzrusza.

Czuję się przez niego poniechana. Dzisiejsza wiedza, że stało się tak nie z jego winy, że go bolało, że nie umiał, nie wiedział jak, nie leczy, nie pomaga. Nie umiał kochać swojego dziecka. Nie umiał kochać, bo nie umiał — czy też dlatego, że zdradziła go kobieta, która była matką jego córki. Co wynika z czego? Jakie było następstwo wypadków? Czy to ma znaczenie? A może to moja wina, może ja nie umiałam być kochana?

Może mnie kochał, jak mówili inni, chwalił się mną przed nimi, co zamiast radości przynosiło jeszcze większe rozgoryczenie. Byłam mała i już to czułam. Moje sukcesy, które umniejszał wobec mnie, poczytywał za powód do dumy wobec obcych. Kto z nas pierwszy zamknął przed drugim drzwi? Przez lata nie dało się ich otworzyć.

Mama samotna, oparta o mnie i o moje życie. Ojciec otoczony drugą rodziną, z dwiema wnuczkami, po jednej od każdej z córek, i planami następnych książek o historii sportu. Nie ustaje w wysiłku tworzenia. Jak zawsze głośno krzyczy, na rząd, na prawicę, na lewicę, na Kościół, na

DOM

Żydów. Krzyczy na brak szacunku, choć zasłużył. Zasłużył, bo rzeczywiście wiele dokonał.

Czasami udaje mi się zobaczyć w nim chłopaka z łódzkich dołów, syna robotników, wnuka kolejarza, który ambitnie piął się do góry. Marzył o karierze sprawozdawcy sportowego i spełnił swoje marzenie. Sam wybrał studia dziennikarskie, zdał egzaminy, sam, bez niczyjej pomocy, chłopak z Bałut, z Widzewa, z Mani, po wojnie, po tajnych kompletach, po trzech przeprowadzkach, po odejściu ojca. Dzielny. Bez słowa skargi. Jadł chleb ze smalcem, który matka lub ciotka dowoziły mu z Łodzi w glinianym garnku. Żywe srebro, pełen energii i radości, niewyczerpany w działaniu. Może to pokochała w nim dziewczyna, której dzieciństwo minęło na strachu?

Coś z tego w nim pozostało. Wola walki i pracy, dyscyplina, którą sam sobie potrafi narzucić. Mama pozwoliła sobie czuć się zmęczona. Odpoczywa po życiu, które ciągle trwa. Trudno mi to rozumieć, bo sama tego nie umiem.

Bogdana, mojego ojca, ochrzczono 27 sierpnia 1932 roku w parafii Świętego Józefa w Łodzi. Pierwszy wnuk dziadków Karlińskich miał wtedy ponad siedem tygodni.

Jego ojczyzną była robotnicza Łódź, Mania, Koziny, Bałuty.

Mały Boguś na fotografiach. Z misiem i z piłką. Na śniegu, mniejszy od bałwana. Na łące, obok krowy, jeszcze mniejszy. Z balonikiem i w stroju krakowiaka. I ta koronna, od pierwszej komunii.

Z dzieciństwa mój ojciec pamięta wizyty księdza i zapach gotowanej szynki, na której robiono barszcz na Wielkanoc. Ksiądz chodził raczej po kolędzie, ale Bogdan tak właśnie to pamięta, jednym tchem, bez tej kwartalnej przerwy między narodzinami a zmartwychwstaniem Jezusa. Szynkę, barszcz i księdza — niech będzie pochwalony.

Pamięta, że ojciec nie chciał go brać na kolana, żeby mu spodni nie wygniótł.

Pamięta gryzkę, słodką bułkę drożdżową z rodzynkami. A później — jak stał na bramce.

„Osobowy z Kutna", mówił dziadek, patrząc na obie wskazówki złożone na dwunastej. Kiedy był w humorze, pozwalał się bawić stempelkami z nazwami stacji albo zegarkiem kolejowym, który nazywał cebulą, ukrytym w metalowym futerale.

Dziadek Jan Karliński, wąsacz, kolejarz, pracował albo pił. W pracy był punktualny, zawsze o czasie gwizdał, odprawiając odjeżdżające pociągi, w mundurze, jak się należy. A kiedy wracał do domu, tylko czapkę zdejmował i posyłał wnuka po pół litra. „Skocz, Boguś, po halbkę", mówił. Najpierw nie chcieli mu dawać, dzieciak był mały, ale potem dla dziadka dawali. Przy okazji przynosił rozmaitości od rzeźnika, salceson, pasztetową i trochę suchej kiełbasy. Babka Rózia też czasem popijała z mężem, robiła cytrynówkę albo cukier paliła na patelni do spirytusu. Ten zapach palonego cukru też pamięta.

Czasem grał w durnia, ale nigdy na pieniądze. A jak przychodzili koledzy dziadka lub rodzina, babka podawała szprotki w pudełkach za piętnaście groszy i litewską kiełbasę, kwaszone ogórki i grzybki marynowane, własne. I wódkę.

Mama chodziła do pracy, do „gumówki", jak nazywano fabrykę kaloszy, tata do parowozowni, namówiony przez dziadka Karlińskiego do służby na kolei. Boguś zostawał z babcią Rózią.

Pamięta przedszkole. Miał wyszywany fartuszek ze znaczkiem, najładniejszy, bo mama pięknie haftowała. Grzybek i wisienki. I że grał w przedstawieniach. Uczył się wierszy na pamięć, które potem w domu deklamował. Siedział często, przewracając kartki, i udawał, że czyta. „Idzie sobie pacholę przez zagony, przez pole..." A potem, kiedy się nauczył, czytał babce ze szkolnych czytanek. Zamykała oczy, słuchała. Dziwiła się, że to potrafi. Kochał babkę i szanował, zawsze całował w rękę.

DOM

Nie tylko go wychowała, ale dawała poczucie bezpieczeństwa. Zawsze była, i była oparciem, dziadek jeździł, ojciec znikał, rzadko bywał w domu. Wobec matki od początku czuł się opiekunem.

Grał jeszcze w piłkę na stadionie ŁKS, oglądał mecze i zawody, jeszcze próbował ćwiczyć z ojcem na harmonii. Jeszcze szykował się do szkoły w końcu sierpnia.

Niedługo potem jego ojciec, kapral Romuald Tuszyński, poszedł na wojnę. Został dowódcą drużyny ciężkich karabinów maszynowych w Pułku Strzelców Kaniowskich. Wkrótce wzięto go do niewoli. Ze stalagu w Puszczy Kampinoskiej pisał czułe listy do żony i syna. Uciekł stamtąd do domu i zameldował się w parowozowni. Przez resztę okupacji pracował jako pomocnik maszynisty. Czasami wyrzucał im węgiel na nasyp. Czasem pił, a wtedy się awanturował.

Matka Romualda, Maria Paulina Hausman, z pochodzenia Austriaczka, bez wahania zadeklarowała się jako Niemka. Podpisała Reichslistę. Przeniosła się z Łodzi do Sompolna, gdzie dołączyła do miejscowej niemieckiej elity. Zabierała do siebie wnuka na wakacje. Boguś, syn ukochanego jedynaka, był jej oczkiem w głowie. Dogadzała mu jak potrafiła, gotowała i piekła według przepisów z książek. Mój ojciec do dziś wspomina jej okupacyjny rosół z gołębi z lanymi kluseczkami jako jeden z najwspanialszych przysmaków. Dziadek Andaszek, drugi mąż Marii Pauliny, zabierał go na ryby nad rzekę. Jakby nie było wojny.

Romuald Tuszyński język niemiecki znał z domu, ale Reichslisty nie podpisał. Jako pracownik kolei i tak podlegał niemieckiej administracji. Był żołnierzem września i czuł się Polakiem. Kiedy polskie podziemie wysadzało tory kolejowe i linie elektryczne, Romuald miał w tym swój udział.

Bogdan pamięta z Sompolna Niemkę, w której domu mieszkali, i oficera gestapo. Podsłuchiwał rozmowy jej synów, walczyli na froncie, opowiadali o potędze Rzeszy. Chodził z nimi do łaźni miejskiej, gdzie tamci podglądali kobiety. Po Stalingradzie nie wrócili. Wcześniej zniknęli koledzy z Sompolna, Żydzi.

W łódzkim domu dziadków Karlińskich przestało być bezpiecznie jak dawniej. Bogdan zaczął się bać. Bał się, bo dziadka Karlińskiego zabrali do niewoli, a potem ciotkę Stefę na roboty do Niemiec. Bał się, bo w ogrodzie było zakopane radio. Bał się, bo gestapo szukało mężczyzn. A potem Romuald zajął się szmuglem. Zrzucał towar z parowozów w pojemnikach na wodę. Jeździł i handlował, słoniną i bimbrem. Zaczął obracać dużymi pieniędzmi. Syn pomagał mu czasem sprzedawać niektóre produkty albo chodził z matką po kupony materiału, które odkupowała od koleżanki po kosztach. Cięła je potem na kuchennym stole i okręcała nimi Romualda, żeby ukryć jak najwięcej towaru. Nosił obszerne palta i brezentowe torby ze specjalnie wszytym drugim dnem. Jakoś udawało się przeżyć.

Mój ojciec miał może dziesięć lat, kiedy zaczął się uczyć na tajnych kompletach u profesora Kowalskiego z gimnazjum ojców bernardynów. Profesor pracował we dnie w fabryce jako księgowy, a potem uczył. Zbierali się po kilkoro, po kolei w różnych domach. Zawsze ktoś obstawiał ulicę, by w razie czego alarmować o nadejściu żandarmów.

W tajemnicy uczył się polskiego. W tajemnicy uprawiał sport. Czekał na koniec wojny, żeby nareszcie móc przestać się bać, że tego chce. W 1945 roku poszedł do pierwszej klasy gimnazjum ojców bernardynów na Spornej 73, na Dołach.

Pamiętał swoją matkę z tego okresu, jej bladą, wychudzoną twarz, siwe włosy, choć miała dopiero 36 lat. Niedawno urodziła drugiego syna, **43** Włodka, małego brata, jeszcze go karmiła, a taka była wiotka, jakby się miała złamać. Taka mizerna i zgnębiona. Przyjechała do Bogdana na obóz harcerski podczas pierwszych powojennych wakacji i rozpłakała się, kiedy poszli razem na spacer. Płakała przed nim, choć miał dopiero trzynaście lat, płakała, mówiąc, że z ojcem się nie układa.

Wiedział o tym. Stanęły mu nagle przed oczyma te wszystkie wieczory, kiedy na niego czekała, rosnące koronkami przy serwetkach i chustkach do nosa. Metry kordonku rozrastały się na jej kolanach wielobarwną pajęczyną, mechanicznym ruchem przeplatała je przez minuty, kwadranse, godziny. Nic nie mówiła, tylko jej prawa dłoń poruszała się coraz szybciej, supłając kolejne pętle. Romuald wychodził po papierosy lub chleb, wracał po kilku dniach. Czasem coś tłumaczył, innym razem nie składał wyjaśnień. Pozwalała się oszukiwać. Syn współczuł jej i nie wiedział, jak pomóc.

Zaraz po wyzwoleniu Romuald Tuszyński zgłosił się do Służby Ochrony Kolei na Ziemiach Odzyskanych. Awansował na porucznika. Zawsze lubił mundur, wyglansowane buty, swoje odbicie w lustrze i pistolet przy pasie. Bez żalu wyjechał z domu, ale żona nie umiała pogodzić się z tą stratą. Zabrała synów i wsiadła w pociąg do Szczecina. Gdzieś pod Piłą do przedziału wtargnęli pijani czerwonoarmiści. Zobaczyli matkę. Bogdan nigdy tak nie krzyczał. Miał kilkanaście lat i czuł się za nią odpowiedzialny. Tak zostało.

Na dworcu nikt na nich nie czekał. Poszli pod wskazany adres, ale ojciec nie otwierał drzwi. Długo siedzieli na schodach, obok przechodzili obcy ludzie, wreszcie z mieszkania ojca wyszła jakaś kobieta. Moja babka robiła wszystko, by nie dopuścić do rozbicia rodziny, ale nie ułożyło się, ani tam, ani później. Choć Romuald dobrze zarabiał, poszła do pracy, szyła dystynkcje dla wojska, prowadziła sklep. Chodziła po ulicy z psem, niemieckim owczarkiem. W Jeleniej Górze, gdzie ponownie pojechała za ojcem, czekała ją znowu pusta sypialnia. Jego powroty nad ranem, zapach alkoholu, cudzych perfum i upokorzenia. Któregoś dnia, kiedy Bogdan wrócił ze szkoły, znalazł matkę leżącą na posadzce w olbrzymiej poniemieckiej łazience. Tyle krwi, skąd w niej tyle krwi, takiej czarnej. Dwie żyletki. Znowu musiał być dorosły. Karetka i szpital. Odratowano ją.

Kiedy mój ojciec myśli „ojciec", co widzi? Czy wszystkie te obrazy równocześnie? A może jedynie jego profil w kapeluszu w oknie służbowego chevroleta, który rusza spod domu na Perłowej, rusza, mimo że tym razem Romuald obiecał, że zostanie naprawdę.

Po wojnie byli jak młode wilki. To określenie mojego ojca. Wygłodzeni wszystkiego, a najbardziej nauki i sportu. Jeszcze przed wojną grał w piłkę, a potem w łódzkiej szkolnej Pogoni miał zadatki na rasowego bramkarza. Dobry refleks i chwyt. Trochę też boksował. Był szczupły, ważył 56 kilo, waga piórkowa. Stoczył w sumie dziewięć walk, w tym osiem wygranych. Jego „prawa bomba" posłała kilku kolegów na deski, tak dziś mówi.

W kolejnych szkołach zakładał gazetki, redagował, opisywał wydarzenia z życia uczniowskiego. Uważnie czytał „Przegląd Sportowy", chodził na mecze. Na mistrzostwach w boksie w 1946 roku ktoś mu pokazał eleganckiego pana w kapeluszu, z laseczką. To był redaktor Kazimierz Gryżewski. Kilka dni później ojciec wysłał do niego list: „Szanowny panie redaktorze, widziałem pana na mistrzostwach w boksie. Interesuję się sportem i bardzo bym chciał o sporcie pisać. Jak to można zrobić?"

Odpowiedź przyszła na łamach gazety: „Bogdan Tuszyński, Łódź, Perłowa 4. Proszę zgłosić się w tej sprawie do redaktora Wiesława Kaczmarka. «Kurier Popularny», ul. Piotrkowska, róg Moniuszki".

Był tak przejęty, że na spotkanie poszedł z mamą. Miał 15 lat. Od razu dostał pierwsze zadanie, napisanie sprawozdania z młodzieżowych rozgrywek bokserskich. Z sześciu kartek, które przyniósł, została po redakcji jedna. To było jego pierwsze dziennikarskie wtajemniczenie. I początek współpracy z „Kurierem", pod okiem redaktora Kaczmarka, pierwszego mistrza.

Czuł się związany z Łodzią, miastem swoich rodziców, z tą samą czerwoną Łodzią, gdzie wyrosły barykady robotnicze w 1905 roku. Myślał o niej z dumą jako o tętniącym życiem socjalistycznym mieście, gdzie wszyscy, także synowie robotników i chłopów, znajdą swoje miejsce. Wierzył w świetlane jutro, bo przyznawano prawa tym, którzy ich dotąd nie mieli. Jego babka i ciotka w młodości musiały pracować, teraz mogą się uczyć. Entuzjastycznie popierał akcję zwalczania analfabetyzmu i upowszechniania wiedzy.

45

W 1949 roku zorganizowano konkurs na sprawozdawcę radiowego. Koledzy namówili go, żeby się zgłosił, umiał ciekawie opowiadać o meczach. Doceniono, owszem, jego wiedzę i inteligencję, ale odrzucono go z powodu głosu, zbyt wysokiego, wedle ocen jurorów nie nadającego się do radia. Rok później zdał maturę.

Na świadectwie niemal same dobre i bardzo dobre. Dwie oceny dostateczne — z polskiego i biologii.

Ojciec mu nie gratulował. Ani wtedy, ani potem. Nie powiedział mu nigdy dobrego słowa.

Matka chciała, żeby został lekarzem, najlepiej ginekologiem, po wojnie będą się rodzić dzieci. Zdecydował się złożyć papiery do Wyższej Szkoły Handlu Morskiego w Sopocie, ale wracając pociągiem do domu, przeczytał ogłoszenie o otwarciu sekcji dziennikarskiej na Wydziale Filozoficzno-Społecznym Uniwersytetu Warszawskiego. Musiał spróbować.

Pojechał do Warszawy. Ktoś mu powiedział, jak trafić z dworca na uniwersytet. Poszedł pieszo. Podczas egzaminów spał pod fortepianem na głównej sali gimnastycznej, w akademiku, na placu Narutowicza. Nie znał w mieście nikogo. Miał osiemnaście lat, garnitur z kolejarskiego przydziału, za ciepły na sierpień, drewniany krzyżyk i słoiczek smalcu, który matka dała mu w drogę. Miał żelazną wolę i marzenia.

W podaniu do rektoratu jako główny przedmiot wskazał dziennikarstwo. W odpowiednich rubrykach życiorysu wpisywał: jestem narodowości polskiej, przynależności państwowej polskiej. Językiem ojczystym moim jest język polski. Podpisał się zamaszyście, podkreślając podpis poziomą kreską. Poniżej adnotacja: „Zakwalifikowany".

Wydawało mu się, tak o tym mówi, tak to pamięta i jest z tego uczucia dumny, a więc wydawało mu się, że złapał Pana Boga za nogi. Skończyła się wojna, zaczynała Polska, którą można było budować własnymi rękami.

Przysięgę akademicką złożył 13 października 1950 roku. „Składam na ręce Jego Magnificencji Rektora uroczyste ślubowanie, że będę wy-

46

trwale dążył do zdobycia wiedzy, nie przyniosę ujmy dobremu imieniu Uczelni i w pełni poszanowania wobec profesorów i władz akademickich będę posłuszny ustawom, przepisom i władzom uczelni".

Wydano mu legitymację studencką, indeks i legitymację tramwajową.

Korzystał ze stypendium i pokoju w domu akademickim na Grenadierów, po drugiej stronie Wisły. Pomoc finansową przyznano mu również w następnym roku. Z domu otrzymywał jedynie 50 złotych, równowartość dwóch kilogramów kiełbasy zwyczajnej.

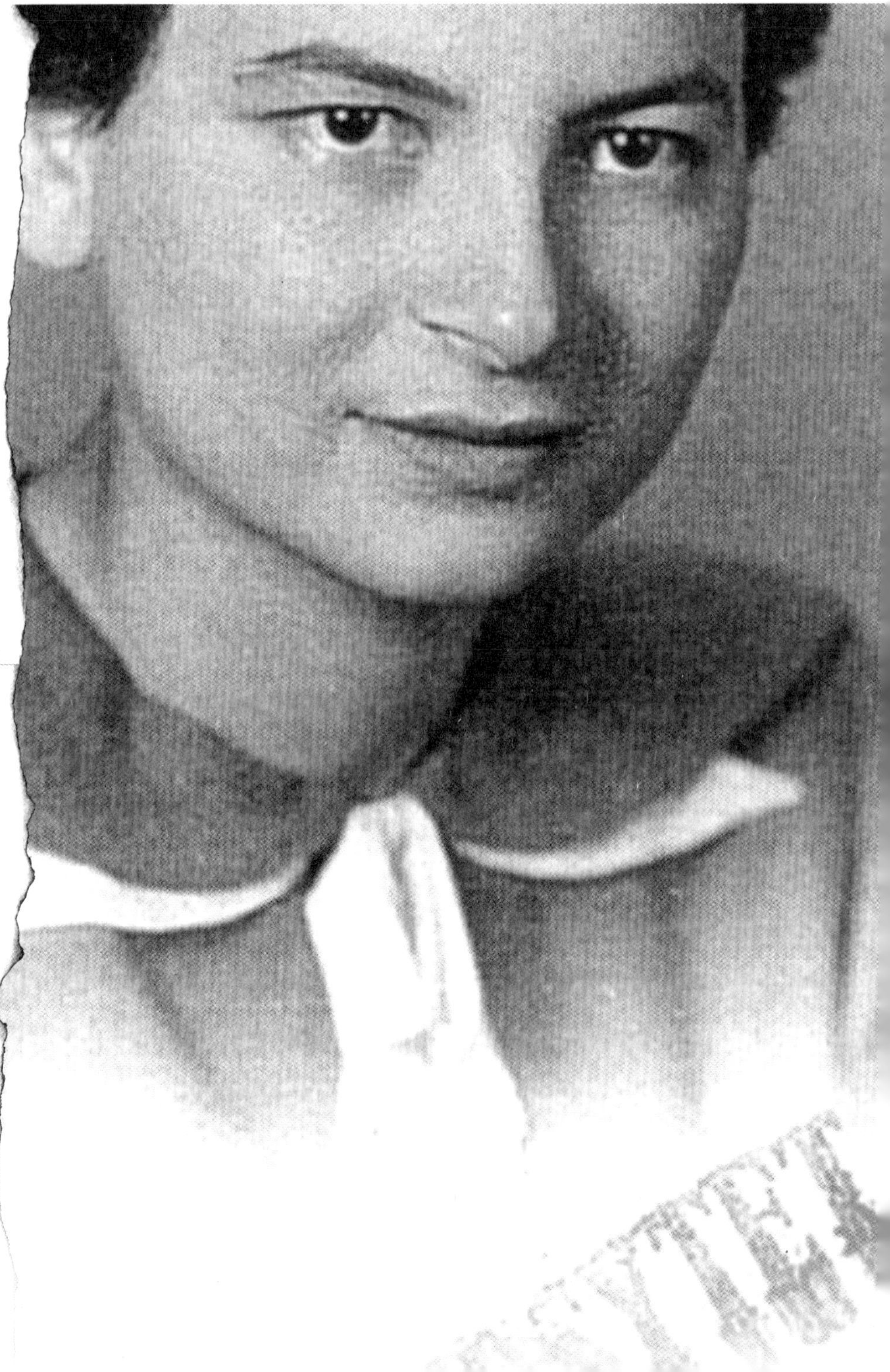

Halina

Nie ma zdjęć. Ani jednego z Łęczycy. Ani jednego z mamą. Ani jednego z dzieciństwa. Na pierwszej powojennej fotografii jest poważna.

Za bramą Gimnazjum Batorego kończyła się wojna. Ani śladu gruzów w zasięgu wzroku. W trawie zielonej, jak przedtem, nowe pokolenia fiołków. Ten szczegół nie jest do końca pewny. Zamiast wiosny 1945 roku, mogła być już jesień, a wtedy sypały im się pod nogi błyszczące kasztany. Stare drzewa przetrwały w tej okolicy naloty i pożary. Inny porządek, wyznaczany dźwiękiem mosiężnego dzwonka i kolejnymi godzinami nauki, miał odwrócić uwagę od wszystkiego, co już się stało.

W pierwszej klasie, na pierwszym piętrze, a może to była druga, piętro to samo, pełen entuzjazmu nauczyciel historii wykładał o zwycięskiej armii radzieckiej, której winniśmy wdzięczność za pomoc w oswobodzeniu z hitlerowskiego jarzma. Nie musiał przekonywać zbyt gwałtownie, większość dziewczynek dzieliła jego poglądy.

49

Siedziała w przedostatniej ławce. Czarna, kręcone mocno włosy, takie od skóry kręcone, zebrane w dwa warkocze. Błyszczące granatowe kokardy. I okulary. Romka, przyjaciółka, która zna ją najdłużej i pamięta najmłodszą, ręczy za te okulary. Romce wydawało się wtedy, że okulary noszą ludzie starzy. Halina jedyna w klasie miała druciane, okrągłe okulary, zakładane za ucho. Duże brązowe oczy. Piegi. Biała cera.

Wyróżniała się pośród dziewczynek ubranych w spódnice przerobione z koców, drelichowe kamizelki, cerowane koszule i sztukowane bluzki. Była czysta i zadbana. Szczególnie jej sweter w kolorze dojrzałej wiśni przyciągał wzrok. Nikt inny nie miał takiego pięknego swetra. Ani czarnej skórzanej teczki zapinanej na złote klamerki, w której układała książki po każdej lekcji. Robiła to starannie i powoli, jakby się bała, że się potłuką. Obok wsuwała zeszyty obłożone w szary papier z nazwiskiem wykaligrafowanym na specjalnej naklejce: Halina Przedborska. Zielonym atramentem. Na pióro i ołówki przeznaczony był drewniany piórnik z zasuwanym wieczkiem.

Inni nosili podręczniki pod pachą, związane jakimś paskiem, pisali obgryzionym ołówkiem w jednym mizernym zeszycie, pożyczali książki. Chcieli się szybko ze sobą poznać i zaprzyjaźnić, taka była potrzeba chwili. Byli jeszcze dziećmi, a patrzyli na świat bez złudzeń. Zbyt dużo wiedzieli. Czy nauka mogła ich zmienić? Mieli trzy miesiące na przyswojenie wiedzy z całego roku i woleli uczyć się wspólnie, choć nowy rytm życia przypominał bardziej zabawę niż rzeczywistość. Czego mogli się dowiedzieć o historii z książek? Jakie słowa mogły zastąpić obrazy, których byli świadkami?

Może istotnie lepiej przyjąć wersję, że zaczęli wiosną, jeszcze przed zdobyciem Berlina. Halina wie na pewno, że skończyła przed okupacją jedną klasę szkoły powszechnej RTPD na Żoliborzu, a po wojnie poszła do gimnazjum. Do pierwszej czy do drugiej klasy, nie jest pewna. Zapomniała, jaki materiał przerabiała na kompletach z mamą. Do tablicy podchodziła niechętnie. Odzywała się rzadko i tylko wtedy, kiedy ją pytano. Z nieco pochyloną głową. Mówiła wyczerpująco i po kolei. Umiała zapamiętać konstelacje planet i własności pierwiastków, wyrecytować prawo Newtona i twierdzenie Pitagorasa. Bez trudności, ale i bez zainteresowania. W naukę wkładała całą energię, jakby wypełniała swój obowiązek. Jakby w ten sposób chciała uprawomocnić własne istnienie. Nie lubiła grać w piłkę. Nie umiała jeździć na rowerze. Naprawdę interesowały ją tylko książki, bez względu na to, czy kończyły się dobrze, czy źle. Wojenny nawyk. W szkole nigdy nie mówiło się o wojnie.

Rzadko patrzyła wprost. I ciągle mrużyła oczy. Romka zapytała ją kiedyś, dlaczego. Nie od razu zapytała, znały się już kilka tygodni. Halina odpowiedziała, że dużo podczas wojny czytała w bardzo złym świetle. Tyle.

Jeszcze później, już kiedy poznały się bliżej, odpowiedziała inaczej: „Za szafą, gdzie się ukrywałam, było ciemno. A przecież musiałam coś robić całymi dniami. Popsułam sobie wzrok". Może wspomniała też piwnicę.

Jeden raz, nigdy więcej. Broń Boże się rozczulić, broń Boże wywołać litość.

Romka przeżyła okupację w Warszawie. Widziała, co się działo, także w getcie, ojciec zaprowadził ją kiedyś pod mury na Sienną, żeby zobaczyła, do czego zdolny jest człowiek. Ale kiedy spotkała Halinę, nijak nie łączyła tych faktów. Nie kojarzyła czarnowłosej koleżanki z obdartymi, zagłodzonymi mieszkańcami dzielnicy zamkniętej. Nie zdawała sobie sprawy, że tę dziewczynę spotkał jeszcze gorszy los niż ją samą, wypędzoną z domu po powstaniu warszawskim. Potem pomyślała, że jako Polka była uprzywilejowana. Mogła chodzić po parku, klusek w domu nie brakowało. Przypomniała sobie dziecko, które przychodziło do nich o zmroku przez kilka miesięcy w 1942 roku; matka dawała mu mleko i kromkę chleba. A potem przestało przychodzić. Dlaczego jej rodzice nie mogli uratować jednego żydowskiego dziecka?

Nie mówiły o tym wtedy z sobą. Nie wiem, jak zareagowałaby Halinka na taką próbę. Nie wiem też, co wiedziała o okupacyjnej drodze warszawiaków, o powstaniu, kanałach, łączniczkach, Szarych Szeregach, o obozie w Pruszkowie, a potem o powrotach do mieszkań bez podłóg i okien. Romka została sama z matką, bez pieniędzy, z wyniesioną spod gruzów kozą. Znosiły z ruin jakieś sprzęty, paliły ogień na podwórzu, żeby coś ugotować i zjeść jedną zaśniedziałą łyżką. Nie rozmawiały o tym wiele. Nie przyszłoby im do głowy wspominać żydowskiego krawca, który uszył ostatnią przedwojenną jesionkę Romki i mówił do niej, jak nikt inny, „panienko, niech się panienka odwróci"... Fakt, że był Żydem, nie miał dla Romki i dla jej rodziców żadnego znaczenia, obrażałoby ją, gdy-

51

by było inaczej. I właśnie dlatego milczała. A może to był również powód, dla którego instynktownie odkleiła słowo „getto" od swojej nowej koleżanki. Rozmową mogłaby jej przypomnieć. A przecież było już po wszystkim. Teraz ma się zacząć coś nowego. Mimo że nie ma miasta.

Ich przedwojenne światy nie miały szansy, by się spotkać, zasymilowana inteligencja żydowska rzadko nawiązywała stosunki z polskimi robotnikami. Ewentualnie na płaszczyźnie zawodowej, inżynier — wykonawcy. Córki takich ojców nie bawiły się razem w parku, mogły się zaprzyjaźnić dopiero w Polsce wyzwolonej.

U Haliny, na Koszykowej, w mieszkaniu na ostatnim piętrze starej kamienicy, którą zajmowali z inną rodziną, był żółty zapastowany parkiet, firanki w oknach, wszystkie szyby na miejscu i gorąca woda w łazience. Romce, kiedy tam przychodziła, wydawało się, że jest w raju. Myślała o ustawieniu sobie łóżka na klatce schodowej, żeby zostać na noc, ale trochę się wstydziła.

Nigdy nie przyszło jej do głowy zazdrościć córce inżyniera Przedborskiego.

Nie wiedziała, że w tej wspaniałej kuchni Halinka przeżywała męczarnie gotowania ojcu codziennych posiłków. Nie miała żadnego doświadczenia i choć starała się robić wszystko dokładnie według przepisów z książki kucharskiej, kluski zbijały się w jedną masę, naleśniki płonęły na patelni, a kotlety wysychały jak podeszwy. Ojciec wpadał w szał. Nikomu się nie skarżyła, ale często wtedy płakała. Albo siadała na stołeczku i prosiła o pomoc mamę. „Mamo, ty wszystko widzisz — powtarzała — powiedz mi, co robię źle, ja się bardzo chcę nauczyć, i żeby tata nie krzyczał". Mama musiała być w innej części nieba, bo Halinka gotować się nie nauczyła.

Smakowało jej ciasto drożdżowe u ciotki Bronki, do której wstępowała często w drodze ze szkoły do domu. Czasem zabierała Romkę, ale czuła się z nią na Górnośląskiej niezręcznie. Szybko piła słodką herbatę w kolorze słomki i żegnała się z ulgą. Wolała, gdy szły z koleżanką przez park Ujazdowski, śmiały się głośno i rozmawiały o czymkolwiek, o nowym nauczycielu geografii, kolorowej sukience, ulęgałkach spadających z drzew – beztroska otwartej przestrzeni niosła zawrót głowy. Nie umiała powiedzieć, co się z nią dzieje, w ruchu odnajdywała równowagę.

Potrzebowała czasu, by oswoić się z nowym życiem, z sobą samą, z inną niż dotychczas samotnością. Wiem, że musiała być dzielna. Krótko przedtem z podsłuchanej rozmowy ojca i ciotki dowiedziała się o śmierci matki. Matki, z którą przetrwała najgorsze lata wojny, która zastępowała jej rodzinę i miłością wynagradzała stracone dzieciństwo. Musiała poradzić sobie teraz z utratą i bólem. Zmierzyć się z zamętem odzyskanej wolności, z radością i ulgą, ze sprzecznościami nowego losu. Uczyła się innej niż dotychczasowa podwójności.

Nie wiem, czy zdawała sobie sprawę, jakim cudem było ich ocalenie. Przeżyło troje z czwórki rodzeństwa jej ojca. Prócz nich zginęła cała reszta wielopokoleniowej rodziny, dziadkowie, ciotki, kuzyni, tylu ich siadało w Łęczycy do świątecznego stołu. Jak żyła w niej nieobecność tamtych? Do jakiego stopnia realna była zagłada w codzienności powojennego spokoju? Czy to był spokój?

Jej bliscy lizali rany, ojciec i ciotki żyli codziennością, cieszyli się, że skończyło się piekło, zaczynali odbudowywać Warszawę, Polskę, nową Polskę, w której wszystkim będzie dobrze i sprawiedliwie. Dla nich nie były to slogany, wierzyli obietnicom socjalizmu, chcieli wierzyć, że to najprawdziwsza prawda. Nie rozważali, jak inni, decyzji o wyjeździe. Chcieli być tacy jak wszyscy dookoła, tacy sami. Zacierali ślady, żeby już nigdy więcej nie nosić opaski z gwiazdą. O tym, co było, mówili jak najrzadziej i tylko tyle, ile konieczne.

Wybrali milczenie jako kryjówkę. Nie byli w tym odosobnieni.

I jak inni ocaleli z wojny, rejestrowali się w żydowskich komitetach, jakie powstawały na terenie Polski zaraz po wyzwoleniu. W pierwszym roku Wydział Ewidencji i Statystki Centralnego Komitetu Żydów zarejestrował ponad 240 tysięcy osób. Udzielano im pomocy materialnej i wspomagano poszukiwania zaginionych. Przychodzili tam w pierw-

53

szym odruchu jak do domów, których nie było, w nadziei, że pustka nie jest ostateczna i że są jeszcze inni podobni do nich. Dzielili się swoją rozpaczą, decyzjami o opuszczeniu Polski albo tym, że już nigdy nie będą Żydami.

Na różowoszarej tekturowej karcie ewidencyjnej moja mama figuruje obok swojego ojca. Zarejestrowali się oboje latem 1946 roku. Czy ciągle szukali krewnych, wierzyli, że ktoś jeszcze się uratował i zgłosi się do nich? A może liczyli na finansowe zapomogi? Przedborska Halina, uczennica, urodzona 3 lipca 1931 roku, rodzice — Szymon i Adela Goldstein, prawdziwe nazwisko, z Łęczycy i Koła, z przeszłości, z prawdy. Adres z 1 września 1939 roku na Krasińskiego 18. Dalej okupacja w rubrykach, zmiany adresu w czasie wojny: Leszno 58, getto. Jakby informowała o przenosinach do innej dzielnicy, bo poprzednia się znudziła. Jest w tym zapisie jakaś oczywistość, jakby „getto" przynależało do „Żydów", podobnie jak „obóz", „niewola", „aryjska strona". A równocześnie widać tu pośpiech, by rozpocząć nowe życie z nowym adresem, powojennym. Koszykowa 14/8 znaczy już bycie poza murami, wyzwolenie. A wyzwolenie, tego nie zapomni nigdy, to byli żołnierze radzieccy, witani na drodze do Garwolina.

Ten zapis jest jedynym urzędowym znakiem przynależności. Jedynym, w którym mama oficjalnie przyznaje się do swojej żydowskiej matki. Jakby trzymała ją jeszcze za rękę, a wraz z nią całe pokolenia. Związana z nimi, włączona w sekwencję wspólnego losu. Dalej będzie sobie radzić inaczej. Bezbronna Żydówka musi się zmienić w Polkę — uzbrojoną albo przynajmniej zdolną do obrony. Tak myślało dziecko, od którego wymagano dorosłości.

Młodość Halinki wyglądałaby inaczej, gdyby Dela ocalała, gdyby po tym wszystkim miała przy sobie kogoś, do kogo można powiedzieć „mamo". Wierzę, że udałoby się im razem nauczyć wszystkiego od nowa, nauczyć ufności do świata.

Ale matki nie było. Została sama, choć obie wybrano na śmierć.

Nie wiem, co myślała Halinka. Co musiała zapomnieć, żeby żyć? Co chciała zapomnieć? Jak do tego doszła, kto z nią o tym rozmawiał?

54

Moja mama nie miała ani jednej koleżanki Żydówki, nikogo, z kim mogłaby o tym pomówić. Bronka płakała. To musiało być instynktowne, odruch obronny, zatrzasnąć przeszłość niosącą upokorzenie.

Miała żyć, miała ocaleć — takie było życzenie jej matki. Żyć dalej, po wojnie, po wyzwoleniu, po zwycięstwie. Nie znała nowych reguł gry. Dopiero rozglądała się dokoła. Naśladowała bliskich. Milczeli. Polowanie na Żydów wydawało się skończone, ale czy można było uwierzyć temu do końca? Odzyskać pewność? Dziś tego nie pamięta, ale przecież wiedziała, musiała wiedzieć, o pogromie kieleckim. Zapewne też o innych wypadkach zabijania Żydów w lasach, w pociągach, kiedy wracali do swoich domów. Wracali do siebie, ale ich miejsca — szafy, łóżka, spiżarnie — zajęli już nowi lokatorzy. Nie chcieli tamtych. I nauczyli się podczas wojny, że wolno im to okazywać. Historycy oceniają, że w pierwszych latach powojennych w Polsce zamordowano około dwóch tysięcy osób narodowości żydowskiej.

Nigdzie już nie było im „u siebie". W pierwszych dwóch latach po wojnie z Polski wyjechała ponad połowa ocalałych. Ci, którzy zostali, jak jej ojciec, chcieli wierzyć, że mają prawo żyć w swoim kraju.

Nie chciała się oglądać za siebie. Za nią, w niej były tylko strach i wstyd. Niejasne zagrożenie. Jej nowy los musiał zaprzeczyć ciemności, zasłonić przeszłość, odciąć źródła i przyczyny lęku. Nowy czysty, jasny, aryjski i polski los nie mógł być skalany strachem, czyli przeszłością, czyli pamięcią getta, czyli Żydem. To musi pozostać sekretem.

1 czerwca 1947 roku w parafii św. Wincentego à Paulo w Otwocku Halinka Przedborska została ochrzczona.

Jak się zabezpieczyć przed kolejną klęską albo nawet przed niewielkim potknięciem? Podczas wojny nie można sobie było na nie pozwolić. Trzeba mieć dokumenty, aryjskie papiery, polskość wypisaną na papierze, skoro na twarzy nie jest jednoznaczna. Czarne oczy, czarne włosy, czy patrzą na nią inaczej, pozbyć się odruchu sprawdzania tego. Trzeba mieć papier, coś, do czego zawsze można się odwołać. Dokument, z pie-

55

częcią i krzyżem. Dlaczego z krzyżem, przecież nową Polskę budowano pod czerwonymi sztandarami? Komunistom powinno być wszystko jedno, kto jest kim, ale na wszelki wypadek przyda się właściwa formuła na papierze z kościelną pieczęcią.

Czy tak myślała? Czy moja szesnastoletnia wówczas mama była na tyle dorosła, żeby w ten sposób rozważać swoje szanse? Czy mogła to robić żydowska dziewczyna doświadczona w ukrywaniu się? Co zawiodło ją do parafii przy otwockim kościele, tuż obok katolickiego cmentarza, na którym pochowano jej matkę? Bo nie wiara, nie fascynacja religijnym kostiumem ani muzyka organów.

Nauczyła się modlić podczas okupacji, jeszcze w pierwszej kryjówce na Żoliborzu. Nie dlatego, że umiała lub chciała wierzyć. „Bądź wola Twoja jako w niebie tak i na ziemi..." Wielokrotnie powtarzała pacierz, żeby się nie pomylić. Tak kazały panie, które ją trzymały u siebie w piwnicy, a potem wysyłały dalej. Powiedziały jej o Jezusie Chrystusie i o krzyżu, o czym przedtem też nie wiedziała. „Odpuść nam nasze winy, jako i my..." – przepraszała. A i później modliła się czasami „...ode złego, amen", kiedy Niemcy byli blisko, w kolejnych obcych mieszkaniach, już jako Alicja Szwejlis, Aryjka. Dziewczynka, którą była, umiała też klęczeć przy modlitwie i składać ręce do Boga, „Ojcze nasz, któryś jest". Z żegnaniem się bywał czasem kłopot, „i ducha świętego", po lewej stronie. „Amen". Miała już dobre, polskie, bezpieczne papiery. Ze znakiem krzyża. Potrzebowała podobnych po wojnie.

Kto mógł jej podsunąć tę myśl? Kto załatwiał formalności? Czy możliwe, że ojciec, komunista, budowniczy, omijający kościoły szerokim łukiem? Nie, jemu nie przyszłoby do głowy oddać się w opiekę Wszechmogącemu. Nie modlił się do żadnego boga. Wierzył w partię. Tym bardziej zaskakujący wydaje się ten gest. A może jego szwagier, Oleś, ten, który ich ratował i który nie ufał nikomu? Swoich trzech synów z żydowskich matek także na wszelki wypadek ochrzcił. W kościele, gdzie Halinka przyjmowała święty sakrament, Oleś, Aleksander Majewski, wystąpił jako jej ojciec chrzestny.

Moja mama nie pamięta tej ceremonii, nie pamięta, czy musiała się uczyć religii ani czy wiedziała o baranku bożym, który gładzi grzechy świata. Nie pamięta, jak ksiądz proboszcz wypowiedział nad nią słowa: „Halino, ja cię chrzczę w imię Ojca i Syna, i Ducha Świętego", i czy woda święcona miała jakiś smak.

Nikt jej do niczego nie zmuszał. Chciała, a może tylko rozumiała, że powinna chcieć. Nad wszystkim górowała chyba chęć życia, tak potężna, że dozwalająca niemal na wszystko. Było to więc zadanie i wyzwanie, zrodzone z tak wielkiej potrzeby, że niemal organiczne. Trudno opisać ten dystans dzielący moją szesnastoletnią mamę od tej dziewczyny, którą była i chciała pozostać. Rodzice tej drugiej, ojciec, Szymon, lat 44, inżynier, i matka, Adela Zmiałowska, poślubiona mu w 1930 roku, byli rzymskokatolickiego wyznania.

Ksiądz Jan Raczkowski nie miał podejrzeń. Opłatę stemplową złotych 10 uiszczono.

Niektóre koleżanki twierdzą, że Halina była zawsze szczelnie zamknięta. Że ukrywała coś, z czym jej samej trudno się było uporać. Przed nikim naprawdę się nie otworzyła. Wtedy nie zastanawiały się, dlaczego. O tym, jak umarła jej mama, opowiedziała Romce blisko pół wieku później, a cały czas pozostawały w przyjaźni. Nie dzieliła się tamtą pamięcią, może z obawy, że nie jest w stanie jej przekazać, a Romka pojąć. Może nie zniosłaby pocieszania. Halinka nie znała innych dzieci z getta. Nie wiem, czy gdyby znała, chciałaby się z nimi bawić, i w co, we wspominanie?

Czy prześladowały ją echa przeszłości, czy śniła się jej wojna? Umiała kontrolować dnie, ale jak bała się w nocy? Czasami, na Górnośląskiej, po rosole z fasolą jasiem (przepis z Przedrynku) albo po wątróbce po żydowsku, której nie nazywali po imieniu, Bronka opowiadała o Łęczycy. Cokolwiek to było — o specjalnościach kulinarnych babuni z Poznańskiej, o składzie win i wódek albo o siekaniu i marynowaniu mięsa, lub o tokaju czy o naczyniach sederowych, albo o widoku na łąki — ani ona, ani jej kuzyn, Maryś, nie chcieli słuchać. Wszystko inne było ważniejsze, szkoła, koledzy, zabawy, nowe życie, dobre życie bez lęku. Można się

57

było uczyć, spotykać, chodzić po ulicy z podniesionym czołem. Normalnie, jak inni. Nie chcieli nawet echa przeszłości. To, co się zaczynało, wydawało się takie ważne. Najważniejsze. Chcieli budować świat od nowa, na betonowych fundamentach, bez oglądania się wstecz. Jak w bajce, jedno spojrzenie do tyłu mogło zburzyć wszystko.

Nie pamięta, czy dowiedziała się o powstaniu państwa Izrael. Nic to dla niej nie znaczyło. Rok 1948 nie zapisał się w jej wspomnieniu. 19 kwietnia nie była na odsłonięciu pomnika ku czci bohaterów warszawskiego getta. Było to w piątą rocznicę wybuchu powstania na terenie dawnej dzielnicy żydowskiej. Pomnik wykuty został z czarnego granitu szwedzkiego z zapasów Hitlera, który miał z niego budować swoje pomniki zwycięstwa. Omijała tamte okolice.

Odbudowa. Żyła nią jako córka ojca, który planom podniesienia Warszawy z gruzów poświęcił kawał życia. Nie uczestniczyła w niej bezpośrednio, jak Baśka, bliska przyjaciółka, która pamięta z ich wspólnej młodości więcej niż Halina. Towarzyszyły sobie wtedy od klasy przedmaturalnej w Gimnazjum Kochanowskiego, gdzie przeniosła się z Batorego, i przyjaźnią się do dziś.

Baśka była dzieckiem powstania warszawskiego. Ich mieszkanie spalono, stracili wszystko, wrócili do morza gruzów. Kiedy opowiada o tym po latach, aż trudno wierzyć, że tak było. Tak dramatycznie. I tak optymistycznie równocześnie. Pamięta Stare Miasto, wielką ruinę po nim, usypisko na poziomie pierwszego piętra. Ładowali dzieci po szkole do wojskowych ciężarówek, przywozili na plac Krasińskich, rozdawali młotki i oskardy, żeby było czym obtłukiwać cement z cegieł. Brakowało materiałów budowlanych, narzędzi, transportu, ale ludzi rozsadzała energia, wielka siła życia, pragnienie zaprzeczenia zagładzie.

Baśka to podkreśla. Ludzie wracali do swojego kraju — różni ludzie — i kiedy już podzielili się wspomnieniami, chcieli coś zrobić dla Polski. Dla kraju, dla swojego miasta, które leżało w gruzach. „Teraz się tego nie ceni, Warszawa stoi. Teraz prowadzi się polityczne dyskusje, ale wtedy była inna atmosfera. Mieliśmy w tym kraju coś do zrobienia".

Moja mama też tak czuła. I jej ojciec. I jej koleżanki, córka sprzątacz-ki z KC i córka szewca z Mokotowskiej.

Wszystkie wiedziały, że Halina jest Żydówką. Tak to dziś pamiętają i opowiadają. Że podczas okupacji była w getcie z mamą nauczycielką, a potem się ukrywała. Ale wiedziały o tym w ten sam sposób, jak o tym, że rodzina Barbary ma tradycje akowskie i walczyła w powstaniu warszawskim. Albo że ktoś inny przeżył Oświęcim. Lub nie wrócił z któregoś obozu koncentracyjnego. Każdy miał jakąś ranę, bardziej lub mniej bolesną. Nie zajmowano się licytowaniem krzywd. Nie było blizn ważniejszych i mniej ważnych. Dziewczynki różniły się po prostu wojennymi losami. Miały różne domy i innych rodziców. Jak różną urodę, kolor oczu, upodobania. To wszystko. To był fakt, a nie problem. I kiedy już się tym podzieliły, kiedy opowiedziały to sobie, więcej do sprawy nie wracały. Długo, lata całe. Miały dość bieżących zdarzeń do omówienia. Na przykład przystąpienie do Związku Młodzieży Polskiej.

Któregoś dnia przyszła do klasy dyrektorka i powiedziała tonem nie znoszącym sprzeciwu: „Panienki, trzeba się zapisać do ZMP". No i dziewczynki się zapisały, osiem na dziewięć. Niemal wszystkie wierzyły w socjalistyczne ideały. Najtrudniej było Baśce, musiała ukrywać swoje związki z sodalicją mariańską. Przynależności do organizacji nie traktowały jako politycznego gestu. Były w zgodzie z sobą, popierały całym sercem ówczesny system. Czuły się teraz dodatkowo związane organizacyjną dyscypliną i wspólnymi rytuałami, na przykład pochodów i czynów społecznych. Poza tym wiedziały, że członkostwo ZMP dawało **59** przepustkę na wyższą uczelnię.

21 grudnia 1949 roku przypadało siedemdziesięciolecie urodzin Józefa Stalina, budowniczego pierwszego na świecie kraju socjalizmu — jak pisały w ściennych gazetkach — wielkiego wodza i nauczyciela mas pracujących wszystkich krajów, wielkiego przyjaciela Polski, wychowawcy całej postępowej młodzieży świata. Wierzyła w to, chciała wierzyć, jak wtedy pod koniec wojny, kiedy z innymi dziećmi czekała na rodziców, a wychowawczyni obiecywała, że kiedy przyjdą Rosjanie, nikt już nie

zrobi im krzywdy. Przyszli, i rzeczywiście nic złego się nie stało, za co należy się wdzięczność towarzyszowi Stalinowi.

Od początku miesiąca świętowano tę rocznicę. W kołach ZMP odbywały się zebrania z pogadankami o życiu i działalności Stalina, organizowano konkursy na temat wiedzy o jego dokonaniach. Najlepszych nagradzano książkami radzieckich pisarzy, gloryfikującymi bohaterską walkę z faszystowskim najeźdźcą i budowę socjalizmu. Jestem pewna, że moja mama dostała którąś z nich. Z domowych półek pamiętam Fadiejewa.

Wcześnie kompletowała własny księgozbiór. Umiała mówić z wielkim przekonaniem o wyższości obecnego systemu nad dawnym, jako przykład podając dostępność tanich książek. Utworzony w marcu tego roku Komitet Upowszechniania Książki wydawał tomy polskich klasyków w cenie stu złotych, a więc równowartości trzech kilogramów chleba, siedmiu jajek lub ćwiartki wódki. To musiała specjalnie sprawdzić, bo w domu alkoholu nie kupowano. Przeliczała skwapliwie i notowała w szkolnych gazetkach, pełna entuzjazmu i dumy. Wydano już kilkadziesiąt tytułów z dwustu planowanych, każdą w nakładzie co najmniej 50 tysięcy egzemplarzy. Przed wojną najbardziej poczytne dzieła ukazywały się w kilku tysiącach. Wcześnie wiedziała, że sprawami książki chciałaby się zająć bliżej. Pierwszy Tydzień Oświaty, Książki i Prasy w tymże 1949 roku wydał się jej zdarzeniem godnym uwagi, podobnie jak akcja zwalczania analfabetyzmu.

Niedzielne przedpołudnia, podczas których większość koleżanek chodziła do kościoła, Halina spędzała w domu. Uważała, że tak jest w porządku. Nie dziwiła się, że modliły się i katoliczki, i działaczki ZMP. Regina, przewodnicząca organizacji w ich klasie, pochodząca z proletariackiej Woli, nie opuszczała ani pierwszomajowych pochodów, ani żadnego ze świątecznych nabożeństw. Ideowa, pilna i pobożna — to niekoniecznie musiało się z sobą kłócić. Kłóciło się w domu ojca, ale nie każdy był tak zasadniczy jak Szymon. Zresztą i on czynił wyjątki.

Po niedzielnym śniadaniu szli czasem razem na spacer. Albo szli tylko oni, ojciec z macochą w kapeluszu, a Halinka zostawała sama. Nie brakowało jej obrzędów wiary. W katolicyzm nigdy nie próbowała wrastać. Nie poznała go w dzieciństwie, nie przypominał niczego znajomego. Poza pacierzem, wyuczonym jak rola z tamtego zagrożenia, niewiele umiała. Nie zastanawiała się nad Biblią. Nie czuła potrzeby. Nie wiedziała, jak się zachować na mszy.

Przed maturą wszystkie dziewczynki z klasy Haliny poszły parami do spowiedzi do sióstr nazaretanek. Również całą klasą przystąpiły do komunii. Klękały przed ołtarzem jedna po drugiej i przyjmowały ciało Chrystusa. Wszystkie, bez wyjątków.

Moja mama do dziś kategorycznie temu zaprzecza. Mogłaby przysiąc, że nigdy nie była u spowiedzi. Ani u komunii. Tak pamięta.

Stopień z religii figuruje jednak wyraźnie na jej maturalnym świadectwie, wpisany ciemnym, stanowczym atramentem. Bardzo dobry. I koleżanki pamiętają. Należy przypuszczać, że brała udział we wszystkich obowiązujących w szkole religijnych rytuałach. A potem jednym ruchem unieważniła wszystko. W litościwej pamięci.

Gimnazjum Stefana Batorego, wpierw koedukacyjne, przekształcono w liceum męskie. Halina i jej koleżanki zdawały maturę w XI Żeńskim Gimnazjum imienia Jana Kochanowskiego na Czerniakowskiej, w klasie humanistycznej.

Na zdjęciu wygląda grzecznie, granatowy fartuch, biały okrągły kołnierzyk i ręce splecione przed sobą na ławce. Piątkowa uczennica, trójka z łaciny i wychowania fizycznego, odpowiedzialna, o poważnej twarzy, obok panny Ronthalerówny, polonistki i wychowawczyni. Z dziewięciu **61** maturzystek trzy zdały na sekcję dziennikarską Wydziału Filozoficzno-Społecznego Uniwersytetu Warszawskiego. Jesienią 1950 roku, ze świadectwem dojrzałości, zaczynały kolejny etap swojej młodości. Być może najważniejszy.

Bogdan II

Bogdan ciągle jeszcze pamięta swój, wielu z nich, entuzjazm pierwszych powojennych lat. Pamięta wdzięczność dla armii radzieckiej, która przyniosła wyzwolenie. Nie mówiło się wtedy, jak dzisiaj, o jarzmie komunizmu, ale o budowie socjalistycznej ojczyzny „na wzór bratniego państwa robotników i chłopów". Hasło: „Proletariusze wszystkich krajów łączcie się" traktowano poważnie.

Nie wiedział, jak było naprawdę. Albo inaczej, nie wiedział, co kryło się pod spodem tamtej rzeczywistości. Wtedy, jak wielu innych, nie zdawał sobie z tego sprawy. Nie czuli się zniewoleni w szponach czerwonej zarazy, nie używali określeń „reżim" ani „bat". Nie było nic wstydliwego w ich ówczesnym zaangażowaniu. Ani wtedy, ani długo później nie znał podobnych słów. Ważne były: Polska i przyszłość. Chcieli pracować nad umacnianiem zdobyczy ludowo-demokratycznego państwa. **63** Nie zdawał sobie sprawy, że na wydziale są informatorzy i donosiciele. Wszystko odbierał inaczej. Jedno i drugie wpisane było w tamte czasy.

W każdej ankiecie personalnej podkreślał swoje robotnicze pochodzenie i lewicowy rodowód. Informował o przynależności rodziców do PPS, choć matka nie była aktywnym członkiem organizacji, o członkostwie ojca w PZPR, mimo iż nie utrzymywał z nim kontaktów. Swoją działalność społeczno-polityczną rozpoczął w pierwszej klasie gimnazjum od wstąpienia w szeregi „czerwonego harcerstwa". Skupiało ono młodzież robotniczą pod patronatem socjalistów. Utożsamiał się z ich ideologią już w szkole. Wtedy też został członkiem ZMP, ale — jak zapewniał w ankietach — z „prawdziwą pracą organizacji młodzieżowej" i „naukowym światopoglądem" zetknął się po raz pierwszy dopiero na uniwersytecie. Wybrano go sekretarzem grupy.

Roznosiła go energia. Uprawiał sport, chodził na potańcówki, pisał pierwsze teksty. Rozpoczął współpracę z popularnym „Przeglądem Sportowym". Czuł się uprzywilejowany. Miał dziewiętnaście lat i wiedział dokładnie, czego chce. Niewielu z taką jasnością i determinacją planowało swoją przyszłość. Był sprawny, pisał szybko i dużo. Szło mu tak dobrze, że kiedyś któryś z profesorów poprosił, by zwolnił tempo, bo inni nie mogą zdążyć. „Wiecie, tu są różni ludzie, ze wsi, z PGR, musi być sprawiedliwie".

To chyba sukcesy sportowe sprawiły, że młodym Tuszyńskim zainteresował się reżyser Leonard Buczkowski. Realizował film *Pierwszy start* — historię o chłopaku ze wsi, który chce zostać pilotem szybowców. Dzielnie pomagała mu drużyna junaków Służby Polsce, a wśród nich również Bogdan w roli telegrafisty. W epizodach wystąpił młody aktor Stanisław Mikulski, na planie kręcił się licealista Roman Polański. Utrwalono na taśmie charakterystyczny gest Bogdana, jakim przeczesywał do góry spadające na czoło włosy.

Wkrótce się zakochał.

64   Wiedział o niej wszystko. Sama mu opowiedziała. To był ważny element ich związku. Zaraz poczuł się za nią odpowiedzialny. Chciał być jej opiekunem.

Tacy wydają mi się nieprzyzwoicie młodzi, szczupli, roześmiani. Zawsze razem, w grupie, w kolektywie. W czerwonych krawatach. Jeśli maszerują, to dziarsko, jeśli śpiewają, to pełnym głosem i zawsze pieśni masowe, jeśli działają, to z przekonaniem. Pełni nieustającej euforii. Na wykopkach, czynach społecznych, akcjach propagandowych na wsiach, przy zbieraniu stonki ziemniaczanej. I na pierwszomajowych pochodach.

„Żałuj, że tu nie byłaś", pisała studentka do koleżanki, to mogła być moja mama, jej przyjaciółka, każda z nich. „Coś fenomenalnego. Ja w pierwszym szeregu z czerwoną szturmówką wzniesioną ku górze, do nieba, w czerwonym krawacie, z oczyma z uwielbieniem utkwionymi w towarzyszu prezydencie Bierucie. Tak płynęły te fale godzinami – cały dzień. A potem defilada wojskowa. Potęga!"

Przed trybunami nieśli portrety przywódców i przodowników pracy, kukły sabotażystów, kułaków i bumelantów, groteskowe figury wrogów: Mikołajczyka jako pucybuta Wuja Sama, Churchilla z cygarem w ustach, Amerykanów w esesmańskich mundurach. Nieśli transparenty ze zobowiązaniami i procentami wykonanej normy. I olbrzymi rysunek gumy do żucia jako symbolu rozpasania i zgnilizny Zachodu. Stacje mającego powstać metra i scenki z miejskiej czytelni.

Pierwsze pochody ze studenckich lat pamiętają jako sielankę.

Na wyższych uczelniach dyskutowano zagadnienia z zakresu wychowania komunistycznego. A w nich tematy w rodzaju: „Dlaczego przyswajamy sobie zasady moralności komunistycznej?" lub „O patriotyzmie i internacjonalizmie". Szczególnym powodzeniem cieszyło się „Oblicze moralne i ideowe ZMP-owca – młodego patrioty, współgospodarza kraju".

Pierwszy powojenny rok sekcji dziennikarskiej na Uniwersytecie Warszawskim skupiał zróżnicowane środowisko. Z jednej strony młodzi ZMP-owcy po maturze, z drugiej nieco starsi, dwudziestoparo-, nawet trzydziestoletni studenci, również towarzyszki i towarzysze oddelegowani na studia przez organizacje partyjne. Nie tylko starsi, ale i bardziej doświadczeni.

Młodych roznosiła energia, chcieli budować socjalizm od podstaw, wierząc głęboko w nowy ład. Wierzyli też w misję zawodu dziennikarskiego. Gazeta to „organizator, propagator, agitator", jak mówił Lenin. Gazeta to „chleb kulturalny". Zdawali sobie sprawę z jej siły. Prasa miała mobilizować najszerszą opinię publiczną do zadań stających przed krajem, do walki o pokój. „Dziennikarz ze zwykłego rzemieślnika służącego

65

klasie burżuazyjnej – pisał Bogdan – urósł w naszym ustroju do roli aktywisty społecznego, przed którym stanęły tak zaszczytne cele". To im wpajano, mieli być politycznie czujni, wsłuchiwać się w opinie narodu, piętnować zło, reagować, pisać listy, skargi, zażalenia. Patronat nad aktywnymi studentami roztaczał dziekan wydziału, najpierw Jerzy Kowalewski, a potem Aleksander Litwin.

Na kartach egzaminacyjnych figurują wszystkie przedmioty, jakie musiał zaliczyć student wydziału dziennikarskiego podczas trzech lat studiów. Moi rodzice studiowali od roku 1950 do 1953. Najwięcej czasu, cztery godziny tygodniowo, zajmowała ekonomia polityczna kapitalizmu u profesora Edwarda Lipińskiego. Materializmowi dialektycznemu i historycznemu u Adama Schaffa poświęcano dwie godziny. Studentów obowiązywały zaliczenia z zajęć z organizacji pracy – w dzienniku, tygodniku, w radiu, a ponadto techniki drukarskie, informacja i sprawozdanie. W sumie ponad dwadzieścia przedmiotów, w tym przeszkolenie wojskowe. Na drugim roku doszła historia WKP(b), logika, stylistyka, literatura.

Wykłady odbywały się wspólnie, ćwiczenia grupami. Zespoły czytelnicze przerabiały nowele Prusa, Sienkiewicza, Konopnickiej, *Szosę Wołokołamską* Beka i *Jak hartowała się stal* Ostrowskiego. Drukowane słowo miało docierać do mas i utwierdzać je w duchu realizmu socjalistycznego. O filmach „made in Hollywood" wyrażali się z pogardą, entuzjazmowali się sztuką bazującą na życiu prostych ludzi, dyskutowali dylematy moralne szlifierzy i brygadzistów.

Uczyli się w grupach podzielonych na kilkuosobowe kolektywy, które za siebie odpowiadały, deklarowały zobowiązania dobrych wyników w nauce i solidarność wzajemną. Czuli się zżyci w tych niewielkich organizmach, ale i tam wymagano od nich czujności.

Niektórzy umieli odmówić udzielania informacji, inni tego nie potrafili. Czy koleżanka B. chodzi do kościoła? Czy ojciec kolegi G. należał do organizacji podziemnej? Dlaczego koleżankę E. widziano na dansingu, skoro pojechała do Gdańska na praktykę studencką?

Kiedy zaczynali studia jesienią 1950 roku, za opowiedzenie dowcipu można było wylecieć z uniwersytetu. Wystarczyło, że ktoś usłużnie powtórzył, komu trzeba. Kolega ten i ten opowiedział mi dowcip o ZSRR. Organizowano zebrania uczelniane, by omawiać grozę noszenia wąskich spodni lub wykonywania bikiniarskich ruchów w tańcu. Donosy na temat uczestnictwa w powstaniu warszawskim lub członkostwa w AK bywały naprawdę groźne. Ktoś z ich grupy pamięta oskarżycielską mowę pod adresem koleżanki, której groziło wylanie z szeregów organizacji, ponieważ na wykładach pisała amerykańskim piórem. To musiało mieć jakieś głębsze znaczenie.

Broszury propagandowe do użytku wewnętrznego ostrzegały: „Jaskrawą formą roboty wroga są wrogie napisy m.in. w związku ze sprawą katyńską i zdzieranie gazetek ściennych. Wróg demoralizuje też młodzież przez pijaństwo, rozpustę – wciągając w nie nawet członków ZMP. Zdarzają się wypadki zasłaniania demoralizacji w swoisty sposób pojętą moralnością komunistyczną, w rodzaju – po to mamy moralność komunistyczną, żeby używać życia. Szczególnie narażeni są na to mieszkańcy akademików".

Mój ojciec nie miał podczas studiów innego domu w Warszawie. Podobnie jego koledzy z grupy, piątka z Rypina: Daniel, Czarek, Edek, Włodek i Witek. Tworzyli przyjacielską paczkę, cztery pary, wśród nich Halina i Bogdan. Spędzali razem wiele czasu, uczyli się wspólnie i wspólnie bawili.

Ojciec lubił się bawić, śmiać, dowcipkować. Trudno go było nie zauważyć w towarzystwie. Musiał zaistnieć, czasem za wszelką cenę. Taki kumpel, swój człowiek. Chyba nie zawsze uważał na to, co mówił. Miał zaufanie do ludzi i świata. Do czasu.

Trudno mi wyobrazić sobie moich rodziców, ich dwoje. Zawsze razem, na wykładach, na dziedzińcu, po zajęciach, na wieczornicach. Zawsze blisko, za ręce, obok, kolanami, ramionami. On zwykle w ruchu, zawsze pomiędzy meczem, randką, zebraniem a wyjazdem do domu. Nie mógł usiedzieć na miejscu. Musiał działać. Ona poważna i spokojna. Jakby dźwigała jakiś wielki ciężar, jakby starała się rozprostować. Ale też

67

D O M

umiała się śmiać, zwłaszcza przy nim. I chwilami oboje wydawali się beztroscy. Była mu za to wdzięczna.

Tacy wydają mi się różni, z tak innych domów, środowisk, z tak różnymi bagażami doświadczeń i obciążeń. Od innego Boga. A przecież wiele ich łączyło prócz pierwszego młodzieńczego uczucia. Przede wszystkim tak bardzo chcieli żyć, nareszcie żyć, chodzić, oddychać, budować szczęście. Z podniesioną głową, ona i on. Tak samo uprzywilejowani. Tacy sami wobec nadziei dobrego losu. W Polsce, w swoim kraju. Córka inżyniera i syn kolejarza, wnuczka kupców i wnuk chłopów, spod innych gwiazd, z tego samego kawałka polskiej ziemi.

Jak to się stało, jak to się mogło stać, że tego chłopaka z robotniczej Łodzi nazwano wrogiem ludu i pozbawiono praw członka organizacji, której był tak oddany? Nikt już nie pamięta. Na zebraniu zgromadzono cały wydział. Nikt nie umie powtórzyć przebiegu zaplanowanej nagonki i kolejności oskarżeń.

Od tej chwili w życiu mojego ojca coś zaczęło się zmieniać.

Maj 1952 roku, na pewno maj, bo pamięta kwitnące kasztany. Wyszedł rano z akademika na Grenadierów, z butami piłkarskimi przewieszonymi przez ramię. Był w reprezentacji uniwersytetu, po południu mieli rozgrywać mecz o mistrzostwo szkół wyższych. Spieszył się. Autobusem na drugą stronę Wisły. Chciał przed wykładem zajrzeć do notatek. Przywitać się z Haliną.

Gdy tylko przekroczył bramę uniwersytetu, poproszono go do zarządu uczelnianego ZMP. Po prawej stronie od bramy, na pierwszym piętrze. Pamięta to doskonale, pamięta, że w pokoju było kilku mężczyzn, jeden z nich bez wstępu przyłożył mu pistolet do pleców. Jakkolwiek brzmi to nieprawdopodobnie, tak to pamięta: „Ty skurwysynu, pójdziesz z nami". Na dole, przy Instytucie Geografii, czekał samochód. Zawieziono go do Pałacu Mostowskich.

Koledzy z akademika widzieli, jak wychodził na uczelnię, ale nie pojawił się na zajęciach ani przed południem, ani potem. Halina zaczęła się niepokoić. To się nigdy dotąd nie zdarzyło. Wieczorem zaczęli go szukać.

Ktoś widział, jak go zabrano rano spod głównej bramy. Ktoś inny jej to powtórzył. Była w panice. Nie wiedziała, co robić. I choć nigdy przedtem o nic nie prosiła, tym razem pobiegła do ojca. Nie wiem tego na pewno, ona też nie pamięta, ale ktoś interweniować musiał. Inaczej wszystko miałoby inny przebieg. Było to wówczas jedyne aresztowanie na ponadstuosobowym roku.

„W pierwszej połowie maja br. Tuszyński został zatrzymany przez władze bezpieczeństwa za komentowanie audycji BBC w lokalu publicznym, w sposób uwłaczający dla obecnych naszych stosunków". Tak zapisano w notatce ze stemplem „poufne".

Moja mama nie pamięta nic z tamtych dni. Ale o swojej wizycie w Pałacu Mostowskich opowiedziała zaraz koleżance, dzięki czemu mogę ją sobie tam wyobrazić.
Wezwano ją, czy też zgłosiła się sama, nikt już tego dziś nie odtworzy. Przesłuchiwał ją jakiś młody blondynek ze wsi, „taki półanalfabeta — wiesz — o szerokiej twarzy".

Zarzucano Bogdanowi, że opowiada antyradzieckie dowcipy i że słuchają razem w mieszkaniu na Puławskiej Radia Wolna Europa. Zaprzeczyła. Zaprzeczyła również temu, że z powodów politycznych komentował jakiś mecz na niekorzyść Rosjan. Nie pamięta, jaki mecz, sport ją nie obchodził, miała do tak zwanej kultury fizycznej pobłażliwy stosunek. Była zakochana i gotowa zrobić wszystko, by chronić swojego chłopaka.

„Czy to prawda...", blondynek nie ustępował. „Czy to prawda, bo jest taki zarzut w stosunku do Tuszyńskiego, że jest antysemitą?"

Wszyscy pamiętają, że jakieś dowcipy na temat Żydów mu się zdarzały. Ale nikt nie traktował ich poważnie, ona również. Podniosła się wtedy z krzesła i stojąc przed siedzącym oficerem, powiedziała: „Niech pan na mnie popatrzy. To jest mój narzeczony".

DOM

Podoba mi się w tym geście nieco teatralnym, pełnym determinacji. Czy jej cokolwiek za to groziło? Podobno nie. Przyznała się, że jest Żydówką, jakby to automatycznie niwelowało absurdalne oskarżenie. Walczyła o jego zwolnienie. Broniła mężczyzny, którego szczerze kochała. Jest w tym dla mnie coś nadzwyczajnego, ale może się mylę. Nie znałam jej takiej. Nie wiem, czy w jakichkolwiek innych okolicznościach otwarcie i brawurowo przyznała się do swojego pochodzenia.

Poza zarzutami o antysemityzm, o opowiadanie antyradzieckich dowcipów i słuchanie zachodniego radia, wytknięto Bogdanowi wieszanie krzyża nad łóżkiem w akademiku i rozpowszechnianie „fałszywych informacji o mordzie katyńskim", miał twierdzić, że był dziełem Rosjan. Tego rodzaju przewinienia kosztowały wtedy dwa do trzech lat więzienia. Co do tego wszyscy są zgodni.

Zarzut o Katyń był najpoważniejszy. Oskarżenie o antysemityzm było oskarżeniem nośnym, ale jednocześnie wstydliwym. Nie mówiono o tym, nie ruszano. Rzadko wyciągano z tego jakieś konsekwencje. Tak twierdzą koledzy. A słuchanie wrogich radiostacji nie musiało być koniecznie dowodem na ideologiczne zdeprawowanie. Zdarzało się, że udzielano w tej sprawie rozgrzeszenia, jeśli potrafili odpowiednio zareagować na wrogą propagandę. Dostęp do tego, co mówi i myśli wróg, mógł być cenny. Ale Katyń — to było groźne.

70 Dziewczyny na wydziale mówiły, że Halina zasłoniła go własną piersią. Czy to pomogło? Czy może interwencja przyszłego teścia, której nikt nie jest tak do końca pewien, ale która wydaje się prawdopodobna, nawet Bogdanowi, choć Szymona nie lubił. Musiał pomóc w jego zwolnieniu, bo kto, jeśli nie on. Kto inny ze względu na swoje pochodzenie miał znajomych w tak zwanych służbach?

Bogdana wypuścili nocą po siedmiu dniach aresztu. Kazali zgłosić się do zarządu uczelnianego ZMP w celu złożenia dalszych wyjaśnień. „Już oni się wami zajmą". Przewodniczącym zarządu był jego bliski kolega.

Zebranie wydziałowe ZMP zwołano na połowę czerwca 1952 roku w dużej sali na pierwszym piętrze w Pałacu Kazimierzowskim. Pięćdziesiąt lat temu, niedawno, ale nikt już nie pamięta, czy działo się to w sali Brodzińskiego, czy innej, tej z oknami na Wisłę. Nikt sobie nie przypomina, czy zgromadzono jedynie sekcję dziennikarską, czy także inne kierunki. Ktoś widzi po latach podium na środku sali, ktoś inny kolegów mówiących z katedry. Stoły i krzesła ustawiono w trzy szeregi. Albo w dwa z przejściem na środku. Obecnych kilkadziesiąt lub kilkaset osób. Z tyłu na stołach siedziało kilku nieznajomych mężczyzn, funkcjonariuszy UB. Minęło pół wieku.

Wstawali kolejno jego koledzy, ci sami, z którymi grał w piłkę, bawił się, pił, mieszkał. Wygłaszali oskarżycielskie mowy. Powtarzali, co mówił przy kolacji i przy goleniu, w knajpie i przy kartach. O Katyniu, że tej zbrodni nie popełnili Niemcy, i o Związku Radzieckim, że prowadzi politykę pokoju, lecz w odpowiednim momencie rozpocznie wojnę. W sprawach trudności gospodarczych jest malkontentem i manifestuje swoje niezadowolenie wobec otoczenia, zamiast poznać przyczyny.

„Mimo że przyjaźni się z niejaką Przedborską, pochodzenia żydowskiego, to jednak jest antysemitą, co wyraża się przez wypowiedzi".

Kilku, którzy starali się przeciwstawić, usadzano kategorycznym „siadajcie!" Jeden czy dwóch zadeklarowało, że będą go pilnować i zaopiekują się nim ideologicznie. On sam przez chwilę próbował się bronić, powołując się na łódzki proletariat i nieporozumienie. Jednogłośną decyzją kolektywu usunięto go jednak z szeregów ZMP jako element wrogi i obcy ideologicznie.

Notatka z adnotacją „poufne" i datą 17 czerwca 1952 roku podpisana jest nieczytelnie.

Przez rozległy dziedziniec uniwersytetu szli razem. Trzymała go za rękę. Nikt do nich nie podszedł.

To, że była wtedy przy nim, Bogdan pamięta do dziś.

DOM

Wyrzucenie z ZMP znaczyło wówczas prawie w każdym przypadku natychmiastowy wniosek o relegację z uczelni. Tuszyńskiego na uniwersytecie zostawiono.

Sprawa już była w toku, kiedy przystąpił do egzaminu z materializmu dialektycznego u profesora Adama Schaffa. Pamięta ten egzamin, bo zdawał go z czterema koleżankami, czterema Żydówkami, jak mówi, i każda dostała piątkę. Jemu Schaff wpisał własnoręcznie „niedostatecznie", czego podobno na ogół nie robił. Wedle podsłuchanej relacji powiedział, że tacy jak on, niegodni zaufania organizacji, nie zasługują na inną ocenę z marksizmu-leninizmu.

Asystenci profesora Schaffa twierdzą, że to mało prawdopodobne, by czołowy filozof marksistowski angażował się w podobne historie. Miał ważniejsze zadania. Nie działał na takim szczeblu. Nie był małostkowy. Poza tym rzadko egzaminował osobiście. To oni odpytywali studentów, posługując się faksymile Schaffa.

Mój ojciec egzamin oblał. „Niedostatecznie" (2) widnieje w jego indeksie napisane ręką profesora. Adam Schaff, co nie stanowiło tajemnicy, był Żydem. Czy to możliwe, że zareagował na zarzut antysemityzmu, jaki wobec Tuszyńskiego wysunięto? Czy sam chciał dać mu nauczkę, czy ktoś wydał mu takie polecenie?

Poprawkę z materializmu dialektycznego Bogdan zdał jesienią. Na czwórkę.

72 Jako wrogowi ludu starano się utrudniać mu życie na uczelni. Tak dziś mówi, wierzy w to i wie, kogo za to należy winić. Czuł się niszczony. Czy rzeczywiście żydowscy profesorowie byli do niego szczególnie uprzedzeni, czy może ich prześladowania są jedynie wytworem jego wyobraźni i uprzedzeń? Nikt się wtedy nie zastanawiał, czy studenci żydowskiego pochodzenia są prymusami, nikt ich nie liczył, nikomu nie przyszło do głowy wiązać zdolności z genealogią. Nikt o tym nie mówił, podobnie jak o żydowskiej kadrze naukowej. Nikt nie pamięta konfliktów na tym tle. Nikt się nie zastanawiał, kim byli dziadkowie autora najczęściej wznawianego *Wstępu do marksizmu*.

Bogdan nigdy nie mówił źle o uniwersyteckich kolegach Żydach. Nadal zapewnia, że kiedy się poznali z Haliną, jej pochodzenie nie miało znaczenia, nie liczyło się, nie stanowiło żadnego problemu. Koledzy pamiętają podobnie. Czy jego niechęć dotyczyła jedynie tych z góry?

Pracę dyplomową Bogdana „Sport w służbie amerykańskiego imperializmu" nazwano pionierską i oceniono pozytywnie jako broszurę propagandową. Egzamin zdał 23 czerwca 1953 roku z wynikiem bardzo dobrym. Otrzymał dyplom ukończenia studiów wyższych w zakresie nauk filozoficzno-społecznych sekcji dziennikarskiej.

W lipcu 1953 roku Halina pisała mu w liście, że właśnie rozmawiała serdecznie z dziekanem Litwinem, który jej umożliwił dalsze studia na polonistyce, co stanowiło warunek uzyskania tytułu magistra, a jemu pomógł załatwić pracę w radiu. „Redaktor Tuszyński od 1 września zacznie pracować w warszawskim radio" – pisała z dumą. „Cieszysz się?"

„Jestem bardzo zadowolony z przydziału pracy", pisał w podaniu. „Znajduję się w pełni sił, by poświęcić wszystkie swoje umiejętności pracy zawodowej, aby na swoim odcinku pracy dołożyć cegiełkę do zbudowania socjalizmu w naszym kraju".

W opinii z maja 1954 roku określono go jako uczciwego politycznie, „oddanego nam człowieka".

Kto kogo zauważył pierwszy?

Czy ona jego, szczupłego blondyna o niebieskich oczach? Czy on ją, drobną brunetkę o ciemnym spojrzeniu? I gdzie to było? Na dziedzińcu uniwersytetu czy na zebraniu ZMP, w dziekanacie czy na wykładzie? To stało się szybko, jakby oboje na to czekali. Więc może na materializmie dialektycznym albo na historii? Niech będzie, że na historii. Nikt nie wie, jak i kiedy, ale wszyscy pamiętają, że szybko byli parą.

Kiedy się poznali, wczesną jesienią 1950 roku, moja mama miała dziewiętnaście lat, on był o rok młodszy i oboje urodzili się w pierwszym tygodniu lipca. Halina ważyła 49 kilogramów w ubraniu i chciała przytyć. On jeszcze niedawno boksował w wadze piórkowej.

75

Był jej pierwszym chłopakiem, ona jego pierwszą dziewczyną. Niemal od razu wszystko mu o sobie powiedziała. Jeździli na grób jej matki do Otwocka. Przyrzekł, że się nią zaopiekuje.

Kiedy wybuchła wojna, moja mama skończyła osiem lat. Dwa lata później chodziła ulicami getta, szukając zielonych drzew. Mur oddzielający dzielnicę żydowską od polskiej był wysoki. Musiała zadzierać głowę, a i wtedy okalała niebo ciasna rama z kolczastego drutu i tłuczonego szkła. Znała kilka miejsc, z których udawało się popatrzeć z daleka na Ogród Krasińskich po drugiej stronie. Lubiła myśleć o tym ogrodzie, wiedziała, że spacerowała tam czasami jej ciotka, Frania, z nowo narodzonym synkiem w wózku. Mówiono, że jest po drugiej stronie, bo ma dobry wygląd.

Latem 1942 roku moja mama opuściła getto. Nie wolno jej było chodzić po ulicach. Swoje dwunaste urodziny spędziła sama w piwnicy na Żoliborzu, w tym samym domu, gdzie mieszkała przed wojną z ojcem. Bała się. Godzinami czytała przy świecy. Mówiono, że ma niedobry wygląd, więc zmieniono jej imię i nazwisko, a potem nauczono zmieniać kolejne kryjówki i o nic nie pytać. Nauczono też modlić się ze znakiem krzyża.

W lipcu 1944 roku przyjaciele ojca wysłali ją na kolonie dla sierot do Wilgi. Nazywała się tam Alisia Szwejlis. Jej mama odwiedziła ją raz. Przyszła do niej pieszo z Otwocka, gdzie pracowała w pensjonacie pani Czaplickiej. Nie mogła jej wtedy zabrać, ale obiecała, że wróci najszybciej, jak będzie mogła. Nie wróciła. Ani po ucieczce Niemców. Ani później, kiedy opiekunowie przyjeżdżali po swoje dzieci.

Po pięciu latach moja mama po raz pierwszy zdecydowała się spojrzeć w lustro. Spodobała się dziewczynce, którą zobaczyła. „Piękna Halusia", powiedziała. „Piękna Halusia", powtórzyła.

Z wojny nie ocalało nic. Prócz życia i lęku.

Mój ojciec skończył siedem lat, kiedy zaczęła się wojna. Mieszkał z rodziną w domu swojego dziadka w Łodzi. Miał jasne włosy i niebieskie, bystre oczy. Na zdjęciu z pierwszej komunii z maja 1940 roku wygląda zdrowo. Stoi wśród kwitnących drzew, z naręczem kwiatów, w porządnym garniturze z krótkimi spodenkami i w koszuli z wykładanym kołnierzem. Obok niego matka, Marianna, w kostiumie z białą lamówką i w niewielkim kapelusiku na głowie.

Z wojny wyniósł przekonanie, że przy odrobinie szczęścia poradzi sobie w życiu.

Mogłoby być odwrotnie. To ojciec mógł czytać w piwnicy i bać się ciemności, a mama stać w sukience do komunii w jakimś przykościelnym parku. Chłopcu trudniej byłoby się uratować. Mama byłaby jasna, a ojciec czarny.

Halina pisała do Bogdana zielonym atramentem miłosne listy na białym, dziś pożółkłym, zeszytowym papierze. Pismem wyraźnym, nieco kanciastym, liczyła dni i godziny, dni i godziny, czekała. Czekała, kiedy znowu będzie mu mogła zarzucić ręce na szyję, czekała, kiedy przytuli się do niego, by zapomnieć o wszystkich troskach i kłopotach. Czekała, bo kochała go coraz mocniej. Jakby nikogo innego nie miała do kochania.

To on zachował jej listy. Dwanaście listów, cały tuzin z nagłówkami „Kochany", „Najdroższy", „Mój koteńku". Nie umiem znaleźć dziś dla nich innego określenia niż „daremne".

Był jasny, nie miał nic z tego, co przerażało ją w sobie, co wracało, cisnęło się w głowie, nie pozwalało spać. Kiedy była sama w mieszkaniu na drugim piętrze, w niedzielne popołudnie, bo domownicy wyszli na spacer, słuchała radia, siedząc przy dębowym stole. „W maleńkiej cichej tej kawiarence pierwszy raz «kocham» szepnęłaś mi..." – stare tango w wykonaniu sióstr Trida. Smutna i tęskna melodia. Podobnie jak deszcz za oknem i monotonny marsz zegara.

Ten sam powolny rytm czasu, który nie chce minąć. Tamte mieszkania, słychać każdy trzask, czy ktoś przyjdzie, przyniesie coś do jedzenia, radio, nie wolno słuchać radia, nie tak głośno, co, jeśli ktoś usłyszy, czy już wieczór, jak długo jeszcze? **77**

Sama i sama, jak wtedy. „Zamknięta książka leży na tapczanie, robota na drutach spadła na podłogę i nawet nie chce mi się jej podnieść..." Wychodziła, by wysłać następny ekspres lub czekała na listonosza.

Poprzedniego wieczoru poszła na stację, bo wydawało się jej, że Bogdan przyjedzie. Pojechał do Tczewa w jakichś rodzinnych sprawach. Ale nie doczekała się go. Długo wracała z dworca do domu. Napisała potem: „Nie wolno tak robić. Pokazać głodnemu talerz gorącej strawy i... zabrać go z powrotem, nie dając nawet spróbować. Niedobry!" Rozmyślała, czy wyjść na pociąg jeszcze raz, ale bała się kolejnego samotnego powrotu. Poza tym robiło się późno, a ojciec nie znosił, kiedy wieczorami była poza domem.

Kiedyś trzymał ją na wycieraczce pół nocy, karząc za pięciominutowe spóźnienie.

Jej ojciec. Był taki daleki. Odgrodzony od niej nie tylko własnym milczeniem, ale i żoną, której całkowicie się poddał. Miała dziwne imię — Żena. Halina czuła do niego żal, że tak szybko i jednoznacznie zmienił swoje życie. To prawda, mamy nie widział od dziesięciu lat, ale nie było jej dopiero od pięciu. Jak mógł zapomnieć? Może trzeba zapomnieć, bo jak inaczej żyć? Ale czy nie można było znaleźć innej kobiety, takiej jak Marysia, którą tak lubiła? Co się naprawdę między nimi stało? Odwiedzała ją czasami po kryjomu, dostawała prezenty, jakieś sukienki z paczek z Londynu lub z ciuchów. Po przeróbkach nadawały się na tańce, do trumniaków, które sama przefarbowała z podniszczonych tenisówek. Gdyby Żena wiedziała... Marysi można się było zwierzyć, a Żena jej nigdy nie przytuliła. Ojca też nie. Potrafiła zamykać się w pokoju albo wygłaszać te swoje zasadnicze kwestie. Dlaczego ojciec to zrobił? Chciał mieć kogoś do gotowania? Ale ona nie gotuje. Mamy pannę Józię „na dochodzące", Żena musi być na zebraniach. Dyskusje ideowe chciał prowadzić przy śniadaniu?

Pamiętała słowa swojej ciotki Bronki w ciemności późnego wieczoru na Jazdowie. Myśleli, że śpi. Rozmawiali ściszonymi głosami. Szeptem prawie. Bronka mówiła do brata ostrożnie jak do dziecka.

Halina wiedziała od dawna, że kiedyś to usłyszy. Nie mogła nie wiedzieć. Nieobecność matki bolała stale, na każdym kroku. Gdyby żyła, nigdy by swojego dziecka tak nie zostawiła. Mamy nie ma i nigdy nie będzie.

Najbardziej tęskniła za nią w deszczowe dni. Miała jeszcze fildekosowe pończochy, która mama przywiozła na kolonie w Wildze latem 1944 roku. Wyrosła z nich, ale trzymała w szufladzie. Przytulała do nich twarz. Próbowała poczuć zapach tamtej chwili.

Żena pamięta z tych lat niedostępność Halinki. Niechęć to może zbyt duże słowo na określenie jej stosunków z ojcem, ale na pewno nic więcej niż poprawność. Twierdzi, ku zdumieniu mojej mamy, że nad tym bolała. Odnosili się do siebie jak znajomi, nie rodzina. Słyszała, jak Halinka skarżyła się Bronce, że ojciec po wyzwoleniu nie spieszył się po nią. Żena uważała, że to krzywdzące dla Szymona. Musiał przecież uporać się wtedy z niejedną nieobecnością. Nie mieli kiedy poznać się i pokochać. Szymon z Halinką, ojciec z córką. A potem już nie umieli. Przed wojną rzadko bywał w ich łęczyckim domu, odkąd wyjechał do pracy, do Warszawy. Widywali się w soboty i podczas świąt. Bardziej przywiązana była do dziadków niż do niego. Nie widziała go całą okupację, pięć lat getta, kryjówek — zawsze z mamą. Nie było go przy nich w najtrudniejszych chwilach. Pojawił się, kiedy nic już nie dało się uratować. I tylu rzeczy nie rozumiał.

Echa łęczyckiego ciepła odnalazła tylko w domu ciotki Bronki na Jazdowie. Panował tam ruch, czyli życie, gotowanie, pranie, sąsiedzi, koledzy, rozmowy, karty. Ciotka nie tylko podawała ten sam rosół z fasolą i pulpety z ryb, co na Przedrynku, ale dawała Halince poczucie, że nie jest niczyja. I znikąd. Dawała pewność, że przyszłość jakoś się ułoży. Ta wojenna wdowa, która prócz rodziny straciła męża, niosła innym otuchę. A brakowało jej i bratu Szymonowi, i ich siostrze Frani, wiecznie skłopotanej Frani, obarczonej rodziną i troską.

W domu ojca na Puławskiej wiało chłodem.

Halina uciekała do koleżanek, do Bogdana, na uczelnię. W nauce pilna i skupiona, robiła notatki, z których potem korzystali inni w grupie. Od początku interesowała się literaturą.

Lubiła dobrze się uczyć, a on się starał, z lepszym lub gorszym skutkiem. Z poświęceniem notowała wykłady z historii, angielskie słówka i techniki drukarskie. Szczególnie uważała na historii WKP(b), do której przywiązywano wielkie znaczenie. Koledzy przepisywali wykłady z materializmu z jej zeszytów.

Kiedy Bogdan jeździł do Łodzi, do domu, gdzie często go potrzebowali, starała się jeszcze bardziej zajmować jego sprawami. Chodziła na zebrania zarządu ZMP, telefonowała w sprawie jego praktyk. Pisała i tęskniła, także na wykładach. Wtedy musiała pamiętać, żeby nie siadać zbyt blisko. Co zwykle robiła. Z przyzwyczajenia. Nie najlepiej widziała, a poza tym lubiła wiedzieć, co się dzieje.

„Wszystko idzie starym utartym trybem — pisała jesienią 1951 roku — maszyna życia uniwersyteckiego pracuje jak zawsze i nie odczuwa chyba wcale, że w jednym z jej mikroskopijnych kółek tak wiele, wiele się zmieniło. Kto wie, że mnie tak źle i ciężko bez Ciebie, że gwarny i pełny uniwerek jest dla mnie teraz pusty, że nic mnie nie zajmuje, nie ma dla mnie żadnego znaczenia. Myśli moje cały czas są przy Tobie. Liczę godziny do otrzymania Twojego listu".

Najdłużej rozstawali się z powodu wakacji. Czas się jej wtedy dłużył, dłużył, dłużył, dni strasznie wlokły. Odmieniała tęsknotę przez przypadki. Czytała jego listy, oglądała fotografie, myślała o nim. Nie mogła się doczekać końca wakacji, żeby znów mogli być stale razem. „Zawsze razem — prawda?"

Czuła się samotna. Jego obecność dawała siłę, nieobecność dezorganizowała życie. Robiła się roztrzepana, gubiła pożyczone książki, raz nawet zostawiła na bazarze torebkę, którą na szczęście jakaś uczciwa klientka odniosła. Udało się, bo jak wytłumaczyłaby się przed ojcem. „Wracaj, bo inaczej zostawię gdzieś własną głowę...", prosiła. Wracał i wszystko znowu było na swoim miejscu.

80   Stał się jej punktem odniesienia. Liczyła na niego, marzyła o wspólnym kącie, choćby pokoju w akademiku na Malczewskiego, byle mogli być sami. Sami.

Jak szybko stało się naturalne, że jest? Że zostawiał u niej w domu garnitur, jedyny garnitur, jaki miał, i porządne buty, że przychodził, kiedy nikogo nie było, że prasowała mu płócienne koszule? Tak mało miał i tak wiele od niego dostawała. Zawsze bez pieniędzy, proponowała mu własne, ale odmawiał, zapewniał, że już wkrótce będzie zarabiał, będą samodzielni.

Dotrzymywał obietnic.

Kiedy Halina myśli o tym dzisiaj, nie wie, co było w tej miłości naj-ważniejsze. Pamięta, co myślała: że miał niebieskie oczy, że był Polakiem, że ją przyjął i pokochał jak swoją. Chcieli się pobrać od razu, ale na to nie zgodził się jej ojciec. Naj-pierw studia, powtarzał, najważniejsze jest wykształcenie. Na wszyst-ko inne przyjdzie pora później. Nie wiadomo, czy chciał poddać pró-bie uczucie córki, czy może miał nadzieję, że jej się odmieni. Wydawało się jasne, że nie na takiego zięcia liczył. Trudno powiedzieć, czy cho-dziło o jego status społeczny i pochodzenie, co wyraźnie kłóciłoby się z ideałami inżyniera Przedborskiego, czy może o ich tak różne tem-peramenty. Traktował go z pobłażliwą wyższością. Niemal z nim nie rozmawiał.

Łączyło ich uczucie wzajemnej niechęci.

U Bogdana, w Łodzi, ugościli ją, jak umieli najlepiej. Pierwsza wizyta była w niedzielę. Pachniało mydlinami, jedzeniem, kościołem. Matka po-łożyła świąteczny obrus, ugotowała zupę z gęsiej krwi, czerninę, i z wra-żenia nie zauważyła, jak trudno było Halince ją przełknąć. Wszyscy się starali, oni z polską gościnnością, jedyną na świecie, podszytą troską i tkliwością, taka szczuplutka, trzeba jeść, żeby nieszczęścia nie było, ona próbowała nie okazać, jak niezręcznie się czuła. Tak inni byli od znanych jej rodzin. A jednocześnie tak chciała być z nimi, śmiać się z tego, z cze-go oni się śmiali, głośno, jeść tę zupę i grzybki marynowane, popić czasem wódką paloną, otrzeć usta wierzchem dłoni, załatwiać swoją po-trzebę do wiadra za zasłoną, rwać porzeczki i agrest prosto z krzaków. Odpowiadać na proste pytania.

Nie pokazywać wyższości, w prostocie dojrzeć wartość. Jakim prawem czuła się ważniejsza? Bo przeczytała więcej książek i umiała zachować się w filharmonii? Bo znała słowa, jakich oni nie znali? Ale przecież to ona siedziała w szafie, nie oni, nie na nich, ale na nią polowano, to ona była gorsza. Więc gorsza czy lepsza?

Czym różnił się jej dziadek Goldstein ze składu węgla od dziadka Karlińskiego, który odprawiał pociągi? Różne były jedynie ich modlitwy. Ale oni, młodzi, nie upierali się przy wierze.

81

D O M

Wolałaby, żeby byli inni, rodzice Bogdana, jego rodzina, ale nie byli, nie mieli dębowych bibliotek z pokoleniami książek, nie recytowali *Ballad i romansów*, nie pielęgnowali kultu Beethovena ani Brahmsa. A jednak interesowali się nią, otworzyli się na nią, co nigdy nie spotkało Bogdana ze strony jej ojca i jego żony. Pozwolili jej czuć się u siebie, jak w domu. Czy to doceniła, czy może uważała, że jej się należy? Nic się nikomu nie należy. Tego powinna nauczyć ją wojna. Czy nauczyła?

Podczas pierwszej wizyty na Perłowej powiedziała matce Bogdana, mojej dobrej babci Mani, że chce mieć dużą rodzinę i dużo dzieci. Dużo, co najmniej sześcioro. Babcia, jeszcze wtedy nie babcia, mama, nie wiem, czy kiedykolwiek nazwała ją mamą, uśmiechnęła się i zapytała: „Dziecko, czy ty wiesz, co ty mówisz?" Albo jakoś podobnie: „Czy wiesz, co to znaczy wychować sześcioro dzieci?" Może nie wiedziała, ale wtedy, na Perłowej, u boku swojego niebieskookiego chłopca, tego właśnie najbardziej pragnęła — zbudować rodzinę, wielką polską rodzinę. Otoczyć się bezpiecznym murem miłości i polskości. Nie bać się. Nie wiem, czy umiała to wtedy zanalizować. Nie wiem, czy przy tamtym stole, pół wieku temu, ktokolwiek myślał o tym, dlaczego tych dwoje młodych tak bardzo siebie chce.

Matka Bogdana wydała się jej mądra i pełna troski.

Na równi z Bogdanem Halina pokochała jego polskość. Składała się na nią także prostota Perłowej i jej mieszkańców, pracowników kolei. „Proletariusze wszystkich krajów łączcie się", nagłówek „Trybuny Ludu" niezmienny przez lata. Dlaczego miałaby mieć coś przeciwko nim, powinna podziwiać awans społeczny, pięcie się ku górze, pokonywanie trudności, ambicję. Nowy świat, obiecany, wymarzony, nikogo nie eliminował, czerwony proletariat, wszyscy razem ku lepszej przyszłości — socjalistycznej.

Na ile sam Bogdan w nią wierzył? Czasem żartował, opowiadał nieznośne dowcipy, szczególnie, kiedy w akademiku pili wino albo w Bristolu do obiadów wzięli za dużo piwa. Obiady mieli na specjalne talony, na piwo wydawali własne pieniądze. Zdarzało się wtedy słyszeć, raz czy drugi, jakieś zdania o Katyniu, o problemach gospodarczych, niekiedy nawet, że czemuś Żydzi winni, ale to jej nie przeszkadzało, wiedziała, kim jest, ufała mu.

Po latach dowiedziała się, że jej kuzyn Maryś, aktywny działacz ZMP z Gimnazjum Batorego, próbował ingerować w ich związek. Nie traktował Bogdana jako odpowiedniego partnera dla Haliny, dzwonił do niego kilkakrotnie, żeby przestał się z nią spotykać. Bez skutku.

Bardzo przeżyła jego aresztowanie, a potem oskarżycielskie zebranie i wszystko, co się z tym wiązało. Bogdan się załamał. Czuł się skrzywdzony i oszukany. Także przez kolegów, którzy nagle wystąpili przeciwko niemu. Ciągle się zastanawiał, kto donosił – bliski, bo w akademiku, bo krzyż widział nad łóżkiem, i słyszał, co mówił przed spaniem. W tym okresie przestał już być chłopcem, dorósł, starał się nie mówić wszystkiego, co myśli. Inaczej patrzył na tych, których nazywał przyjaciółmi. Skarżył się, że go niszczą, prześladują, szpiegują, chcą oblać. Ubecy i inni. Jacyś „oni".

Sierpień 1953 roku spędziła z ojcem w Krynicy. Miała dwadzieścia dwa lata i po raz pierwszy wyjechali razem na tak długo. Bywali i przedtem na wspólnych wakacjach, ale zawsze w towarzystwie rodziny. Tym razem mieli oboje korzystać z sanatoryjnych zabiegów, Szymon na odchudzanie, Halina na wzmocnienie i nerwy. Zrelacjonowała szczegółowo ten pobyt w listach do Bogdana, rozczarowana brakiem bliskości z ojcem.

Chodzili razem na wycieczki, na spacery na Górę Parkową, przechadzali się po deptaku. Popołudniami grywali w karty, w remika. Gazety w czytelni, woda w pijalni, w kinie radzieckie filmy. Dużo rozmawiali, wydawało się jej, że „serdecznie" o wszystkim, ale nie o sprawach osobistych. Obgadywali znajomych i nieznajomych, lecz ani słowem nie wspomnieli o Żenie, ani o planowanych drugich studiach Haliny. Bogdana i ich związek omijali również. Nie dotykali niczego, co było naprawdę ważne.

Brakowało jej tego, choć nie sądziła, że coś nagle się zmieni. Widocznie tak już musiało być, myślała, że dzielił ich mur. Określiła go może niezbyt trafnym, ale znaczącym słowem – „nieprzebyty". Wspólna codzienność nie pomogła go usunąć. Pisała o tym do Bogdana, szczerze, jak do nikogo innego.

83

D O M

Może za daleko od siebie z ojcem odeszli. Może nigdy się nie spotkali. I nie ma już znaczenia, czy zawiniła jego wojenna nieobecność, nieporadność wychowawcza, wrodzona szorstkość zachowania. Nie wiem, jaki miało na to wpływ drugie małżeństwo Szymona. Jaki powierzchowność i charakter córki? Może przypominała mu jego pierwszą miłość, Delę, a może to, że o niej zapomniał? Czy Halina była za bardzo łęczycka, czy za mało? Czy to jej warkocz nasuwał wspomnienia, czy oczy? Z jakiegoś powodu nie nauczyli się ciepła. Może nie mogli, może bliskości się bali. I tak już zostało.

Tym ważniejszy był Bogdan, wesoły, z blond czupryną, z tysiącem pomysłów. Nie wystarczało mu pisanie o sporcie, chciał o nim opowiadać. Telewizji jeszcze nie było, zgłosił się do radia na Myśliwiecką. Egzamin przed komisją kwalifikacyjną okazał się porażką. Wedle werdyktu zawodowców miał za wysoki głos, co wykluczało pracę na antenie. Ale Bogdan nie lubił się poddawać. Podobną ocenę też już słyszał. Wziął się do roboty. Opracował sobie sam zestaw ćwiczeń na obniżenie głosu. Jak zawodnik świadomy konieczności regularnych treningów, siadał przed lustrem na kilka godzin dziennie. Tak łatwo nie pozbawią go marzeń. Nie dał za wygraną. Podziwiała go wtedy.

„Najpierw magisterium, potem ślub", powiedział ojciec.

Halina Przedborska zdała egzamin dyplomowy na Wydziale Polonistyki Uniwersytetu Warszawskiego 28 stycznia 1955 roku. Pracę o twórczości Ksawerego Pruszyńskiego oceniono na bardzo dobrze. Dwa dni później, 30 stycznia, stanęła z Bogdanem przed urzędnikiem stanu cywilnego dzielnicy Warszawa Mokotów. Do nazwiska noszonego przed zawarciem małżeństwa „Przedborska" dodała nazwisko męża „Tuszyńska".

Miała na sobie kostium z brązowej wełenki, praktyczny, nieodświętny, na inny macocha nie dała jej funduszy. Musiało starczyć na fryzjera i na poczęstunek. Pan młody, w granatowym garniturze, nieco przymałym, prawdopodobnie jeszcze od matury, witał gości. Stała obok niego, nie przy ojcu. Przytulił mamę i brata, którzy przyjechali rannym pociągiem z Łodzi, podał rękę Szymonowi i jego żonie. Ci niemal wcale się nie odzywali, na koniec częstując ich suchym „gratuluję". Przyszło dużo kolegów z uniwersytetu, wszyscy w najlepszych strojach. Urzędnik się jąkał, co trochę rozładowało napięcie. Śmiali się, przyrzekając sobie wierność.

Na Puławską, do domu ojca, poszli pieszo. Trudno ustalić na pewno, czy podano obiad rodzinny. Jeśli tak, to Przedborscy po raz pierwszy gościli u siebie łódzką rodzinę. Mały brat Bogdana, jedenastoletni Włodek, pamiętał przystojną panią domu i torty, które pochłaniał w nadmiarze, co zemściło się w drodze powrotnej do Łodzi. Inni mówią, że przyjęcie ograniczono do zimnego bufetu z przekąskami — bez śledzi, bo Żena była na nie uczulona, za to ogórki kwaszone z Perłowej, kaszanka i kiełbasy robiły furorę. Starsi zostawili prędko młodych samym sobie. Może po pierwszym toaście, który wzniesiono za pomyślność półsłodkim winem ze sklepu za żółtymi firankami? Tańczyli do północy przy muzyce z patefonu.

Ten rok był dla nich rokiem zabawy i radości. Latem wzięli udział w Światowym Festiwalu Młodzieży i Studentów, który pod hasłem „Pokój i Przyjaźń" odbywał się w Warszawie. Zgromadził tysiące gości z zagranicy, po raz pierwszy pokazał trochę inności i egzotyki. Tańczyli znowu polskie i radzieckie szlagiery, w parkach i na deskach, pod Pałacem Kultury, w mieszkaniach znajomych. W nowej sukience z szarego jedwabiu, króciutkiej, na ramiączkach, plus nakładane bolerko z rękawem 3/4, wyglądała pięknie. Czarne szpilki trzeba było stale dawać do szewca, ale już nie musiała słuchać niczyich komentarzy. Dostała od męża naszyjnik ze sztucznych pereł, patrzyła w Bogdana jak w obraz.

Nazywała go jedynym naprawdę bliskim człowiekiem, który ją kocha, rozumie i jest dla niej dobry. Chciała być jego Myszką.

85

Z domu na Puławskiej nie wyniosła nic. Pamiętała, żeby zwrócić drewniane wieszaki. Bez posagu poszła na swoje. Wprowadzili się do sublokatorskiego mieszkania na rondzie Waszyngtona, które dzielili z kolegami z „dziennikarki".

Po dwóch latach w niewielkiej kuchni w trzech aluminiowych kotłach gotowały się pieluchy.

Dom

Kasprzaka 9. To był nasz pierwszy adres. Pierwszy, jaki pamiętam. Pierwszy, jaki wypisywałam na kopertach jako adres nadawcy. Ale nie przypominam sobie pól dookoła Zakładów Radiowych imienia Marcina Kasprzaka, podmiejskiego pejzażu, płaskiego horyzontu. To jest na fotografiach z dziewczynką, która ledwie uczyła się chodzić.

Dopiero w szkole dowiedziałam się, że Kasprzak był rewolucjonistą i że stracono go na stokach carskiego więzienia, Cytadeli. W robotniczej dzielnicy ulicom nadawano imiona działaczy ruchu robotniczego. Tego również nauczyłam się później, kiedy zaczynałam odróżniać lepsze dzielnice od gorszych, te stare, z tradycjami królewskimi lub inteligenckimi, od nowych, które zapewniała socjalistyczna ojczyzna.

Moi młodzi i szczęśliwi rodzice wprowadzili się do nowego osiedla **87** w centrum przemysłowej Woli w końcu 1957 roku. Bez pomocy Szymona, który miał zasługi przy odbudowie Warszawy, o własnym mieszkaniu mogli jedynie marzyć. To on załatwił im przydział poza kolejnością, omijając listy, zapisy i inne formalności. To był na owe czasy bezcenny prezent, choć wkład na książeczce mieszkaniowej, jaką otrzymali od niego wraz z kluczami, wynosił symboliczne 75 złotych. Zapracować na kolejne raty musieli już sami. Wiedzieli, jak bardzo są uprzywilejowani. Mieli dwa pokoje z kuchnią i loggią wychodzącą na podwórko, które kiedyś miało się zazielenić.

DOM

Podobno istniała możliwość zamieszkania na Żoliborzu, w starej, inteligenckiej dzielnicy, cenionej przez warszawiaków, ale to wymagałoby czekania. Zrezygnowali. Spieszyło im się do siebie. Nie przeszkadzało im sąsiedztwo fabryki lamp i wytwórni leków. Nie kaprysili. W perspektywie ulicy widzieli Pałac Kultury i Nauki, dar ZSRR dla Warszawy. Ojciec nie znał dobrze miasta, mama chciała jak najszybciej wynieść się na swoje. Nie było dla nich lepszych czy gorszych adresów, był jeden – wspólny. Często żałuję, że takich ich nie znałam.

A może mama wolała być daleko od swojego przedwojennego, żoliborskiego podwórka na IV Kolonii Warszawskiej Spółdzielni Mieszkaniowej, może nowe życie wymagało nowego początku i odcięcia wspomnień. Może gdzieś podświadomie była zadowolona z obcego otoczenia, z sąsiadów tramwajarzy i ślusarzy. Nikt jej nie znał i ona nikogo nie znała. To miał być przecież jej polski adres.

Szkoda, że nie poczekali. Każda dzielnica wydaje mi się od tej ładniejsza. Ale przez lata, kiedy mój świat wyznaczały piaskownica i trzepak, a potem szkolna klasa, nie zdawałam sobie sprawy, że gdzieś jest lepiej. I dopiero dziś, kiedy wróciłam w przedwojenne okolice moich dziadków, wiem, że mama chciała wymazać przeszłość. Być jak najdalej od piwnicy, w której musiała się ukrywać. Miałam się nigdy o tym nie dowiedzieć. Na Kasprzaka była żoną swojego polskiego męża i matką niebieskookiej córki. Zawsze.

Przez cztery lata Bogdan z Haliną sumiennie spłacali raty w wysokości 95 złotych miesięcznie, tyle co półtora litra wódki. Ojciec zarabiał wówczas w radiu jako redaktor sportowy 900 złotych brutto, plus wierszówka.

W 1954 roku Bogdan znalazł się w ekipie obsługującej najważniejszą międzynarodową imprezę sportową, jaka odbywała się na terenie Polski – doroczny kolarski Wyścig Pokoju. Kiedy dwa lata później wprowadzono nowatorskie wówczas relacje na żywo z helikoptera, powierzono mu funkcję sprawozdawcy. Tak się złożyło, że wyznaczeni koledzy cierpieli na lęk wysokości, on zaś latał przedtem na szybowcach. Lubił wyzwania.

Podczas każdego z etapów wyścigu wchodził na antenę kilkakrotnie w ciągu dnia. „Halo, halo, tu helikopter. Mówi Bogdan Tuszyński".

Jeszcze nie umiałam mówić, kiedy na pytanie, gdzie jest tata, pokazywałam na radio.

Najpierw nazwałam ojca („tata"), potem matkę („mama"). Trzecie słowo, jakie wybrałam, długo najważniejsze, brzmiało — „daj". Wyciągałam ręce do każdego, kto chciał mnie nosić. Zostawałam z każdym, kto mi czytał. Nie znałam nic smutniejszego niż koniec bajki.

Babcia umiała tak pokręcić gałką ciężkiego radia w brunatnym pudle, że znajdowała głos taty. Myślałam wtedy, że wystarczy podejść i poszukać na skali, żeby mieć go blisko. Dopiero gdy po raz pierwszy zabrał mnie z sobą na transmisję, gdy zobaczyłam mikrofon i studio, zrozumiałam, na czym to polega.

Przy stole kuchennym w Łodzi babcia była ze swojego syna bardzo dumna. A ja z nią.

Jako sprawozdawca sportowy Polskiego Radia mój ojciec zaczął wyjeżdżać za granicę. Był jednym z nielicznych wybranych. W czasach, kiedy o paszport trzeba się było każdorazowo ubiegać, wypełniać kwestionariusze i organizować zaproszenia, jego przywilej podróżowania był godny zazdrości. Zawód otwierał przed nim świat. Nie jestem pewna, czy potrafię sobie wyobrazić, co to wówczas znaczyło. Możliwość przekroczenia „żelaznej kurtyny", skok z codziennej szarzyzny do karnawałowej barwności tych z drugiej strony. Neony, ruchliwe ulice z kawiarniami, kuszące wystawy. Poruszał się w rejonach niedostępnych innym. Po powrocie rodzime carmeny zamieniał na chwilę na winstony.

Wydaje mi się, że jego wrażenia nie różniły się od moich dziecinnych. Pamiętam ekscytację pierwszą gumą do żucia Wrigley o smaku miętowym, którą mi przywiózł. Oszczędzałam ją, żując kilka dni i pakując z powrotem do srebrnej folii. Butelka po coca-coli była cennym trofeum, przez dobrych kilka lat pełniła funkcję wazonu. Pierwsze prawdziwe dżinsy Levi Straussa sztukowałam skórą, jak długo się dało.

89

DOM

Ojciec dużo pracował, a kiedy założył rodzinę, jeszcze więcej. Jeździł na olimpiady i mistrzostwa świata, poza kolarstwem specjalizował się w hokeju i lekkoatletyce. Dziennikarze i sportowcy otrzymywali ekwipunek na wyjazd: garnitury i koszule, krawaty z emblematami imprez, buty, walizki, teczki na dokumenty. Wiem, że mama patrzyła na niego z podziwem. Pachniał dalekim światem, połączeniem tytoniu, wody kolońskiej i czegoś jeszcze, nieokreślonego. Był człowiekiem sukcesu. Zaczął wtedy, a może nieco później, zbierać miniaturowe buteleczki alkoholi. Jak wszystko, co pochodziło „stamtąd", błyszczały barwnymi etykietami, przybierały egzotyczne kształty. A jedna z nich wyglądała jak kałamarz napełniony atramentem. Z czasem musiał ustawiać je na półce w kilku rzędach.

W domu bywał rzadko, bo albo w radiu, albo na wyścigu, albo na jakichś zawodach w kraju lub za granicą. Ale byli na dorobku, starał się, przywoził z zagranicy prezenty, składał pieniądze. Z czasem kupił pierwszy samochód, już nie wiem — wartburga combi czy skodę octavię, miał oba. I oba wzbudzały sensację wśród sąsiadów. Właściciele rodzimych syrenek podziwiali elegancję ich linii, lśniącą karoserię, tapicerkę z tworzywa sztucznego. Autorytet ojca rósł coraz bardziej. Wracał na Kasprzaka z radością, z rozmachem, z niejasną obietnicą lepszego świata i lepszego losu.

Koledzy wpadali w odwiedziny, koleżanki mamy chciały zobaczyć dziecko, ale zwykle wieczorami już spało. Halina nie pozwalała wchodzić do mojego pokoju. „Cicho, cicho, dziecko śpi", uprzedzała teatralnym szeptem i zamykała drzwi. Od początku chroniła mnie przed światem.

Mama tuż po studiach dostała się do pracy w „Życiu Warszawy", cieszącym się opinią najlepiej redagowanej gazety, jaka wychodziła w tamtych latach. Do swoich zadań w dziale miejskim podchodziła poważnie, choć pisywała na początku o awariach rur, nowym sklepie z galanterią skórzaną lub dostawie cytryn do Delikatesów. Szybko przeniesiono ją do działu kultury. Biegała po księgarniach i kiermaszach, śledziła nowości wydawnicze, dowiadywała się, co nowego mają na warsztacie pisarze. W redakcji „Życia Warszawy", gazety żywszej od przeładowanych propagandą partyjnych dzienników, pracowali przedwojenni jeszcze fachowcy, asy swojego zawodu. Było od kogo uczyć się dziennikarskiego rzemiosła. Nie jestem jednak pewna, czy zawodowe ambicje były motorem jej życia. Chyba nie. Nowe klipsy, nowa apaszka, wyjście do teatru, na spacer, do kawiarni. Umiała się cieszyć. Ale przede wszystkim była moją mamą. „Dziecku należy się cały świat". Tak Halina zawsze mówiła. Pamiętają to jej koleżanki.

Ochrzczono mnie w prezencie urodzinowym. Miałam rok. Wszystko zaaranżowała moja babcia Mania. Mama zapewne zgodziła się, dla porządku, dla świętego spokoju, dla polskich papierów. Nie wiem, czy sama umiałaby to urządzić, czy by się starała. Parafia Najświętszego Zbawiciela w Łodzi mieściła się zaledwie kilka kroków od Perłowej, gdzie mieszkali dziadkowie Karlińscy. Babcia Mania witała pośród chrześcijan swoją pierwszą wnuczkę. Uczcili to uroczystym poczęstunkiem. Może mój ojciec wrócił z Wyścigu Pokoju, a może go nie było, sam nie pamięta. Nie sądzę, by przywiązywał do tego wagę. Musiałam mieć także krzyżyk, ale nie wiem, gdzie się podział. Nie ma również fotografii. Żadnego śladu, prócz parafialnego świadectwa. Ale ono, w razie czego, starczy za wszystko.

Mój tata rósł na opiekuna. W swoim domu bez ojca czuł się odpowiedzialny za mamę i małego brata, za babkę. Na Kasprzaka miał żonę i córkę. Wychowany bez ojca, w konflikcie z nim, potrzebował kogoś bliskiego, doświadczonego przyjaciela, z którym mógłby podzielić się problemami lub porozmawiać. Na początku związku z Haliną próbował zbliżyć się do teścia. Starał się przełamać jego oschłość, brak akceptacji. Ale Szymon nie ukrywał, że zięć nie przypadł mu do gustu.

Bogdan twierdzi, że teść traktował go jak gówniarza. Nie szanował. Ani jego samego, ani tego, co robił. Mój ojciec lubił ludzi otwartych, z którymi można nawiązać kontakt. Szymon mówił niewiele, sam nie zaczynał rozmowy, wyniosły, ważny. Nieczęsto się spotykali.

Kiedy byłam bardzo mała, z okazji moich urodzin mama zapraszała najbliższych. Przychodził Szymon z Żeną, jego dwie siostry i ich rodziny.

91

D O M

Musieli przynosić jakieś prezenty, choć nic o tym nie wiem. Znam te historie tylko z opowiadań, ale układają mi się w spójną całość. Żena nie miała własnych dzieci, a mnie, wrzeszczącej na jej widok, przyglądała się z niesmakiem graniczącym z odrazą. Ciotki zachwycały się jedyną dziewczynką w rodzinie.

Mama stawiała na stole sernik i likier. Grzecznościowo maczali usta przy okolicznościowym toaście. Nie czuli się swobodnie w tym gronie, mimo więzów pokrewieństwa i małżeństw. Mój dziadek Szymon, na ważnym stanowisku, z nomenklatury partyjnej, i jego dwaj szwagrowie – Danek, współwięzień z woldenberskiego oflagu i kolega z pracy, oraz Oleś, Polak, programowy antykomunista, który o rządzących krajem nie mówił inaczej jak „dzicy". Skakali sobie do oczu, powtarzając rok po roku podobne argumenty.

Bogdan, o pokolenie młodszy, z innego świata, pozbawiony politycznej pasji, włączał się, jak umiał. Opowiadał te same dowcipy, które zjednywały mu popularność wśród kolegów, między innymi o Żydach. Opowiadał ze swadą, jak przedwojenne szmoncesy. Karykaturalnie żydłaczył.

Nie wiem, czy ojciec nie zdawał sobie sprawy z tego, co mówił. A może chciał wydać im się swojski? Trochę onieśmielony, nadrabiający miną, stawał wobec obcej rodziny, innej niż jego własna, trudniejszej do rozszyfrowania.

Starał się, ale nie potrafił. Czy nie wiedział, jak reagowali na jego dowcipy?

Maryś, syn ciotki Bronki, wściekał się, ale jego matka traktowała Bogdana z życzliwością. Mało delikatne żarty odczuwała jako próbę koleżeństwa, a nie szyderstwo. Chciał się przyjąć. Był sam wobec klanu. Dawał do zrozumienia, że wie, ale tak naprawdę to mu to nie przeszkadza.

Bogdan był człowiekiem z nieco innego świata. Wydawałby się obcy także rdzennie polskim inteligentom. Ale Przedborscy wierzyli, że nowy ustrój jest ustrojem bez dyskryminacji. Uważali się za ludzi postępowych. Nie mieli powodów nie ufać komuś, kogo wybrała ich krewna, tylko dlatego, że czasem nie umiał się znaleźć. „Najważniejsze, że jest dobry dla dziecka", „Gorzej byłoby, gdyby pił", powtarzała Bronka swoje ulubione sentencje. Zaakceptowali Bogdana.

W pracy, podpisując artykuły, mama używała swego panieńskiego nazwiska: „Przedborska". Ale na terenie osiedla, dla sąsiadów z pobliskich zakładów, w moim przedszkolu i później w szkole była „Tuszyńską", tak jak jej mąż, a potem były mąż. Jak ja. Jasna, więc bezpieczna. Moje oczy i mój wygląd stanowiły najlepszą tarczę ochronną. Kto mógłby we mnie odnaleźć ślady żydowskich przodków?

Moi rodzice żyli inaczej niż rodzice moich podwórkowych kolegów. Słowa „audycja", „transmisja", „adiustacja" i „metrampaż" były dla mnie ważniejsze i bardziej zrozumiałe niż inne, dotyczące tego, co produkowano w okolicznych zakładach. Nasza inność niosła wyróżnienie, ale też wielkie poczucie odpowiedzialności.

Z mamą chodziłam do drukarni. Wiedziałam, jak się składa gazetę, zanim umiałam ją przeczytać. Pamiętam hałas dużej hali z poruszającymi się bezustannie maszynami. Każda wypuszczała zadrukowane strony papieru – gazety. Kilku umorusanych mężczyzn kręciło się pomiędzy poszczególnymi stanowiskami. Jeden z nich nazywał się pan Zecer. Kiedy pan Zecer miał czas, odlewał dla mnie literki z moim imieniem różnymi krojami czcionki. Pokazywał, jak powstawały książki.

W naszym domu na Kasprzaka nie było nic ważniejszego. Książki można było przeglądać i dotykać, głaskać i wąchać, przytulać i trzymać pod poduszką. Mogłam na nie zawsze liczyć. I ciągle było mi ich mało, nie tylko historii, także rekwizytów. Każda książka miała swój ciężar i swoją twarz, inną otwarta i zamknięta. Niektóre dawały się oswoić, np. Mały Książę i jego Róża. Nie tylko czytanie było jak znajomość szyfru, także możliwość szperania w szufladkach bibliotecznych katalogów.

93

Budynek radia w alei Niepodległości znałam dobrze od dziecka. Ojciec zabierał mnie tam często na nagrania i montaż. W hallu stał wartownik, który przepuszczał ojca z uśmiechem, zawsze żartował i witał się ze mną. Czułam, że tata był ważny. I ja przy nim. Szliśmy po szerokich schodach na drugie lub trzecie piętro. Tworzyły wewnątrz głęboki lej, jakby otwartą klatkę schodową z wielką dziurą w środku. Niedługo potem założono tam siatkę, bo ktoś skoczył z ostatniego piętra na kamienną posadzkę.

D O M

Kiedy przechodziliśmy korytarzem, z każdego studia dochodziły odgłosy nagrań. Głosy męskie lub kobiece, świergot ptaków i dźwięki lasu, rozmowy i monologi. Niektóre ślizgały się po krążkach taśmy lub biegły w przyspieszonym tempie w poszukiwaniu jakiegoś przystanku. Inne szumiały jakimś niejasnym strumykiem, by po chwili zmienić tempo i wzbić się gdzieś w górę, a za chwilę opaść w monotonię. Ojciec zwykle spieszył się do studia, a ja przystawałam pod każdymi drzwiami, próbując rozszyfrować ich tajemnice. Potem wchodziliśmy do któregoś z pomieszczeń i zamykali za sobą dźwiękoszczelne drzwi. W studiu podczas nagrania musiałam siedzieć cicho. W montażowni przyglądałam się pracy ojca z takim samym zachwytem, z jakim patrzyłam na iluzjonistę, wyciągającego z cylindra kolorowe szaliki i gołębie.

Opierał dłonie na płaskich szpulach stołu montażowego. Wsłuchiwał się w poszczególne zdania, a potem przewijał je uważnie, raz i jeszcze raz, szukając miejsc, które trzeba poprawić. Kiedy znajdował przejęzyczenie lub zająknięcie, powtarzające się niepotrzebnie słowo, jakieś „jak gdyby" czy „że tak powiem", ustawiał ten fragment taśmy przed sobą, trafiał nań i wycinał niewielkim ostrym nożykiem. A resztę taśmy kleił białym lepikiem. Puszczał zdanie jeszcze raz, już bez zbędnych ozdobników. Podziwiałam go wtedy. Tak samo czyścił wszystkie „eeeeeee" i „yyyyyy", każde kaszlnięcie lub potknięcie. Pokazał mi sztukę montażu może nawet wcześniej, niż nauczyłam się czytać, albo zaraz potem. Z czasem pozwalał mi ciąć lepik na niewielkie kawałki i przygotowywać go na brzegu stołu montażowego. Czułam się ważna, mogąc mu pomóc. To on powierzył mi klucz do szlifowania i doskonalenia kształtu słów. Wcześnie zobaczyłam, na czym polega tajemnica budowania rzeczywistości.

Po kilku latach w „Życiu Warszawy" mama odeszła z redakcji. Jej koleżanka ze studiów pracowała w „Dzienniku Ludowym", organie partii chłopskiej, skierowanym do wiejskiego czytelnika. Dział kultury był mniejszy niż w „Życiu", wymagano mniej. Miała więcej czasu dla dziecka. Musiała się tam trochę nudzić, sprawy rolnictwa nic jej nie obchodziły. Nie odróżniała żyta od pszenicy, wykopków od żniw. Nie wiedziała, do dziś nie wie, co to jest jare, a co ozime.

A przecież zadomowiła się w redakcji „Dziennika Ludowego".
Z upodobaniem chodziła na premiery do teatru i recenzowała książki.
Przynosiła do domu nowości, jakie dziennikarze otrzymywali od wy-
dawców. Nasze półki wypełniały się najbardziej wartościowymi tytułami.
Na innych dobrach jej nie zależało.

Mama lubiła zapraszać. Przychodzili przyjaciele ze studiów, wspólni,
z którymi wiele ich łączyło. Później zaczęli się pojawiać ci z redakcji, jego
i jej. Czasem tańczyli, nie tylko w sylwestra. Bogdan zapraszał kolegów
z działu sportu.

Nie wiem, w którym momencie moja mama zaczęła wynajdywać
preteksty, aby w tych spotkaniach nie uczestniczyć. Ira, najdawniejsza
współpracownica ojca z redakcji sportowej Polskiego Radia, pamięta, jak
kiedyś Halina poprosiła ją, żeby pełniła honory domu pod jej nieobecność. Zostawiała wódkę w zamrażalniku, zakąski z sałatkami w lodówce,
pokazywała, gdzie talerze, kieliszki, sztućce i serwetki, i upewniała się, że
Ira zajmie się gośćmi. Na pytanie, dokąd się wybiera, odpowiadała żartem albo i nie żartem, że idzie na randkę.

Nie wiem, gdzie wychodziła. Koledzy Bogdana lubili wypić, lubił i on.
Halina nie dotykała i dalej nie dotyka alkoholu. Czy jej nie smakował?
Czy też bała się jego efektów, utraty samokontroli, nad którą tak bardzo
pracowała? A może już zaczynała organizować sobie życie bez ojca. Popołudnia i wieczory, wieczory i noce. A potem, potem to „przy nim" zaczęło ją uwierać. Tak to sobie wyobrażam.

Nadszedł czas, kiedy dom na Kasprzaka stał się domem bez ojca. **95**
I nie chciało być inaczej, mimo iż ustawiałam jego kapcie przy wejściu
i wierzyłam, że jeśli będę lepsza, wróci.

Nie pamiętam tego dnia, jednego dnia, kiedy się wyprowadził. Często wyjeżdżał, pakował się, wracał. Nie wiem, jak ubywało z szafy jego ubrań, i gdzie byłam, kiedy prowadzili poważne rozmowy. Nie za-
uważyłam, kiedy jego pędzel do golenia zniknął z łazienki na dobre.
Mama także nie wydawała mi się inna. I tylko kiedy przypadkiem
zatrzasnęła mu drzwi samochodu na prawej dłoni, pomyślałam, że jest
roztargniona.

DOM

Czy byłam aż tak mało spostrzegawcza, czy może włożyła wiele wysiłku w to, żeby wszystko ukryć? Nową miłość i smutek, rozczarowanie i trudności, konieczność rozstania. Dziecko trzeba chronić dla dobra dziecka. To był już drugi jej sekret.

Nie wiedziałam, że to moja mama siedem lat po ślubie zakochała się w innym mężczyźnie. Nie chciała słuchać rad doświadczonych koleżanek, że nie warto rozbijać rodziny. Nie chciała czekać. Nie chciała sprawdzać nowej miłości ani prowadzić podwójnego życia. Nie chciała marnować ani chwili.

Nie wiedziałam też, że Bogdan gotów był zapomnieć i zacząć jeszcze raz, prosił ją o to, choćby ze względu na dziecko. Nie wiedziałam, że rozstanie kosztowało go zdrowie. Ani jak bardzo poczuł się zraniony. Nie miałam o tym pojęcia.

Ciągle go boli.

Teraz boli go najbardziej to, że nie powiedziała dziecku. Że dziecko chowało się ze świadomością, iż to ojciec je porzucił. To uważa za nie do przyjęcia.

Nie wiedziałam, że któregoś popołudnia spotkał na Krakowskim Przedmieściu Agnieszkę, moją przyjaciółkę, idącą z babcią na spacer. Zaoferował, że podwiezie je do domu. Siedziała na tylnym siedzeniu jego samochodu, nieduża dziewczynka w czerwonym płaszczyku i kapeluszu w kształcie muchomorka i starała się nie słyszeć tego, co mówił, i nie widzieć jego łez. Pamięta to jak scenę z filmu dla dorosłych, jakie oglądała wbrew zakazom rodziców.

Na ile zmieniłoby się moje życie, gdybym to wiedziała wtedy? Może nauczyłabym się widzieć jego krzywdę w miejscu, gdzie przez lata widziałam jedynie winę? I dokąd by to zawiodło?

Nikt mi nie powiedział, dlaczego tata zniknął. Najprościej było szukać winy w sobie. Przestał mnie kochać. Nie widziałam, nie rozumiałam innego powodu jego odejścia. Nie łączyłam jego nieobecności z obecnością Maćka. Nie zastanawiałam się nad tym.

Maciek to był Maciek. Duży, niedźwiedziowaty, ciężki, zawsze z gazetą w ręku i papierosem, który z czasem zamienił na fajkę. Holenderski tytoń Amphora w czerwonym opakowaniu wydawał mi się wtedy luksusowym atrybutem męskości. Mama poznała go w redakcji któregoś popołudnia, kiedy oddawała bieżący materiał. Nadzorował skład gazety jako redaktor techniczny. Wyglądał na starszego od niej. Pasjonował się polityką. Robił mi później wykłady o sytuacji na Bliskim Wschodzie, z których mało rozumiałam. Zamykał się na długie posiedzenia w łazience, gdzie czytał. Nie zajął niczyjego miejsca, nigdy się do nas nie wprowadził, nie był zastępcą ani następcą.

Za ojcem tęskniłam.

Czułam, że jesteśmy same. Kiedyś, późnym popołudniem, mama odebrała mnie ze szkoły i szłyśmy razem do domu. Niedaleko. Zaczepił nas pijany mężczyzna. Szedł za nami jakiś czas. Poczułam wtedy po raz pierwszy, jak łatwo nas skrzywdzić. Jaka cienka jest tafla lodu, po której stąpamy obie. Dwa uczucia — panika i przekora. Bać się nie wolno. Trzeba walczyć, za siebie i za matkę. Jesteśmy same i same musimy sobie poradzić.

Moja mama była śliczna — niewielka, szczupła, ciemnooka. Nosiła okulary. W latach sześćdziesiątych modne były przedłużające oczy kocie oprawki. Miała takie szare, cętkowane, jak nakrapiana pantera.

Na fotografii ma na szyi korale z kaszy manny, które zrobiłam jej na lekcji robót ręcznych. Farbowały na czerwono i były ciężkie, ale chciała zrobić mi przyjemność. Rozdanie świadectw z drugiej, może trzeciej klasy szkoły podstawowej. Pełna dumy trzyma w ręku moją piątkową cenzurkę.

97

Ale to ojca podziwiała entuzjastycznie dyrektorka mojej szkoły podstawowej, przedwojenna harcerka, uczestniczka powstania warszawskiego. Nigdy nie nazywała mnie inaczej niż „córka redaktora Tuszyńskiego", a do dzienniczka wpisywała mi pochwały, na które nie zawsze zasługiwałam.

Łatwo można było przywłaszczyć sobie choć trochę jego popularności i splendoru. Nie umiałam. Gdzieś głęboko czułam jakieś nadużycie. Jakby to była nieprawda. On może jest moim ojcem, ale nikt nie wie, że tak naprawdę nim nie jest, bo z nami nie mieszka, bo tylko mnie odwiedza.

DOM

Kto i kiedy powiedział mi, czy dał do zrozumienia, że sport jest gorszy od książek, boisko gorsze od biblioteki? Bo przecież ktoś mi to musiał uświadomić. Nie pamiętam słów, ale to we mnie jest. Było i jest. Wysiłek fizyczny stał niżej w jakiejś hierarchii niż wysiłek umysłowy. Musiało się to skądś wziąć, jakoś zostało mi uświadomione. Znowu nie jestem pewna kolejności. Czy tak było zawsze w moim życiu, czy dopiero po rozwodzie rodziców?

Moja mama nie mówiła o miłości. Bardzo wcześnie dała mi do czytania baśń Amicisa *Serce*. Okrutny syn wyrywa serce matki, by zaspokoić jeden ze swoich kaprysów. Kiedy idzie drogą, by oddać serce — komu i po co, nie pamiętam — potyka się i upada. Serce wypada mu z rąk. A wtedy słyszy cichutki głos matki: „Synku, czy ci się aby nic nie stało?"

Buntowałam się po kryjomu wobec tej historii, a jednocześnie czułam się winna. Nie umiem dokładnie powiedzieć, na czym to uczucie polegało. Nie opuszcza mnie do dziś.

Wiele lat później dowiedziałam się, że ta historia należała do kanonu czytanek w getcie. Czy mama tam ją poznała?

Niebieski koralik z mojej ulubionej książki bladł w miarę spełniania nowych życzeń. Chciałam ciągle tego samego — być niewidzialna i zobaczyć, jak to jest naprawdę. Sięgnąć pod podszewkę świata. Wejść do domów, do sypialni, podsłuchać najbardziej skrytą rozmowę. Zobaczyć, gdzie jest tata, kiedy jest daleko, i o czym myśli mama, kiedy się nie uśmiecha.

Chciałam przeciąć wielki blok i zobaczyć, co dzieje się w każdym mieszkaniu. Otworzyć dom — świat, przeciąć go wzdłuż albo wszerz, albo na pół, i oglądać.

Czego chciałam dosięgnąć?

Nie dano mi w domu żadnej religii. Ale nie czułam jej braku. Poza momentami, gdy kościół stawał się sceną i zapewniał długie białe sukienki z koronkami i wianek. Koleżanki paradowały po podwórku jak księżniczki w drodze do kościoła i z powrotem. Gdyby nie to, nie wiedziałabym, że czegoś mnie pozbawiono. Pogodziłam się z tym.

Nie miałam pierwszej komunii, nie szłam w kościelnej procesji. Maj dawał za to coniedzielne kiermasze i Targi Książki. W ścisku marmurowych sal Pałacu Kultury szabrowałam z zagranicznych stoisk foldery, zakładki, maskotki zachodnich wydawców. Pamiętam szczęście, jakie mi towarzyszyło przy wypełnianiu plastikowych toreb reklamowych, też rarytas w ówczesnej Polsce, kolejnymi zdobyczami. W otoczeniu różnojęzycznego tłumu czułam się bardziej wyróżniona niż kiedykolwiek przed ołtarzem.

W moim domu nie mówiło się o rzeczach najważniejszych. Jakby odpowiedzi były w książkach albo zawieszone w powietrzu.

Mama mówi, że byłam za mała, żeby mi to wszystko tłumaczyć. Mężczyzn, miłość, przeszłość. Może. Może i ja bym nie umiała na jej miejscu powiedzieć o tym córce? W czasach kiedy nieślubne dziecko było ciągle niebywałym skandalem, rozwody również pozostawały sprawą wstydliwą. W mojej trzydziestoosobowej klasie nie było ani jednego dziecka z rozwiedzionego małżeństwa. To potęgowało moją gorszość. Tym bardziej trzeba było ze mną o tym rozmawiać. Nie wolno było milczeć. Ani w tej sprawie, ani w innych. Sekret zwykle zwraca się przeciwko temu, kto go strzeże.

Czy rozwód jest aktem odwagi? Czy moja matka była odważna, decydując się na miłość i wychowywanie dziecka bez ojca?

Jako dziennikarka miała pozycję i zarabiała przyzwoicie. Utrzymanie dziecka nie było problemem, pomagały związki zawodowe, organizowały wakacje, rozmaite dodatki, darmowe bilety. Wszyscy żyli w tym środowisku skromnie, choć dostatnio, bez wielkich różnic. Stać ich było, nawet tych mniej zarabiających, na szynkę, schabowe i nowalijki na wiosnę. Pierwszy pomidor, pierwsze truskawki witałyśmy uszczypnięciem w ucho. Najważniejsze, że miała mieszkanie, a czynsz nie pochłaniał wiele.

Polska wydawała się jej krajem względnego dostatku i swobody. Nie narzekała na braki w zaopatrzeniu i uciążliwości zakupów, wtedy jeszcze na nic nie narzekała. Umiała zdobywać potrzebne produkty, masło, ża-

99

D O M

równi, bieliznę. Ciągle pamiętała wojnę, powojenne życie wśród gruzów. A teraz rosły domy i drogi, Polska odradzała się w trudzie — jak pisano w propagandowych artykułach.

Nie wiem, czy mama nie żałowała nigdy tego, co się stało. Wydaje mi się, że nie czuła się winna. Wobec nikogo. Nie próbowała bronić się przed nową miłością. Nie chciała odmawiać sobie do niej prawa. Była zgrabna, nieduża, miała piękny biust, nie potrafiłam wtedy tego zobaczyć, ale widzę dziś, na zdjęciach. Podobała się mężczyznom. Bardzo się podobała. I kiedy biegła na rozprawę rozwodową 1 kwietnia 1964 roku, w czarnej spódnicy i cienkim trykotowym golfie koloru dojrzałych bananów, wyglądała rzeczywiście ślicznie. Dziewięcioletnie małżeństwo rozwiązali bez orzekania o winie. Dla mamy rozwód znaczył nowe życie, dla ojca tragedię.

Mama twierdzi, że siedem lat to magiczna cyfra w jej kontaktach z mężczyznami.

Sąd powierzył matce wychowanie, kształcenie oraz zarząd nad majątkiem ich nieletniego dziecka. Ojcu przysługiwało prawo utrzymywania kontaktów osobistych z córką i dozór nad jej rozwojem. Dozór, cokolwiek to miałoby znaczyć. Udział ojca w kosztach utrzymania dziecka wyliczono na tysiąc złotych miesięcznie. To była jedna czwarta jego podstawowej pensji. Bez wierszówki.

100   Nie lubiłam niedziel. Bałam się ich i to mi zostało. Niedziela była czasem przeznaczonym dla szczęśliwych rodzin. Dniem zaplanowanych rytuałów, dla nas niedostępnych. Msza, spacer, obiad rodzinny, podwieczorki z domową szarlotką. Wszyscy razem, wszystko na swoim miejscu. Mama, tata, ja, jak w czytance. Mama mamy, babcia, tata mamy, dziadek. Tak nie było w żadnym z bliskich mi domów. Ani na Kasprzaka, bez taty. Ani u ojca na Batorego, gdzie byłam jakby obca. Ani u dziadka na Puławskiej, Żena też z innej bajki. Nawet w Łodzi, bo babcia nie miała męża, a potem szybko i jej zabrakło, więc już w ogóle było nie tak. Ani u Frani, gdzie dwie ciotki. Może jeszcze u Bronki, tak,

u Bronki wyglądało to najzwyczajniej. Nauczyłam się takiej zwyczajności nie potrzebować.

Od początku, odkąd kursowałam z tysiączłotowym banknotem z mieszkania ojca do mieszkania matki, już wtedy wydawała mi się niesłusznie pokrzywdzona. Jakby trzeba było jej bronić — we mnie i wobec mnie samej. Szybko nauczyłam się nie powtarzać tego, co działo się w jednym miejscu i w drugim. Nie mówić, jak wygląda on przy nowej żonie, a już na pewno jak ona z Maćkiem. I umiałam milczeć od początku. Stąd również się wzięła umiejętność życia w przebraniach i dopasowywania do różnych, często odległych rzeczywistości.

Pasować, dopasować się, umieć grać na odpowiedniej strunie, mieć wiele twarzy i każdą potrafić zdjąć. I nikomu nie dać się poznać naprawdę.

ULICA P

Prababcia Rózia

Wania

E R Ł O W A

Babcia Mania

Stefa

Sąsiedzi

Prababcia

Rózia

Babcia Mania miała mamę, Rózię, z siwym mysim warkoczykiem, który wiązała w niewielki koczek. Prababcia mieszkała w tym samym łódzkim domu na Perłowej, wejście z sieni na lewo. Pod jej oknem z widokiem na ogródek stał drewniany stół z szufladą, a w kącie węglowa kuchnia. Obok obtłuczona emaliowana miska z kubkiem do nalewania wody i wiadro. A na ścianie makatka z wyszytym granatową nicią napisem: „Kto rano wstaje, temu Pan Bóg daje". A może to przysłowie wisiało u mojej babci, a tutaj coś o dobrej gospodyni, którą... nie wiem już, co czyni... Panował tam chłód. Może sękata grusza dawała więcej cienia. Ale dla mnie miało to związek z prababką, czerstwą i ogorzałą od słońca i drogi. Była stara.

Nie lubiłam, kiedy mnie przytulała. Nie lubiłam jej zapachu, zapachu myszy, krochmalu i potu, suchego potu z wiatrem. Nosiła kwieciste sukienki, na które zawsze nakładała fartuch. Okrągłe okulary z roku na rok bardziej wypukłe.

Na fotografiach, które walały się po szufladach wśród innych niepotrzebnych rzeczy, gwoździ, zwitków drutu, gumek od weków, była młoda. Chuda i jasna, miała ładnie wykrojone oczy i korale na szyi. Lubiła szerokie, wykładane kołnierze. W miarę upływu lat coraz bardziej upodobniała się do swojej matki, o twarzy jak bochen chleba.

Nie umiałam sobie wyobrazić, że prababka Rózia była młodą dziewczyną i chodziła boso przez sześć dni w tygodniu, poza niedzielą, kiedy wybierali się całą rodziną do kościoła. Matka, ojciec, bracia i siostry, kilkanaścioro ich było w chałupie pod strzechą, w wiosce koło Rokicin. Umiała doić krowy, oporządzać świnie, karmić kury. Wiedziała, co jedzą zwierzęta, i była pewna, że w noc Bożego Narodzenia mówią ludzkim głosem. Jej rodzice, Agnieszka i Józef Krześniakowie, nigdy nie byli w mieście, a ona jeździła do Łodzi i wyszła za mąż za Janka Karlińskiego z sąsiedztwa. Dorobił się dobrej posady, był konduktorem Kolei Warszawsko-Wiedeńskiej. Czy rzeczywiście miała kiedyś osiemnaście lat? I kiedy to było? Za cara, władającego również Królestwem Polskim, za czasów zawziętego rusyfikatora generał-gubernatora Hurki, kiedy język polski wykładano jak obcy? Wówczas na ulice wyjechały pierwsze tramwaje konne, pojawiły się latarnie elektryczne, a w mieszkaniach telefony Bella, pozwalające przekraczać przestrzeń. Niewiele o nich wiedziała młoda wiejska dziewczyna. Mogła natomiast słyszeć o walczącej o prawa robotników partii Proletariat i jej haśle: „Proletariusze wszystkich krajów, łączcie się!"

Zaczęła rodzić dzieci. Pierwsze, drugie, dwunaste. Rodziła i gotowała. Kapuśniak i zalewajkę, krupnik i rosół, kaszę gryczaną z kwaśnym mlekiem, kraszoną skwarkami. Drożdżowe kluski, placki kartoflane, pierogi z jagodami. Trochę owoców i jarzyn miała z ogródka, z Polesia przywoziła miód, żurawiny i jajka. Smażyła konfitury i marmoladę z marchwią na zimę. Zawsze gromadziła zapasy. Kaszanki, kiełbasy, salcesony robili na wsi z własnych świń. To póki rodzice żyli, ale też i potem. Cielęcinę skrapiała octem, okładała liściem bobkowym i pieprzem, żeby skruszała. Pamiętam to słowo z dzieciństwa.

Nie lubiłam zupy z gęsiej krwi, specjalności prababki. Ani jej wielkiej pierzyny, która obejmowała mnie szybciej i ciaśniej niż znajoma kołdra pikowana z łososiowego adamaszku, przesiąknięta moimi, ciągle mlecznymi snami. Nie pozwalałam, żeby całowała mnie na dobranoc. W białej wykrochmalonej koszuli, z siwym warkoczem sięgającym bioder szła do szerokiego małżeńskiego łoża po omacku, jak duch. Topniała w nim, zwykle sama, bo pradziadek kolejarz zawsze był w drodze. Nie pisał listów, nie umiał, chyba nikt go tego nie uczył. Jego przeprowadzka na cmentarz nie różniła się dla mnie niczym od zwykłego wyjazdu.

Zasypiałam z obcym metalicznym smakiem w ustach. Ginęłam wśród walizek i kufrów, na dworcach i peronach. Gubiłam się wśród spoconych pociągów przecinających noc bez przystanków. Budziłam się ciężka po wielogodzinnej podróży w nieznane. Nie strawione kawałki pejzaży, rozmów, zmieniających się rekwizytów, pór roku, wirowały mi przed oczami. Oblepiały okno z pelargonią, za którym kogut piał swoje zdrowaśki.

W ciągu dnia udawało mi się unikać jej pieszczot. Chowałam się w ogrodzie albo biegałam na nasyp kolejowy, żeby machać do przejeżdżających pociągów, pospiesznego do Kalisza lub osobowego do Gdyni. Niezmiennie wyznaczały godziny w domu na Perłowej.

Pociągi były zawsze na wyciągnięcie ręki. I myśli. I wspomnienia. Nie wiedziałam wtedy, że Rozalia, moja prababka, miała drogę we krwi, podobnie jak odwagę stawiania czoła światu. Jak inaczej wytłumaczyć jej eskapady w nieznane? Być może przy mężu stolarzu lub zegarmistrzu nigdy by w sobie tego nie odkryła, ale kolejarskie bilety męża dawały jej możliwość przygody. Szare bilety z czerwonym paskiem otrzymywali pracownicy kolei bezpłatnie dla siebie i dla rodzin, po dwanaście na rok, ważne na terenie całego kraju, do granic państwa. Babka Rózia ruszała na szlak, często bez celu, tylko tak od stacji do stacji, od jednego widoku za szybą do innego pejzażu. Nie mogę odżałować, że nie umiałam w niej tego zobaczyć. Zostały zdjęcia, na peronach, z torbami, walizkami, z dziećmi, w oknach i na stopniach odjeżdżających pociągów.

Najpierw nasmażyła schabu, potem napiekła ciastek, spakowała flaszki herbaty z cytryną i cukrem. Dokupywała tylko wrzątek w bufecie. Żeby jak najtaniej wyniosło. Chleb, masło, bułeczki — wszystko układała w niedużej walizeczce. I ruszali. Jak można się gdzieś było niedrogo na noc zatrzymać, często u sióstr zakonnych, to się zatrzymywali. Jak nie, to wracali z wycieczki. Najpierw woziła całą piątkę, potem już tylko najmłodsze zostały. Wszędzie jeździli. Na pielgrzymkę do Częstochowy, do klasztoru do świętej Barbary. I do Zakopanego, żeby zobaczyć prawdziwe góry, powietrzem poododdychać. Jako dowód, że tam byli, Stefa miała rzeźbioną drewnianą kapliczkę góralską. A mały Bogdan pamiętał dzięki babce szum potoku, jeszcze sprzed wojny. Gdynię zwiedzili, kiedy wsią była, nie żadnym wielkim portem. W morzu się kąpali, motorówką raz płynęli. Do Poznania się wybrali, gdzie otwarto jakąś międzynarodową wystawę, trzydziesty któryś rok, i tam Stefa po raz pierwszy zobaczyła Murzyna. Oczu od niego oderwać nie mogła. Warszawę omijali, nikogo tam nie mieli.

Rózia nauczyła się wszystkiego, czego wymagało od niej życie. I rozumiała, że tak trzeba. Załatać, zaradzić, napełnić garnki i talerze. Od śniadania do kolacji, z pacierzem i majowym nabożeństwem. Od kołyski do trumny. Oporządzić, powitać, pożegnać. Umiała czuwać i umiała żywić. Musiała umieć.

Podczas okupacji szmuglowała mięso. Owinięta połciami słoniny i karkówki albo boczku i schabu, albo cielęciny, która w jej rękach kruszała, przemierzała pieszo wiele kilometrów dziennie. Im starsza, tym silniejsza. Ludzi przeprowadzała przez zieloną granicę. Zastępowała dziadka, którego wzięto do niewoli.

Jej córka Stefa, która z całego potomstwa żyła najdłużej, skarżyła się, że matkę bolało serce o dzieci. Syn nie chciał słuchać, siostra Sabina się nie uczyła, a Marysia nie znalazła szczęścia, chociaż się jej należało. Nie rozumiałam tego.

Śmierć wydawała mi się siostrą mojej prababki. Przeżyła swojego męża, przeżyła niemal wszystkie ze swoich dzieci. Dopiero kiedy pogrzebała kolejne, po niemal wieku codziennej służby zgodziła się odejść. W trumnie, którą otwarto na prośbę sąsiadów, wbrew wnukom i prawnukom z miasta, leżała z wdziękiem dziewczyny. Pachniała łąką.

Prababka siedziała na ławeczce pod domem. Mogła tak siedzieć godzinami. Patrzyła na ogród, na karłowate jabłonki i grusze, na kwitnące czereśnie, czuwała albo drzemała. Jej nieruchoma postać nieznacznie skurczona do środka, jakby tuliła niewidoczne dziecko, wpisała się na zawsze w miejsce pomiędzy oknem a studnią. Najcięższe miała ręce. Złożone na podołku, splecione w kształt starych korzeni, wydawały się osobnym bytem. Nie należały do niej. Należały do ziemi, miały jej barwę i siłę. Nabrzmiałe i twarde skorupiały w geście odpoczywania. Martwiały, jak zastygłe w kamieniu szczątki wykopalisk. Dopóki kopały, dźwigały, pieliły, kroiły, prały, dopóki przydawały się innym, żyły, same dla siebie były tylko ciężarem. Prababka miała tylko ręce. Najbardziej ręce. To był jej sposób komunikowania się ze światem. Mówiła niewiele.

Dopiero teraz wiem, dorosłam, żeby zrozumieć, że jej gotowanie było wyrazem czułości. Żywienie rodziny traktowała jako najważniejszą pieszczotę. Codzienną, więc zwyczajną i zużytą — dlatego niemal jej nie zauważaliśmy. A ona nie umiała opiekować się nami inaczej.

Prababka nie umiała czytać ani pisać. Jej matka też nie. Nie sądziła, że to może być użyteczne. Słuchała ziemi i pór roku, pająków i much, śliwek i jabłek, ptaków i deszczu. Umiała się porozumieć ze zwierzętami w stajni i oborze, ze słońcem i z księżycem. Tego uczyła dzieci.

Wania

Карлинскій

КОНДУКТОРСКІЙ ОТД...

В.Ж.Д.

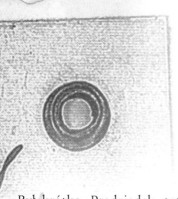

Był krótko. Pradziadek, tata mojej babci. Jak przez mgłę. Wąsy białe, uśmiech pod wąsem. Obraz widziany z dołu. Kiedy się pochylał — oczy niebieskie, łagodne. Byłam za mała, żeby pamiętać. Za mała, żeby go poznać. Wiedziałam, że jeszcze za cara był w kolei. Dawno.

Nie miał dziewięciu lat, kiedy poszedł do dworu na służbę. Nie narzekał, traktowali go dobrze, pomagał w stajni i w oborze, przynosił, woził, czyścił, sprzątał. Proste czynności, do których przywykł w domu. Nie liczono dzieci w jego rodzinie, która stale się rozrastała. Wieś Rokiciny koło Koluszek, Koluszki, stacja przesiadkowa, niedostępne marzenie chłopca w przechodnich butach, liczyła może dwadzieścia chałup, ustawionych krzywo wzdłuż drogi. Kościół z bosym Jezusem o szarym ciele stał niedaleko karczmy i jedynego sklepiku, gdzie można było dostać mydło i kaszę jaglaną. Po zakupy jeżdżono na jarmark do sąsiedniej wsi. Tam oprócz Polaków handlowali Żydzi, łatwo się było z nimi targować, choć nie tykali wódki, nawet na przybicie interesu.

Uciekł z domu, opuścił rodziców i biedę. Kręcił się koło pociągów w Koluszkach, szukając zajęcia. Nie potrzebowali nikogo na dworcu ani do wagonów, ani do lokomotyw, ani do sprzątania. O obsłudze pasażerów nawet nie marzył. Patrzyli na niego podejrzliwie, bo wyglądał jak

111

dziecko po komunii, choć skończył szesnaście lat i był już w stodole z Rozalią od sąsiada Krześniaka.

Jej też było ciężko. Mieszkali w czworakach, ojciec końmi się zajmował u szlagona, a dziewczynę wzięli do pomocy do dworskich dzieci. Nieduża, milkliwa, od początku do roboty przywykła. Spotkał ją potem raz i drugi, aż do Anglików, do fabryki nici pojechała. Nie dlatego, wcale nie dlatego wybrał w końcu, z wielu możliwych, pociąg do Łodzi. Akurat włóczył się po pustym peronie, czekała go zimna noc, nie miał na bilet w żadną stronę. Niewiele się namyślał, wskakując do osobowego do Łodzi Kaliskiej.

Konduktorowi powiedział, że za bilet odpracuje. „Jak ci na imię?", zapytał rosyjski urzędnik. „Janek". „Znaczy Wania?" „Wania", zgodził się. Na początek został pomocnikiem maszynisty.

Ożenił się z Rozalią. Zaczął jeździć w dalekie trasy. Najpierw jako konduktor. Kiedy wracał, rodziły się dzieci. Dwoje, czworo, ośmioro, rodziły się i umierały. Podczas pierwszej wojny zatrzymało go w Rosji na kilkanaście miesięcy. Legitymacja żeleznodarożnoj, wystawiona w 1915 roku na nazwisko Jana Szczepanowicza Karlińskiego, ważna była na pięć lat. W rubryce „stanowisko" wpisano: konduktor hamulcowy. Zapewne znaczyło to, że miał hamulce pod opieką. Na zdjęciu wygląda elegancko, w białej koszuli i pod krawatem. Mundur nosi z wyraźną przyjemnością, choć dwurzędowa kurtka ze złotymi guzikami wydaje się nieco zbyt obszerna. Krótko ostrzyżone włosy, jasne, jak wąsy. Bez brody. Trzyma się prosto. Podpisuje nieczytelnym zygzakiem.

W kajetach o twardych okładkach zapisywał kolejne przystanki, Władywostok, Odessa, Lwów, to zajmowało godziny, pisał kopiowym ołówkiem, cyrylicą, której z trudem uczył się w carskiej szkole. W służbowym przedziale pił ze szklanki kipiatok, wrzątek, nie miał wiele do roboty. Za oknem uciekały krajobrazy. Notował godziny i minuty przyjazdów i odjazdów – nie było opóźnień – i słowa rosyjskich piosenek. Więcej nie pisał nic. Mapy kolejowe, bilety, latarka, ołówki z powojennych przydziałów kolejowych leżą w tekturowej walizce na strychu, obok worków z używaną odzieżą. Czy można jeszcze nadać im sens?

„Wańka z Pietra prijechał", śmiała się prababka, kiedy wracał z drogi, z daleka. Pachniał inaczej. Ale nie zwracała uwagi, ważne, że znowu był, tyle spraw trzeba było załatwić. „Ty zagończyk", klepała go po policzku, ale tak, żeby wąsów nie rozczochrać.

Jeździł, zarabiał, pracował. Więcej go w Łodzi nie było, niż był, a ślubna Rózia cierpliwie szykowała śniadania, opierała, dbała, szyła. Bez skargi. Przez siedem lat wódki nie tknął, tylko pieniądze na dom składał. Rodziły się kolejne dzieci, chowały. Nie nastarczał ze sprawunkami, rozeznania nie miał, które jest które. Poza najstarszą, Marychną, bo była pierwsza i pierwsza nazwała go „tatą". I taka bystra się zrobiła, tak szybko, na kolanach siadała i kazała sobie opowiadać o drodze. Bawiła się twardymi tekturkami biletów i uczyła czytać z nazw stacji: Ra-dom, Ka-lisz, Kra-ków. Chciała być konduktorem jak on. Śmiał się, kiedy uginała się, mała, chudziutka, pod ciężarem jego skórzanej torby i poważnym głosem prosiła o bilety do kontroli. Uczyła się na pamięć rozkładów jazdy. Pierwsza też śpiewała legionowe piosenki, które przynosił jeden z jego braci, legionista od Piłsudskiego.

Z czasem zmienili adres z Wapiennej na Perłową.

Kto tę ulicę łódzkiej robotniczej biedy nazwał Perłową? Wybrukowana kocimi łbami, w bliskości starych fabryk i cmentarza, kończąca się torami kolejowymi z wysokim nasypem, nie była perłą dzielnicy. Nie była ani trochę perłowa, choć Perłowa. Dom dziadka stał na końcu, przy nasypie kolejowym.

Zapracował na każdy sąg drzewa, z którego postawiono ściany i drzwi, i dach. Zarobił na każdy metr ziemi, gdzie posadzili jabłonie i czereśnie, krzaki porzeczek i agrestu, a w końcu słoneczniki. Przeliczał godziny w monotonnym stukocie kół na gwoździe i cement, szyby i podłogi. Postawił płot i studnię. Pierwsze święta spędzili przy lampach naftowych, a choinka wydawała się w półmroku jeszcze bardziej strojna.

Dziadek zwykle przywoził choinkę, świeże drzewko z lasu. Ale często siadali do uroczystej kolacji bez niego. W pękatym kredensie, obok

113

kryształowych kieliszków, używanych na specjalne okazje, karafki i kompletu do kawy, stał grafik dziadka. Własnoręcznie wpisywał daty i godziny wyjazdów i przyjazdów, żeby babcia wiedziała, co i jak. Praca była najważniejsza. Święto nie święto, jeździł.

To był dom kobiet, w którym mężczyźni, często nieobecni, z daleka sprawowali władzę.

Jan Karliński, mój pradziadek, lubił się fotografować. Najchętniej w mundurze, na peronie, przy lokomotywie. W ręku lampa karbidowa. Już się dorobił stanowiska kierownika pociągu, pensji 220 złotych plus drugie tyle godzinowego, i czapki ze złotym otokiem. Z niej był najbardziej dumny. Zarabiał z dodatkami dziesięć razy tyle, co zwykły robotnik, ponad 500 złotych przed wojną, więcej niż 100 dolarów. Traktowano go jak arystokratę kolei.

„Gotowe!", wołał, podnosząc ramię z latarką wysoko do góry, żeby konduktor zobaczył. Dopiero kiedy tamten potwierdził, krzyczał: „Ooooooodjazd!", i opuszczał rękę. Pociąg ruszał w drogę.

Służbistą był, o Jezu, jaki był z niego służbista. Tak mówiły jego dzieci. Spodnie musiał mieć wyprasowane, buty świecące. Każde co innego wokół niego robiło, szczotką, szmatką, żelazkiem na duszę. Pod szyją musiał też mieć czysty biały kołnierzyk, codziennie świeży. Zawsze na służbie.

Nawet kiedy już przestał pracować, siadał codziennie do wypełniania
kwitów, ekspediował pociągi, odprawiał, załatwiał. „Wołga, Wołga...", śpiewał pod nosem, „Wołga, Wołga..." Po śmierci pieniędzy po nim starczyło i na pogrzeb, i na pomnik.

Babcia

Mania

Moja babcia leżała za drzwiami na końcu długiego szpitalnego korytarza. Mdliło mnie, kiedy tam wchodziłam, ale starałam się to ukryć. Ściany przypominały mleczne kożuchy, dusił zapach chloroformu. Świat, z którego przyszłam, zachłystywał się pierwszą obietnicą wiosny. W otwartych oknach stała zieleń. Tu, po szpitalnej stronie, wstydziłam się, bo rozpierała mnie radość i chciałam znowu biegać między drzewami. Babcia, krucha, uwięziona w sztywnej pościeli na metalowym łóżku na kółkach, należała do innego porządku. Jakby przestały obowiązywać dotychczasowe prawa życia. Nie znajdowałam w jej oczach znajomej iskry naszego tajnego porozumienia, ciepła połączonego z czymś, co łączy tylko nas obie, do czego nikt inny nie ma dostępu. Była matowa i pachniała inaczej. Raz próbowała pogłaskać mnie po głowie, ale ręka pokłuta igłami kroplówek osunęła się na pościel.

„Babciu, czy to boli? Czy boli bardziej niż wtedy, kiedy stłukłam kolano i przylepiłaś plaster? Pocałowałaś i zaraz przeszło. Gdzie cię pocałować?"

Leżała przede mną, ale gdzieś w jej ciele, w środku, działo się coś, co mi ją odbierało. Czułam to.

Odwiedziłam ją tylko kilka razy, bo potem przeniesiono ją na oddział, gdzie nie wpuszczano dzieci, sprawdzano torby i ubrania w poszukiwaniu zarazków, odbierano nieczyste kwiaty. Już nie wolno było stawiać słoików — kolorowych weków wiezionych z Łodzi — na białej szafce obok łóżka. Babcia nie miała apetytu nawet na kompot z gruszek, który gotowała

117

siostra. Ani na z trudem zdobyte pomarańcze. Miała pokłute żyły. Już nie byłam jej ukochaną wnuczką. Przez cierpienie. Od młodszego syna, którego zawsze faworyzowała, bo jego narodziny miały pomóc jej miłości i uratować małżeństwo, wolała mojego ojca, starszego syna. Wtedy nie rozumiałam, że szukała oparcia. Ona, która zawsze była oparciem. Potem zabrali ją do izolatki, gdzie była jeszcze bardziej sama. Coraz mniej zajmowała miejsca na świecie. Coraz bardziej kurczył się jej czas. Coraz krótsze pisała listy. Czasem słyszałam, jak mój ojciec rozmawiał o niej szeptem ze swoją nową żoną. Mówili o mapie krwi, białych i czerwonych „ciałkach", którym w jej organizmie brakowało równowagi. Rozumiałam, że choruje na brak czerwieni, że jej potrzebuje. Zaczęłam malować dla niej kwiaty jaskrawymi plakatowymi farbami, których używałam do pierwszomajowych ozdób. Odkładałam dla niej malinowe i truskawkowe cukierki, prosiłam, żeby zabierali jej do szpitala pomidory i buraki. Za pieniądze ze skarbonki kupiłam jej czerwoną apaszkę. Miałam sny, w których uciekałyśmy gdzieś razem purpurowym zaprzęgiem, ciągniętym przez psy o tęczowej sierści.

Nie rozumiałam, co się dzieje, nie rozmawiano o tym z dziećmi. Przykładano plastry milczenia w każdej sprawie, która była trudna. Nie czułam, że to się zbliża. Nie znałam kroków śmierci.

Dotąd wszyscy byli. Ci, których zastałam. Dalej lub bliżej, ale byli. Nie doznałam bezpowrotnej utraty. Bo nawet ojciec, który nie dzielił z nami codzienności, nie przestał istnieć. Zmienił adres, ale nie był niedostępny.

Grałam w klasy przed domem ojca, raz dwa trzy i w bok, raz i w bok, i obrót, kiedy podszedł i powiedział: „Babcia umarła". Jakby mnie uderzył. Bez słowa wziął za rękę i zaprowadził na górę. Mieszkali na dziesiątym piętrze wysokiego bloku. Z balkonu widziałam to samo miasto, co kilka godzin wcześniej. W miejscu, gdzie dotąd stał szpital na Szaserów, snuła się mleczna poświata.

Do mamy wróciłam sama, tramwajem. „Nie mam żadnej babci", powiedziałam na progu.

Mówiła do mnie „Agunia" albo „Agusia". Ze stosu zabawek, jakimi przywitano moją pierwszą przyrodnią siostrę, wybrała jedną dla mnie.

Nikomu innemu nie przyszło to do głowy. Przytulała mnie, kiedy mogła i zabierała na noc do swojego łóżka, zanim nie przyzwyczaiłam się, że teraz wszystko będzie inaczej. Pamiętam jej chabrowe oczy, takie jak kwiaty na łące. Wiem, że miała pełne ręce roboty i cały dom na głowie. Kochała mądrze, dzieliła sprawiedliwie.

W domu na Perłowej niczego nie brakowało, ale żyło się skromnie. Chleb ze smalcem stanowił przysmak. Nie lubiłam smalcu. Nie lubiłam smalcu ani skwarków. Co więcej, wydawało mi się, że są znakiem gorszości. Nie wiem, skąd mi się to wzięło. Czułam mimowolną pogardę wobec chleba ze smalcem i skwarkami, choć przecież żywiła tym swoją rodzinę moja babcia o niebieskich oczach, dobra i bliska. To był pierwszy znak obcości.

Nie grymasiłam przy ziemniakach ze zsiadłym mlekiem ani przy barszczu z kartoflami z tłuszczem, ale czułam, że przynależę gdzie indziej. Jak to się działo i czy możliwe, by mogło być rozpoznawalne na poziomie jedzenia? Czy to moja matka nazywała to jedzenie „chłopskim"? Nie znosiła czerniny, zupy z kaczej czy gęsiej krwi, jaką poczęstowano ją na pierwszym obiedzie w Łodzi, zaraz po ogłoszeniu ich zaręczyn. Starano się ugościć ją, ale najwyraźniej nie trafiono w jej kulinarne upodobania. Również puszyste kluski na parze, polane tłuszczem, wydały się jej nieodpowiednie na tak ważną okazję.

Rytm pór roku dyktował tam codzienność. Mały ogródek znaczył kolejne uprawy grządek i etapy kwitnienia krzewów i drzew owocowych. Najważniejsza była jesień. Grzyby zbierano do wiader albo do wyplatanych z grubej wikliny okrągłych kobiałek. Grzybobrania były świętem najważniejszym, ich pracowite epilogi — obieranie, mycie, suszenie, gotowanie, marynowanie — liczono na doby. Do połowy tygodnia trwało oporządzanie jednych zbiorów, od połowy czekanie na kolejny świt, by wyruszyć znowu w te same kawałki lasu. Znali każdą polanę i każdą przecinkę, miejsca, gdzie rosły koźlaki i prawdziwki, maślaki w młodniakach, rydze i olszówki. Obrzędom grzybobrania dorównywało jedynie Boże Narodzenie, choć trwało krócej, wliczając nawet wielodniowe przygotowania.

ULICA PERŁOWA

Siostry Karlińskie — Marycha, Stefa, Sabina i Wiesia — córki mojej prababci Rózi i pradziadka Wani, zaczynały pracować mniej więcej trzy tygodnie przed Gwiazdką. W tajemnicy, żeby nikt nie widział. Z długich pasemek specjalnie ciętego błyszczącego białego papieru plotły gwiazdy, jak warkocze. Wycinały z kartonu baletniczki, lepiły skrzydła i wachlarze. Aniołki oklejały watą. Krakowiankom z chusteczek dopinały koraliki i wstążki. A kiedy już w dniu Wigilii stawała w dużym pokoju choinka, wieszały na niej prócz własnych ozdób jeszcze różne smakołyki, jabłka, pierniki, czekoladki w kolorowych papierkach. Na końcu owijały każdą gałązkę srebrnym łańcuchem. Gotowe na przyjęcie tajemnicy Pańskiego Narodzenia.

Babcia po prostu była. Jak piec i ogień. Jak dzień i noc. Gwarantowała prawdy najprostsze. Dźwięczny głos radia hejnałem z wieży mariackiej ogłaszał południe. Trębacz przerywał. Urywała się melodia. Wtedy babcia zabierała się do niedzielnego obiadu. Na sznurku przy misce gwizdek kolejowy, na kuchennej ceracie dziurkacz do biletów. Bilet cenna rzecz, obietnica przygody.

Przez moje dzieciństwo kursowały pociągi. I stale jadą. Przez stół, w środku obiadu, osobowy do Gdyni. Między rosołem a kurą, a czasem wcześniej. Pospieszny do Opola przy kompocie truskawkowym. I tylko babcia sprząta inne już firmamenty. Opiekuje się inną gwiazdą.

Niewiele o niej wiedziałam, prócz tego, że była moja i jedyna. Pokazała mi, jak Bóg się rodzi, a moc truchleje, usypiała mnie zimą w kołysce kolędy, a wiosną budziła w skorupce pisanki. Było mi tam cicho i ciepło.

Umarła wiosną 1969 roku. Nie miałam dwunastu lat. Za wcześnie, żeby pojąć, kim była.

Na swoim zdjęciu od pierwszej komunii Marycha, jak ją nazywali w domu, jest szczuplusieńka i dziecinna, mimo upiętych wysoko loków. Stoi pod krzakiem bzu. Nieco później sfotografowano ją w manierze młodopolskich nimf, półleżącą, okrytą ozdobną chustą, z włosami luźno spływającymi na ramiona. U stóp naręcze białych róż. Z tyłu płótno przedstawiające aleję wysokich drzew. Symboliczne rozdroże? Wtedy jeszcze miała przed sobą przyszłość, jak inne dziewczynki z prywatnej pensji pani Laszczyckiej. Uczyła się kaligrafować, rysować i haftować. Recytowała wiersze. Najpiękniej w klasie wyszywała serwetki i obrusy. Czytała pajęczyny najtrudniejszych wzorów. Tworzyła też własne, miała je w palcach i pod powiekami. Bezbłędnie dobierała barwy. Na kilimach, makatkach, bieżnikach, serwetach rozpoznawano jej rękę.

Życie skorygowało marzenia. Najpierw poszła pracować jako pomoc do apteki, później do fabryki dykty, wreszcie do gumówki. Zamiast bukietów robiła kalosze.

Nie wiadomo, gdzie i jak poznała Romualda Tuszyńskiego. I dlaczego chciała tylko jego. Miała innych starających się, przystojnych, na stanowiskach, ale tylko on się liczył. Za bardzo.

Romek przychodził do Marychy dwa razy w tygodniu. Zawsze elegancki i czysty, a jak mu Marycha robiła herbatę, to później młodsze dzieci, jej siostry i brat, wąchały jego szklankę, bo perfumami pachniała. Trochę się z niej śmiali, ale tak naprawdę imponował im Romek, ślusarz precyzyjny, młodszy od niej o jakieś trzy lata, wysoki, postawny szatyn. A zazdrosny był, że z nikim jej nie pozwolił chodzić. Zaszła w ciążę.

Pobrali się w Łodzi u Świętego Józefa na wiosnę 1932 roku. Wesele w domu rodziców na Wapiennej szykowała z matką i siostrami. Już przeszkadzał jej brzuch, ciężko było stać przy kuchni, ciasto wygniatać na pierożki, na makowce, śledzie marynować, sałatki przygotować, tyle krojenia, cebulę, ziemniaki, jarzyny, całą zastawę umyć porządnie i nakryć do stołu. W ostatniej chwili z bułek angielek eleganckie kanapki zrobić. Tak chciała. Zmęczona była i nogi jej puchły, ale tańczyła z panem młodym, jakby od tego miało zależeć jej szczęście.

Jan Karliński dał na meble swojej najstarszej córce, co mógł, 200 złotych, połowę miesięcznej pensji. Wyprawę przygotowała Rozalia. Pierzyna, dwie poduszki, komplet podwójny powleczenia, kilka obrusów, białe i kremowe, porządne, i bielizna — po sześć par koszul i majtek. Drogi interes to zamążpójście, na dom wtedy składał i zaraz wnuk pierwszy miał się urodzić.

121

ULICA PERŁOWA

Ojciec mojego taty, Romuald Tuszyński. Mój dziadek, którego ledwo znałam. Nie pamiętam go z dzieciństwa, już nie bywał w domu na Perłowej. Babcia nigdy nie powiedziała do mnie o nim ani słowa, jakby nie miała męża. Mój ojciec nie wspominał go przez całe moje dzieciństwo. Jak się kochali moi dziadkowie, czy Romuald kiedykolwiek odwzajemniał miłość swojej żony? Jak ona kochała, głośno czy cicho, namiętnie czy płaczliwie? Ofiarnie do końca, mimo wszystko. Kiedy zaczęło się między nimi psuć, dlaczego i kiedy stało się to nie do zniesienia?

W niedziele moja babcia w odświętnym stroju szła z mężem i synem na obiad do teściowej, matki Romka. W połowie lat trzydziestych już mieli trochę pieniędzy, oboje pracowali, już mogła sobie pozwolić na kupno lepszego kostiumu z wełenki i przyzwoitej pelisy. Ale cokolwiek by założyła i jakkolwiek się starała dla Marii Pauliny Hausman, wiedenki, pozostawała proletariuszką z robotniczych przedmieść Łodzi. Matka Romka, tęga, kołnierz z lisa, okulary, dawała całej rodzinie Karlińskich niedwuznacznie do zrozumienia, że powinni czuć się zaszczyceni, obcując z jej jedynakiem i z nią samą. Czuła się ulepiona z lepszej gliny.

Rzeczywiście pochodziła z Wiednia, a jej ojciec był Austriakiem, zamożny człowiek, budował drogi i mosty. Pod koniec XIX stulecia przyjechał do Łodzi. Urządził się na Kozinach, na Włodzimierskiej, niedaleko starego cmentarza. Nie wiadomo, jak i gdzie jego córka, Maria Paulina, poznała Waleriana Tuszyńskiego, fryzjera, Polaka. Był właścicielem męskiego zakładu fryzjerskiego. Zakochała się od pierwszego wejrzenia i doprowadziła do ślubu, mimo sprzeciwu ojca. Nie wiem, co przeszkadzało staremu Hausmanowi bardziej, sfera, z jakiej wywodził się przyszły zięć, czy jego narodowość? Pobrali się w roku 1912, niedługo potem urodził się syn, Romuald. Młoda matka dostała od męża naręcze białego bzu.

Nie wiem, kiedy opowiedziała mojej babci tę historię. I jej ciąg dalszy.

Walery Tuszyński wkrótce poszedł na wojnę. Walczył długo, aż stała się Polska. Wrócił do Łodzi, zwycięski, w 1918 roku. Wrócił nie ten sam. Nagle wybuchał śmiechem, mówił od rzeczy albo płakał, zupełnie nie jak na żołnierza przystało. Spać nie mógł, a kiedy już zasypiał, budził swoją ślubną żonę krzykiem. Zmieniała mu koszulę, pocieszała jak dziecko, ale nie uspokajał się. „Zostaw mnie, zostaw, ty... Niemko!", powiedział kiedyś, po raz pierwszy. A potem powtarzał za często.

Któregoś dnia poszedł do zakładu wcześniej, bez śniadania, i pierwszemu klientowi przyłożył brzytwę do gardła.

Umarł niedługo później.

Babka Tuszyńska, z domu Hausman, wkrótce wyszła za mąż po raz drugi, tym razem za poczciwego kolejarza Andaszka. To był dobry dziadek, nauczył swojego wnuka, Bogusia, łowić ryby.

W moim dzieciństwie żadne z nich nie brało udziału.

Przeżyli pięć lat niemieckiej okupacji. Nikt nie zginął. Nikogo nie ubyło. Na wojennej fotografii z maja 1940 roku moi dziadkowie siedzą przy wspólnym stole. Babcia Mania nosi swoją najlepszą sukienkę, czarną z koronkową aplikacją. Przypięła bukiecik róż do piersi, jakby wybierała się na bal. Romuald jest również w wizytowym stroju, mucha w białe kropki do ciemnego garnituru z kamizelką. Jego syn, też odświętny, stoi przy nich, ale się nie uśmiecha. Jakby wiedział coś więcej niż oni. Był to zapewne dzień jego pierwszej komunii.

W kadrze powojennego zdjęcia z jesiennego parku wyglądają już tak, jakby ich wspólne życie się skończyło. Romuald na ławce, w czarnym kapeluszu i palcie z futrzanym kołnierzem, patrzy już poza ich wspólny los. Ucieka wzrokiem. Babcia stara się go znowu o czymś przekonać. Czuję tamten chłód.

123

Nie umiała pogodzić się z myślą, że traci mężczyznę, którego tak bardzo pragnęła. Traciła go, jak traciła siły, od lat, powoli, po kawałku. Nie umiem sobie wyobrazić żyletki w jej ręku. Babcia, którą znałam, umiała wszystkiemu zaradzić, potrafiła pomóc każdej rozpaczy.

Wyjeżdżał, odchodził, wracał, przyjmowała go znowu. Na chwilę, na dłużej, na zawsze. Łódź, Szczecin, Jelenia Góra, znowu Perłowa. Słuchała, chciała wierzyć obietnicom poprawy. Nie pił, nie awanturował się. Umiał być szarmancki, kwiaty kupował, bił się w piersi, że ją jedną kocha. „I znowu nazad szedł", opowiadała Stefa, siostra Marychy.

ULICA PERŁOWA

Moja babcia go tłumaczyła, bo jeden wódki musi się napić, a inny po kobietach chodzi. I co z takim robić? Może zdemoralizowała go wojna, może taki miał charakter? Gryzła się. Raz Stefie powiedziała, że jej życie to wieczna rozterka. Płakała, ale nie przestawała czekać. Zdaniem siostry Pan Bóg jej rozum odebrał.

Kiedy była moją babcią, nie miałam o tym wszystkim pojęcia. Nie było jej, kiedy dorastałam, i nie ma, kiedy dorosłam.

Mam po niej pierścionek z brylancikiem w platynowym koszyczku. Dostałam go, gdy skończyłam osiemnaście lat. Nosiłam tak długo, aż się rozpadł. Nikt nie chce mi go naprawić.

Stefa.

Tego roku Wielkanoc przywitała śnieżna zamieć. A na Perłowej — umyte okna, świeże firanki, białe, sztywne, lśniące. Święto ogłaszają zapachem czystości, pasty i szarego mydła, który ustępuje z czasem woni białej kiełbasy, żuru, gotowanej szynki i tartego chrzanu.

Ciotka Stefa skurczyła się. Nie widziałam jej długo. Młodsza siostra mojej babci przeżyła ją o czterdzieści lat, o miliony zup, pieczeni, marynat, o przestrzenie nieobjęte zmęczenia. Przypomina złego ptaka na pałąkowatych nogach. Szyja wyrasta niemal ze środka pleców ulepionych w miękki garb. Oparta o drzwi, zaczyna bez wstępu litanię cierpienia. W jednostajnym zawodzeniu rozmywają się jej wyostrzone rysy. Białe włosy, skręcone w rurki, opadają po obu stronach długiego nosa, jakiego przedtem nie miała. Podnosi bluzkę, każe dotykać skóry i kości, miejsca po piersiach i miejsca po brzuchu. Wydaje się dumna z tego, jak mało z niej zostało, jak ciężko obszedł się z nią czas. Zdrowaśki chorób, duszności, niedokrwienia, kaszlu, koszmarów, swędzenia, strupów, jeszcze i jeszcze. Jeszcze.

„Chodź, pokażę ci sukienkę na pogrzeb".

„Pokaż".

„Pokażę, pokażę, zobaczysz, jaka piękna".

W szafie czuć myszami i resztką zetlałej naftaliny. Wieszak w plastikowym pokrowcu zapamiętał słodką woń lawendy, która zaraz wtapia

127

się w dawny, dziecinny zapach tego domu – pierzyny, wapna bielonych ścian, choroby.

„Zobacz, jaka piękna".

Czarna garsonka z ciężkiego materiału, nazywam go krempliną, choć nie wiem, jak wygląda, ale słowo pasuje do tej tkaniny przeznaczonej na śmierć. Czuję w niej fałsz, jakby podszywała się pod coś, czym nie jest. „Zobacz, jaka piękna", powtarza ciotka Stefa, głaszcząc rozłożone na łóżku spódnicę i żakiet. „Jak misternie haftowana", wskazuje zakrzywionym palcem, z obgryzionymi paznokciami – żabot pod szyją. „Misternie" – to słowo w jej ustach brzmi dziwnie, a w połączeniu z żałosnym kawałkiem ozdoby zwisającej u kołnierza budzi czułość. Przypomina mi wszystkie jej krawieckie monologi, którymi tak mi w dzieciństwie imponowała. Jaki zachwyt wywoływała w niej moja seledynowa pelerynka z falbankami albo płócienne pantofelki z kokardkami. Z modlitewnym uniesieniem. Zawsze zdrobniale. Jak wianuszek z różyczek, jak paznokietki obcięte w fokstrotki i polakierowane prawdziwym rubinowym lakierem. Moje pierwsze, za które tak bardzo byłam jej wdzięczna.

Patrzę na nią skuloną na łóżku, z bolesnym garbem, na spódnicę, zbyt szeroką w pasie, musiała sprawić ją sobie wiele lat temu, na nieforemne nogi z wielkim paluchem, coś musiało być w moim wzroku, bo spytała. „Chcesz zobaczyć, jak to jest?", sięga po moją rękę i jeszcze raz wsuwa ją pod bluzkę, ślady piersi, zrezygnowane, daremne. Potem zdejmuje grube czarne rajstopy. Wysuszony brzuch zapadł się, wyrzucając naprzód kości miednicy, skórę miała szorstką i siną. „Zimno będzie tak leżeć", mówi dalej, wyjmując białą barchanową bieliznę. Koszula z przybrudzoną koronką, majtki i duże reformy na gumę. „Wiesz, jak to jest, kiedy się tak leży". Przytula do twarzy czarne lakierki na niewielkim obcasie, mruży oczy. „Jakie piękne. Najlepsze. Składałam na nie długo".

Na śmierć w fildekosowych gaciach, w niedzielnych, trochę zużytych lakierkach, bez kapelusza. „Nie trzeba długo iść, a leżeć będzie wygodnie".

Wszyscy już umarli. Najpierw jej ojciec, kolejarz, którego nie umiała pożegnać. „Tatuś się przeziębił, ale uparty był, wstawał z gorączką, na służbę chodził, zapalenia płuc dostał i bańki nie pomogły. Boże, jakeśmy z Marychą płakały". Wąsy nakręciły na lokówkę, do trumny nałożyły mu galowe ubranie. Dobre buty też. I kolejarski gwizdek do ręki, obok różańca. „A potem moja siostra. Raz w tygodniu do szpitala do Warszawy jeździłam. Przywieź mi ogórka, prosiła, ale sama ukiś albo przywieź kluski na parze. Później nie chciała już jeść i powtarzała tylko: Zabierz mnie do domu, chcę umrzeć w domu. Pociągiem wieźli trumnę. Umarła też siostra Wiesia, co ją jak dziecko trzeba było pielęgnować, bo na poziomie dziecka została, i brat Mietek, co uczyć się nie chciał, ladaco. Wszyscy już poszli. Butów nadarli. Tylko ja się zostałam".

Na fotografii z młodości nosi mundur listonoszki. Włosy spięte spinką z tyłu głowy. Najpierw zabrali ją na roboty do Rzeszy, pracowała w fabryce margaryny. Margarynę wynosiła w obszernym płaszczu, takie specjalne otwory pod podszewką za kieszeniami się robiło, albo we włosach, nawijało się na podłużną paczkę włosy, jak na wałek. Kiedy wróciła, pracowała dla Niemców jako listonoszka. Trochę musiała się nachodzić, ale była na powietrzu. Szybko odkryła, że codziennie ma w torbie kilka donosów. Wielu ludzi się ukrywało, powracali z Niemiec, pouciekali, siedzieli jak myszy pod miotłą. Najpierw nie wiedziała, co robić, bała się, że się wyda, kiedy nie dostarczy pisma. Długo się zastanawiała, rozglądała dokoła, czy nikt nie patrzy, aż wsunęła złożony papier do gumiaka z cholewką. Potem brała śmielej. Chciała nawet zatrzymać te donosy na po wojnie, żeby mieć dowód, jak i co, kogo uratowała, ale kiedyś Niemcy zrobili obławę, tuż obok, kilka ulic, ganiali ludzi z psami, z krzykiem. Wtedy wzięła wszystkie papiery i wrzuciła je do pieca. „O, tutaj, do tego pieca, wszystkie poszły..." **129**

Ten sam piec, gdzie nauczyłam się ognia. Piec, który był zawsze. Świat, który zastałam. Wtedy nie sięgałam pamięcią wstecz, nie umiałam. Istniał jeden porządek rzeczy. Słuchałam ognia i deszczu.

Przy okrągłym dębowym stole, nakrytym białym obrusem, stoją cztery drewniane krzesła. Pod poduszką tego po prawej kolorowy magazyn, a w nim reportaż o mnie z dużymi fotografiami. Wyjmują go, kiedy przychodzi ktoś ważny, pani doktor albo inkasent.

Stefa zawsze po kryjomu coś mi dawała. Już byłam prawie dorosła, przyjeżdżałam w odwiedziny do Łodzi podczas studiów i później. Dawała mi wiele niepotrzebnych rzeczy po kryjomu przed ojcem, po kryjomu przed innymi siostrami. Na przykład prześcieradło albo jakąś tanią broszkę, bluzkę z bufkami, której nigdy nie zamierzałam włożyć, lub pończochy, których nie nosiłam, słoik kwaszonych ogórków lub kompotu z gruszek. Brała mnie za ramię na bok i obdarowywała. Krępowało mnie to, ale nie umiałam obrazić jej odmową.

Pamiętała mojego ojca od urodzenia, a jego bratem zajmowała się jak matka. Sama nie mogła mieć dzieci. Wysyłali ją kilkakrotnie na kuracje do bocianich źródeł, ale bez skutku. Nawet jako mała dziewczynka czułam, że los czegoś ją pozbawił. Pozwalałam jej bawić się moimi lalkami. Jej mąż Maniuś, poczciwy człowiek, pracował w parowozowni, oliwiąc jakieś części lokomotyw, pił. Podnosił mnie do góry i obracał pod sufitem. Nie awanturował się po pijanemu, szedł spać. Ostatnio, po kilku operacjach na kataraktę, prawie już nie widział. Coś mu się odklejało w oku, więc i pić mu zabronili. Siedział. Albo stał w oknie. Koledzy od kieliszka też potracili siłę. Męczył się z nią, bo nie tylko dusiła się całe noce, ale także psioczyła na niego, narzekała, kołki mu na głowie ciosała. Że drzewa nie porąbał, że ściany nie wymalowane, że studnia się zacina, wiadro nie wylane. Że jeszcze nie poszedł na targ albo nie posiekał cebuli, że znowu, że nie mówiłam, że tak zawsze.

W końcu umarła. A on się chce wieszać. Na razie siedzi nietrzeźwy w kuchni. Po stypie.

W czasie mojej ostatniej tam wizyty, na Wielkanoc, kiedy padał śnieg i kiedy pokazywała mi sukienkę do trumny, wyjęła z szuflady małą gumową laleczkę bez rąk i płakała nad nią, mówiąc, że to jest laleczka Marychy, jej starszej, ulubionej siostry, mojej babki. Znowu chciała dać mi coś po kryjomu, kiedy nikt nie patrzył, poprosiłam o laleczkę. Nie zgodziła się. „To jedyne, co mi po niej zostało". Czy ubrano ją w ciepłe majtki do trumny? A laleczka, co stało się z laleczką?

Mówiła, że umrze, wiele razy. Szykowała się do drogi. Kiedy żartowałam, gniewała się, groziła mi zagiętym palcem, jak wtedy, kiedy byłam mała: „Nie wolno naśmiewać się z Bozi". Zawsze obgryzała paznokcie. Z czasem palce powyginały się jej jak gałązki karłowatego drzewa, we wszystkie strony. Sterczały obgryzionymi paznokciami jak zabliźnione rany. Szybko przestała być częścią mojego świata, a przecież była znakiem, dom na Perłowej łączył mnie cienkim korzonkiem z Polską, z Łodzią, ze wschodzącą w ogródku marchewką. „Agunia, narwij sobie agrestu, porzeczki też w tym roku obrodziły. Na, tu jest dzbanuszek".

Nie lubię agrestu, nie lubię porzeczek. Wstydzę się na wspomnienie mojego dziecinnego wstydu, kiedy słyszałam „na", „na, weź sobie, nazbieraj sobie, na". „Na" znaczyło „masz", nikt tak nie mówił w Warszawie.

Spodziewałam się jej śmierci. Stała w kolejce długo. Zdawałam sobie sprawę, że przyjdzie dzień, kiedy ta wiadomość mnie dosięgnie. Nie dotknie, dosięgnie. I pomyślę, że zupełnie mnie to nie dotyczy.

Zamiast tego widzę ją w żałobie nad świeżo usypanym grobem mojej babki, z niedużą zapłakaną dziewczynką, trzymającą ją mocno za rękę. Jest lato, jak teraz, jak wtedy, nie ma dziewczynki, urosłam i odleciałam. Zapomniałam o niej na lata, nie posyłałam nawet kartki, znaku życia, nie dzwoniłam, nie zapraszałam do siebie. Jakby nie istniała. Jakby nie ratowała mnie przed stadem gęsi, nie pokazała konia na łące, nie stawiała nocnika przy łóżku i nie gotowała mi mleka. Jakby wcale się o mnie nie troszczyła. Jakby jej nie było. Nie ma jej. Na drugiej półkuli palę ogień wedle jej przepisu, kawałek gazety, drobny chrust na podpałkę, kształtna piramida, kilka polan z boku, szyszki dla zapachu, brzoza do smaku. Kropla żywicy. Pali się jak na Perłowej.

Nigdy nie słyszałam na Perłowej słowa „Żyd". Ani od babci, ani od jej sióstr, ani od ich matki. Wszyscy sąsiedzi byli Polakami i nigdy nie przyszło mi do głowy, że mogłoby być inaczej. Czy Żydzi kiedykolwiek istnieli w świadomości mojej łódzkiej rodziny? Kiedy chciałam zapytać, została tylko Stefa, której dziś też już nie ma.

Rozmawiałyśmy o tym raz. Nie powiedziałam, że to dla mnie ważne ze względu na mamę. Poprosiłam, żeby opowiedziała. Mówiła chętnie. Zastanawiałam się nawet, gdzie przechowała te wszystkie obrazy i wrażenia, ten ruch i zamęt, i gwar, te odległe koleżanki i melodie. Każdy, kto wtedy mieszkał w Polsce, musiał mieć podobne wspomnienia. I co się z nimi stało?

Według Stefy, w Łodzi Żydzi mieszkali wszędzie. Na 11 Listopada i na Jaracza, i na Śródmiejskiej, i na Zachodniej, i na Wschodniej też. I na Bałutach. „Tutaj, na naszej Mani, najmniej, ale niedaleko na Kozinach było dwóch albo trzech. Jeden miał sklep na Srebrzyńskiej".

Jak trzeba było cokolwiek kupić, to szło się do miasta, do Żydów. Dziadek Karliński dawał swojej żonie Rozalii pieniądze, ona brała Marychę, najstarszą córkę, i szły kupować. Dla Mietka, co się na kupca uczył w handlówce, dla Sabiny, co nie chciała być krawcową, dla Wiesi, co była jak dziecko, i dla niej, dla Stefy.

133

ULICA PERŁOWA

Jak były potrzebne śniegowce, to kupowały śniegowce. Swetry kupowało się u Weberki albo u innej, co miała warsztat. Podobnie rękawiczki czy jakieś palto. U Żydów wszystko było tańsze, a jakość bez zarzutu. Materiały mieli śliczne, do wyboru, wełenki czyste brały albo kolorowe, zielone, bordo, czarne, albo kretony z wzorami. Na sukienki, które krawcowa szyła. Stefa najbardziej lubiła takie z falbankami i bufkami. Zawsze coś tam utargowały. To, co się dało, opuszczali, nie można powiedzieć. A i masło, i jajka, u nich wszystko było, mąka i skarpety, pończochy, śledzie, herbata.

„U Żydków – powtarzała Stefa – mama kupowała na Nowomiejskiej. Firanki zostały kupione u Żydka, są czysto bawełniane, bardzo mocne, piękne". A ja potakiwałam. Jak to się dzieje, że język nasiąka emocjami jego użytkowników i kiedy, za czyim przyzwoleniem, zmieniono Żydów na Żydków? Z poufałością i pobłażaniem, z poczuciem wyższości i odcieniem pogardy. A może się mylę, może tak jest lepiej, może „Żyd" zabrzmiałoby jeszcze dosadniej? Słowo przekleństwo, słowo obelga, Żyd. Kupowali u żydowskich sąsiadów.

„Marycha zawsze pomagała wybrać. A ten kupiec z pejsami tak mówił: Proszę pani, no co ja mogę opuścić? Osiemdziesiąt pińć złoty to musi kosztować. Mama zaraz się odwracała, jakby chciała iść gdzie indziej. I wtedy on: No to niech już pani poczeka, pani pierwszy mój klient, ja pani nie wypuszczę. No to czekamy. No to co? – Aj, co tu zrobić? No już niech bendzie pindziesiont złotych. W końcu na pół ceny spuścił. Niech ja będę stratny, pani pierwszy klient, niech będzie".
No i tak mama kupowała.

Moja babcia miała w gimnazjum koleżanki Żydówki, tak mówiła Stefa, jej siostra. Przyjaźniły się, razem na zabawy chodziły. Stefa też takie w szkole miała. Uczyły się wspólnie, pieniądze składały na cukierki, grały w gry. I Wiesia w klasie siedziała z jedną. Wiesia, najmłodsza, miała najwięcej, bo i Chajka była, i Laja, i Bronka. Chodziły do nich do domów, próbowały kury z marchewką i słodkiej ryby. Znały jedną piosenkę: „U państwa Blawicz goście są, bo zaręczyny córki są, fidilaj laj laj

fidilaj laj laj fidilajlajlajlajlaj i tate komt, i mame komt, a przy tym nawet kugel..."
Nie pamięta dalej... fidilaj laj laj fidilaj laj laj.

Nikt nigdy nie śpiewał mi tej piosenki. Nikt nie wspominał o tych, którzy ją śpiewali. A przecież nie tylko handlu nie mogli sobie bez nich wyobrazić. Nikt nie wskazał sklepu na Kozinach, w którym brali na kredyt, i nie powiedział — była, żyła, zabrali ją, zginęła. Ryfka albo Sura. Żyd, współwłaściciel wytwórni chałwy, gdzie pracował Mietek, ich brat, obdarowywał pracowników słodyczami na święta i tacy mu byli wdzięczni, bo to przecież katolickie święta, nie musiał. I o tym zamilczano. A mówiono o innych sąsiadach, że w niewoli siedział albo u bauera pracował, albo pijany wpadł pod pociąg. Nie wspominano dentystki Żytnickiej, która leczyła zęby. Ani tego Żyda z Bielska, chociaż obchodził wszystkie domy po kolei i na raty sprzedawał kupony materiału, a po resztę wracał dopiero za jakiś miesiąc lub dwa. Był i taki, co wozem jeździł i szmaty skupował. Za niepotrzebne łachy dawał garnuszki, spinki albo grzebyki. Dzieci to nawet na niego czekały.
Jak to się stało, że nie zostało po nich puste miejsce? Nawet w pamięci?

Z gettem rodzina Karlińskich nie miała już żadnych kontaktów, chociaż to nie było daleko. Za okupacji tylko do cioci na Widzew jeździli, a tak to każdy się bał wychodzić. Jak się dzieciaki uczyły wieczorami, to potem przez płoty przechodziły podwórkami do siebie. Przecież nieduże dzieciaki były, siedem, osiem lat. Każdy musiał uważać.

135

Raz Stefa widziała dziewczynkę, mogła być w wieku Bogusia, jej siostrzeńca, mojego ojca, umorusana taka, czarna, piła wodę z kałuży, niedaleko ich okna. Chciała ją zawołać, ściemniało się już, ale jakoś nie zawołała.

To mogła być moja mama.

Czy moja babcia pamiętała tę dziewczynkę albo takie dziewczynki, takie dzieci? Była taka dobra, wierzyła w ofiarę i miłosierdzie, nie mogła patrzeć na ich głód. Wiem, że trwała wojna, że sami nie mieli wiele, ale przez pamięć na szkolne koleżanki na pewno nosiła im chleb. Nie chcę wiedzieć, że nie starczało jej siły na cudze nieszczęścia. Nie chcę wiedzieć. Nie będę wiedziała. Ja, córka takiej dziewczynki.

Ale właściwie dlaczego miałaby żywić żydowskie dzieci, pytam, ja, córka tego chłopca zza szyby? Czy moja babcia kiedykolwiek się nad tym zastanawiała? I bez tego zewsząd groziło niebezpieczeństwo. A żydowskie matki, gdyby świat oszalał inaczej, czy zatroszczyłyby się o jej syna?

Mój ojciec, dziesięcioletni, zapamiętał kolegów Żydów z Sompolna, gdzie spędzał pierwsze wojenne wakacje z dziadkami ze strony ojca. Bawili się razem. Grali w pikuty i w karty. Łazili po drzewach. Widział, jak się modlą w sobotę. Potem zniknęli.

Pamięta, że niedaleko domu na Perłowej, na Strykowskiej i Zgierskiej, było getto. Przechodził tamtędy. Nie wie już, co wiedział i z czego zdawał sobie sprawę. Zamknięto tam ludzi. Całe domy, wszystkich. Dzieci też? Chyba i dzieci, nie mogły, jak on, grać w piłkę i uczyć się polskiego. 1 września miał iść do szkoły. Bał się Niemców, ale biegał z kolegami na dzikie pola na Mani, żeby kopać szmaciankę, i rzucał kamieniami w tablice z niemieckimi nazwami ulic. Wojna trwała długo, miał czas dorosnąć.

A potem, jak inni, zapomniał o tamtych.

ŁĘC

Łęczyca

Mirek

Jakub Goldstein

Przedrynek

Wojna

ZYCA

Kuchary

Trumienka

Tamci

Ozorków

Nagrobek

Po raz pierwszy przyjechałam do Łęczycy zimą 1991 roku. Na Rynku topniał szarzejący śnieg. Kamienna Matka Boska przed budynkiem magistratu wydawała się bezradna. Miałam kartkę zapisaną ręką mamy z dwoma adresami, na Przedrynku i Poznańskiej, i kilkoma nazwiskami i imionami, które zdarzało mi się mylić.

Kulejący mężczyzna, podobny do diabła Boruty z lokalnej legendy, próbował mnie prowadzić zziębniętymi alejkami na pusty plac, zwieńczony stacją benzynową. Błąkałam się po niewidocznych śladach przeszłości. Nic nie znalazłam. W gospodzie, gdzie wstąpiłam, żeby się ogrzać, usłyszałam zdanie, które sprawiło, że odjeżdżałam z rodzinnego miasta mamy z ulgą: „Żeby pani nie musiała takiego ciężaru na plecach nosić, ile tu jeszcze Żydów zostało..."

Ciekawie powiedziane. Nigdy przedtem nie słyszałam podobnego konceptu. Właściwie nieobraźliwe, na pewno nieordynarne, zaskakująco plastyczne. Jednak obraźliwe. Nigdy nie reaguję bezpośrednio na podobne uwagi. Wycofuję się. Nie bronię. Nie sprzeczam. Nie tłumaczę. Uciekam. I wtedy uciekłam. Na dziewięć lat. Zatrzasnęłam drzwi.

Pomyślałam wówczas o mojej mamie. Nie chciała, żeby takie komentarze kiedykolwiek mogły mnie dotknąć. Zawsze, kiedy je słyszę, myślę o niej i o barwach ochronnych, w które mnie ubrała. Trwam w nich.

ŁĘCZYCA

To zdanie przypomniało inne, bardziej brutalne — że Hitlerowi należy się w Polsce pomnik za to, co zrobił z Żydami. Przywróciło tragedię powrotów żydowskich mieszkańców do takich miasteczek po zagładzie. Powrotów do swoich domów, już nie własnych, zajętych przez polskich sąsiadów, nie ukrywających zdziwienia, że tamci przeżyli, że wrócili, że są.

Kiedy wybrałam się tam po raz pierwszy, żyła jeszcze młodsza siostra dziadka, Frania. Ta, która mówiła o swoim marzeniu ucieczki z rodzinnego miasteczka: uciec na zawsze i nigdy nie wracać. Nie mogła zrozumieć, czego tam szukam, skoro ona całe życie robiła wszystko, żeby zapomnieć.

Zdołałam jeszcze znaleźć kogoś, kto Franię z Przedrynku pamiętał. Pamiętał, mimo pół wieku ich nieobecności, braku domu pod „dziewiątym". Pamiętał wykształcone panienki Przedborskie, po maturach, bardzo ładne, nic a nic do Żydówek niepodobne. „No, nigdy by pani nie powiedziała".

Adres Mirka, miejscowego nauczyciela historii, znalazłam w Żydowskim Instytucie Historycznym w Warszawie, w teczce „Łęczyca". Po raz pierwszy zapukałam do drzwi jego mieszkania na Żydowskiej w maju 1999 roku.

Główną ulicę dzielnicy żydowskiej wytyczono w połowie wieku XIV. Wkrótce potem nazwano ją Żydowską. Nazwy tej nie zmieniono przez kilka stuleci.

142 Ulica Żydowska w Łęczycy wyłożona była brukiem już w średniowieczu. W wykopaliskach z tego czasu znaleziono skórzane trzewiki. Najstarszy ślad obecności Żydów w tym grodzie. Buty. Przywędrowali obuci. Obcy. Niektórzy odeszli bosi. Jedni rozbierali się sami. Innym zdzierano buty, kiedy już nie mogli się bronić.

W końcu wieku XVIII żydowskie skupisko nad Bzurą należało do największych w środkowej Polsce. Ich dzielnica rozrosła się aż do Rynku, wzniesiono też murowaną synagogę. W XIX stuleciu stanowili połowę mieszkańców miasta, w latach dwudziestych XX wieku było ich cztery tysiące.

Przed wojną na Żydowskiej mieszkały tylko dwie polskie rodziny. Wszyscy inni mówili po żydowsku, krawcy, cholewkarze, sklepikarze. W stłoczonych drewnianych domkach mieszkali i pracowali, szyli, stukali młotkami, garbowali skóry, handlowali śledziami, ogórkami, chałą i wódką. Pachniało tam potem i biedą. Biegały dzieci i szczury. Wszyscy wszystkich znali. W każdy piątek było święto, modlitwa i szabasowy posiłek.

Szary liszajowaty budynek z lat pięćdziesiątych, w którym mieszka Mirek, stoi na gruzach kilkuwiekowej zabudowy. Po wojnie, tuż obok, w resztkach konstrukcji drewnianego domu znaleziono prawie tuzin rogów baranich. Szofarów używają Żydzi na przywitanie nowego roku, w święto Rosz Haszana.

Mirek jako chłopak w szkole wstydził się swojego adresu na Żydowskiej. Ale potem mu przeszło. Z pewną ostentacją umieszcza go dzisiaj na kopertach jako nadawca. Ma nawet specjalną pieczątkę. Od dziecka umiał być dumny z archikolegiaty w pobliskim Tumie, gdzie w VI wieku zaczęła się historia miasta, z zamku i figlarnego diabła Boruty. Znał na pamięć poczet królów polskich i dzieje zakonu rycerskiego Krzyżaków, szlaki wojenne drugiej wojny i zbrodnie bolszewików. Ciekawiła go przeszłość i sława polskiego oręża. Kto miał go uczyć historii żydowskich talmudystów i cadyków, kupców i melamedów? Nie wiedział o nich.

Chciał się dowiedzieć, skoro udało mu się pokonać wszystkie uprzedzenia prowincji. Uprzedzenia chłopów, przez wieki zadłużonych u Żydów, i mieszczan, dla których stanowili konkurencję w handlu, i proboszczów, przez stulecia głoszących z ambony, że Żydzi zabili Chrystusa. Wyzwolenie się z tej potocznej, latami pielęgnowanej niechęci wymaga odwagi samodzielnego myślenia.

Może dlatego został nauczycielem historii?

Nic o nim nie wiedziałam, kiedy pukałam do jego drzwi. Nie wiedziałam, kim jest i jaki jest ten wnuk łęczyckiego piekarza, syn robotnika, nauczyciel z ulicy Żydowskiej.

Nie wiem, jak to się stało, że szybko, niemal od razu, powiedziałam mu, czego szukam naprawdę. Nie starałam się ukrywać powodów, które przywiodły mnie do Łęczycy w poszukiwaniu jej żydowskich mieszkańców. Stąd pochodzi cała moja rodzina ze strony mamy. Z łęczyckich, żydowskich Hermanów, Przedborskich, Goldsteinów.

Powiedziałam mu coś, czego nie mówiłam nikomu obcemu, jeszcze nie wtedy i na pewno nie w Polsce, co powierzałam przyjaciołom, i to nie wszystkim, jedynie wybranym. Coś, o czym na co dzień milczałam. Nie potrafię określić, dlaczego wydał mi się godny zaufania, co takiego w nim zobaczyłam.

Ciemny pokój parterowego mieszkania, biblioteczka z książkami, kaflowy piec, stara maszyna do pisania. Oczy jasne, uważne.

Nie zdziwił się, jakby codziennie ktoś zwracał się do niego w podobnej sprawie. Wtedy jeszcze żadne z nas nie wiedziało, jak się rozrośnie i czym się stanie nasza przygoda z moją przeszłością. Bez wahania obiecał, że pomoże.

Potem jeszcze wielokrotnie próbowałam zrozumieć jego decyzję, pytałam go, dlaczego to zrobił, po co się za to brał, angażował uwagę i czas. Powtarzał to samo: potrzebowałam pomocy, a nie ma nikogo innego w tym mieście, kto mógłby to zrobić.

Występowałam wtedy przed nim jako pisarka z Warszawy, prosto z wieczorów autorskich, programów telewizyjnych, przed wylotem do Nowego Jorku. Wydawana i tłumaczona. A może nie mam racji, może nie miało to znaczenia. Nie wiem, co przesądziło o tym, że wybrał się po raz pierwszy do miejscowego archiwum z listą nazwisk, którą mu dałam. Bardzo szybko zaczął o nich mówić „nasi".

Pierwsza koperta z Żydowskiej przyszła kilka dni później. Zawierała listę mieszkańców Łęczycy, którzy w 1855 roku przysięgali wierność Najjaśniejszemu Panu, carowi Aleksandrowi II. Figuruje na niej trzech Hermanów — właściciel domu, kupiec i kramarz — oraz kupczyk Hersz Lejb Przedborski.

Potem przychodziły następne listy. Odnalazł się nie tylko mój pradziadek Henryk, radny miasta Łęczycy, ale i jego brat, Bernard, ławnik. Z czasem pojawił się i Markus, ich ojciec. Ich żony i dzieci. Wszyscy nosili żydowskie imiona, co utrudniało ich rozpoznawanie. Ale tempo, w jakim wchodzili na scenę, świadczyło o tym, jak bardzo chcieli wreszcie przemówić. Kolejnych kopert z Żydowskiej nie mogłam się doczekać. Zaczęła się jedyna w swoim rodzaju przygoda z moją własną przeszłością, odgrzebywaną rękami nowego znajomego, lokatora ulicy Żydowskiej. Potem się dowiedziałam, że zawsze chciał szukać skarbów.

Nie wiem już, kiedy powiedział mi o sobie. I w jakiej kolejności. Ojciec Mirka jeździł po okolicy. Naprawiał maszyny rolnicze. Jego dziadek był miejscowym piekarzem. Być może Herman, typograf z Krośniewic, mój prapradziadek, robił firmowe nalepki na chleb przodków Mirka? W domu na Przedrynku 9, gdzie przed wojną żyła rodzina mojej mamy, mieszkała też matka chrzestna Mirka. Często ją odwiedzał. Chodził po wojnie po tych samych schodach, które wydeptywali przez kilkadziesiąt lat moi dziadkowie i ich rodzice. Patrzył przez te same okna, wychodzące na łąki.

I tak, krok po kroku, zaczęłam wędrować po kartach ksiąg meldunkowych, akt miejskich i hipotecznych. Nie mogłam się doczekać kolejnego listu, kolejnego kawałka przeszłości, sprawozdań z posiedzeń magistratu, spisów mieszkańców poszczególnych ulic i zalegających z płatnością na dozór bóżniczy. Przesyłał mi odnajdywane na bieżąco fragmenty ponadstuletnich dziejów żydowskich mieszkańców Łęczycy, związanych z moim losem. Zaczynałam się od tych listów uzależniać.

To było jak składanie łamigłówki, której formy nie znałam. Tworzyła się w miarę dostarczania niedostępnych dotąd kawałków. Z niczego powstawał obraz, z czasem coraz bogatszy.

145

Pisał. Dzwoniłam, przyjeżdżałam, kiedy tylko mogłam, żeby na Żydowskiej, przy kaflowym piecu, o krok od ulicy Poznańskiej i drukarni mojej praprababki Salomei, rozmawiać o niej, jakby tylko na chwilę wyszła z pokoju. Albo o jej córce, Justynie, jak grała na fortepianie. Lub jej korepetytorze, później mężu, Henryku, którego już i Mirek nazywał, jak kiedyś Przedborscy, „pięknym Heniem".

W starych zapisach znajdowaliśmy oparcie dla nikłej domowej legendy.

Dla rodziny, która wszystko straciła, a potem jeszcze świadomie pozbyła się pamięci, te odkrycia były niezwykle ważne. Dostawałam dowody potwierdzające przypuszczenia i poszlaki. Mogłam układać z nich warianty ich losów. Zostawili ślady.

Zostawili ślady dla mnie. W spisach ludności miasta Kalisza i miasta Łęczycy. W księgach metrykalnych. W wyciągach, zgłoszeniach, aktach. Zostawili ślady, bo chcieli zostać odnalezieni. Chcieli wrócić. Z Treblinki i z Chełmna, z płonących stodół, zawalonych kamienic, z lasów, z duszogubek.

To musi być zupełnie inaczej, gdy się pamięta własną prababkę, jak siedzi w fotelu z wysoko podniesioną głową i włosami splecionymi do góry w ciasną koronę. Wystarczy, że siedzi. Nie musi nic mówić, choć dobrze byłoby poznać jej głos, odróżnić go od innych głosów. Albo sposób, w jaki kładła ręce na klawiaturze fortepianu, kształt jej dłoni, wyraz twarzy, gdy grała. Czy kiedy smażyła morelowe powidła.

Jedni czerpią z kliszy rodzinnej pamięci, przywołują postaci, których rysy i kształty potrafią rozpoznać. Jak inna jest wtedy nieobecność. Dla mnie nieznajome babki i dziadkowie są tylko śladem na papierze, cienką strużką atramentu w podpisie. Echem cienia.

Nie nauczyłam się ich w domu. Nie siadali ze mną przy stole i nie opowiadano, jak siadali. Nie jedli rosołu z żółtym makaronem ani nie pili kompotu ze śliwek. Nie pojawiali się przede mną w porządku, w chronologii życia. Nie uczestniczyli w codzienności mojego dzieciństwa nawet jako cienie. Trzeba ich było odnaleźć, czasem wbrew woli żyjących krewnych, niemych spadkobierców pamięci. Moje poszukiwania błąkały mnie w różne strony, nie dając jasnych portretów ani nawet śladów wiodących do jakiegoś celu. Gubiłam się wiele razy w genealogiach i znakach, jakie mi podsuwali, chwilami odsuwałam się od odzyskanych już obrazów, wkraczając na nową ścieżkę prowadzącą donikąd.

Dokumenty świadczą o ponaddwustuletnim pobycie Hermanów na terenach Polski. W Kaliszu i Krośniewicach, w Łowiczu i Łodzi, w Łęczycy i Płocku. Od 1815 roku obszary te weszły w skład cesarstwa rosyjskiego, gdzie położenie Żydów było trudniejsze niż w innych zaborach.

Dopiero wtedy zaczęto nazywać ich „starozakonnymi", co zastąpiło dotychczasowe określenie — „niewierni".

W końcu XIX stulecia w państwie carskim mieszkała prawie połowa światowej populacji Żydów. W samym Królestwie Polskim ich liczba wzrosła na przestrzeni wieku ośmiokrotnie i sięgnęła półtora miliona. Mimo to zdarzało się Polakom nazywać Żydów przechodniami, obcymi na tej ziemi. Wedle stereotypu każdy Żyd był pachciarzem, karczmarzem lub kramarzem. Zwykle obojętnym na sprawy kraju, w którym mieszkał, zajętym pomnażaniem własnego majątku.

Najstarszy z odkrytych przodków, Szmul Herman, był kupcem win i korzeni. W Łęczycy prowadził rodzinny interes, istniejący od 1804 roku. Sprzedawał również losy jako kolektor państwowej loterii w Królestwie Polskim. W połowie XIX wieku zasiadał w radzie miasta, co świadczyło o jego szczególnej pozycji i wykształceniu. Prawa wyborcze i stanowiska państwowe nabywali jedynie uprzywilejowani Żydzi, zamożni i oświeceni. Niewątpliwie należał do elity miasta. Posiadał dom na ulicy Poznańskiej, ze spichrzem, gdzie przechowywał zapasy trunków. Urządzał czasami przedstawienia dziecięcego teatru, z których dochód przeznaczano na biednych.

Zmarł tuż po powstaniu 1863 roku, zostawiając długi wysokości trzech czwartych wartości całego majątku.

Firma przetrwała. Przeszła w ręce Salomei Herman, zapewne bratanicy Szmula. Moją praprababkę nazywano w spisach ludności miasta jej żydowskim imieniem Sura Ruchla, wpisywano: „kupiec" lub „obywatel, **147** mieszczanin".

Wcześnie poślubiła swojego kuzyna, Samuela Hermana, któremu urodziła czworo dzieci. W końcu XIX wieku, prócz handlu win i wódek, prowadzili drukarnię. Lokalny korespondent kaliskiej gazety narzekał, że polska drukarnia przeszła w ręce Żyda handlarza win, który nie tylko każe sobie drogo płacić za nędzną robotę, ale też płodzi niesłychaną ilość omyłek ortograficznych we wszystkich drukach, polskich i rosyjskich.

Zupełnie możliwe, że Hermanowie kaleczyli polszczyznę. Zapewne ciągle mówili po żydowsku i nie aspirowali do perfekcji w używaniu języka polskich poetów. Nie wykluczam, że mogli robić błędy. Ale ciągle do końca nie wiem, czy kwestionowanie umiejętności Hermana miało związek z rzeczywistym stanem rzeczy, czy może było wynikiem niechęci polskich drukarzy.

Sygnatura drukarni Hermanów figuruje na codziennej prasie łęczyckiej lat dwudziestych i trzydziestych XX wieku, na sprawozdaniach z działalności towarzystwa pożarowego, towarzystwa śpiewaczego działającego przy kościele jezuitów, na ulotkach reklamujących powozy miejscowego fabrykanta i na klepsydrach rozlepianych na murach.

Myślałam o mojej praprababce, słuchając opowieści o łęczyckich Żydach między wojnami, których mieszkańcy miasta jeszcze pamiętają. Słucham o tym, jak wychodzili z synagogi, patrząc na innych z góry. Jak szli Alejkami, „naszymi Alejkami, od ich bóżnicy w kierunku naszego kościoła", widzę, jak idą – i jest w nich jakieś takie... poczucie wyższości. „Zarozumiali byli. Nie budzili sympatii, była w nich arogancja. I robili wszystko, by nas do handlu nie dopuścić, cuda wyczyniali, żeby polskie kupiectwo zniszczyć".

Jachet Gitel, Justyna, córka Salomei, moja prababka, nie miała znaków szczególnych. Nie w 1930 roku, kiedy wypełniała podanie o wydanie dowodu osobistego. Niebieskooka szatynka, wzrostu średniego, twarz miała owalną. Do podania nie załączyła fotografii. Chciała pozostać dla mnie w ramach wyobraźni, nie portretu. Mogę go układać z oczu niebieskich i włosów o nieokreślonym kolorze, bo ani jasne, ani ciemne, coś pomiędzy, ciemnawe, szarawe, ani czarne, ani płowe, jak moje. Ponoć jestem do niej podobna. Włosy miała długie. Lubiła, jak siadało się przy niej na stołeczku i czesało te długie włosy. Układała je potem w kok lub koronę. Pamięta to jej wnuczka, moja mama, ale najlepiej młoda wówczas przyjaciółka domu, Mirka, która o rytuale czesania opowiada mi na nadmorskiej promenadzie w Tel Awiwie. Przejechałam tysiące kilometrów, z Warszawy do Izraela, żeby o tym usłyszeć. Grzebień był kościany z szeroko rozstawionymi zębami, stołeczek niski — od kompletu mebli z salonu, gdzie stał fortepian. Miseczka na słodycze z miśnieńskiej porcelany. Siadały przy oknie wychodzącym na łąki. Na Przedrynku 9 w Łęczycy.

Po co tak się upieram przy grzebieniu i włosach? Czy paliły się najpierw w krematoriach, przed ciałem? I jak się paliły? Zajmowały od korzeni czy korony? Jakim bólem? Zawartość kieszeni zostawała za drzwiami. Pierścionek, nie wiem, czy jeszcze go miała, szedł na spiętrzony stos biżuterii. Zabrali ją z ulicy w getcie w Warszawie, gdzie przyjechała połączyć się z rodziną. Nie broniła się, szukała swojej najmłodszej córki, którą wzięto wcześniej w łapance z małym synkiem.

A więc wzrost średni, twarz owalna, szatynka, oczy niebieskie. Stalówka urzędnika jest zdecydowana. Jej podpis wydaje się nieśmiały. Dowód osobisty otrzymała 20 września 1930 roku. Miała wtedy 45 lat.

Jakub
Goldstein

...życy

Z G Ł O S Z E N I E

w sprawie wydania dowodu osobistego.

...rządzenie Ministra Spraw. Wewnętrznych z dn.29 listo-
...owodach osobistych / Dz.U.R.P.Nr.100 poz.898/

...ąc się na powyższe rozporządzenie Ministra Spraw
...rzejmie proszę Magistrat o wydanie mi dowodu osobis...

Nazwisko

Imię

Data urodzenia

Miejsce urodzenia

Gmina przynależności

Imię ojca .... matki

Miejsce zamieszkania

Wzrost

Twarz

Włosy

Oczy

Znaki szczególne

wydany dnia

/wypełnia władza, wydająca dowód osobisty/

Własnoręczny podpis zgłaszającego się :

...czyca, dnia .... 193.. r.

Zgłoszenie otrzymałem dnia .... 193.. r.

Goldsteinów było wielu. Ponad setka w samej Łęczycy, a ponadto w Ozorkowie, Krośniewicach, Kole, Brześciu, Kutnie, Gostyninie, Piątku, Stawiszynie i Łodzi. Ich drzewa genealogiczne tworzą las gęsty i żmudny, nawet dla mojej uporczywej skrupulatności. Z Goldsteinów pochodzi matka mojej matki. Goldsteinowie to ci biedni, zwyczajni, niczym nie wyróżniający się Żydzi, jakich tysiące znaczyło swoją drogę przez setki lat w małych miasteczkach nad polskimi rzekami. Można ich było zauważyć wszędzie albo właśnie nie zauważyć, gdyż wtapiali się w codzienność cotygodniowych targów i szabasowej modlitwy.

Jakub Szlama urodził się w Łęczycy, jego żona Chana Rauf — w Kole. **151** To ci sami, których pamięta moja mama jako swoich żydowskich dziadków. Mieli sześcioro dzieci, same córki i jednego syna, Dawida, malarza pokojowego.

Najstarsza córka, Udel Sura, zwana Delą, matka mojej matki, urodziła się w Kole w 1902 roku. Byli z niej dumni, bo została nauczycielką.

Jakub Goldstein handlował węglem, a jego dochody ledwie starczały na skromne utrzymanie. Nieraz grożono mu komornikiem. W aktach miasta Łęczycy zachowały się liczne pisma dziadka mojej mamy o rozłożenie mu spłat na raty. Sumiennie je płacił. Podania napisane kaligraficznie, dobrą polszczyzną. Nie jestem pewna, kto był ich autorem. Zatrudniali jednak służącą. Płacili regularnie na dozór bóżniczy i składkę szkolną, a także na biednych Żydów.

Jakub Goldstein jako jedyny z całej rodziny pokazał mi swoją twarz. W czerwcu 1930 roku złożył podanie o wydanie nowego dowodu osobistego. Rysopis: wzrost − średni, twarz − pociągła, włosy − szpakowate, oczy − szare. Znaki szczególne: broda nie zgolona.

Z lewej strony dołączył niewielką fotografię.

Mój pradziadek ma duży nos i odstające uszy. Jarmułkę na łysiejącej głowie, zapadnięte usta, jakby brakowało mu zębów, i oszronioną bielą ciemną brodę. Kapota z podwójnie wykładanym kołnierzem, zapięta na jeden metalowy guzik, wygląda na wytartą. Oczy lekko zwężone patrzą przed siebie.

Ma pięćdziesiąt dwa lata i jest starym człowiekiem. Boi się.

Zabito go kilkanaście lat później.

Przedrynek

Przedrynek 9. Duża kamienica w kształcie litery L, gdzie moi przodkowie Przedborscy zajmowali mieszkanie od frontu na pierwszym piętrze. Mieszkanie było jasne, z oknami na plac i łąki. W gabinecie mojego pradziadka Henryka królowała mahoniowa biblioteka.

W księdze hipotecznej zapisano: dom murowany piętrowy, oficyna murowana piętrowa, oficyna niemurowana parterowa, plac pod budynkami, podwórze, ogród, łąka. Przed wojną w posesji na Przedrynku zameldowanych było blisko sto osób. Rodziny Fau, Szpigiel, Cynaderka, Engiel, Cwang, Monter, Moszkowicz. Z trudnością znaleziono jednego spadkobiercę.

Nigdy nie widziałam domu na Przedrynku, choć nie zniszczyła go wojna ani nawet późniejsze próby zacierania przeszłości. Nikt nie potrafi powiedzieć, dlaczego w 1981 roku rozebrano pokaźną kamienicę, w której żyło kilkanaście rodzin. Trudno też o fotografie. **155**

Jedyne zdjęcie Przedrynku 9, jakie udało mi się zdobyć, należy do powojennej administratorki posesji. Zachowała je tylko dlatego, że na pierwszym planie widać kondukt pogrzebowy jej ulubionej sąsiadki. Dom jest posępny, szary. Milczący inaczej, niż to sobie wyobrażałam.

Moja mama urodziła się na Przedrynku. A potem mieszkała tam wraz z dziadkami — tymi z oficyny, Goldsteinami, i tymi od frontu, Przedborskimi.

ŁĘCZYCA

Przedrynek po latach wydaje się idylliczny. Bo pamięć łagodzi rysy. Bo byli wszyscy razem. Bo dotyczyły ich troski na ludzką miarę, podobne tym, jakie mieli sąsiedzi z przeciwka.

W dziesięciotysięcznej Łęczycy Żydzi stanowili jedną trzecią mieszkańców.

Moja prababka, Justyna Herman, wcześnie wyszła za mąż. Zaszła w ciążę ze swoim korepetytorem, starszym od niej o czternaście lat. Z czasem urodziła mu czworo dzieci. Pierworodny, Samuel, którego nazywano Zamutkiem, urodził się kilka miesięcy po ślubie, w roku 1903, roku pogromu Żydów w Kiszyniowie. Potem kolejno, co dwa lata, córki Bronka i Frania, a najmłodsza Madzia w roku 1913.

Henryk Przedborski, mój pradziadek, ów przedsiębiorczy korepetytor, zwany był w młodości Pięknym Heniem. Mieszkali na Przedrynku od 1914 roku, kiedy to pradziadek, już wtedy stateczny, został łęczyckim radnym. Funkcję tę sprawował przez dwadzieścia lat, w komisjach dobroczynnej i budżetowej, w zarządzie miejskiej kasy oszczędności. Wybierano go z listy Związku Żydów Ortodoksów, choć przesadnie religijny nie był. W magistracie powierzano mu zadania wymagające niemałej znajomości historii Polski i języka polskiego, jak choćby przygotowanie odezwy do ludności w setną rocznicę śmierci Tadeusza Kościuszki.

Na co dzień Henryk Przedborski prowadził księgi rachunkowe w składzie win teściowej, niechętnie i niezbyt skrupulatnie, mimo że od tego zależał codzienny byt rodziny. Handel, stanowiący przysłowiową domenę Żydów, uważał za coś gorszego, niegodnego jego uwagi. Wolał posiedzenia rady miasta, choć i tam zdarzały mu się liczne nieobecności. Dieta ławnika wynosiła 6 złotych za posiedzenie, za co można było kupić kilogram świetnego salami. Lubił niekoszerne mięso. Ale najbardziej lubił książki. Ze swoim przyszłym szwagrem, dentystą Mojżeszem Kusznerem, powołali Żydowskie Towarzystwo Bibliotek i Czytelni.

Swojego żydowskiego imienia, Enoch, nie używał nigdzie poza oficjalnymi dokumentami. Z domu znał jidysz, z chederu — hebrajski, maturę w carskim gimnazjum zdawał po rosyjsku. Czy polski był językiem, który uważał za własny? Ojczysty? Jak definiował swoją ojczyznę? Jego ojciec, Markus, urodził się w Łęczycy. Dziadek, Baruch, prawdopodobnie także. Któryś z przodków przybył z Frankfurtu, ale od pokoleń wyrastali z polskiej gleby. Może z pobliskiego Przedborza nad Pilicą, gdzie żydowska gmina istniała od XIV wieku, z cadykami i modrzewiową bóżnicą, którą zachwycił się Napoleon. Nazwisko, jakie nosili, nadawano też Żydom w niedalekiej Łodzi. W latach czterdziestych XIX wieku należało do popularnych.

Łódź urosła w XIX wieku z małej rolniczej wioski do rangi polskiego Manchesteru, siedziby przemysłu włókienniczego i wielkiego kapitału. Wartość produkcji liczono w setkach milionów rubli. Łódzcy Przedborscy, głównie z linii Aleksandra, brata Markusa, stworzyli tam dość duży klan.

Rodzili się i umierali w promieniu stu kilometrów między Kaliszem, Łęczycą, Przedborzem i Łodzią. Dopiero w pokoleniu moich dziadków przenieśli się na stałe do Warszawy.

Piękny Henio należał w końcu XIX stulecia do warszawskiej złotej młodzieży, tam zdobył swój przydomek. Za młodu przystojny, mówiono, że przystojny ze szlachecka, nosił sumiaste wąsy. Nie miał w sobie nic semickiego, co powtarzano jako największy komplement.

Długo był kawalerem. Długo też szukał swojego miejsca. Załatwiał interesy ojca, jeździł do Warszawy, bawił się na ślizgawkach i balach. Zawiadywał dworem w Kucharach, a potem go parcelował, nadzorował sklepy rodzinne w Kaliszu, organizował dostawy. Ale dopiero ślub zmusił go do bardziej systematycznego życia, choć z książek nie rezygnował.

157

Uważał, że trzeba się asymilować. Cenił to, co polskie, i sądził, że ma do tego prawo. Czuł się upoważniony przez wielopokoleniową obecność na tej ziemi.

Nie zaprzeczał sobie. Urodził się w żydowskiej rodzinie z tradycjami. Jego przodka handlującego okowitą Polacy nazywali Bratem, bo dawał na kredyt i nie popędzał z zapłatą. Już on mówił po polsku. Otwierał się na świat, jak jego dzieci i ich dzieci. Handlowali i żyli z Polakami i wśród nich. Przesadne podkreślanie własnej odrębności Henryk traktował jak coś w rodzaju towarzyskiego nietaktu.

Płacił składki na dozór bóżniczy i na biednych Żydów, ale mówił o tym po polsku. Po polsku czytał również Tołstoja i Flauberta, śpiewał arie operowe. I może liczył. Liczenie jest podobno najważniejszym sprawdzianem ojczystego języka.

Ale przecież mój pradziadek nie chodził do kasyna garnizonowego ani na brydża w Klubie Obywatelskim. Nie uczestniczył w przedstawieniach amatorskiego teatru ani w kuligach strzeleckich. To wszystko zarezerwowane było w Łęczycy dla Polaków. Członkowie narodowych organizacji polskich stali na baczność przed orkiestrą dętą podczas świąt, modlili się na wspólnych nabożeństwach w kościołach i na placach. Czasami patriotycznym obchodom towarzyszyły koncerty, które Henryk uwielbiał. Na Chopina, Corellego, Haendla zdarzało mu się nawet pójść do kościoła bernardynów.

Skąd wiem, kiedy Polacy mówią o nich z sympatią i uznaniem? Podkreślają wtedy, że byli zupełnie niepodobni do Żydów. Chodziło bardziej o zewnętrzne rysy niż sposób zachowania. Nos zgrabny, nieduży, w przeciwieństwie do żydowskiego — wyraźnego, haczykowatego, szpiczastego. Oczy i cera jasne, nie ciemne, nie mroczne, nie diabelskie. Polskie mogły być jeszcze wysokie czoło i wąsy, rzadko usta, nigdy broda.

Jak, na ile, i w czym Polska była ojczyzną Żydów? Czy za nią, jak Polacy, walczyli, ginęli, przelewali krew? Niewielu. Nie większość.

Ojciec Henryka, Markus, i jego brat Aleksander bronili się przed powołaniem do wojska. Czy z niechęci do walki, wedle stereotypu, że Żydzi unikają przemocy i bić się nie lubią, a może i boją? Jak przebiegały granice ich politycznej lojalności?

Jak traktowali okres ponadstuletniej niewoli Polski? Jak witali wyzwolenie?

Henryk wszedł w skład pierwszego Komitetu Obywatelskiego, jaki powołano w Łęczycy w 1914 roku, po opuszczeniu miasta przez władze rosyjskie. Składał się z polskich i żydowskich mieszkańców. Henryk czu-

wał nad bezpieczeństwem w jednym z czterech rewirów. Jak inni członkowie komitetu nosił na ramieniu jasnobłękitną opaskę.

Język wyznaczał strefy wpływów. Znajomość polskiego stawała się warunkiem przyznawania praw, obejmowania stanowisk w służbie publicz-
nej, codziennego kontaktu z większością. Asymilacja dawała możliwość
awansu społecznego. Przyjmowanie języka, stroju, obyczaju większości
dawało poczucie przynależności. Stąd często pobłażliwy i pełen wyższości stosunek asymilowanych Żydów do religijnych mas. Te nie tylko
w Łęczycy stanowiły większość. Przedborskim także zdarzało się patrzeć na „pejsatych" z góry. Nie
tylko nie należeli do sfer, do jakich tamci aspirowali, ale jeszcze kaleczy-
li polszczyznę, a na co dzień mówili po żydowsku. Wykształceni Żydzi
traktowali wówczas jidysz jako żargon, zepsuty niemiecki. I choć istniała
już bogata literatura w tym języku, musiało minąć wiele lat, by doceniono jej wartość, przyznając Isaacowi Singerowi Nagrodę Nobla.

W rodzinnej pamięci Przedborskich najważniejsze pozostały piątkowe wieczory na Przedrynku, po wspólnej kolacji wspólne muzykowanie,
najbardziej rodzinna z tradycji, najbliższa im wszystkim. Bo chociaż zu-
żywali dziesiątki woskowych świec w siedmioramiennych świecznikach
i nie popijali mięsa mlekiem, religia nie wyznaczała ich świata. Wydawało się, że liturgii przestrzegano wyłącznie dla Babuni, Salomei Herman.
Za to cotygodniowe koncerty weszły im w krew.

Na skrzypcach grali mężczyźni — ojciec i syn. Siostry, na zmianę
z matką, na pianinie. Ćwiczyli kwartety, choć do smyczkowych brakowało im altówki i wiolonczeli, a do fortepianowych trzeciego smyczka. Zamutek złościł się i kazał poprawiać najmniejszy błąd, jeszcze raz i jeszcze. Bronka fałszowała z gracją, zupełnie nie przejęta drobnymi niedo-
kładnościami wykonania. Frania godziła się na wszystko. Grywali
Mozarta, Beethovena i Brahmsa.

Cała czwórka rodzeństwa Przedborskich odebrała tradycyjne żydowskie wychowanie, ale mówili wyłącznie po polsku. W miarę ich dorasta-
nia Przedrynek stawał się coraz bardziej świecki.

159

ŁĘCZYCA

Uczyli się najpierw w domu, potem w polskich szkołach i łęczyckim gimnazjum Koła Polskiej Macierzy. Jako pierwszy otrzymał świadectwo dojrzałości Zamutek, w 1922 roku. Był wzorowym uczniem, co liczyło się przy egzaminach na studia. *Numerus clausus* nie został wprawdzie oficjalnie zatwierdzony, ale ograniczano liczbę żydowskich studentów wszędzie tam, gdzie zgłaszało się ich najwięcej. Politechnika Warszawska, którą wybrał, była obok medycyny i prawa szczególnie oblężona. Zamutek zdał na Wydział Dróg i Mostów i został przyjęty.

Studiował razem z Bolkiem Kusznerem, wojującym liberałem, którego wkrótce poślubiła Bronka i wyjechała z nim do Warszawy. Frania zapisała się na Uniwersytet Warszawski, na historię, także opuściła dom rodziców. Ich dorosłość była naturalnie wpisana w polskie środowiska. Nie wymagała buntu. Wymagała porzucenia Przedrynku.

Bracia Kraszewscy, którzy przychodzili do ciotki Bronki, bo przyjaźniła się z ich mamą, mówili, że Żydzi zabili Pana Jezusa. Śmiali się z żydowskich chałatów i obrzucali kamieniami kuczki, jakie stawiali na święta. Ich tata był Polakiem, dlatego chodzili do przedszkola sióstr urszulanek. Służyli też do mszy w kościele jako ministranci.

W 1935 roku, kiedy zegar miejski w Łęczycy nie wskazywał czasu, mimo licznych skarg do rady miasta i notatek w gazetach, w domu na Przedrynku zostali tylko rodzice z najmłodszą Madzią. W 1937 teściowa Henryka, Salomea Herman, sprzedała drukarnię. Rok później rodzina pożegnała na miejscowym cmentarzu mojego pradziadka Henryka Przedborskiego, syna Markusa. Zapewne zagrali mu na pożegnanie żydowskie *Kol Nidre*. A może i *Ave Maria*? Wdowa pojechała za starszymi dziećmi do Warszawy. Przedrynek przestał dla nich istnieć.

Wojna.

3 września 1939 roku, w niedzielę, mieszkańcy Łęczycy polecali Bogu ojczyznę, polskie wojsko, rodziny. Po południu spadły na miasto pierwsze bomby. Dziesięć dni później Niemcy weszli do miasta. Łęczycę przemianowano na Lentschutz i włączono do Rzeszy. Rynek nazwano Adolf Hitler Platz, ulicę Żydowską — Judengasse, Przedrynek figuruje na planach jako Vormarkt. Jeszcze istniał kirkut i stała synagoga.

Wielu mieszkańców ciągle pamięta Żydów.

Dopiero się okazało, kto jest kto, kiedy Niemcy kazali nosić gwiazdy Dawida — i na ulicach zrobiło się gwiaździście.

Przechrzty nosiły większe gwiazdy niż inni Żydzi, gwiazdy na plecach i na piersiach. Wstydzili się tego, zakrywali płaszczami. A jak Niemcy zauważyli, wzywali ich i kazali naszyć jeszcze większą.

163

Starzy Żydzi z brodami maszerowali pod karabinami po mieście i śpiewali taką piosenkę: „Marszałek Śmigły Rydz nie nauczył Żydów nic, a przyszedł Hitler złoty i nauczył ich roboty".

Szubienica stanęła na Rynku, na miejscu zburzonego budynku starostwa. Żandarmi spędzili mieszkańców na plac.

ŁĘCZYCA

Ponad dziesięciu Żydów powiesili, a ludziom kazali patrzeć. Jednym z powieszonych był krawiec, Szpigiel, poznali go, bo mundurki szkolne szył. Wisieli chyba aż do wieczora. Kilkanaście osób. Długo szukali ochotnika, który by skazańcom wytrącił spod nóg ławę, chcieli, żeby Żyd się zgłosił. Nikt się nie zgłaszał. W końcu zdenerwował się syn jednego skazańca. „Nie dopuszczę — powiedział — żeby mój ojciec więcej cierpiał". Poszedł i załatwił sprawę.

Bracia Kraszewscy z kamienicy na Przedrynku, których matka była Żydówką, stali również w tym tłumie. Opasek nie nosili, bo uczyli się u sióstr urszulanek, a ich ojciec był Polakiem katolikiem.

To wszystko musiało się dziać w pierwszych dwóch latach wojny, przed utworzeniem getta, w lutym 1941 roku. Zamknięto w nim około trzech tysięcy Żydów, pozostałych po akcji poprzedzającej jego zamknięcie.

Pocztówka z getta. Jak pocztówka z wakacji: z pozdrowieniami znad morza lub z gór. Kim był ów niemiecki fotograf, który zdecydował, by obrazy zagłady posyłać w świat?

Nazywał się Geschke i miał zakład na Adolf Hitler Platz 1, czyli na Rynku. Zapewne sam fotografował, a potem retuszował zdjęcia. Wydawał w formie pocztówek i rozprowadzał. Znalazłam dwie. Płonąca synagoga z napisem „Brennende Synagoge" i ulica Żydowska w getcie.

Żydowską bóżnicę podpalono w lutym 1940 roku. Stała w tym miejscu, oparta o mury obronne miasta, od ponad stu siedemdziesięciu lat. Monumentalna budowla o grubych murach płonie od głowy, od wysoko sklepionego dachu. Nazywano go dachem polskim. Buchający w górę ogień zajmuje jedną trzecią kartki. Ogień jest czarny, jak zagłębienia okien.

Żydom kazano rozbierać resztki spalonej synagogi.

Na drugiej pocztówce ulica Żydowska za drutami. Judengasse. W głębi kamienica pod numerem drugim i czwartym. Druty, zasieki, drewniane drzwi, bramka.

Druty na pierwszym planie, wszystko za drutami. Wejście do getta. Kilkoro dzieci, kobieta pchająca wózek z budką. Pozamykane okna, prócz jednego na pierwszym piętrze. Druty kolczaste. Trudno powiedzieć, jaka pora roku. Ostre światło może być znakiem wiosny lub jesieni. Ciemne ubrania z długimi rękawami wskazują na chłodne dni. Gdzieś pomiędzy jesienią 1941 a wiosną 1942 roku.

W spisach miasta Łęczycy dorosłych mieszkańców ulicy Żydowskiej zapisano od numeru 1249 do 1510. Elefowiczowie, Lisnerowie, Cyglerowie, Bornsztajnowie, Flatsorowie i inni. Siedemnaście numerów. Kupcy, krawcy, trepiarze, rzemieślnicy, ludzie bez zajęcia i kobiety przy mężach.

Hipolit Małecki, kowal, syn właściciela fabryki powozów, pamięta Żyda Eliasza. Chodził z nim do szkoły.

„Ale zginął w getcie. Na tym się kończyła ich kariera. Który zdążył na Izrael uciec, to uciekł, a jak nie, to wykończyli. Pakowali do samochodów, wbijali w te samochody tych Żydów, że kolbami bili po głowach, ubijali, że się nawet Żyd nie ruszył. Pod Koło wywozili, do Chełmna nad Nerem. Albo dusili w samochodach spalinami, w duszegubkach. Kuzyn żony opowiadał, że siwieli w jedną chwilę, ci, którzy tam na robotę chodzili.

A jak ich gnali do Poddębic, Żydówki wołały do nas: Panie Małecki, panie Małecki. A ja mówię do żony: Chodź i nie oglądaj się. Nie było można się zatrzymać.

Wola Boska i opieka Najświętszej Marii Panny — ze wszystkich opresji wychodzi się zwycięsko. Wierzę we wszystko, co boskie. I że jest opieka nad człowiekiem. Trzeba wierzyć".

Na cztery tysiące mieszkańców getta tysiąc nie przeżyło pierwszej zimy. Niemcy zezwalali jeszcze na pogrzeby na kirkucie, dokąd odprowadzano kolejne kondukty. W marcu następnego roku zaczęto Żydów zabijać. Zapędzono ich na stadion przy Kaliskiej, a stamtąd ciężarówkami wywożono w stronę Chełmna nad Nerem, jakieś 50 kilometrów od Łęczycy. Niewielu żywych dojechało na miejsce.

W aktach podatkowych z 1943 roku nie ma ani jednego Żyda.

Domy przy ulicy Żydowskiej zostały wyburzone przez Niemców po likwidacji getta. Podobno Polacy spodziewali się znaleźć złoto zamurowane w ścianach. Podobno znaleźli. Znaleźli też złoto w budynkach przy Szpitalnej koło fary. W latach pięćdziesiątych na starych fundamentach wybudowano bloki mieszkalne.

Nie mam fotografii mojej babki ani jej matki, ani nikogo innego z tej rodziny. Mam pocztówkę z płonącą synagogą, zamiast jej twarzy. Zamiast ich twarzy. Zamiast.

Kirkut nazywają w Łęczycy kircholem. Musiał tam istnieć już od czasów średniowiecza, kiedy pojawili się pierwsi Żydzi. Tam też zapewne pochowano ponad tysiąc pięćset ofiar pogromu, jakiego wojsko polskie dokonało podczas potopu szwedzkiego w 1656 roku. Jedna z wersji głosi, że wojska hetmana Stefana Czarnieckiego wrzuciły ciała pomordowanych Żydów do fosy, w miejscu, gdzie powstała ponad sto lat później bóżnica. Oparto ją o dawne mury obronne, obok umieszczono tablicę z hebrajską inskrypcją, upamiętniającą tragedię potopu szwedzkiego.

Od lat trzydziestych zeszłego stulecia do ostatniej wojny cmentarz starozakonnych miasta Łęczycy był w tym samym miejscu. Najpierw za miastem, a z czasem już na jego obrzeżach. Liczył „kilkanaście morgów ziemi". Rozległy.

W 1943 roku Niemcy zlikwidowali żydowski cmentarz, a macewami kazali wybrukować drogę ze stacji do miasta. Po wyzwoleniu zerwano ułożony z nagrobków chodnik, a macewy poskładano tam, gdzie przedtem był kirkut. Leżały w pryzmach długo, aż je w końcu rozkradziono, na osełki, na podmurówkę. Liczący ponad półtora hektara teren żydowskiego cmentarza uznano za mienie opuszczone. Zlikwidowano go decyzją rady miasta w 1964 roku. Planowano zbudować w tym miejscu drogę i założyć zieleńce.

Kirkut łęczycki rozciągał się tuż obok domu moich pradziadków na Przedrynku. Nie zdawałam sobie sprawy, że tak blisko. Gdyby wychylić się z okien wychodzących na wieś Topola i łąki, można było zobaczyć cmentarz po lewej stronie. Dziś już go nie ma, podobnie jak nie ma domu na Przedrynku. Zatarte tory kolejki wąskotorowej, która tamtędy biegła, niedaleko niskie budy garaży i teren szkolenia szoferów. Droga wyjeżdżona ciężarówkami. Mirek pokazuje mi pod nogami wypłukane kawałki żółtego piaskowca. Można zobaczyć ułamki macew, ale trudno wydostać je z ziemi, nie niszcząc drogi.

W końcu lat osiemdziesiątych koparka wydobyła w tym miejscu tablicę z czarnego kamienia, z napisami po hebrajsku i po polsku. „Błogosławionej Pamięci Mnycha Rogozińska". Przypomniano sobie wtedy o Natanie, krawcu męskim, specjaliście od sutann dla księży i radnym miasta Łęczycy, zabitym razem z innymi.

Odnaleziono w Australii ich syna, Efraima Rogozińskiego, Franka Rogersa, właściciela fermy kurzej. Kamienna tablica z łęczyckiego kirkutu leży na rodzinnym grobowcu Rogersów na cmentarzu żydowskim w Melbourne.

Dalej, wzdłuż torów wąskotorowej kolejki, zagrodzono niewielkie działki, skrawki wydzielonej ziemi, z prostym równaniem grządek. Marchew, cebula, pory, selery, pietruszka, buraki. Starsza kobieta pieli chwasty. Wyrywa wszystkiego po trochu, szykuje włoszczyznę na rosół. Nie może nie wiedzieć, co było w tym miejscu przed wojną. Dlaczego tak obrodziły jej jarzyny.

Przez chwilę stoję na torach. Wieziono ich zewsząd. Torami. Przecznicami. Bocznicami.

Czasem ich popękane groby kaleczą ziemię, pozarastane wychodzą na wierzch i burzą na chwilę jednoznaczną powierzchnię oczywistości. Odgrzebane z ziemi kamienne reszki tablic. Dymu nie ma już dawno.

167

Jeszcze raz na drodze utwardzonej płytami nagrobnymi łęczyckich Żydów. Te płyty są w ziemi, wróciły do ziemi, jak oni. Pomagają życiu. Drogom i domom, fundamentom nowego, które przyszło potem, które przyjść musiało, bo tak działa świat.

Kocie łby na Przedrynku zastąpiono nowym brukiem. Jest niemal gładki. Kolejna warstwa przeszłości zastąpiona następną. Już za czasów mojej pamięci.

Kuchary

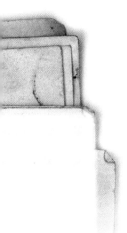

Nie znam ich twarzy. Mam przed sobą parę klamek z dworu, który okazał się ich dawną posiadłością. Trzymam je w rękach i próbuję dostać się do ich świata.

Gdzieś trzeba zacząć, a więc od końca. I od zmyślenia.

Mój prapradziad, Markus Przedborski, dziedzic na Kucharach, umarł w domu starców w Warszawie. Dom był dla Żydów, bogatych, na najelegantszej ulicy żydowskiej, więc Siennej lub Zielnej. A Markus miał umrzeć na kobiecie. Kobieta nazywała się Feniksenowa. Albo Gliksmanowa. Albo jeszcze inaczej. Do upadku przywiedli Markusa polscy chłopi, którzy podpalili jego majątek.

Nie wiem już, w jaki sposób weszłam w posiadanie tej historii i dlaczego w nią uwierzyłam. Może z braku rodzinnych legend? I mimo iż okazało się, że wszystko w tym wariancie jego losu mija się z prawdą, kiedy myślę o Markusie, wywołuję najpierw ten właśnie obraz.

169

Markus lubił się przedstawiać jako handlowiec z gubernialnego miasta Kalisza, ale nie wiem, co sprzedawał. Może koronki, z których Kalisz słynął, gdyż z powodzeniem naśladowały szwajcarskie. Wysyłano je do Rosji i do Chin. Mieszkał na ulicy Złotej, tuż przy głównym rynku, ze swoją żoną Balbiną, która pięknie podpisywała się po polsku. Wpatrywałam się w ten podpis długo, pochodził z 1882 roku, a „B” miało staranne rysy i dość potężne brzuszki. Urodziła mu pięciu synów. Ojciec mojego dziadka, Henryk, był trzeci z kolei.

Dwór Markusa, co powtarzano z wielką pewnością, stał pod Kaliszem.

Mirek usłyszał o żydowskich Kucharach pod Łęczycą. Nie przywiązywałam do tego wagi, bo przecież te moje rodzinne były gdzie indziej. Ale skoro już się tam znalazłam, a Przedborscy mieszkali nieopodal, może warto sprawdzić. Drogi wysadzane lipami. Powietrze przejrzyste. Przez Topolę Królewską, okoloną łąkami, kilka kilometrów do Strzegocina.

Nie mogliśmy trafić do Kuchar. Błądziliśmy, pytali. Jakiś mężczyzna pokazał nam z daleka, po przeciwnej stronie pól, zabudowania z czerwonymi budynkami gospodarczymi. Objaśnił, że dom w Kucharach podzielony jest między dwóch właścicieli – Jóźwiaków i Modrzejewskich, zacnych i byle jakich.

Dom jest duży, przysadzisty, podzielony wyraźnie na dwie części – jedna odremontowana, pokryta świeżym żółtawym tynkiem, zmieniająca proporcje całości, druga zaniedbana, liszajowata, jakby sieroca połówka poprzedniej. Nieforemny twór. Dziwaczny. Trudno domyślić się pod spodem pierwotnego kształtu. Na pewno z żadnej strony nie przypomina dworu.

Na pierwszym podwórzu kilka zasobnych budynków gospodarskich. Z donic na schodach zwisają czerwone pelargonie. Gospodyni jest wysoka, tęgawa, zażywna. Ma srebrny ząb i ciemne włosy po trwałej. Pytamy o historię Kuchar dla dokumentacji okolicznych dworów. Niewiele wie, prócz tego, co powtarzają wszyscy, że dziedzic przetańczył majątek w Paryżach. Ale jest dziadek, dziewięćdziesięcioletni, może on by więcej pamiętał. Gospodyni znika wewnątrz domu, a po chwili zaprasza do środka. Dziadek będzie mówił.

Dom ma grube mury. Z sieni wchodzimy do jasnego, wysokiego pokoju, z parą głęboko osadzonych okien. Meble nowoczesne. Czysto. Dziadek, niewielki, z resztką siwych włosów na głowie, siedzi na kanapie, w spodniach na szelkach. Duże nieruchome ręce odpoczywają na kolanach. Obok złożone kule. Ma pociągłą, smutną twarz. Oczy patrzą z daleka. Słyszy nieźle, ale między pytaniem a odpowiedzią mija pewien czas, jakby słowa musiały przebyć długą drogę, w tę i z powrotem. Za każdym razem podobnie.

„Kto tu mieszkał przed panem?", pytam.

„Dziedzic Grabski, rodzina premiera Grabskiego. Ale on majątek przehulał, przepił i przetańczył we Francji. W długi popadł. A potem tu byli Żydzi. Żydzi mu pożyczali na weksle, ale nie miał jak wykupić. Więc oni przejęli wszystko. Byli tu przez dwadzieścia pięć lat. Gospodarzyli. Wieś nie ma złego wspomnienia o nich. Ochronkę założyli i szkołę w pokoju obok. Mówi się do dziś Kuchary Żydowskie, chociaż w papierach jest inaczej. Resztówkę w 1912 roku kupił mój teść, Modrzejewski. Ja się wżeniłem w rodzinę Modrzejewskich, która po Żydach kupiła. Babka rozdzieliła majątek na dzieci, mojej żonie przypadła w udziale połowa".

Gospodyni częstuje kawą. Dziadek próbuje podnieść szklankę do ust. Pomagam mu, przytrzymując trzęsącą się rękę. Trochę gorącego płynu wylewa się i tak. Dotykam go delikatnie, jakby był ze szkła. Wydaje mi się drogi, bezcenny. Jego głowa, jego przeszłość, jego pamięć.

„Czy pan pamięta, jak się ten Żyd nazywał?"

Jestem doświadczona w takich rozmowach. Przeprowadzałam ich wiele, szukając śladów Isaaca Singera. Wiem, jak krążyć wokół tematu, jak go zmieniać, jak nie być natarczywą. I jak potem niespodziewanie do niego wrócić, nie budząc podejrzeń. Nie wiem, skąd Mirek to potrafi. Nie umawialiśmy się. Jest naturalny. A przy tym broni mojego sekretu.

Dziadek zastanawia się długo. Nie pamięta. Milczy. Już mówiliśmy o czymś innym, kiedy słyszę ciche: „Przedborski". **171**

Popatrzyliśmy na siebie. Ułamek sekundy. I dalej wszystko już było ważne — grubość ścian i wysokość okien, piwnice z łukowym sklepieniem i strych. Wszystko, co stary Jóźwiak, gospodarujący na Kucharach od lat trzydziestych, potrafił sobie przypomnieć. O tępieniu krzewów berberysu, o cenach świń — po 50 złotych, i kur — po 8 złotych, o składzie nawozów i nasion na Poznańskiej, o tanich bratkach i słodkich truskawkach Jacunda.

ŁĘCZYCA

„Ten Żyd, który tu administrował, miał koncesję spirytusową, prowadził w Łęczycy na Poznańskiej skład win i wódek. Stara, dobra firma, sprawdzona. Zamawiałem spirytus na moje wesele w czerwcu 1935 roku. Sto osób tu się bawiło. Dobrą wódkę miał. Nie rozcieńczał, jak inni. Żałoba narodowa trwała od maja, bo wtedy umarł marszałek Piłsudski. Cerkiew rozebrano w Łęczycy, bo prawosławnych już wcale nie zostało, tylko Polacy i Żydzi po połowie.

Przedborski to był elegancki, pani by zupełnie nie poznała, że Żyd. Wygolony, przystojny, bez brody, bez pejsów. Elegancki pan. Zażywny, zabawiał klientów rozmową. O filmach w kinie Oaza, strojeniu fortepianów albo narzędziach z domu rolniczego Gierlińskiego".

Jóźwiakowie prowadzą wzorowe gospodarstwo mleczarskie. Mają nowoczesne maszyny, a ich część dworu jest starannie utrzymana. Położyli nowy dach, a wewnątrz zerwali wszystko, tynki, podłogi. Okien nie dało się przerabiać, bo ściany grube. Z czasem myślą o wstawieniu plastikowych, na miarę, na obstalunek.

Nie znaleźli żadnej starej fotografii. Drzwi, okna i ściany mogą pamiętać. W tej części wszystko inne straciło rysy przeszłości. Beczkowo sklepione piwnice pachną wilgotną ziemią. Więc jeszcze tam. I strych.

I tu panuje porządek. Trochę bielizny na sznurach. Pod ścianą zakurzony obraz w złoconej ramie. Oglądamy półnagą kobietę z długimi jasnymi włosami. Maria Magdalena, trochę à la Botticelli. Gospodyni opowiada, że ten oleodruk trzydzieści lat wisiał w stołowym, jeszcze po dawnych właścicielach. „Chce go pani? Proszę, niech pani bierze".

172 Oto dowód. Dowód rzeczowy na to, że nie śnię. Czy również na to, że w salonie Przedborskich wisiała święta jawnogrzesznica, która namaściła olejkiem nogi Chrystusa?

To niemożliwe, żeby ten obraz mieli u siebie moi żydowscy prapradziadkowie. A przecież kiedy patrzę na niego teraz, we własnym domu, czuję, jakbym posiadała coś, co do nich należało. Nie umiem wyjaśnić, jak to się dzieje.

Drugie podwórze w nieładzie. Gospodyni, w czerwonym swetrze i okrągłych okularach z silną soczewką, nosi mysi ogonek z resztki tlenionych włosów. Uśmiech zagubiony, daleki. Wynajmuje się do sezonowych prac po kilka złotych za godzinę. Dorobić trzeba. Mąż nosi ludziom mleko. Bierze w sklepie na kreskę. Przepija wszystko. Teraz też gdzieś pije.

Niechętnie zaprasza do środka. Piramidy gratów, ubrań, sprzętów, kolorowych materii, biedy z nieładem i ułomnością. Jak po rewizji lub trzęsieniu ziemi. Na ścianie wisi krzywo owalna fotografia babki dziedziczki w sepii.

Gospodyni powtarza, że mówiono o tym dworze „pałac". Ze dwieście lat stał albo i więcej. Dookoła kwitły sady biało, różowo, a jesienią zbierano owoce. Jesienie jak malowane. Hodowano pszczoły, a w stawach karpie i liny. Był park i zabudowania folwarczne, z których zostały tylko stajnie. Podczas okupacji Niemcy zabawy sobie tutaj urządzali.

Długo chodzimy po łąkach. Czuję się obdarowana, jakby mi oddano kawałek mnie samej w tym polskim pejzażu. To przeszłość. Zagarniam ją w siebie, jakbym miała do niej prawo.

Poczułam wielką ulgę, jaką daje świadomość przynależności. Choćby miała tak nikłe korzenie jak przypadkowa pamięć. Jednak coś mnie po latach do Kuchar przywiodło. Jakiś polski anioł stróż? Pojechałam tam jeszcze raz i jeszcze. Oglądałam, rozmawiałam. Polska wieś, polska gościnność, rosół i schabowy, kawa zalewana w szklankach i zgrubiałe ręce gospodarzy. Kogo we mnie witają z taką serdecznością? Pisarkę z Warszawy? Czy powinnam im powiedzieć, kim naprawdę jestem i czego szukam? Jak zareagują? Ta myśl wprawia w zakłopotanie.

Dlaczego nie powiedziałam od razu? Co takiego jest we mnie czy było, co kazało i każe to ukrywać? Czego się boję? Jakiej reakcji? Ciągle nie sprawdziłam.

Klamki z dworu dostałam podczas drugiej wizyty. Bardzo chciałam mieć coś stamtąd, a oni bardzo chcieli coś ofiarować. Mosiężne klamki wygrawerowane liniami papilarnymi moich prapradziadów. Jak je odczytać, jak zebrać, jak przeprowadzić przez dziesięciolecia i jak rozszyfrować?

173

Starszy brat mojego prapradziadka Markusa Przedborskiego, Aleksander, był księgarzem. Uczył się w Anglii. I nosił się z angielska, z laseczką i w czarnym cylindrze. Kiedy wrócił do rodzinnej Łęczycy w połowie XIX wieku, pokazywano go sobie na rynku palcami jako oryginała. Miał trudności ze znalezieniem żony. Znał się na książkach, jak inni znają się na koniach lub drzewach. Godzinami siedział pochylony nad starodrukami i rękopisami w okrągłych drucianych okularach. Czytał po łacinie i po francusku, po polsku, hebrajsku, angielsku. Zajmował się wysyłaniem białych kruków na aukcje i zagraniczne wystawy. Prowadził także wypożyczalnię.

Po jego śmierci znaleziono w piwnicy cylinder, drukowaną Biblię po łacinie z malowanymi ozdobnie inicjałami i Stary Testament z końca XV wieku, wydany w Bazylei. **175**

Z czasem księgarnię i skład papieru przejął syn, Dawid Przedborski, rówieśnik mojego pradziadka Henryka, z żoną Chaną, pobożną do przesady, ale władającą nienaganną polszczyzną. Sklep Przedborskich w rynku koło piekarni pamiętają jeszcze starzy łęczycanie, głównie dlatego, że do zakupów dodawano dzieciom ołówki albo kolorowe naklejki. Dziś te dzieci wybierają się na tamten świat. Oprócz książek w sklepie można było kupić materiały piśmienne i przybory kancelaryjne. W dokumentach zapisano — „bumaga", po rosyjsku „papier".

Od roku 1914 współwłaścicielką księgarni była Tekla Chrempińska, z zacnej polskiej rodziny. Dziwiono się, że trzyma z Żydami. To z nią razem księgarnia Przedborskiego wydała szereg widokówek na zlecenie Polskiego Towarzystwa Krajoznawczego.

Wydali też inną widokówkę, którą do dziś obejrzeć można w zbiorach łęczyckiego muzeum. Przedstawia trumienkę ze zwłokami dziecka zabitego przez Żydów na macę.

Jak to było?

W Wielki Czwartek, w kwietniu roku 1639, we wsi Kamaszyce pod Piątkiem żebrak imieniem Tomasz wykradł dwuletniego Franciszka, syna Macieja Michałowicza, poddanego dziedziczki Karsznickiej, i zamordował go bestialsko, zadając przeszło sto ran kłutych. Dziecko odnaleziono w pobliskim lesie dopiero po jedenastu dniach. Żebrak na śledztwie zeznał, że działał z polecenia łęczyckich Żydów. Wyrokiem Trybunału Lubelskiego skazano go na rozsiekanie.

W trakcie procesu w łęczyckim Sądzie Grodzkim uwięziono dwudziestu Żydów, wśród nich rabina Izaaka. Mimo wyroków skazujących trybunał królewski ułaskawił większość oskarżonych.

Dziecko uroczyście pochowano w grobach zakonnych, a na froncie kościoła bernardyńskiego umieszczono stosowny obraz ukazujący mord rytualny. Na początku XIX stulecia obraz mordu rytualnego zniknął z łęczyckiego kościoła. Mieszkańcy wierzą, że ukradli go i zniszczyli Żydzi. Zwłoki dziecka przeniesiono do kryształowej trumienki i umieszczono wewnątrz kościoła bernardyńskiego. Podobno podejmowano starania o beatyfikację dziecka.

Trumienka stała w kościele aż do końca wojny. Latem 1945 roku, znowu podobno, skonfiskowali ją funkcjonariusze Urzędu Bezpieczeństwa. Łęczycanie twierdzą, że to również byli Żydzi.

Legenda ta żyje w wyobraźni łęczycan do dziś. Pogłoski o mordach rytualnych zakorzenione są w polskiej glebie jak kraj długi i szeroki, a obrazy przedstawiające okrutnych Żydów pastwiących się nad chrześcijańskim dzieckiem można nadal znaleźć w polskich kościołach.

Poza zdjęciem w kronikach klasztoru i kartką, do której druku przyczynili się moi przodkowie, nie ma w Łęczycy śladów trumienki. Zginęła także tablica z opisem mordu.

Tamci

Żydowski Nowy Rok jesienią 1999 roku spędziłam w Łęczycy. Poszliśmy z Mirkiem nad rzekę, żeby jak dawniej, przez wieki, w czasach drewnianych synagog, topić grzechy w Bzurze. Tak nakazuje żydowskie prawo, *tashlich*. Oczyszczenie na przyjęcie nowego roku. Topiliśmy grzech niepamięci.

Niewiele później kowal Małecki, wnuk właściciela firmy powozów, której ogłoszenia drukował Herman, Żyd z Poznańskiej, „wysoki taki, co do wyglądu nie pamiętam", wylegitymował mnie. Wylegitymował, zanim jeszcze zaczął ze mną rozmawiać, a potem opowiadał z namaszczoną powagą, a z czasem i narastającym gniewem, czując mój sprzeciw, o mordzie rytualnym i Żydach, którzy łapali dzieci, żeby z nich wytaczać krew na macę. Stawał się coraz bardziej agresywny. A ja coraz bardziej bezsilna.

Trumienka była, stała w klasztorze. To Żydzi zamęczyli dzieciaka. To nie bzdura. Jakiś cel mieli, żeby zamęczyć. Prawdziwa historia.

Pierwszy raz od lat dotknął mnie ponownie polski prymitywny antysemityzm, uprzedzenia, niechęć, agresja. Wróciło to, z czym mierzyłam się przed laty, kiedy pisałam książkę o Singerze, a co wydawało mi się, choć bez żadnego konkretnego powodu, przeszłością. I fakt, że wróciło właśnie tutaj, w Łęczycy, moim miejscu odnalezionym jak ojczyzna, zranił mnie szczególnie. Nie umiem tego ukryć.

179

ŁĘCZYCA

I nagle ginie gdzieś radość odkryć, odnajdowania dalszych ciągów, wątków rodzinnych historii. Nagle szarzeję i milknę.

Czy rzeczywiście myślałam, że to mnie już nie dosięgnie, że nie będę musiała tego słuchać w Łęczycy? Tak i nie. Wiedziałam, gdzie jestem. Ta wrogość mnie obezwładnia. I na cóż się zdało ukrywanie się przed sobą samą? Mówi do mnie Polak, mieszkaniec Łęczycy. Czy to, że nie wie, do kogo mówi, zmienia to, co myśli?

Zabolały mnie słowa kowala Małeckiego. Pierwszy raz tak mnie zabolało w Łęczycy. Przez chwilę zastanawiałam się, czy dobrze, że to w sobie ponownie odgrzebuję. Czy mam dość sił? Znowu wiem, że mam. Ile już razy prowadziłam ze sobą tę rozmowę. A przecież nie odkrywam się, nie przedstawiam jako córka żydowskiej matki. Może od tego trzeba zacząć, może atak wprost będzie inny niż ten z ukrycia? Nie jestem gotowa. Poza tym nie próbuję ich zmienić, przekonywać, żeby Żydów kochali, rozpoczynać wykładów historii. Zrezygnowałam z ich dusz. Czuję smak dawnego wojennego lęku. Wyblakły. Odbity echem. Wyraźny.

Mirek powiedział mi jeszcze, że w urzędzie miasta rozpoznano we mnie szpiega, dziwią się tylko, skąd taka młoda. Obawiałam się, że prędzej czy później tak się stanie. Że pojawi się element „mienia pożydowskiego" i wszystko, co za tym idzie, łącznie z moją działalnością szpiegowską na rzecz Amerykanów czy Izraela. Nie denerwuję się.

Mierzi mnie to. Brzydzi na tyle, że nie chcę się zastanawiać nad poczuciem winy, jakie tkwi u źródeł tych pomówień i obaw. Wielu mieszkańców dawnych żydowskich miasteczek w moim kraju reaguje w podobny sposób, boi się wizyt przybyszów. Boi się, bo to tamci byli kiedyś właścicielami ich domów, sadów, obejścia, ich mebli i naczyń. Przybysze uosabiają wyrzuty sumienia, ale tylko u tych, którzy mają powody je odczuwać. Okazuje się, że jest ich więcej, niż sądziłam.

Nie jestem tu po to, żeby cokolwiek odbierać. Moje tęsknoty nie są materialne. Szukam tego, czego nie ma. Boję się o pamięć.

Cokolwiek zrobię, w tej sytuacji nie uniknę podobnych komentarzy. Muszę zdawać sobie z tego sprawę. Przestać się obrażać. To polskie. Jestem Polką. Ale to nie jest moje. Mam nawet wrażenie, że Mirek stara się mnie bronić przede mną samą. W pewnej chwili radzi, żebym poczekała z tą książką, aż będę silniejsza. Nie sądzi, że ujawnianie przynależności do narodu wybranego może mi pomóc. Boi się za mnie. Jak mama. Ale ja nie chcę czekać. Nigdy nie będzie odpowiedniego momentu. Zawsze „to" będzie trefne. W tym kraju, w moim kraju, musi znaleźć się ktoś, kto mnie za to opluje.

W Poddębicach, 25 kilometrów od Łęczycy, gdzie było getto i gdzie szukaliśmy śladów cmentarza, na rynku przywitał nas napis, grubą czarną farbą wzdłuż białej ściany: „Żydy rozkradają ten kraj".
Po raz kolejny zdałam sobie sprawę, gdzie jestem i co robię. Na tle polskiej prowincji, gdzie chamstwo i pogarda dla wszelkiej inności bywa normą, czułość nauczyciela historii dla dalekich obcych wydaje się nieporozumieniem. Czy jest możliwe połączenie we mnie tych dwóch wątków, które przecież są połączone – polskiego i żydowskiego?

Uparłam się, żeby znaleźć cmentarz. Chciałam dotknąć czegoś, co było nimi, co było ich. Chciałam nam udowodnić, że ich życie było rzeczywiste i że nie zaginęło bez śladu. Przez malownicze wysypisko śmieci, przez opuszczony ewangelicki cmentarz, wzdłuż lasu, dotarliśmy w końcu do niewielkiego lapidarium. Ocalałe kawałki nagrobnych macew ułożone w ceglany mur. Resztki. Poczułam ulgę. I triumf, w Mirka imieniu, w polskim imieniu, i w imieniu tych, których pamięć zachowano. A więc nie tylko drwina, niechęć i milczenie.

Mirek usiłował mi tłumaczyć, że brutalne napisy na murach odkopywano także w ruinach starożytnych miast. Małość ma głęboki rodowód i wielką przyszłość. Dla niego nie przekreśla jednak faktu życia. Hermanowie prowadzili w Łęczycy interesy od 1804 roku, mieszkali tu, kochali, żenili się, budowali domy, handlowali, rozwijali miasto. Ślady są do dziś, choćby na papierze. Tu żyli, tu umierali. Tu było ich miejsce. Długo nie pachniało nieszczęściem. To przynieśli dopiero Niemcy.

Nie mieliśmy szczęścia, taki dzień. Kolorowy kiosk na łęczyckim rynku wypełniony podręcznymi rekwizytami zachodniego dobrobytu: my-

dła Fa, francuskie lakiery do włosów, markowe dezodoranty, batony
Mars, „Cosmopolitan", „Elle", „Playboy". Obok, na tej samej półce, pół
tuzina antysemickich broszur pióra rodzimych żydożerców. Czytelne za
szybą, wyraźnie widoczne tytuły: *Żydzi i masoni*, *Hitler twórcą państwa
Izrael*. Kosztują tyle co dwie paczki papierosów Marlboro. Kioskarka mówi, że idą jak woda.

W niezrozumiały dla mnie sposób Mirek czuje się za to wszystko
odpowiedzialny. Za nich, za to miejsce, za mnie. Wierzę, że należy do
ludzi, którym Żydzi mogli zaufać w czasie wojny.

Niedziela, 12 września 1999 roku, w Łęczycy. Zostałam na rynku sama. Dziwne uczucie, sama wśród uroczystych tłumów. Bez Mirka czuję
się tu obca. Jak przybysz z daleka, który wraca, ale nie odnajduje nic
z tego, czego szukał. Patrzy na wszystko, rejestruje, dostrzega, ale nie
rozpoznaje. Ani wyprasowanych garniturów do kościoła, ani jasnych
bluzek, letnich kapelusików, falbanek. Całej tej odświętnej solenności,
wspólnego celebrowania kościelnej mszy, a tego dnia także i patriotycznej okazji.

W południe miały się zacząć uroczystości 60-lecia bitwy nad Bzurą,
największej bitwy kampanii wrześniowej. Słońce, początek wrześniowego
upału. Są już mężczyźni po kilku piwach, są pary trzymające się pod
rękę, ciągnące w stronę rynku wszystkimi ulicami. Pod pomnik bohaterów bitwy, pod tablice upamiętniające ofiary hitlerowskiej okupacji.
W tym i żydowską ludność miasta, czytam na płycie. Przygrywa wojskowa orkiestra. Nastrój spotęgowanej niedzieli. Oczekiwanie na mszę
polową, uroczystość niecodzienną. I ja wśród tego wszystkiego. Usiłująca
zginąć w tłumie, ale odstająca od niego, na pierwszy rzut oka — obca.
Obca.

Nie swoja. Jednak ciągle nie swoja. A gdzie jestem swoja? W Warszawie? I skąd się bierze i tam poczucie obcości?

Uciekłam stamtąd. Żydowskie miasto, jakie oglądałam z Mirkiem
pod osłoną nocy, nie istniało. W południowym słońcu byłam już tylko
intruzem, który usiłuje samą obecnością naruszyć teraźniejszość. To,
czego szukałam, zasypało powojenne półwiecze.

Nic po was nie zostało. Nawet blizny. Polskie miasteczko z zamkiem królewskim, rynkiem, figurą Matki Boskiej przed magistratem, kilkoma kościołami i klasztorem. Jak inne dziś od tamtego, polskie, nie żydowskie miasteczko. Moje wysiłki zatrzymania czasu, odwrócenia biegu zdarzeń, przywrócenia pamięci, wbrew historii, zmęczeniu ludzi, czasowi, rozpaczy, tragedii — wydają się daremne.

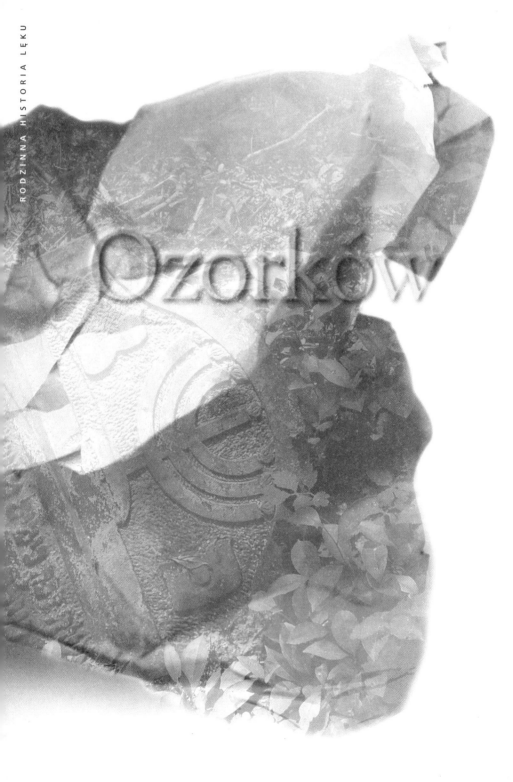

Ozorków

W Łęczycy — na miejscu cmentarza — nie ma cmentarza. Nie ma ich grobów tam, gdzie żyli. Zagazowanym postawiono pomniki w Treblince, w Chełmnie. Ale to nie jest ich ziemia.

Mirek mówi, że podobno w niedalekim Ozorkowie był także duży żydowski cmentarz. Do Ozorkowa jeżdżono z Łęczycy przed wojną na wycieczki. Dwugodzinna podróż kolejką wąskotorową, gwiżdżącą i dymiącą, stanowiła nie lada atrakcję. Czasem jechano dalej, tramwajem aż do Łodzi. Do Ozorkowa przeprowadziła się przed wojną razem z mężem, dentystą, najmłodsza siostra mojego dziadka, Madzia. Tuż przed wojną urodziła synka Henrysia. Figuruje w okupacyjnym spisie ozorkowskich Żydów. Zapisano również kilku Goldsteinów, zapewne spokrewnionych z łęczyckimi. **185**

Cmentarze sytuowano zwykle na obrzeżach miast, niedaleko siebie. Tak było i w Ozorkowie. Obok katolickiego cmentarz ewangelicki. I żydowski.

Za pierwszą cmentarną bramą spoczywają chrześcijanie. Zza muru widać kamienne krzyże i pomniki. Potem pauza na zieloną łąkę. Ewangelicy w swoich opuszczonych grobach są mniej uroczyści. Kamiennym aniołom zabrakło opiekunów, poobijano im skrzydła.

ŁĘCZYCA

W oddali las. Wzdłuż prowadzącej do niego drogi tłoczą się domy. Wszystkie powojenne, co znaczy, że przed wojną była to odległa okolica. Zapytaliśmy o żydowski cmentarz. Bez komentarza wskazali ręką na las.

Późne popołudnie, słońce schodziło nisko. Przeświecało przez konary młodych akacji i dębów. Wyraźnie wyznaczona ścieżka prowadziła nas przed siebie. Dokuczały komary. Zaraz z brzegu potknęłam się o ułamek kamienia, szpiczasty, sterczący na zewnątrz. Ale nie wydał nam się ciekawy, nie ruszyliśmy go nawet, poszliśmy dalej. Prawie nie podnosiłam głowy, tylko na tyle, by nie zgubić drogi. Pod stopami ścieżka ubita wieloma butami. Dużym kijem rozgarniałam ściółkę, mchy, igliwie, szyszki, paprocie. Ale nie było kamieni, nie było tablic ani macew. Żadnych śladów po Żydach. Wróciliśmy do pierwszego kamienia. Sękatym kijem staraliśmy się go poruszyć. Nie od razu pozwolił się wyrwać z ziemi. Ułamany kawałek piaskowca. Zwyczajny. Na odwrocie pokazały się trzy hebrajskie litery. Najprostsze, które umiałam przeczytać: Sz-a-l-o-m. Przywitanie.

W pobliskim gospodarstwie pożyczyłam łopatę. Obok pierwszego trójkątnego kamienia leżały dwa inne, nieco mniejsze. Na jednym, który czyściłam pękiem trawy, wyrzeźbiony był liść, na drugim kwiaty. Niegdyś te kamienie znaczyły czyjeś ciała – czyjąś śmierć. Znaczyły też czyjeś życie.

186 Fragmenty nie składały się w całość. Nie tworzyły jednej płyty. Dwa kawałki piaskowca miały gliniany odcień, inne były marmurowe lub ciemnobrunatne. Pięć części. Pięć odłupanych kawałków losu, zatrzymanych w brzuchu ziemi. Na przetrwanie.

Nie chciałam rezygnować. Ale nie znajdowaliśmy już nic więcej. „Tylko tyle", myślałam. „Aż tyle", mówił Mirek. Nieśliśmy kamienie zawinięte w liście. Było szarawo, ale jeszcze na tyle widno, by dzieci bawiły się w piasku. Jeden z chłopców, blondynek, może dziesięcioletni, zapytał, czego szukałam, czy może tych tablic z napisami?

Zaraz znowu byliśmy na skraju lasu. Dąb stał w głębi. Ziemia pokryta liśćmi usypanymi wyżej niż na ścieżkach wyglądała jak rosnące w piekarniku ciasto. Pęczniała. Chłopcy rzucili się na nią, kopali rękami, szybko, coraz szybciej. Płyty z piaskowca. Pokiereszowane, popękane, potłuczone, wyłaniały się jedna za drugą. Uklękłam przy nich. Po chwili byłam jak oni. Ziemia wydawała się nie mieć dna.

Nie mogliśmy przestać. Trzech chłopców z najmłodszym, może trzyletnim, który otrzepywał z lepkiej ziemi mniejsze kawałki płyt i wycierał trawą. Pojawiła się dziewczynka, pokazywała mi lwy i monety na płaskorzeźbach. Hebrajskie litery, z prawa na lewo. „Niech pani zobaczy, u mnie są ręce, o, tutaj palce, i druga dłoń, dwa i trzy palce". „A ja mam lwa", widzi pani. „A ten pieniążek, co znaczy?" „Książka, widzicie, książka..." Lekcja historii.

Odjechałam do Warszawy z pełnym bagażnikiem.

Nazajutrz czułam się, jakbym popełniła jakieś świętokradztwo. Jakbym ocaliła życie kosztem przekroczenia nieprzekraczalnych granic. Bałam się dotknąć tych kawałków macew.

Którejś nocy, kawałek po kawałku, przeniosłam je po kolei do mojej piwnicy, którą niedawno wyremontowałam na bibliotekę. Obmyłam je, starając się bardziej nie ranić, a potem ustawiłam na półkach obok książek. Najchętniej wzięłabym je wszystkie do domu, ale obawiam się, czy zostałoby to dobrze zrozumiane.

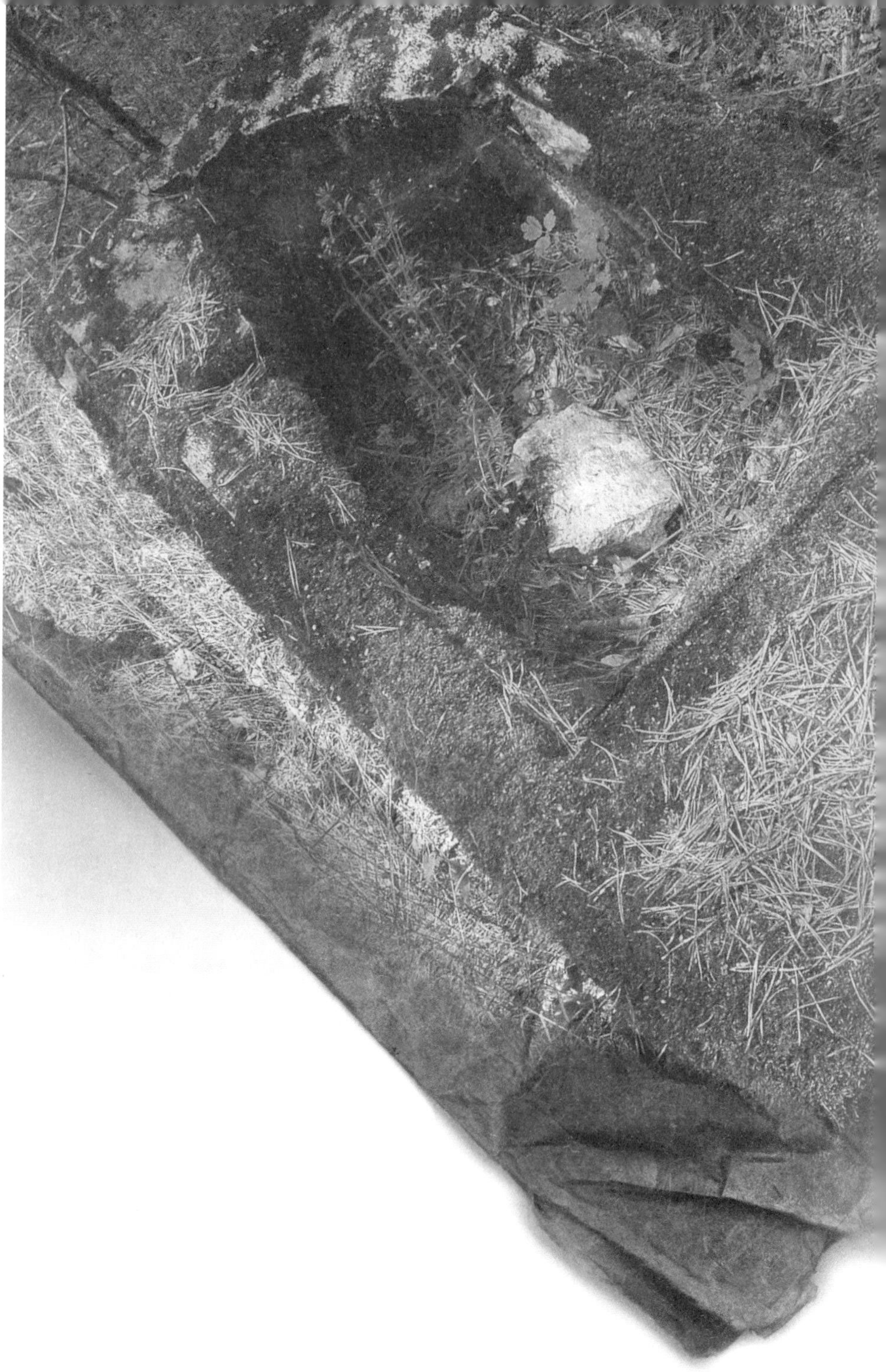

Nagrobek

Nie wiem, jak wyglądał Markus, urodzony w Łęczycy w roku 1844 jako Majer Ber Przedborski. Mój prapradziad. Był najbardziej ruchliwy ze wszystkich moich przodków i najbardziej tajemniczy. Pojawiał się i znikał, widziano go w Kaliszu i w Łęczycy, w Łodzi i w Kucharach. Przedstawiał się jako handlowiec albo właściciel majątku lub sklepu. Nie znam jego twarzy. Wiem, jak się meldował w kolejnych miejscach, sam lub z żoną Racą Bajlą, zwaną Balbiną lub Bertą, z domu Haneman. Przeżył ją o jedenaście lat.

Nie mogłam znaleźć miejsca, gdzie go pochowano. Nie było go w Kaliszu ani w Warszawie. Znalazł się w Łodzi. Markus Przedborski zmarł w 1931 roku w wieku 87 lat.

W papierach żydowskiego cmentarza zachowały się dokumenty zaświadczające, że grób przy piątej alei, w kwaterze R, numer 3a, należy do niego. Obok pochowano jego synów, Jakuba i Hersza, a dwie kwatery dalej żonę, co świadczy o tym, że nie byli ortodoksyjni.

Na ich grobach nie ma tablicy. Żadnego znaku z nazwiskiem. Podwójny grobowiec z piaskowca jest otwarty, bez przykrycia, poza miłosiernym bluszczem.

Miejsce, gdzie ich pochowano, obwiedzione jest mchem jak ramą. Trochę pokrzyw, trochę chwastów. Nic więcej. A przecież czuję ulgę, że

189

ten kawałek ziemi jest. Że tutaj. Stąd da się wyprowadzić wspomnienia. Również te domniemane, zasłyszane, przepowiedziane przez kilka pokoleń i wiele głosów, przetworzone, poprzerastane milczeniem.

Musieli mieć piękne groby, pospolitego piaskowca nie grabiono. Zrywano tablice granitowe lub marmurowe, pospiesznie, łapczywie. Ile się dało, byle nie odkryć trumien. Nie jedyne w ten sposób zniszczono. Jakieś tablice obok, połamane, ale z kawałkami liter — fragmenty nazwiska, zmarł, przeżywszy, po polsku, czarny marmur lub granit. Prostokątne szczyty, gładkie przykrycia, wypełnione liśćmi. Maj świeci zielenią, a ich szczątki przykrywają jesienne brunatne i brązowe reszki zeszłorocznego listopada. Obok podobny grób, ale tablica stoi, z wydartą twarzą, na której żerują ślimaki.

U nich zburzono wszystko. Do dna. Czy powinnam oznaczyć to ich miejsce na ziemi, jedyne, które po latach ciągle im się należy, do którego w kancelarii żydowskiej gminy Łodzi są nadal przypisani.

Gdzieś przynależą. Jakiś kamień obrysowuje ich trumny. Co tam jest w środku ich istnienia, ich nieistnienia?

Można by tu złożyć wszystkich, tych, którzy tam są, i tych, którzy nie mają grobów. Tych z Treblinki i Chełmna, z Łęczycy i z Warszawy. Nie nazwanych. Moich. Na codzienny kadysz. Wśród innych pozbawionych rodzin i imienia. Wśród swoich.

Z A M

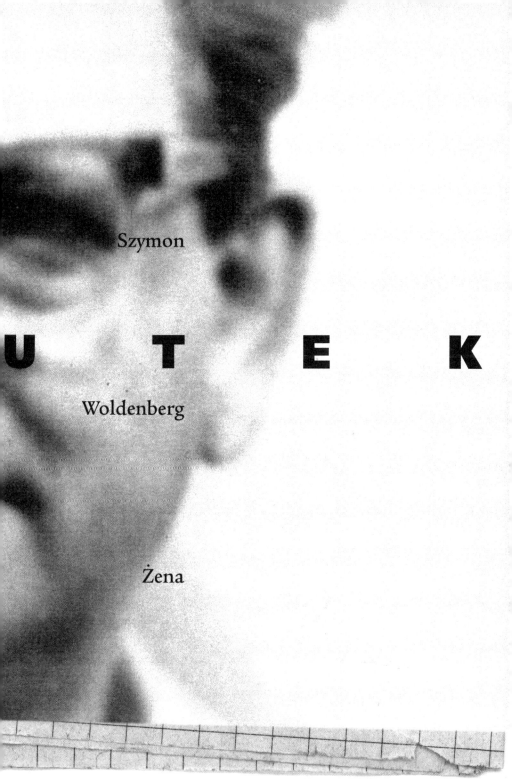

Szymon

U T E K

Woldenberg

Żena

Szymon

ZAMUTEK

Mój dziadek miał dziwne imię, jak z kartonu: Szymon. Nie znałam nikogo o takim imieniu. Wydawało mi się sztuczne. Jak fasada lub pancerz. Jak transparent noszony na pierwszomajowe manifestacje.

Niedawno w archiwach Politechniki Warszawskiej znalazłam podanie Samuela Przedborskiego o zmianę imienia na przedwojennym dyplomie i zaświadczenie, że obecny Szymon jest dawnym Samuelem. Nie był.

W Łęczycy, gdzie się urodził późną jesienią 1903 roku jako pierwszy i jedyny syn w rodzinie, nazywano go zdrobniale Zamutkiem. Metryka z zapisem po rosyjsku i wedle gregoriańskiego kalendarza spłonęła razem z innymi aktami gminy żydowskiej. W jedynym zachowanym przedwojennym odpisie zapisano imiona rodziców Samuela — Henoch i Jachet Gitel z Hermanów. W domu, gdzie mówiono wyłącznie po polsku, ojciec był Henrykiem, matka — Justyną, Jecią.

195

Zamutek był najważniejszym mężczyzną w życiu swojej matki. Starała się spełniać jego marzenia, jego smutki leczyła mlekiem w dzieciństwie i później, kiedy był już łódzkim gimnazjalistą. Osładzała tęsknotę za domem. Wierzyła, że syn dokona czegoś wielkiego. Lubiła mu akompaniować na fortepianie, gdy grał na skrzypcach. Zaczął bardzo wcześnie, zanim jeszcze nauczył się czytać. Marzyła, że zostanie wirtuozem, choć w szkolnej orkiestrze wyznaczono go do kontrabasu, co rozbiło mu chwyt lewej dłoni i nigdy nie grał jak dawniej. Za to śpiewał pięknie, głównie arie operowe o nieodwzajemnionej miłości. Wybaczała mu wszystko, gniewała się rzadko.

Nie robiła mu wyrzutów, gdy jadł trefne. Kiedy miał trzynaście lat, kilka dni po ceremonii bar micwy przyznał się, że po uroczystości w synagodze zjadł skwarki. Powiedziała tylko: „Teraz, synu, grzeszysz już na własny rachunek".

Musiał się tym przejąć, bo zapamiętał to do końca życia i często sobie powtarzał.

Zachowało się jedno zdjęcie z jego wczesnej młodości. Może mieć na nim siedemnaście lat. Jest nieśmiały i uroczysty. Szczupły. Ma pięknie wykrojone usta, wysokie czoło zwieńczone ciemnymi, gładko zaczesanymi do góry włosami i okulary w drucianej oprawce. Studiował grekę i łacinę. Rozwiązywał zadania z algebry i geometrii i marzył o budowaniu mostów. Gimnazjum Koła Polskiej Macierzy Szkolnej skończył z wyróżnieniem. Wkrótce rozpoczął studia na Politechnice Warszawskiej.

Mój dziadek miał ciemne i twarde łokcie, niczym skóra przedpotopowego płaza. Albo jak kora starego drzewa. Szorstkie. Zwykle siedział przy stole obok ozdobnego żeliwnego kaloryfera i godzinami stawiał pasjanse. Niewielkie karty z parami amorków, niegdyś czerwone i niebieskie, wyblakły i wydawały się w jego dłoniach zupełnie małe. Był dużym, zwalistym mężczyzną. W zasięgu wzroku na pianinie stała jego fotografia z późnych lat czterdziestych, na nartach, w górach. Wtedy świeciły mu się oczy i białe zęby, uśmiechał się szeroko. Na chwilę odzyskał po wojnie wiarę i miłość, na krótką chwilę. Takiego go nie znałam.

196

Trudno mi dziś zrozumieć, jak bardzo pozwoliłam sobie go nie znać, choć stosunkowo często go widywałam. Nie wiedziałam, jak ciężko będzie mi kiedyś poradzić sobie z tym wszystkim, co kryło jego milczenie. Nie spostrzegłam, że staje się za późno.

Wujek Oleś pamięta mojego dziadka, jak przywędrował z obozu w Woldenbergu na Saską Kępę w styczniu 1945 roku. Siostry nazywały go „nasz brat". Wysoki, potężny, w mundurze i drucianych okularach wszedł do pokoju na pierwszym piętrze na Szczuczyńskiej. Na środku stała koza, piecyk, oni skupieni dokoła niej, blisko. Jego siostra, Frania, rozpłakała się. Nie widziała go pięć lat. Milczał. Na jakiś czas zamieszkał u Bronki, swojej drugiej siostry, na Górnośląskiej. Niemal nazajutrz zgłosił się do swego szefa z Warszawskiej Spółdzielni Mieszkaniowej, wówczas prezydenta Warszawy, Stanisława Tołwińskiego. Dostał kierowniczą posadę w Biurze Odbudowy Stolicy, gdzie pracowali już jego dawni koledzy z WSM-u. Odnalazł i sprowadził córkę. Przeniósł się na Koszykową, do kolejnego tymczasowego mieszkania, które dzielił z inną rodziną. I wtedy dało o sobie znać wielkie zmęczenie pięcioletniej niewoli. Po co to wszystko, skoro nie ma dla kogo żyć?

Wedle Olesia, apatia Szymona miała korzenie w wojnie, w bezruchu niewoli i bezsilności powrotu. Może w rozpaczy z powodu straty żony, w ostatniej chwili, kiedy już niemal było po wszystkim? Tak długo się udawało, jeszcze jesienią dostawał jej listy, ale zabrakło trzech miesięcy, żeby ją zobaczyć. Żeby w tym wszystkim znaleźć sens. Siedział na tapczanie, nic nie mówił.

Zapadł się w sobie. Milczał godzinami, patrząc w ścianę lub przed siebie. Czasem mówił, że ktoś go ściga. Rozkojarzony, apatyczny, złamany. Podobno takie stany zdarzały mu się już wcześniej, przed wojną. Zawsze winił siebie. Za trudności w pracy i w codzienności. Zamykał się we własnym gabinecie i nikogo nie wpuszczał. Jedzenie wsuwano mu przez uchylone drzwi. Trwało to czasem dzień, czasem trzy dni. Ale teraz na to nałożyła się wojna. Czuł się doświadczony dotkliwiej niż inni. Nie musiał i nie chciał się z tego tłumaczyć.

Siostry starały się pomóc. Frania, zaprzyjaźniona z żoną dyrektora zakładu dla psychicznie chorych w Tworkach, prosiła o konsultacje u specjalisty. Mówiła, że brat musi pracować, a w tym stanie nie jest do niczego zdolny. Obserwowała wizytę przez dziurkę od klucza. Lekarz uniósł się z fotela i opierając dłońmi o biurko, zwymyślał Szymona. „Łobuzie", krzyczał. „Skurwysynu, głowę ludziom zawracasz, wariata udajesz. Ja władze odpowiednie zawiadomię. Pójdziesz siedzieć. Jeszcze raz się tutaj pokażesz, to ci łeb rozwalę tą popielniczką!"

Szymon był oburzony, że ktoś go w ten sposób potraktował. Nie chciał nic mówić. Ale nazajutrz poszedł do pracy. I rzadziej zapadał się w sobie. Musiał tylko zawsze mieć szklankę mleka w spiżarce. Trudno w to uwierzyć, ale tak zapisano w rodzinnej legendzie. Co więcej, to go postawiło na nogi.

Mleko, matka, dom. Czy może odwrotnie: dom, matka, mleko?

Tuż po wojnie zdarzyło mu się uderzyć małego siostrzeńca, który wypił mu szklankę mleka pod jego nieobecność. Przez długie lata był niespokojny, kiedy w lodówce nie stały dwie butelki ze srebrnym lub złotym aluminiowym kapslem. Mleczarz przynosił je pod drzwi wcześnie rano. Dziadek budził się wtedy i schodził po ulubioną gazetę. Nazywała się „Trybuna Ludu" i była organem PZPR. Jego partii, z którą się utożsamiał.

Czuł się obcy, ale lgnął do żywych, do sióstr, do ich rodzin, przyszyty do ich losu, połączony z nim jakąś nicią niewidzialną. To było koło ratunkowe. Obrona przed ostateczną klęską.

Spędzał godziny na tapczanie w domu swoich sióstr. Przychodził po pracy i kładł się. Czuł toczące się w żyłach życie domu. Ktoś mył ręce, spuszczał wodę w ubikacji, szeleścił gazetą, szykował herbatę, głośno mieszał cukier łyżeczką. Ktoś mówił, z daleka dochodził równy rytm słów. Jedyna, nie do podrobienia melodia polszczyzny, strzelająca raz po raz kolczastymi zbitkami spółgłosek. Leżał obok, na leżance, w pokoju z oknami wychodzącymi na ogród. Trzeszczała podłoga i pachniało domem. Znał ten zapach z Łęczycy. Z Łęczycy, której nie było, którą zabito, jak matkę i babkę, jak ciotki i żonę. Nie ma Łęczycy. Jest tylko oddech tego domu siostry. Gotowana ryba, lane kluseczki, smażona wątróbka. Nie mówił: ryba po żydowsku, żydowski kawior. Siekana wątróbka z cebulą i gotowanym na twardo jajkiem nie miała pochodzenia. Jak mleko, mleko bezpieczne, białe. Mleko w lodówce. Mleko w bańce, granatowej bańce, które matka przywoziła dla niego.

W swoim pierwszym powojennym życiorysie napisał: „Po wyzwoleniu przez armię radziecką w 1945 roku — w trakcie przepędzania obozu na

Zachód – wracam do kraju i od razu zostaję przydzielony do pierwszych kierowniczych kadr budowlanych dla odbudowy Warszawy". Wstąpił do PPR.

„Pierwszy raz od sześciu lat okupacji święcimy dzień 1 Maja jako naród wolny" – głosiła odezwa Komitetu Centralnego PPR w 1945 roku. „Porwane są kajdany okrutnej hitlerowskiej niewoli. Armia Czerwona i walczące u jej boku bohaterskie Wojsko Polskie stają u wrót Berlina. Wojska sprzymierzonych na Zachodzie wdarły się w głąb Niemiec. Ginie świat przemocy hitlerowskiej i wraz z nim muszą zginąć ciemne moce reakcji i faszyzm". Tak czuł.

Szedł w tłumie manifestantów niedaleko balkonu spalonej opery, wypełnionego przedstawicielami władz. Jak inni wznosił okrzyki na cześć nowego porządku i wyzwolicieli. Jeśli chciał żyć, to po to, aby budować sprawiedliwą przyszłość. Był u siebie. Ojczyzna go potrzebowała. Przynależność do partii dawała oparcie.

Miewał gorsze i lepsze dni. Czasami na nowo musiał się uczyć entuzjazmu, męczyły go upiory. Niekiedy nie miał sił z nimi walczyć. A gdy zbierał się w sobie, bywał gwałtowny i przykry. Nie szukał kontaktu z innymi. Nie potrafił rozmawiać. Umiał wydawać dyspozycje i milczeć.

Takiego znała go po wojnie jego córka, moja mama. Za szybą. Kiedy tylko zamieszkali sami, kazał jej prowadzić gospodarstwo. Miała czternaście lat, rok wcześniej straciła matkę, przed okupacją była dzieckiem, nie miała się od kogo nauczyć. Gotować i sprzątać, obierać ziemniaki i włoszczyznę, smażyć naleśniki i kotlety. Krzyczał. Kiedy pierwsze knedle zlały się jej w jedną surową w środku masę ciasta, nie mógł się uspokoić. Kazał jej zjeść wszystko do końca, „nic innego nie będzie, aż się nauczysz, aż się w końcu nauczysz". „Nie", mówił stanowczo i tylko raz, nie pozostawiając wątpliwości. Nie tolerował sprzeciwu.

Pierwszej wiosny po wyzwoleniu Społeczne Przedsiębiorstwo Budowlane zajmowało się stawianiem prowizorycznego osiedla mieszkaniowego dla budowniczych miasta. Drewniane konstrukcje domków fińskich przekazanych Warszawie przez ZSRR miały stanąć w trzech punktach miasta. Inżynier Przedborski został kierownikiem budowy na Górnym

199

Ujazdowie. Dookoła były gruzy i bieda. Brakowało narzędzi i ludzi do pracy. Zatrudniał każdego, kto się zgłosił, najlepiej z własnym kilofem lub młotkiem. Za użyczenie narzędzi dawał dodatek do dniówki. W budynku biurowym woda po deszczu lała się na głowę, dach był podziurawiony pociskami. Szymon zatrudnił elektryka, który znał się na blacharce, a przedtem na ochotnika sprzątał Aleje Ujazdowskie z gruzu. To on zapamiętał kierownika budowy i pierwszy wzorcowy domek fiński, jaki ukończyli, przykrywając go papą w końcu kwietnia 1945 roku. Ale nie wszystko przebiegało łatwo i bez konfliktów. „Wrogie elementy wichrzyły, zwoływały masówki". Nawet wtedy, kiedy sprowadzano na budowę chleb i kierownictwo partyjne dzieliło go pomiędzy pracujących.

Przeczytałam o tym wiele lat po jego śmierci, on sam nigdy nie opowiadał podobnych historii. Dusił je w sobie, spychał głęboko, bo przecież postanowił żyć i budować, a kiedy przygniatały go bardziej, niż był to w stanie znieść, zapadał się w siebie, nieruchomiał, milczał.

Któregoś popołudnia grupa robotników przerwała robotę i zorganizowała wiec przed barakiem stołówki. Jeden z nich rozłamał bochenek chleba, pokazując, że jest w środku spleśniały. Mówił głośno, z wielką złością, buntował. Mojego dziadka, mojego oddanego sprawie i Polsce dziadka, inżyniera Przedborskiego, nazwał wrogiem ludzi pracy. Krzyczał: „Precz z kierownikiem" i „precz z wrogami robotniczej klasy". Wygłosił zacięty, twardy monolog przeciw Przedborskiemu i jemu podobnym, którzy karmią ich, robotników, wodnistą zupą, sami jedząc frykasy. „Precz z Przedborskim, wyrzucić go. Nic dla nas nie robi", zakończył.

Kiedy i w jakich wariantach wracały Szymonowi te słowa?

Wyszedł przed załogę. Nie sam, z dwoma innymi towarzyszami, jak on oddanymi sprawie, budowie, wznoszeniu z ruin. Tłumaczył, że zdają sobie sprawę z kłopotów, że jeżdżą i widzą, jakie są trudności z zaopatrzeniem, z transportem. Chleb zamókł, rzeczywiście zamókł, bo budynki przeciekają. Ale to wszystko przejściowe problemy. „Ubolewamy nad dolą robotników, którzy stanęli do odbudowy Polski Ludowej. Jesteśmy z wami".

Tym razem się udało. Rozeszli się. Może nie przekonani, ale jakoś udobruchani. Dokoła były gruzy i bieda. Mój dziadek jeszcze nieraz zetknął się na budowach z gniewem robotników. W domu nazywał ich, wedle ówczesnego słownika, wrogimi elementami siejącymi niepokój.

Utrudniali wykonywanie powierzonego mu zadania. A przecież tylko po to zdołał się podnieść z poobozowego odrętwienia. Pochłaniały go narady, wizytacje terenów, kontrola robót, terminy. Zajmowały wielkie sprawy. Biuro Odbudowy Stolicy wraz z Ministerstwem Odbudowy chciały widzieć Warszawę pełną parków i zieleni, szerokich arterii, tętniącą życiem naukowym, kulturalnym, oświatowym. Emocjonował się planami budowy metra, transportem ze schodami ruchomymi, przeznaczonymi dla Trasy W-Z, oddaniem do użytku dziesiątego kina, otwarciem biblioteki w Fabryce imienia Karola Świerczewskiego na Woli.

Samuel, Zamutek, zmienił się po wojnie w Szymona, o którym w Łęczycy nigdy nie słyszano. Nie był wyjątkiem, robił to, co inni. Nie powinnam się dziwić ani oburzać. W powojennej Polsce większość zasymilowanej inteligencji żydowskiej przyjmowała polskie lub spolszczone imiona i nazwiska. Jedni zostawali przy wojennych, aryjskich papierach, inni wybierali nowe, swojsko brzmiące. Były jak barwy ochronne.

Urzędowe dekrety, pierwszy już z listopada 1945 roku, umożliwiały te zmiany. Przepis zezwalający na zmianę nazwisk hańbiących lub ośmieszających obejmował także te o brzmieniu niepolskim. Wykorzystywano tę możliwość, pozostawiając nazwiska przybrane w okresie wojny „celem uchronienia się przed aktami gwałtu najeźdźcy niemieckiego".

Rozenbergowie i Goldbergowie bez żalu stawali się Lipińskimi i Sokołowskimi. Nazwisko mojego dziadka kończyło się na nadwiślańskie „ski", z nim nie miał problemu, za to imię, tak sądził, na odległość pachniało Talmudem. Nie chciał tego, nie chciał, by nazwano go Salkiem. Żeby podwładni w biurze szeptali, że inżynier Przedborski jest z Mośków. Czy zmiana wizytówek mogła temu zapobiec? Nie chcieli być Mośkami i Baruchami, nie chcieli znowu być obiektem zainteresowania, niekoniecznie zaraz ataku, wystarczyła ciekawość. Lepiej się nie wyróżniać,

201

nie odróżniać, nie prowokować innością. Wszędzie i zawsze łatwiej jest być takim, jak wszyscy.

Żydzi — działacze partyjni, Żydzi na posadach, wysocy urzędnicy państwowi — mogli podlegać różnorakim naciskom. Pozostali — zapewne większość — może sami rozumieli, że powinni być jak wszyscy wokół? Abrahamowie, Mojżesze lub Szyje zmieniali się w Adamów, Mieczysławów i Stanisławów. W rubryce narodowość pisali: polska. Im bardziej polscy stawali się komuniści żydowskiego pochodzenia, tym mniej byli w swoim mniemaniu Żydami.

Samuel, żydowskie imię mojego dziadka, zapisane w metryce, której nie ma, zachowało się na dyplomie ukończenia studiów i w przedwojennych dokumentach wojskowych. Używał go w szkołach w Łęczycy i w Łodzi, i w 1920 roku, kiedy zgłosił się jako ochotnik na wojnę polsko-bolszewicką. Tak podpisywał się przez sześć lat na Politechnice, w podchorążówce w Zambrowie, którą ukończył w 1930 roku, dwa lata po otrzymaniu tytułu inżyniera dróg i mostów. Należał do Stowarzyszenia Wzajemnej Pomocy Studentów Żydów na Politechnice Warszawskiej. To Samuel Przedborski jako podporucznik 48. Pułku Strzelców Kresowych bronił Warszawy we wrześniu 1939 roku, i tak wzięto go do niewoli. Z tym imieniem przeżył całą wojnę.

Wszędzie tam jego rodzice również mieli swoje żydowskie imiona. Może największy żal mam o nich, o zmianę ich rodowodów, o zamilczenie przeszłości.

Przecież nie mógł się ich wstydzić. Nie wolno mu było. Dziś wiem, że nie wolno. I choć rozumiem jego wybory, nie chcę się na nie zgodzić.

4 lipca 1946 roku w Kielcach z rąk Polaków zginęło kilkudziesięciu Żydów.

Nie mógł się nie bać. Mógł odsuwać od siebie te i tym podobne informacje, ale trudno, by nie zdawał sobie sprawy z sytuacji. Zabijano Żydów utożsamianych z narzuconym komunistycznym ustrojem, Żydów, rzekomych sprawców mordu rytualnego, ale i tych, którzy wracali do siebie, gdy ich domy zajęte już zostały przez nowych właścicieli.

Mój dziadek nie rozważał nigdy możliwości opuszczenia Polski. Wierzył, że nowy ustrój rozwiązywał raz na zawsze kwestię narodowościową. Był pewien, że droga, jaką obrał, jest słuszna i do końca nie zmienił zdania. W końcu lata 1946 roku poszedł zarejestrować się w kartotece Centralnego Komitetu Żydów w Polsce. Papiery wypełnił co prawda jako Szymon Przedborski, syn Henryka i Justyny z domu Herman, ale zapisywał się w żydowskiej organizacji. Pierwszy i ostatni raz po wojnie. Rejestrowali się tam ci, którym udało się przeżyć. Jak wskazuje przykład Szymona, nawet ci najbardziej zasymilowani.

Metryka odtworzona dwa lata później na mocy postanowienia Sądu Grodzkiego w Łęczycy zawierała te same dane. Posługiwał się nimi we wszystkich dokumentach.

Dokumenty nie znają sentymentów. W powojennych kwestionariuszach wojskowych ojciec Szymona nosił już zawsze imię Henryk. Był w zależności od okoliczności drobnym kupcem, urzędnikiem prywatnym, kierownikiem drukarni, majątku nie posiadał. Swojej matce zostawił tylko jej spolszczone imię — Justyna — i nigdy nie dodał rodowego nazwiska. Zamilczał je, jak zamilczał całą łęczycką przeszłość. I Delę, swoją żonę, matkę swojej córki. Instrukcja wewnętrzna Prezydium Rady Ministrów sankcjonowała te zmiany. Również wobec nieżyjących rodziców i nazwiska rodowego matki, jeśli dokonywano ich z ważnych i uzasadnionych powodów.

O co mi chodzi, przecież to statystyka, tu nie ma miejsca na nic poza informacją! Ale informacja też czemuś służy. Czego bym chciała: opisu wagonu do Treblinki, krzyku czy łez, dźwięku instrumentów z domu na Przedrynku, a może opowieści o fortunie Hermanów, o składzie win i wódek? To tylko rubryki, trzeba wypełnić rubryki, poukładać cegły tak, by się trzymały, to nie pałac ani ozdobne ogrody, to nie wypracowanie szkolne. Ani lament. Fakty, konieczne fakty, te, które trzymają się ziemi, te, które w nowej rzeczywistości pomogą się utrzymać.

Pierwszym Złotym Krzyżem Zasługi odznaczono go z okazji 22 lipca w 1948 roku. Czuł się ważny jako jeden z dyrektorów Biura Odbudowy

203

ZAMUTEK

Stolicy. Miał stanowisko i władzę. Związał się wtedy z jedną z urzędniczek z biura, Marysią Widawską.

Pochodziła z Kresów i dawała się lubić. Ciepła, otwarta. Mówiła dużo z miękkim kresowym zaśpiewem, chętna do rozmowy, pomocy, radości. W wypełnione pracą i milczeniem życie mojego dziadka wnosiła barwny niepokój. Była przystojną, postawną blondynką z pięknymi włosami i pięknymi nogami.

Jeździli wspólnie na wakacje: Szymon z Halinką, i Marysia z dwójką swoich dzieci. Cała piątka lubiła swoje towarzystwo. Moja mama dostawała od Marysi prezenty, bezcenne wówczas sukienki z zagranicznych paczek, pończochy nylony, ale co ważniejsze, umiała się już do niej przytulić. Wydawało się, że tak zostanie. Z tamtego okresu pochodzi wiele pogodnych fotografii. W górach, w schroniskach, na łąkach. Mama wspomina Marysię z wielką czułością. I nagle, po kilkuletnim milczeniu, objawił się uważany za zaginionego mąż Marysi. Wrócił z Anglii, odszukał żonę. Czy to stało się powodem zerwania z Szymonem, czy było jeszcze coś innego, nie wiem. Nikt nie wie dokładnie. Podobno Marysia z płaczem opowiadała o tym Bronce i Frani, siostrom Szymona.

W albumie mojej mamy zachowało się zdjęcie Marysi z nogą opartą na fotelu, kiedy poprawia podwiązkę. Po latach w tym miejscu, na udzie, rozwinął się jej nowotwór. Śmiała się, że to przez tę fotografię. Cierpiała dzielnie.

Jej mąż wkrótce umarł, ale Szymon czuł się zraniony. Chciałabym, żeby za nią tęsknił, chciałabym, żeby próbował wrócić. Żeby w jej cieple zaleczył rany i odzyskał siły, żeby Halinka miała kogoś, z kim mogłaby płakać i śmiać się. Stało się inaczej. Mój dziadek zatrzasnął się znowu. Zamknął, wycofał w siebie. Najbanalniej, przy windzie swego nowego mieszkania na Puławskiej, mieszkania z wygodami i służącą, poznał sąsiadkę z tego samego piętra.

Możliwe, jak twierdzili szwagrowie Szymona, że spotkał Żenę na zebraniu partyjnym. I coś z tej atmosfery było w ich wzajemnym stosunku. Oboje byli na stanowiskach, zaangażowani w budowanie nowego systemu, wierzący w odnowę przez socjalizm na wzorach radzieckich. Wydawali się dla siebie stworzeni, dwie samotności po godzinach urzędowania.

Dopiero później okazało się, że miał z nią do czynienia już wcześniej w pracy. W stołecznej Radzie Narodowej, ówczesnym urzędzie miasta, nadzorowała budownictwo szkół, za które on jako jeden z dyrektorów przedsiębiorstwa budowlanego odpowiadał. Równocześnie nie mógł się opędzić od telefonów towarzyszy domagających się remontów ich własnych mieszkań. Nie miał wystarczającej liczby ekip, musiał lawirować, ze szkodą dla szkół. Wtedy wkraczała ona. Wydzwaniała ze skargami do Komitetu Wojewódzkiego, a czasem i do KC. Dawała mu się we znaki. Żartowali z tego po latach.

Poznali się we wrześniu, ślub odbył się 29 grudnia 1949 roku. To chyba on chciał zalegalizowania związku. Żeby się odciąć od niepowodzeń, żeby nareszcie ułożyć sobie życie. Może ona również? Uważano ją już wtedy za starą pannę, przekroczyła trzydziestkę. Ślubu udzielił im burmistrz Warszawy, znajomy pana młodego sprzed wojny, w swoim urzędowym lokalu. Rodziny nie zaproszono.

Mój dziadek miał wtedy 46 lat. Stracił żonę, którą kochał, a po wojnie, po pięciu latach bez kobiety, stracił kolejną, z którą było mu dobrze. Spróbował po raz trzeci. Z wygody, z desperacji, z chęci posiadania czegoś w rodzaju rodziny? Teoretycznie pasowali do siebie, stanowiskami, pozycją społeczną, upodobaniami do muzyki i gór. Wiedziała, jak jest i jak ma być. Jak będzie. Co mówić i do kogo. Jak się zachować. Czuła się ważna w tym układzie. On także. Wprowadziła się do nich z biedermeierowskimi meblami, kostiumami przedwojennej guwernantki, pianinem i kwaśną miną. Halinka skończyła osiemnaście lat. Od początku nie przypadły sobie do gustu. Może pamięć mojej mamy zaciążyła na tym obrazie?

Tę historię przypominało się często. Sama ją pamiętam. Szymon miał zwyczaj dojeżdżania na urlop do sióstr. Młodsza, Frania, z mężem i dziećmi jeździła każdego roku zimą do Zakopanego. Tym razem przy-

205

jechał, żeby przedstawić swoją nową żonę. Żena przywitała ich słowami: „Zawsze marzyłam, żeby unikać spotkań z rodziną". Wujek Oleś wykazał refleks, mówiąc, iż dobrze się składa, bo oni marzą dokładnie o tym samym. Innym zabrakło jednak poczucia humoru.

Frania nie mogła tego Żenie darować. Także ze względu na brata, ukochanego brata, któremu coś wreszcie się w życiu należało. Ale on się nie skarżył. Może tylko częściej po ślubie do nich przychodził.

Lubił synów Frani, a oni przepadali za wizytami Dużego Wuja. Przynosił im oryginalne prezenty: prawdziwy hełm albo rewolwer. Nosił ich na barana i wsadzał na szafę, pozwalając skakać na tapczan. Sąsiadka przychodziła na skargę, że żyrandol się chwieje, ale on nic sobie z tego nie robił. Chłopcy nie mogli się go doczekać. Liczyli też na wizyty na Puławskiej, ale nigdy nie zostali zaproszeni. Oleś mówił synom, że ciocia sobie nie życzy.

A Szymon grzał się w cieple rodzin swoich sióstr. Właściwie nie mógł bez nich żyć. Dzielili wspólną przeszłość i wspólną utratę. Nie mieli nikogo bliższego. Szukał na Szczuczyńskiej i na Górnośląskiej tego, czego nie miał w domu. Przyzwyczaił się do popołudniowych drzemek na ich kanapach. Żenie tłumaczył, że jest zmęczony, że musi trochę odpocząć. Nie była zadowolona. Ukrywał część wizyt.

Nie wiem, czy kochała Szymona. Nie wiem, czy miało dla niej jakiekolwiek znaczenie to, że był Żydem. Twierdzi, że nie wiedziała, iż kiedykolwiek nosił inne imię. Zmiana musiała więc nastąpić, zanim ją poznał, albo jego żona nie mówiła prawdy. Oleś sugeruje, że to ona tego zażądała. A może leczył w ten sposób poobozowe urazy? Jedna z dwóch sióstr Żeny też poślubiła Żyda.

Żena pochodziła z robotniczej warszawskiej rodziny o PPS-owskich tradycjach. Jej ojciec był tramwajarzem. Wykształcił trzy córki. Wszystkie trzy zaangażowane były podczas wojny w podziemną działalność. Żena kilkakrotnie chodziła do getta. Kiedyś przyprowadziła do domu żydowską dziewczynkę, bo nie znaleziono dla niej kryjówki. Matka Żeny, wierząca katoliczka, poszła do spowiedzi, a ksiądz powiedział jej, że gubi swoją duszę i naraża się na potępienie wieczne. Odeszła od konfesjonału bez rozgrzeszenia. Chłopak Żeny poszedł do powstania. Nie wrócił.

Żena skończyła przed wojną filozofię, nie opuszczała żadnego seminarium u profesorów Tatarkiewicza i Kotarbińskiego. Po wojnie zawierzyła ideologii marksistowskiej. Pracowała najpierw w Wydziale Szkolnictwa w Stołecznej Radzie Narodowej, potem w Urzędzie Rady Ministrów, gdzie zajmowała się sprawami kultury. Następne lata spędziła w redakcji oświatowej Polskiego Radia. W kwestionariuszu, w rubryce zawód, podawała: „pracownik umysłowy". Żena nie była łatwa, ale i on łatwy nie był. Wtedy tego nie widziałam. Jego żałowałam, nie jej. Wydawał mi się gorzki, tak inny niż Bronka i Frania. Moja mama powtarza dziś, że trafiła na prawdziwą macochę z bajki. Ale wtedy nie skarżyła się. Jej ojciec też był surowy. I nie wiem już, z czyjej inicjatywy musiała robić codzienne rachunki. Liczyła: kilogram chleba 3 złote, ćwierć kilo szynkowej 10 złotych, cytryny. Nie, cytryny to niepotrzebny luksus.

Szymon dzielił z żoną jej polityczne poglądy. Chodzili na obchody 22 lipca i na pochody pierwszomajowe — każde z własną organizacją partyjną. Ośmieszali brakorobów, leniów i imperialistów. Z wdzięcznością witali budowniczych Nowej Huty. Emocjonowali się naradami produkcyjnymi i przodownikami pracy Ursusa. Przeżywali filmy o Leninie i Karolu Świerczewskim. Ten ostatni, dwuczęściowy, wyświetlano w maju 1953 roku, w nowo otwartym kinie Moskwa, niedaleko ich mieszkania na Puławskiej. Filmów zachodnich zgodnie unikali. Interesowali się wspólnie planami budowy przyszłego Pałacu Kultury, ofiarowanego Warszawie przez władze radzieckie „w imię przyjaźni". Dla obojga była ona gwarancją bezpieczeństwa i pokoju. Rozmawiali o występach zespołu Mazowsze w Moskwie i Pekinie. Nie opuszczali piątkowych koncertów symfonicznych w filharmonii. To pozostało najtrwalszym z ich rytuałów. Czasem pozwalali sobie na ekstrawagancje, na przykład podróż samolotem do Poznania na polską prapremierę opery *Borys Godunow*. Wybrali się również pociągiem do Gdańska, żeby obejrzeć odbudowaną starówkę.

ZAMUTEK

W schronisku na Kalatówkach druga żona Szymona usiłowała kiedyś przekonać swojego szwagra Olesia o wyższości nowego ustroju nad uciskiem sanacyjnego przedwojnia. Oleś, przed wojną świetnie prosperujący przedsiębiorca, za okupacji był w wywiadzie AK. Długo milczał, słuchając jej wywodów, po czym zapytał, czy nie rozumie, że pociąg ciągnący jej wagon pędzi w przepaść.

Nie, Żena nie zawiadomiła UB o poglądach Olesia. Nie zawiadomiła, choć mu tym zagroziła. Czy było to jedyne wykroczenie, jakie popełniła przeciw obowiązkom sumiennego członka partii?

Czy było to już po śmierci Stalina, czy może jeszcze przed? Oboje z Szymonem uczestniczyli w żałobnym pochodzie, który 9 marca 1953 roku przemaszerował Alejami Jerozolimskimi przed nowym gmachem KC PZPR. Ponad trzysta pięćdziesiąt tysięcy Polaków oddało hołd radzieckiemu przywódcy w tym samym czasie, kiedy w Moskwie odbywał się jego właściwy pogrzeb. Nie było w historii większej uroczystości żałobnej, której uczestnicy nie podążali za trumną.

Jestem pewna, że mój dziadek nie widział w tym nic dziwnego. Musiał być śmiertelnie poważny. I zatroskany o przyszłość.

Mój dziadek lubił mundur. Myślę, że lubił. Wydaje mi się, że dawał mu poczucie przynależności i bezpieczeństwa. Polski mundur zaświadczał, że Szymon jest tu u siebie. Najpierw w Rzeczpospolitej, potem w Polsce Ludowej. We własnym, niepodległym kraju.

Miał siedemnaście lat, kiedy podczas wojny polsko-bolszewickiej zaciągnął się jako ochotnik do armii. Służył trzy miesiące. Być może bardziej nawet podobał mu się mundur i sztandar niż perspektywa walki przeciw Rosji. Nigdy o tym epizodzie nie wspominał.

Podchorążówkę skończył „z postępem zupełnie dobrym". Regularnie powoływano go na ćwiczenia do pułków piechoty w Zambrowie, Stanisławowie i Kutnie. Wziął udział w kampanii wrześniowej 1939 roku, w obronie przeciwlotniczej na Pradze. Stamtąd zabrano go do niewoli. Nie był ranny ani kontuzjowany. Fakt, że był oficerem, uratował mu życie.

Podporucznika Przedborskiego zwolniono do rezerwy w 1948 roku. I mimo kilkunastu lat służby i dobrego przygotowania fachowego, jego wyszkolenie wojskowe Okręgowa Komisja Weryfikacyjna Wojska Polskiego oceniała jako „słabe". Postawę moralną określano niezmiennie jako — „klasowo bliską".

Miał poczucie obowiązku i odpowiedzialności. W biurze słyszano często jego podniesiony głos. Chciał budować, podnosić wydajność, pomnożyć produkcję. Nie chodziło o karierę. Naprawdę uważał, że komunizm jest jedynie słuszny i wymaga wprowadzania w życie nawet siłą. Poganiał, dyrygował ludźmi, rządził. Był typowym przykładem komunistycznego nadzorcy. Może były to naciski komitetu partii? Reprezentował bezkompromisowość komunisty naganiacza. Pilnował, sprawdzał, kontrolował. Nikomu nie dowierzał. Kilka razy dziennie dzwonił na budowę i podniesionym głosem wydawał dyspozycje. Denerwował się, że nie dają z siebie wszystkiego, zupełnie tak jakby załatwiał własne, osobiste sprawy. Był niecierpliwy. Może musiał? Przezwyciężył rozpacz, żeby budować nowy kraj, ten wymarzony, sprawiedliwy. Czuł się równy innym, taki sam, godny.

Nie miał przyjaciół. W każdym razie nie ma po nich śladów w jego świecie. Wiele zawdzięczał kolegom z żoliborskiego WSM-u, spółdzielcom, socjalistom. Podczas okupacji pomagali jego rodzinie. U krewnych Edwarda Osóbki-Morawskiego, powojennego premiera, przechowywała się przez jakiś czas Dela. I później utrzymywali kontakty, zresztą bardziej zawodowe niż prywatne. Kilku z nich zajmowało ważne stanowiska państwowe.

Podobno kolega z Politechniki, nie wiem, czy ten sam, z którym śledzili postępy kolejnych budów i dyskutowali o żelbetonowych konstrukcjach, namawiał Szymona, by wstąpił do Służby Bezpieczeństwa. Szymon poradził się żony. Opowiada, że nie tylko kategorycznie go powstrzymała, ale także oświadczyła, że jeśli coś podobnego zrobi, natychmiast go zostawi. Słuchał jej czy się jej bał? Nie pojechał do Chin na kilkuletni kontrakt, choć miał na to wielką ochotę, bo zagroziła, że się z nim rozwiedzie. To ona w tej parze prowadziła samochód. Szarego wartburga z puli Urzędu Rady Ministrów kupiła pod nieobecność Szymona. Kiedyś na jej oczach rozbił służbową skodę, hamując zbyt późno na czerwonych światłach i wjeżdżając komuś w bagażnik. Nigdy więcej nie pozwoliła mu usiąść za kierownicą.

Miał poczucie humoru. Sądzę, że ratowało ich oboje. Rozbrajał ją. Chciała się z nim rozwieść sześć miesięcy po ślubie. „Po pół roku? Poczekaj chociaż rok, co koledzy o mnie powiedzą!?" Adoratora swojej żony, który przysyłał róże, nazywał Różyczkiewiczem i zawsze prosił ją do telefonu, gdy tamten dzwonił. Na brydża wybierał się sam. Dostawał od niej pieniądze na przegraną i kwiaty dla pani domu. Ona dyskutowała wówczas o propedeutyce filozofii dla pedagogów lub motywach tatrzańskich w twórczości muzycznej Karola Szymanowskiego z jedyną przyjaciółką, którą miała i której do końca pozostała wierna.

Często ją złościł, bo zamknął szczeniaka w łazience, żeby nie brudził w mieszkaniu, bo kupił śledzie, które uwielbiał, a ona była uczulona na ich zapach, bo spalił kolejny czajnik, bo gołębie nabrudziły w skrzynkach na balkonie. Powtarzała wtedy sobie i jemu słowa, jakie przed laty usłyszała od kogoś: „Pani starsza, niech się pani nie martwi, mąż to nie jest taka bliska rodzina".

Licytowali się w opowiadaniu żydowskich dowcipów, ale podobno tylko dlatego, że ich śmieszyły. Mówiła mu też czasem żartem: „To, co ty masz żydowskie, to nie jest głowa".

Tęsknił za domem, który stracił, za domem, którego nie odbudował w stalinowskim budynku przy rogu Madalińskiego i Puławskiej, choć sam ten budynek po wojnie na gruzach postawił. Nie szukał dawnych miejsc, nie wracał do Łęczycy realnej, nie odwiedzał Przedrynku. Zamknął tamte drzwi, wyrzucił klucze. Nie dopuszczał przeszłości do głosu. Bronił się przed nią. Ale wracał do siostry, jak wraca się do matki. Smak domowego jedzenia, którego nigdy nie nazywał po imieniu — cymes czy gefilte fisz — dawał mu na chwilę poczucie bezpieczeństwa. Przywracał dawny porządek.

Inaczej smakowały potrawy powojennej codzienności. Choć kaflowa kuchnia miała podobne rysy. Z otwartych okien, nawet w łazience, słychać było tramwaje. A w osobnej ubikacji można się było zamknąć na klucz. W oszklonej biblioteczce w jego pokoju stały metrami dzieła Lenina i marksistów, przetykane skryptami o cemencie i prefabrykatach. Jego żona wniosła na półki rosyjskie powieści i tom Tatarkiewicza *O szczęściu*. Nie lubiłam odwiedzać mieszkania na Puławskiej. Odkąd pamiętam, Żena witała mnie uwagami w rodzaju: „Czy ona musi tak dużo biegać?", „Kto widział podobną fryzurę?" albo: „Nie było nic bardziej koszmarnego w sklepie?" Dziadek milczał. Często przychodził do nas. Dziś myślę, że to była forma ucieczki. Lubił spacerować. Nie musiał mieć celu, choć pretekst przydawał się dla świętego spokoju.

Gromadził papier do pisania, w obawie, że zabraknie, długopisy i ołówki. Kopiowe i techniczne, miękkie i twarde. Lubił rozwiązywać krzyżówki i pisać podania. Arkusz w jedną linię, pismo pewne, wyraźne. „S" zaczyna się nisko z lewej strony, by potem śmiało podnieść się do góry, zasuplać w pętelkę i wrócić na dół, nieco pochyłe, przypominając „L". To od imienia. „P" w nazwisku rozpoczyna okrągły zawijas od wewnątrz półkola, jak wnętrze muszli lub czapka osłaniająca gęste włosy. Pomagał mi czasem podpisywać zeszyty.

Ze służbowych wyjazdów do ZSRR przywoził cyrkle i aparaty fotograficzne. Chodził na abonamentowe koncerty do filharmonii, ale wolał operę, a nawet operetkę, do czego przy żonie nie mógł się przyznać. Lubił śpiewać, na wycieczkach zdarzały mu się występy w duecie jako don José lub Jontek. Powtarzał za Chopinem, że muzyka to śpiew. Fotografował się z wysokimi urzędnikami państwowymi na odsłonięciach coraz **211** to nowych pomników, obiektów, osiedli. Zachował w papierach zaproszenie na uroczystość przekazania Warszawie Pałacu Kultury i Nauki imienia Józefa Stalina. I wielokrotnie powtarzał, że zużyto do budowy 50 milionów cegieł, które ułożone jedna przy drugiej zajęłyby przestrzeń z Warszawy do Władywostoku.

Dziadek niecierpliwił się. Siedziałam przy pianinie, nogi wisiały wysoko nad podłogą, małe ręce usiłowały objąć oktawę na klawiaturze. Do re mi fa sol...

„Nie, nie, nie!", zaczynał krzyczeć, coraz bardziej podnosząc głos. „Jeszcze raz, nie spiesz się, posłuchaj. Do si la sol fa mi re do". Zrywał się z krzesła i trzaskał czarnym wiekiem. Bałam się, że poucina mi palce. Wychodził z pokoju i nie odzywał się do mnie. A ja siedziałam z rękami schowanymi do tyłu. Nie dawał mi szansy.

Kupił mi jeszcze cymbałki. Metalowe sztabki ułożone w barwną sekwencję. Zapisał instrukcję obsługi na papierze podaniowym w kratkę, jaki kolor odpowiada jakiemu dźwiękowi i jak budować proste melodie. Starałam się zagrać czasem dla niego to, co zapamiętałam, ale nie dawał się uprosić.

Spisał mnie na straty.

Żena twierdzi, iż pochodzenie Szymona nie miało dla ich życia, w ich środowisku i towarzystwie żadnego znaczenia, że żyli jakby poza tym. Nie doświadczali przejawów wrogości. Tak mówi teraz. Co więcej, utrzymuje, że nigdy przed 1968 rokiem nie słyszała określenia „Żyd", ani w stosunku do swojego męża, ani do nikogo innego. Czy tak rzeczywiście było? Jej przyjaciółka, może najbliższa osoba, jaką miała poza siostrami, nie wiedziała do marca '68, że Szymon miał żydowskich przodków.

Wtedy, w tym pamiętnym roku, wysłano go na emeryturę i wyrzucono z partii. Miał 64 lata i był bezradny jak dziecko. Nie rozumiał, co się dzieje i dlaczego nagle przestał być ważny i poważany. W nim samym nic się nie zmieniło.

Przestano mu się kłaniać i zabiegać o jego względy. Dotychczas zajęty i pełen planów, czuł się pusty i bezużyteczny. Wydawało mu się, że wszyscy się od niego odwrócili. Ci, z którymi pracował, budował, wznosił gmachy, osiedla, trasy. Przyjaciele, czy miał kiedykolwiek przyjaciół? Byli znajomi, od brydża, od spacerów w Łazienkach, od imiennych zaproszeń na trybuny. Sąsiedzi, bo kto inny, wysmarowali klamkę ich drzwi odchodami, a na wycieraczce zostawiali kartki z radami, aby przeniósł się wreszcie do Izraela. Jego żona odbierała telefony z pytaniami: „Jeszcze tutaj? A kiedy do Palestyny?"

Wyjazd, dlaczego miałby wyjeżdżać, przecież miał ojczyznę. Tę samą od lat, od pokoleń. Nie wiedział nawet, skąd przyszli jego przodkowie do miasteczka nad Bzurą. Co miał wspólnego z Abrahamem, Izaakiem i Sarą? Krew, glebę?

„Nie chcą mnie tutaj?" Żena mówi, że w pierwszym odruchu nawet chciał jechać do Izraela. Pamiętał z dzieciństwa blaszaną puszkę z gwiazdą Dawida i hebrajskim napisem od sąsiadów, którzy byli syjonistami. Jeśli zdołali wyjechać przed wojną, zapewne ciągle tam są. Skoro oni znaleźli tam miejsce, może starczy i dla niego? Wyjedzie. Zaciął się. Obraził. Ale Żena wytłumaczyła mu, że to nonsens. Uważała, że nie nadaje się do konfliktów ani do walki. Potrzebuje przyjaznego otoczenia, a zaczynanie od nowa przerosłoby jego siły.

Wujek Oleś wątpi, żeby Szymon kiedykolwiek poważnie myślał o wyjeździe. Jest pewien, że Żena skutecznie by mu ten pomysł wybiła z głowy. Mój dziadek nigdy o tym nie mówił. Najbliżsi nie wiedzieli, co myśli. Ale kiedy w końcu wyjechała jego starsza siostra, Bronka, cierpiał bardzo. Nigdy się z tym nie pogodził. Potraktował to jak zdradę. Wtedy wyjeżdżało się na zawsze. Poczuł się zraniony i dotknięty tak boleśnie, że przestał o niej mówić. Nie wymieniał jej imienia, jakby przestała istnieć.

Wróciła depresja. Jeszcze schodził rano po gazetę i kajzerki, ale po powrocie kładł się na tapczanie i tak spędzał dnie. Leżał na boku, patrząc w ścianę. Nie wiedziałam o tym wtedy, ale jego oschła żona zamierzała się z nim rozstać. Zatrzymała ją przy nim jego rozpacz, którą zdecydowała się dzielić. Krzywda marca ją przy nim zatrzymała. Nie opuściła go w potrzebie.

Kiedy zrozumiał, że sytuacja się nie odwróci, w 1970 roku zapisał się do PTTK i zaczął chodzić na wycieczki. Żena twierdzi, że to za jej namową. Była piechurem już przed wojną, zbierała turystyczne odznaki. Najpierw nie chciał, wstydził się, jak to tak, wielki dyrektor, nie wypada, szedł za grupą lub przed nią. Z czasem się wciągnął, nawiązał znajomości, zostawiał Żenę w domu, a sam chodził. Miał w mieszkaniu kolekcję plecaków, butów pionierek i sprzętu kempingowego. Był specem od niezbędników, menażek, manierek i tym podobnych. Wychodził rano z grupą innych piechurów, wracał wieczorem. Albo wyjeżdżał na dłużej. Chodził. Chodził. Chodził. Właściwie bez celu. Bo czy celem są kolejne marszruty – punkty widokowe, wzgórza, góry, wodospady i schroniska? Wypełnianie planu, docieranie do miejsca wymyślonego przeznaczenia? Dziś wiem, że wszystko to były czynności zastępcze. Otworzył się na nie, zatrzaskując wieko prawdziwych spraw, a przynajmniej tych, które uważał za prawdziwe.

W oflagu w Woldenbergu pięć lat siedział za drutami. Teraz oddychał przestrzenią. Ale chodził bez radości. Obsesyjnie. Chodzenie uspokajało go, przywracało proporcje klęski.

Często robił zakupy w sklepach mięsnych, próbował bez kolejki, powołując się na swoje uprawnienia kombatanta. Zdarzało się, że z trudnością docierał do lady, szturchany po drodze i obrzucany wyzwiskami przez wyczerpane staniem w ogonkach kobiety. Ale nie tracił zaufania do nowego porządku. Cenił go jako taki, jako układ, strukturę, instrukcję obsługi świata i codzienności.

Chodzę. Uparcie chodzę. Jak mój dziadek po Woldenbergu i później. Nie rozumiałam jego chodzenia. Patrzyłam pobłażliwie na jego kolorowe szlaki, wycieczki, PTTK, plecaki i manierki, na buty na specjalnej podeszwie i niezbędniki. Nie lekceważyłam ich otwarcie, ale wywoływały sceptyczny uśmiech. Milczał lub chodził. Albo chodził i milczał. Wydawał mi się zawsze zgnębiony i przytłumiony. Mimo że z czasem od tych wielogodzinnych spacerów miał ogorzałą, zdrowo wyglądającą twarz. Teraz zabieram go z sobą na długie wędrówki po lesie. Chodzimy szybko, żołnierskim krokiem, jakbym ciągle była jego małą wnuczką, a on niecierpliwym dziadkiem. Nie umiał być inny.

Kiedy siadam przy jego biurku dziś, ponad dziesięć lat po jego śmierci, odnajduję na samym wierzchu pierwszej szuflady blaszany kubek

214

i łyżkę z obozu w Woldenbergu, gdzie spędził wojnę. Może to jest najważniejsza wskazówka, której za jego życia nie znałam.

Pod spodem leży kilka notatek lekarskich z opisem poobozowej choroby i podania do ZBoWiD-u, organizacji weteranów wojny, o uznanie uprawnień do wojennych odszkodowań za lata pobytu w niewoli. Niewątpliwie chorował na depresję, choć wtedy w Polsce tej choroby nie traktowano poważnie.

Teczki, okładki, papier listowy, papier A4, stare, zakurzone, pożółkłe kartki, niektóre tracą swoją dawną spójność, rozsypują się, rozchodzą w rękach. Teczki, aktówki, na tasiemkę, na gumkę. Plastikowe okładki. Skład nie nadającego się już do użycia papieru.

Legitymacje, karty do pasjansa. Kilkanaście par starych okularów, dziesiątki piór i ołówków, także kopiowych, pieczątki z własnym autografem, listy córki, świadectwo zgonu żony na jej wojenne nazwisko, zaświadczenia lekarskie i stosy badań z różnych lat. Opinie lekarskie i oświadczenia na temat zaburzeń psychicznych, których powodem był pobyt w Woldenbergu. Przyrząd do ostrzenia żyletek. Zdjęcia w kompletnym nieładzie. 1920 rok, Łęczyca, kiedy zgłosił się jako ochotnik, a matka przywoziła mu do Łodzi bańki z mlekiem. Jego powojenna ukochana, Marysia Widawska, i ja jako dziecko, mapy, notatki z podróży, przemówienia i notatki o betonie i cemencie. 1928 rok, absolwenci Wydziału Budowy Dróg i Mostów, gwarancje wszelkich domowych urządzeń elektrycznych. Nawet syfonu. Pisma i podania, życiorysy.

Biurko biuralisty. A i ono kompletnie uległo czasowi. **215**

Winda na Puławskiej była drewniana i ciasna. Zamykała się do wewnątrz dwojgiem rozkładanych drzwi. Uwierała. Zapowiadała surowy zapach mieszkania. Już w przedpokoju pachniało kurzem, biurokracją. Od progu czułam się tam trochę jak w muzeum, gdzie przeszłość można obserwować zza szyby.

Spoglądał przez wizjer. Grube drzwi, głęboki wizjer, wysoko umieszczony. Na dnie, daleko, jego oko. Nie wiem już, jakiego koloru miał oczy. Dalekie, jak w kalejdoskopie tego wizjera.

ZAMUTEK

Trudno mi o nim myśleć. Jak o grzechu zaniechania. Moja polska babcia umarła za wcześnie, żebym mogła siebie winić, ale on, on żył długo i mogłam próbować pomóc mu się otworzyć. Robiłam to z obcymi ludźmi, przysiadałam się do ich stołu i do ich życia, z ciekawością, cierpliwością i czułością, której mi brakło dla niego. Nie znam odpowiedzi na pytanie, dlaczego tak było.

Zdaje się, iż nadal wierzył w ideały młodości. W połowie lat osiemdziesiątych, jakiś czas przed ogłoszeniem ostatecznej klęski dawnego ustroju, położył się do łóżka po raz trzeci. Szeroki tapczan stał się centralnym punktem jego dużego pokoju, urządzonego jak gabinet. Ale nie korzystał z biurka ani z oszklonej biblioteki, gdzie stały książki o budowie – socjalizmu, ścian, historii. Na pianinie zbierał się kurz. Karty waliły się w stosach gazet. Zwalisty, nie ogolony, w pasiastej piżamie leżał odwrócony do ściany. Przychodził student, żeby go myć i prowadzić do toalety. Z czasem dziadek odmówił wstawania. Zapadał się w siebie, a wtedy gestykulował dużymi jak wiosła, suchymi rękami. Coś mówił o getcie, w którym nie był, o piwnicach, w których się nie ukrywał, o cegle, która w każdej chwili może spaść na głowę. Urosły mu włosy i paznokcie. Nie pozwalał ich ścinać. Niczego nie chciał. Na nic nie czekał.

Nic go nie bolało i bolało go wszystko. Denerwował się, gdy usiłowano bagatelizować jego cierpienie.

Byłam przy nim, kiedy przyszła z Ameryki wiadomość o śmierci Bronki. Leżał na boku, tyłem do mnie. Płakał. Nie mógł, nie chciał się uspokoić.

Nie umiałam mu pomóc. Nie dorosłam. Uciekłam.

Leżał tak kilka lat. Coraz cięższy, coraz trudniejszy. Powietrze w pokoju gęstniało. Mówił, że chce umrzeć tak jak jego matka, wzięta z Umschlagplatz do Treblinki. W brudzie i upodleniu, jak obozowy muzułmanin. Jak jego ukochana matka.

Żena została z nim do końca. Kiedy leżał i nie chciał wstawać. Kiedy się nie mył i kiedy jęczał. Kiedy odmówił sobie prawa do życia. Kiedy stracił na życie apetyt. Została z nim. Obiecała, że go nie odda do szpitala. Obiecała, że pozwoli mu zostać w domu.

Jego grób na cywilnym cmentarzu w Warszawie nie wyróżnia się niczym wśród podobnych betonowych pomników. Zamiast „świętej pamięci" wykuto mu „mgr inż." Ma polskie imię Szymon, którego nie znano w Łęczycy. I kamyk stamtąd, choć o tym, że jest Żydem, nigdy głośno nie mówił.

Woldenberg

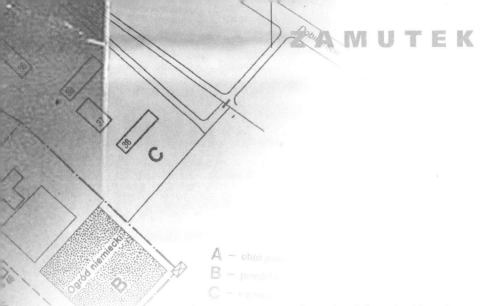

A — obóz
B — przedp...
C — ...

Przedborski Samuel. 49178/IVA Leutnant, Hohnstein, Saksonia. Nazwisko, numer ewidencji, stopień wojskowy i nazwa obozu, do którego wzięto go po upadku Warszawy. I dalej: Oflag IVB — Königstein, Oflag IIB — Arnswalde, Stalag IIB — Hammerstein, skąd 12 września 1940 roku został przeniesiony do Oflagu IIC — Woldenberg. Nic więcej. Nie ma żadnego innego śladu obecności podporucznika Przedborskiego w jenieckim Oflagu IIC na Pomorzu. Poza kilkoma listami w szaroniebieskich kopertach z nadrukiem Kriegsgefangenenpost, stalowym numerkiem, nazywanym „psim znaczkiem", blaszanym kubkiem i łyżką, podstawowym wyposażeniem jeńca. Nic więcej. Żadnych wspomnień. Zostały wygnane.

Pierwsza ocalała kartka — pierwszy po wyjściu z Warszawy znak, że żyje — miała stempel pocztowy Hohnstein (Saechs. Schweiz) z datą 27 stycznia 1940 roku i okrągłą pieczęć Oflag IVA. Kartka pocztowa, beżowy kartonik zapisany od góry do dołu kiepską niemczyzną, adresowana była do żony — Frau D. Przedborska — na Krasińskiego 18. Jako nadawca figurował inżynier podporucznik rezerwy Przedborski Samuel. Odpowiadał na jej pospieszne wiadomości z 27, 29 i 30 grudnia.

Najważniejsza informacja, jaką przekazywał, dotyczyła nietykalności mieszkań oficerów, zgodnie z ustawą dotyczącą ochrony jeńców wojennych z roku 1929 (podkreślone). Widocznie o to najbardziej bała się

219

Dela, chciał ją uspokoić. Jeszcze mieszkały z córką na IV Kolonii WSM na Żoliborzu, pod numerem 142.

Pisał, że nic mu nie trzeba, wszystko kupuje ze swoich poborów, nawet ciastka. „Nigdy z najmniejszą szkodą dla was".

„Dobranoc moje najdroższe", kończył, bo kończyła się kartka. „Gute Nacht meine Liebsten". Nigdy już więcej nie był tak czuły. Może mu było łatwiej w obcym języku. Nie widzieli się czwarty miesiąc. Wszystko dopiero miało się zacząć. Na razie, mimo niewoli, dom ciągle znaczył dom i wydawało się, że obowiązują jakieś prawa. Że jest się czego trzymać.

Oflag IIC Woldenberg zbudowany został rękami polskich jeńców wojennych zimą 1939/1940 roku i wiosną. Jako obóz jeniecki funkcjonował od maja 1940 roku. Wedle pierwszych statystyk przebywało w nim nieco ponad sześć tysięcy jeńców, w większości oficerów września 1939 roku.

Nie wiem, czy w dzieciństwie i młodości słyszałam słowo „Woldenberg". Wydaje mi się, że nie słyszałam go wcale. Nawet wtedy, niedługo przed śmiercią, kiedy dziadek zaczął wspominać o niewoli, nie używał tej nazwy. Jakby była zaklęta, naznaczona ciężarem przerastającym jego siły. Mówił o niemieckim oflagu i przekonana byłam, że wojnę spędził w Niemczech. Nie starałam się nawet wyobrazić sobie tego miejsca ani stanu ducha zamkniętego za drutami młodego mężczyzny. Nosił skorupę, której nie próbowałam przeniknąć. Milczał wyzywająco.

Zabolało go bardzo, że kiedy wrócił z obozu, nikt go tu w Warszawie nie traktował jak męczennika. Co więcej, ktoś z rodziny powiedział: „Tobie to się udało, przesiedziałeś całe pięć lat w luksusowej niewoli".

„Matuś — skarżył się swojej drugiej, powojennej żonie — jak oni mogli mi tak powiedzieć? Jak mogli?"

Na najwyższej półce orzechowej serwantki, tam gdzie nikt nie zagląda, znalazła przypadkiem drewniany grzybek do cerowania. Podała mi go ostrożnie i opatrzyła suchym komentarzem. „To było narzędzie pracy Szymona w Woldenbergu. Nie wolno ci tego zgubić. Ani zapomnieć".
Tyle.

Grzybek nie wygląda jakby odsłużył swoje. Ma jasny błyszczący kapelusz, tajemniczą sprężystość formy i blask. Jest twardy, z jesionu lub olchy. Lipa ma inną fakturę, podobnie jak grusza, jakby topiły się pod wpływem dotyku. Nóżkę można odkręcić i używać jako schowka na igły. Igieł ani nici wewnątrz nie znalazłam. Innych znaków również. Przez dłuższą chwilę trzymam grzybek w złożonych dłoniach. Nie poddaje się, oporny, zaklęciom. Staram się przywołać miejsce i czas, w którym towarzyszył mojemu dziadkowi, wówczas młodemu oficerowi rezerwy w niemieckiej niewoli.

Skarpet brakowało. Szczególnie ciepłych skarpet. A zwłaszcza skarpet w dużych rozmiarach. Skarpety były w cenie. W samych drewniakach nie dawało się wytrzymać. Ciągnęło od betonowej podłogi. Mieli za mało koców, więc skarpety nakładano także do spania. Nie można było sobie pozwolić na wyrzucenie zużytych lub podartych skarpet. Skarpety należało oddać do reperacji. Przynosili czyste i brudne, prane i przepocone, znoszone, cuchnące. Cudze brudy musiał brać do rąk, przybliżać do twarzy, źle widział w okularach do dali.

Był głodny.

Płacili za cerowanie. Płacili pieniędzmi i jedzeniem. Brał też papierosy, chociaż nie palił, ale najlepiej nadawały się na wymianę.

To wszystko trzeba było zorganizować, i grzybek, i nici, zamówić. Przysłali potem w paczce na nazwisko kolegi specjalne mocne nici w kilku kolorach, najlepiej szły czarne i brązowe, i igły z dużym oczkiem. Ciężko było nawlec kilkanaście dziennie. Lepiej oczy oszczędzać. Przydał się też metalowy naparstek, litościwie przez kogoś podarowany. Z czasem nauczył się układać dziurę równiutko na kapeluszu grzybka, robił supełek, podwójny, bo wełna ma duże oczka, i zaczynał od prawej strony. Z prawego brzegu na lewy, zaczepić i z powrotem, z prawa na lewo jak Tora. Baruch ata adonaj, nie modlił się, cerował, prawo, lewo, prawo, lewo, i dalej z góry na dół, pomiędzy włóknami utkanej już kanwy. Mamrotał pod nosem. Zaczynał ze złością, cichł potem.

Siedział na swojej pryczy, nie mogę się zdecydować — na dole czy na górze, mizerne światło, przenikliwe zimno, uporczywy zapach zgnilizny.

221

ZAMUTEK

Nie wiedział już skąd, z nóg nie mytych, przepoconych, popękanych, poocieranych czy z wilgotnych ścian, przegniłych sienników wypchanych słomą lub ścinkami papieru. Na kąpiel można było liczyć raz w miesiącu, bielizny nie zmieniano wcale, coraz więcej mnożyło się pcheł. Cerował skarpety w jenieckim oflagu. Z głodu. Pięć gramów mięsa dziennie. Gorzej znosił głód niż upokorzenie. Od Woldenbergu chciał się odciąć.

Byłam przekonana, że wizja lokalna będzie wymagała podróży do Niemiec. Nie przypuszczałam, że groźnie brzmiący Woldenberg to Dobiegniew, stara osada rybacka na skraju Puszczy Drawskiej na Pomorzu. Obóz postawiono w odległości kilometra od ostatnich zabudowań miejskich. Ale miasto nie przypomina dawnego, palone przedtem wielokrotnie, podczas wojny zostało niemal w całości zniszczone. Odbudowane w żałosnym kształcie socjalistycznego marzenia.

Dobiegniew, nazwany po słowiańsku, stał się dla jeńców konspiracyjnym pseudonimem Woldenbergu. Używali go jak szyfru, wierząc, że jest w tej nazwie ukryta obietnica: „Dobiegnie-my", myśleli. „Dotrwamy do końca wojny".

Stanęłam przed zniszczoną bramą wjazdową obozu ponad pół wieku po tym, kiedy mój dziadek przekroczył ją na dobre i po raz ostatni, opuszczając obóz, i poczułam, że robię coś, czego nie powinnam. Przyjechałam tu, by odwrócić bieg zapomnienia. Wejść w przestrzeń nie istniejącą już nigdzie poza przeszłością, nawet w mojej rodzinie zamkniętą. Może nie rozliczoną, ale też uznaną za niemożliwą do rozliczenia. Wchodziłam w zaklęty krąg drutów, próbując rozszyfrować ich zardzewiałą mowę.

Nigdy nie byłam za drutami, nigdy nie musiałam być. Obóz, rozciągający się na przestrzeni blisko 20 hektarów, otoczono na dwa i pół metra wysokim, podwójnym płotem z kolczastego drutu. Ich zwoje umieszczono też w przestrzeni między ogrodzeniami. Ustawiono osiem wież strażniczych z karabinami maszynowymi. I ostrzegawczy napis — „Jence woyenne stoy". Tu zaczynała się strefa ognia.

Drut wyznaczał granicę dostępnego im świata. Dzielił go na ciasną konieczność codzienności i podszytą tęsknotą nierzeczywistość marzenia. Cenzurowane listy na wojennej papeterii łączyły ich z domami i rodzinami lub tym, co po nich pozostało. Nie torturowano ich. Nie zmuszano do pracy. Tylko zamknięto. I owszem, karmiono: tysiąc czterysta kalorii dziennie, czarny chleb, zupa z brukwi lub jarmużu, zbożowa kawa. I lęk.

Żyli „za parawanem genewskich praw" — jak pisał obozowy poeta. Chronieni siłą przepisów prawa międzynarodowego, świadomi jednak, że w każdej chwili mogą zostać pogwałcone. Jeńcami Oflagu IIC interesował się Heinrich Himmler. Planował pozbawić ich statusu jeńców wojennych i wysłać do obozów koncentracyjnych. Nie opuszczało ich poczucie zagrożenia.

Nie wiedzieli, jak skończy się dla nich kolejny dzień, kolejny miesiąc, rok, wojna.

Wielu ginęło, rzucając się na druty. Inni przecinali je nożycami saperskimi lub miesiącami ryli podkopy. Każdy sposób był dobry, by wyrwać się z ich obezwładniającego kręgu. Ucieczka lub śmierć. Czasem znaczyły to samo.

„W Woldenbergu — napisał Marian Brandys — ludzie nie ginęli pod obcasami SS-manów jak w Oświęcimiu. Terapia woldenberska polegała na doprowadzeniu ludzi do obłędu".

Dwadzieścia pięć baraków z czerwonej nie otynkowanej cegły, rozsypanych po obu stronach wewnętrznej drogi, obóz Wschód i obóz Zachód. W środku terenu kilka budynków gospodarczych — kantyna, łaźnia, świetlica. Niskie dachy z desek lub płyt cementowych pokrywała kiedyś papa. Umieszczone w ścianach szczytowych drzwi otwarte są na oścież w geście jakiegoś gwałtu, małe okienka, dawniej zamykane na noc okiennicami, tworzą teraz niewielkie potłuczone oczodoły. Drobne świńskie oczka w ruinie mitu. Drewniane wieże strażnicze przypominają sen o niemieckiej potędze, kawałek gotyckiego napisu nad bramą próbuje świadczyć o przeszłości, ale to pobojowisko zniknęło z pamięci dziejów, tak zwyciężonych, jak zwycięzców.

Po wojnie na terenie największego niemieckiego obozu jenieckiego dla polskich oficerów założono wzorową tuczarnię trzody chlewnej. Jej pierwszym dyrektorem został były więzień w stopniu majora. Dziś wylane cementem, na wpół zburzone, na wpół rozkradzione baraki z korytami dla świń wydają się drwić z historii.

To miejsce rozsypuje się w rękach czasu. Życie z jego nieugiętymi prawami zatriumfowało nad przeszłością, zdominowało ją, porosło chwastem. Zatarło i starło z powierzchni rozpleniającej się codzienności. W Dobiegniewie panuje bezrobocie — „Najgorzej o robotę, jakąkolwiek", „Nawet kraść, pani, nie ma już co". Z większości baraków, w których kiedyś mieszkali polscy jeńcy — „Kwiat polskiej inteligencji, proszę pani" — powyrywano futryny okien i drzwi. Kiedy pozabierano legary i zaczęły się walić dachy, wyrwali główną bramę wjazdową, a cegłę to już bez skrupułów jak swoje wynieśli i nadal wynoszą. Cegła, mimo świń i chemikaliów, jeszcze jest zdrowa. Okres tuczarni mieszkańcy wspominają z rozrzewnieniem, pracę mieli, czternaście tysięcy świń hodowali, czysta robota, uboju nie było, tylko tuczarnia, co piąta puszka szynki eksportowana na Zachód pochodziła z ich świń.

Burmistrz Dobiegniewa proponuje zostawić jeden budynek obozowy, ten, w którym dziś jest niewielkie muzeum woldenberczyków, a resztę wyburzyć i przeznaczyć na działalność gospodarczą. Potrzebne są pieniądze, żyć trzeba, można też wyciąć i spieniężyć drzewa.

Po co komu ta ziemia niczyja, po co zrujnowany kawałek pamięci. To miejsce niczemu nie służy, nie ma racji bytu. Nawet jeśli na cokolwiek jest dowodem — na siłę ludzkiego ducha czy siłę upokorzenia. Chodzę ostrożnie pomiędzy barakami, na zewnątrz i w środku, chodzę korytami dla świń i zarośniętymi ścieżkami jeńców. Zaglądam do dawnego aresztu i kantyny. Gdzieniegdzie piętrzą się cegły poskładane w sterty, gotowe do wywózki.

Chodzę, żeby zapamiętać. Pierwsze drzewa — brzozy i jesiony — posadzono na tym terenie wiosną 1941 roku. Topole muszą być o wiele późniejsze, choć wyrosły wysoko. Odnajduję barak z numerem 12a, jego barak. Nie różni się specjalnie od innych. Pusty wydaje się nawet przestronny. Przy wejściu był ustęp, z którego mogli korzystać tylko w nocy.

Dalej sala mieszkalna, czyli prycze. Trzypiętrowe prycze i stojące tuż obok siebie rusztowania prycz. Sto do stu pięćdziesięciu osób po jednej stronie, kompania. I oddzielona umywalnią druga kompania po drugiej stronie. Osiem kompanii tworzyło batalion.

Staram się wymierzyć barak, wiem, że on na pewno to zrobił, znałam jego upartą dokładność. Sześćdziesiąt metrów na dziesięć. A więc do trzystu osób mieściło się na powierzchni sześciuset metrów kwadratowych. Plus ich dobytek — walizki i tobołki, plecaki i kartony, plus, po kątach, jakieś ławy i stoły. I jeden kaflowy piec. Po dwa metry kwadratowe na osobę, nie licząc sprzętów. Nie potrzeba liczyć, nie dawało się przejść, nie potrącając sąsiada. A jeszcze zawiesina papierosowego dymu. Ciągły gwar głosów. Stała obecność innych. Ani chwili nie przestawali być, nawet w nocy. Nawet we śnie.

Wychodzę z ulgą.

Był kolejno w trzech oflagach, zanim trafił do Woldenbergu, w Hohnstein, Königstein i Arnswalde. W wyniku akcji rejestrowania polskich jeńców, podlegających paragrafowi rasistowskich ustaw norymberskich, przeniesiono go wraz z innymi oficerami żydowskiego pochodzenia do obozu przejściowego Stalag IIB w Hammersteinie (Czarne), skąd — wedle słów Niemców — wszyscy mieli zostać zwolnieni. Faktycznie szykowano dla nich transporty do planowanych gett w kraju lub do obozów koncentracyjnych. Nie wiadomo, co zadecydowało o tym, że w ostatniej chwili hitlerowcy zaniechali tego zamiaru. Po kilku miesiącach jeńców odesłano do ich macierzystych obozów lub też, jak jego, do Woldenbergu. W Oflagu IIC we wrześniu 1940 roku znalazła się grupa osiemdziesięciu sześciu jeńców — polskich oficerów pochodzenia żydowskiego. Zakwaterowano ich wszystkich w baraku 12a, zwanym odtąd w obozowej mowie „żydowskim barakiem". Żydom zakazano przenoszenia się do innych baraków.

Miał żydowskich przodków do trzeciego pokolenia wstecz, a nawet dalej. Wydaje się, że od razu umieszczono go w baraku 12a.

Nastroje po upadku Francji pełne przygnębienia. Utrata nadziei na rychły koniec wojny. Coraz gorsze wieści z kraju. Rozpacz. Pierwsze wypadki samobójstw i obłędu. Wtedy powstała myśl stworzenia teatru. Nie mogli mieć złudzeń, że wojna szybko się skończy. Nie miał złudzeń i on. Musiał wiedzieć, jak wszyscy, że to potrwa, że należy jakoś się tu urządzić. Zbudować jakąś strukturę, w której ramach da się wytrzymać. Improwizować, nie pozwolić samym sobie pogrążyć się w klęsce. Byli stosunkowo młodzi, ciągle jeszcze silni.

Na sześć do siedmiu tysięcy jeńców Woldenbergu 90 procent stanowili młodsi oficerowie, z tego ponad połowa podporuczników. W większości rezerwiści — nauczyciele, naukowcy, inżynierowie, literaci, politycy, aktorzy. Był w Oflagu IIC jeden generał i trzystu starszych oficerów. Byli profesorowie uniwersytetów, były premier Rzeczypospolitej, wielcy obszarnicy i małorolni chłopi. Średni wiek jeńców obliczono na trzydzieści siedem lat, co znaczyło również, że 70 procent nie przekroczyło czterdziestki. Byli ciągle zdrowi i sprawni. Świadomość, że niewola może rozciągnąć się na lata, wzmagała konieczność działania.

Najbezpieczniej było leżeć na własnej pryczy. Tu się jadło i pisało, czytało książki, rozmawiało, szyło. Czasu było dużo. Za dużo. Niezmierzone przestrzenie czasu.

Sienniki wypchane słomą lub wiórami drzewnymi gniły, nie zmieniane od miesięcy. Rozmnażały się pchły i pluskwy. Z czasem każdy miał dwa koce. Zagłówek. Bielizny pościelowej nie było. Niektórym przysłano z domu poduszki i kołdry. Szafki, wieszaki, taborety robiono własnoręcznie z kradzionych Niemcom materiałów. Wciąż nie starczało miejsca dla wszystkich. Brakowało światła. Panował półmrok, choć sześć 25-watowych żarówek świeciło się przez ponad pół dnia. Mnożyły się seanse spirytystyczne.

Było zimno. Dokuczało robactwo. Nie tylko pchły, brunatne pchły, także pluskwy. Nie pomagała dezynsekcja. Dezynsekcja przy użyciu kreozolu. Nazywano ją świętem pchły. Nie mógł pogodzić się z tym, że zostali pobici. To było równie nieznośne jak głód, jak niepewność, co dalej, z nimi tutaj i z rodziną tam.

Zamknął to w sobie. Robactwo i brud, brak wody w kranach, zatęchłe sienniki, pleśń. Zaduch zgnilizny. Głód. Dotkliwy głód pierwszych dwóch lat.

Czekał na paczki i bał się o paczki. Że nie dotrą, że makaron się pokruszy, że nie będzie nic słodkiego, skąd miałoby być, czy one same widziały od wybuchu wojny czekoladę? Paczki dostawali inni, paczki z cukrem i kiełbasą, z konserwami mięsnymi i suszonymi owocami. Długo czekał, a potem prosił. Też długo. Dopiero później, dużo później, zaczęto przysyłać dary z Ameryki. Najważniejsza była w nich margaryna i kawa Nesca, wkrótce najcenniejsza waluta obozowa.

Jakiś czas był w spółce, ale czuł się jeszcze gorzej, nie dzielono jedzenia sprawiedliwie. Wycofał się.

Norma wynosiła dwie paczki miesięcznie, na które dostawali zezwolenia, zwane nalepkami. Tylko paczka z nalepką docierała do adresata. Paczki społeczne i dary rozdzielano pomiędzy wszystkich.

Czasem wstrzymywano dostawę paczek, jedzenie się psuło, gniło. Tego też się obawiał. Marnowało się coś, co one tam w dalekiej Warszawie odejmowały sobie od ust. Fasola przychodziła wymieszana z cukrem, tytoń z kaszą, rozłupane szpulki od nici z połamanym makaronem.

Na środku każdego baraku stał piecyk. Przyrządzano na nim żywność otrzymywaną w paczkach. Używano też pomysłowych kuchenek z dmuchawami. Woldenberska „kręciołka" składała się z koksowego palnika oraz mechanicznego miecha, skonstruowanego sprytnie z dykty, blachy i starych sznurowadeł. Używano jej do parzenia kawy, odgrzewania zup, robienia szpinaku z lebiody i gotowania pęczaku. Była prawdziwie zbawiennym wynalazkiem, dzięki któremu jeńcy uniezależnili się od Niemców w sprawach gospodarczych. Nie wyobrażano sobie bez niej obozowej egzystencji.

Drażnił go zapach cudzego jedzenia.

227

Magazyn mundurowy obozu uzupełniał swoje zasoby wraz z podbojami Hitlera. Stał się najbardziej widocznym dowodem potęgi Wehrmachtu. Nie wiem, w jaki strój przebrano podporucznika Przedborskiego. Mógł mieć na sobie ciemnozieloną bluzę z narciarskich jednostek wojsk norweskich albo granatowy uniform duńskich policjantów, ale ten miał czerwony kołnierz. Najbezpieczniej wyglądały piaskowe bluzy holenderskich celników. Szykowne trencze belgijskiej gwardii królewskiej nadawały się na paradę. Nieco później przywieziono mundury armii francuskiej. Całą gamę, błękitne bluzy spod Verdun i oliwkowe, w których poddano Paryż. Ubrania dobierano zależnie od rozmiaru, trudno było dopasować odpowiedni, szczególnie dużym i wysokim. A potem przebrane tak, pstrokate postaci rozchodziły się po terenie obozu. Oficerowie jak z cyrku. Najpierw wybuchali śmiechem na swój widok, potem przestali to zauważać. Najważniejsze, że było im cieplej. I tylko czasem, gdy ktoś wracał do baraku, na przykład po dłuższej nieobecności w izbie chorych, stawał w progu zdumiony, widząc przed sobą zjawy jak z fantastycznych kaprysów Goi (to określenie Mariana Brandysa). Pierwsze wrażenie trwało chwilę. Potem rozmywało się i gasło. W tłumie, w nikłym świetle 25-watowych żarówek i w kłębach dymu.

Pierwsza wizytacja Oflagu Woldenberg IIC przez delegację Międzynarodowego Czerwonego Krzyża z Genewy odbyła się 23 października 1941 roku. Wedle ich zapisu, obóz przedstawiał widok „bardzo przyjemny", a baraki wydały się „szczególnie czyste i dobrze utrzymane". Odzieży wystarczało, pilnie potrzeba było koców. Z natrysków korzystało około 200 osób dziennie.

Obóz podzielony był na dwie sekcje: wschodnią i zachodnią. Każda z tych sekcji miała własną bibliotekę, złożoną z pięciu tysięcy tomów, beletrystyka osobno i książki naukowe osobno. Większość książek w języku polskim, mała część w angielskim, francuskim, rosyjskim. Doskonale zorganizowany uniwersytet, oddzielne sale wykładowe. Duża liczba więźniów zajęta teatrem.

228   Zapisano, że potrzebne są piłki do gry w piłkę nożną i ręczną. W podsumowaniu stwierdzono, iż obóz woldenberski „nie przedstawia nic szczególnego". Nazwano go „przeciętnym", morale polskich jeńców oceniono wysoko.

Leżał. Dużo leżał. Tak było łatwiej. Tak starał się odizolować od innych. Tak pokazywał swoją niezgodę na tamtą rzeczywistość. Na to, że jest wojennym jeńcem, ale gorszym niż inni. Czuł to od początku i boleśnie. Nauczył się słowa „dyskryminacja", smakował jego brzmienie i sens. Jeszcze raz i jeszcze, gorycz w ustach.

Czy przysięgał inaczej niż inni? Na czym polegała jego inność? Rota przysięgi dostosowana była do poszczególnych wyznań. Wszyscy, prócz bezwyznaniowców, zaczynali podobnie: „Przysięgam Panu Bogu..." Dalej dopiero zaczynały się różnice. Chrześcijanie mówili: „Panu Bogu Wszechmogącemu w Trójcy Świętej Jedynemu..." Wyznawcy judaizmu poprzestawali na „Panu Bogu Wszechmogącym", muzułmanie nazywali swego Boga — „Jedynym". Ale dalej, dalej wszyscy chcieli tego samego — „być wiernym Ojczyźnie mej, Rzeczypospolitej Polskiej" — powtarzał wtedy i teraz powtarzał raz jeszcze — ojczyźnie... polskiej... — „chorągwi wojskowej nigdy nie odstąpić, stać na straży honoru żołnierza polskiego, prawu i Naczelnikowi Państwa być uległym, rozkazy dowódców i przełożonych wiernie wykonywać, tajemnic wojskowych strzec, do ostatniego tchu w piersiach za sprawę Ojczyzny mej walczyć i w ogóle tak postępować, abym mógł żyć i umierać jak prawy żołnierz polski".

Czasami, przed wojną, ze względu na babkę chodził w święta do synagogi, nigdy sam, z własnej potrzeby. Ojciec też robił to wyłącznie dla swojej teściowej, a matka, matka żyła z Bogiem w zgodzie. Jej Bóg nie cierpiał na krzyżu, tak się zdarzyło, że wyrośli z innego pnia — ale czy na pewno innego? Jego babka, Salomea z Hermanów, twierdziła, że należeli do kohenów, kapłanów. Czasami bał się Boga. Czasami modlił się o matkę, martwił o jej zdrowie, budził się w nocy ze strachu, że może umrzeć, że go opuści.

Gdzie teraz jest matka? Teraz, kiedy on tu leży i gnije, myśli — gdzie ona jest? Ostatni adres podawała na Lesznie, w dzielnicy żydowskiej. Żydzi są w Warszawie razem, przyjechała do rodziny, są razem w jednym mieszkaniu. I inni Żydzi, sąsiedzi, są obok. Razem nic złego nie może im się stać. Niemcy wydali Mozarta i Haendla. Dela uczy dzieci, jak w Łęczycy, razem jedzą kolacje. Matka czesze swoje długie włosy. Zaplata w warkocze na noc, a rano, jak zawsze, upina na wałek albo w kok. Ale w jaki sposób oni zostali zamknięci, jak jest się zamkniętym razem z kawałkiem miasta, z ulicami, sklepami, podwórzami, z cukierniami i warsztatami szewskimi? Gdzie przebiega mur, środkiem ulicy, wzdłuż domów, jak go postawiono, z cegły? Mur dla Żydów, przed Żydami. Mur.

ZAMUTEK

„Zmobilizowany w trzecim rzucie we wrześniu 1939 roku, w stopniu podporucznika", pisał Samuel Przedborski w powojennych papierach wojskowych. „Odbyłem kampanię wojenną jako zastępca dowódcy biernej obrony przeciwlotniczej na Pradze w 36. Pułku Piechoty Legii Akademickiej. Po upadku Warszawy dostałem się do niewoli niemieckiej".

Spośród 500 tysięcy jeńców polskich, żołnierzy wziętych do niewoli we wrześniu 1939 roku, 10 procent stanowili oficerowie o żydowskich korzeniach.

Wyodrębnianie grup narodowych z żołnierzy jednej armii celem ich specjalnego traktowania pozostawało w kolizji z postanowieniem artykułu 4 konwencji genewskiej. Mimo to Niemcy stosowali je przez całą wojnę. Geneza żydowskich gett obozowych pozostaje niejasna.

Widzę go, jak leży. Ciężki, nieruchomy, olbrzymi. Czarne włosy ostrzyżone krótko przy skórze, widać sklepienie głowy, czasem, gdy odwraca się na drugi bok, pokazuje ciemną, nie ogoloną twarz z kilkudniowym zarostem. Codzienne golenie nie było obowiązkowe. Ani mycie. Takiego można się go było bać. Pamiętam go podobnego niemal pół wieku później, w pasiastej pidżamie, też tak leżał, też tak milczał.

Czasu im nie brakowało. Cztery godziny do zabicia przed obiadem i mniej więcej tyle samo po obiedzie. Brakowało witamin i żyletek, papieru i pasty do butów.

Leżał na pryczy. Albo cerował. Przez pierwsze lata cerował. Inni chodzili na wykłady, czytali książki, grali w szachy i karty, przygotowywali programy artystyczne, działali w klubie sportowym, pisali listy, rzeźbili w rogach baranich, grali na akordeonach, plewili grządki, udzielali się towarzysko, cokolwiek miałoby to znaczyć.

Podziwiał tych, którzy czytali. Miał do dyspozycji już ponad dwadzieścia tysięcy książek w jenieckiej bibliotece, i ciągle ich przybywało. Miał czas. Nie mógł się zmusić do lektury.

Dym. Tylko w jednym baraku nie palono tytoniu. Wedle zgodnej obozowej opinii, powietrze było tam nieznośne, a przebywanie w nim niegodne prawdziwego mężczyzny. Nauczył się żyć z dymem.

Zimą zamykano baraki o 17.30, latem nieco później. Tylko dwa razy w roku, podczas świąt Bożego Narodzenia i w Nowy Rok, można było zostać na powietrzu do wieczora. Po zamknięciu drzwi życie barakowe toczyło się dalej. To wtedy można się było dowiedzieć, co naprawdę dzieje się na świecie. Czytano redagowany przez jeńców dziennik obozowy i gazetkę konspiracyjną. Starano się czytać, co w świetle nikłych żarówek było prawie niemożliwe. Rozmawiano, opowiadano. Słowa, słowa, ciągle słowa.

Porucznik B. z baraku kawaleryjskiego ukradł z półki kolegi dwudziestogramową porcję margaryny. I zjadł. Oficerski sąd honorowy wykluczył go z korpusu oficerskiego. Po trzecim odwołaniu i trzecim wyroku poderżnął sobie gardło brzytwą. Pochowano go z honorami.

W baraku 15a, gdzie mieszkali oficerowie o arystokratycznym pochodzeniu, planowano gwiazdkowe przyjęcie za zaproszeniami po francusku i z obowiązkową francuszczyzną do konwersacji. Pielęgnowali rytuały magnackiej rezydencji w Łańcucie.

W drugim batalionie powstał punkt sprzedaży wrzątku na kawę i herbatę.

Znowu skonfiskowano nielegalną bimbrownię na terenie obozu. Cena litra lichej wódki wzrosła do stu marek. Pędzono alkohol z cukru, ale próbowano też z marmolady, fasowanej u Niemców.

231

W ich baraku podporucznik Stefan Askanas — ten miał pomysły — niespożyty, założył prywatny zakład kąpielowy. Za dwie lagermarki można się było umyć o dowolnej popołudniowej porze, codziennie z wyjątkiem świąt. Chętnych do noszenia wody ze studni, za opłatą, było wielu. Pozyskanie drzewa lub brykietów to już trudniejsze zadanie. Ale radzono sobie przecież ze zdobywaniem nawet bardziej wyszukanych rzeczy.

Nie umiał zdobywać i nie chciał. Niewiele chciał i ze wszystkim się pogodził. Ze wszystkim, prócz tego, że zadecydowano o jego rasowej przynależności i umieszczono go w baraku naznaczonym, cóż z tego, że metaforycznie, gwiazdą Dawida. Czuł się napiętnowany.

Odsunął się od wszystkich, choć zapewne przed wojną chętnie utrzymywałby przyjacielskie kontakty z wieloma sąsiadami z prycz baraku 12a.

Większość stanowili zasymilowani inteligenci, synowie neofickich rodzin, którym Hitler przypomniał o ich pochodzeniu. Od pokoleń legitymowali się polską narodowością, głęboko wrastali w polską kulturę. Manifestowali zarówno swoje liberalne poglądy społeczne, jak i związek z Polską, a nawet Kościołem.

Podporucznik Ludwik Natanson był fizykiem. Natansonowie traktowani byli wciąż jako żydowska arystokracja, mimo że od kilku pokoleń przyjmowali chrzest. Lutek Cohn należał do II Międzynarodówki, Stein, psychiatra, studiował Spinozę i Kanta, filozof Walfisz estetykę. Kilku inżynierów znał z politechniki. Z kilkoma prawnikami i ekonomistami zetknął się przy różnych okazjach w Warszawie.

Obok nich pod tym samym szyldem i w tej samej przestrzeni umieszczono małomiasteczkowych Żydów, związanych silnie z tradycją religijną i językiem przodków, traktujących wciąż Polskę jako wygnańczą diasporę. Jako etap drogi. Żyli dotąd koszernie w świecie przykazań Mojżesza. To ich bóżnice płonęły w Europie. Pachnieli czosnkiem, nawet jemu.

Wspólne mieli jedynie praprapraprababki.

Co go łączyło z kramarzem z rodzinnej Łęczycy lub woziwodą? Cóż miał z nimi wspólnego? Otóż miał — przeszłość. Nie chciał do niej zaglądać, nie z nią pragnął się utożsamiać. Niezgodę miał w sobie. Na pewno nie był jedyny, wielu musiało analizować ów wewnętrzny konflikt ciągle od nowa.

W każdy piątek barakowa umywalnia zmieniała się w żydowski dom modlitwy. Nie mógł uwierzyć w ich upór i siłę. Powinien myśleć o tym w kategoriach cudu, znając sytuację okupowanej Europy, ale wywoływało to raczej zdumienie. I opór. Okna zakrywano szczelnie kocami, na jednym z nich umieszczano gwiazdę Syjonu, palono świece. Wydeptywano kołysaniem betonową podłogę. Podporucznik Natan Cyrank pełnił funkcję kantora. Wzywano Boga hebrajską prośbą. Podobno w dniach świąt religijnych znajdowano coś, co przypominało tałesy, modlitewne szale. Koledzy czuwali, czy nie zbliża się straż.

W tej samej umywalni w dni powszednie modlili się katoliccy członkowie bractwa różańcowego, mieszkańcy tego samego baraku.

Wyłuskani z armii matrycą ustaw norymberskich byli sobie dalecy i obcy. Różnili się światopoglądem i miejscem w społecznej hierarchii. Różnili się religią i narodowością. Kancelaria adwokacka i salon połączone ze sztetl. Żadna z jenieckich wspólnot nie była tak różnorodna.

Rzadko włączał się do rozmowy. Często słuchał, co mówią. Sami o sobie, dla siebie, czasem w obecności innych. Przychodzili też na pogawędki koledzy z innych baraków. Wielu opowiadało na zamówienie, o podróżach, o gwiazdach, o filozofii. Zapamiętał sprawozdawcę radiowego, który często improwizował relacje z zawodów sportowych i olimpiad. Do ulubionych należała ta z biegu na 10 tysięcy metrów w Los Angeles w 1932 roku, gdzie zwyciężył Janusz Kusociński.

Omijał łukiem ekskluzywny barak 15. Wydawało mu się, że dla tych kawalerzystów i rotmistrzów, dla Sapiehów i Potworowskich, Czetwertyńskich i Mycielskich zawsze pozostanie Żydem łaciarzem. Dawali mu to odczuć. Wymachując rękami, szydzili z akcentu i sposobu mówienia jego kolegów. Powtarzali, że Żydzi rodzą się zawsze po lewej stronie barykady. I wiedzą, jak się urządzić. Podobnie niezręcznie czuł się w towarzystwie oficerów marynarki. Patrzyli na nich z góry, z wysokości **233** nieosiągalnych skarbów ich paczek mundurowych i tytoniowych. Dbali o nich koledzy z Anglii. W ciągu miesiąca dostawali tyle, ile inni w ciągu roku. To wzmagało ich pychę. Próbowano przydzielać ich dary do innych baraków, ale występowali do starszyzny obozu z zażaleniami.

Nie, nie czuł, że są równi. Nie czuł tego od początku. Chociaż tak samo gryzły ich pchły, tak samo mogli biegać, studiować, pisać listy i tyle samo dano im czasu. Oglądali te same przedstawienia i igrzyska sportowe, stawali na tych samych apelach i tych samych słuchali rozkazów.

W pewnej chwili rozeszły się pogłoski o zamiarze odrutowania baraku 12a. Starszyzna obozu ostro się temu sprzeciwiła. Nigdy do tego nie doszło. Protestowali także przy okazji kolejnych pogłosek o zamiarze wywiezienia oficerów pochodzenia żydowskiego.

Polskie kierownictwo obozu zajmowało twarde stanowisko, że wszyscy oficerowie bez wyjątku byli oficerami Wojska Polskiego. Próbowano zlikwidować wyjątkowość baraku 12a przez dokwaterowanie tam Polaków. Starszym baraku był na przemian jeniec pochodzenia żydowskiego, kawaler Krzyża Virtuti Militari, i rdzenny Polak, znany szermierz. Był ów barak obiektem szczególnej ciekawości niemieckich funkcjonariuszy, którzy odwiedzali go „jak ogród zoologiczny".

Słyszał hasła prawicowców nawołujące do bojkotu ich baraku. Nie patrzył im w oczy. Czasem niechęć innych odczuwał nieomal fizycznie. Kaleczyła. Złapano pewnego podporucznika, członka obozowego ONR, gdy chciał wrzucić do skrzynki pocztowej donos do Abwehrabteilung na kolegę ukrywającego przed Niemcami żydowskie pochodzenie. Sąd honorowy nie uznał tego za wystarczającą podstawę, by wykluczyć winnego z Korpusu Oficerskiego.

Nie umiał docenić, że kilku Żydów ukrywało się nadal w polskich barakach. Nie umiał przyjąć paczkowego jedzenia, którym się z nim dzielono. Rzeczywiście, Polacy ujmowali się za nimi za niesprawiedliwy podział paczek społecznych. W większości byli po ich stronie, traktowali ich przyjaźnie, tak jak innych. A przecież coś go męczyło, niepokoiło. Czuł przyzwolenie ze strony Niemców na dyskryminację żydowskich jeńców i nie znajdował w nikim oparcia.

W domu grał na skrzypcach. Podobno miał talent, gorzej z cierpliwością. Skrzypce przywiózł ze sobą do Warszawy, kiedy przyjechał na studia na Politechnikę. I zostawił, idąc na wojnę, w swoim pokoju na pierwszym piętrze. Tak bardzo chciałam znaleźć jakąkolwiek wzmiankę o jego graniu w obozie. O muzyce, którą kochał, i o skrzypcach. Nie znalazłam. A tyle tu miał możliwości, dwie orkiestry symfoniczne, jedna kameralna.

Może próbował, może tylko nie potrafił się skupić, nie umiał zmusić? Może już wtedy zrezygnował? Nie chciał czytać ani uczyć się, powtarzać słówek ani rysować projektów rozwoju spółdzielni mieszkaniowej. Może próbował. Może mu nie wychodziło? Może pociły się ręce i drżały powieki? Albo serce biło przyspieszonym rytmem i musiał się na chwilę położyć? Może tak się zaczęło jego leżenie? To były typowe objawy choroby drutów kolczastych.

Do czego jeszcze się nadawał, do czego, co można robić wspólnie, czym można przytulić się do innych, poczuć bezpieczniej? Na przykład mógł grać w karty. Lubił brydża. Byli tacy, którzy całe pięć lat przegrali, licytując cztery piki i szlemiki bez atu. Mógł grać w szachy. Mógł prowadzić wykłady z budowy dróg i mostów, z konstrukcji i statystyki, miał praktykę jako kierownik robót budowlanych. Mógł wreszcie uczyć się. Na co czekał?

Tymczasem odwrócił się do ściany. I tak trwał. Tyłem do świata. W geście unieważnienia tego, co dokoła. Zaprzeczyć istnieniu. Taki miał cel. Ściany pokryły się pleśnią.

W drugim roku niewoli pozwolono jeńcom założyć ogródki warzywne. Były tuż obok baraków. Nie sądzę, by uprawiał grządki, ale może chodził tam odpoczywać i patrzeć, jak rosną te wszystkie niezwykłe rośliny, pomidory czy rzodkiewki, które nie tylko wyglądały jak nie z tego świata, ale jeszcze nadawały się do jedzenia. Znikał wtedy na chwilę z jego twarzy wyraz czujnego napięcia. Oddychał inaczej, patrząc na młode listki. **235**

Mogli wysyłać miesięcznie dwie karty pocztowe i jeden list. Wypełniał limit, ale nie prosił o więcej. Nie umiałby chyba więcej napisać. Dużo miejsca poświęca w nich sprawom finansowym. Zgodnie z konwencją genewską oficerowie z Oflagu IIC otrzymywali żołd. Jak większość kolegów przeznaczał go na wysyłkę do rodziny. Jako podporucznik dostawał miesięcznie 72 lagermarki, porucznicy otrzymywali o 12 marek więcej. W przekazach na teren Generalnej Guberni za jedną markę liczono dwa złote. Prosił o potwierdzenia otrzymania pieniędzy.

ZAMUTEK

Na początku było mu ciężko, ale potem, potem chyba mógł czytać, uczyć się, wkuwać słówka, robić projekty i omawiać je z kolegami po fachu. Taki praktyczny, jak mógł trwonić czas, pozwalać mu płynąć tak bezwładnie? Mieli wielką bibliotekę, zabraną przez Niemców Rydzowi-Śmigłemu, niemieckie wydawnictwa dostarczały im książek i samouczków językowych. Studiowali arabski i astronomię, historię filozofii i ekonomię. Niektórzy zaczęli się obsesyjnie uczyć. Chcieli zaprzeczyć klęsce, bezproduktywnemu upływowi czasu. Z tłumu statystów przekształcali się w pierwszoplanowych uczestników rozmaitych kursów i członków kół naukowych. Samokształceniowa anarchia rozpleniła się ponad miarę. Ale wkrótce wzięto ich w karby dyscypliny i zorganizowano prawdziwy wielki jeniecki uniwersytet.

Uciekali w najdziwniejsze światy. Jeden z kolegów tłumaczył staroindyjską *Ramajanę* wierszem i ilustrował ją rysunkami. Mówiono, że to najpiękniejsza rzecz, jaka w obozie powstała.

Uciekali w obce słowniki i słówka. Studiowali język Szekspira i Victora Hugo, ale i Sofoklesa, i Owidiusza.

Uciekali w to, co najbliżej, lub w to, co najłatwiej.

Wybieram się na spacer wzdłuż drutów. Część obozu dla jeńców, nie licząc niemieckich zabudowań, miała kształt zbliżony do kwadratu o obwodzie około 1700 metrów. Tyle wynosiła średnio dzienna trasa spacerowa, bardziej wytrwali i spragnieni ruchu na powietrzu przechodzili ją kilka razy. Po obrysie, dookoła terenu, wzdłuż drutów, jedno okrążenie. Obowiązkowy rytuał przed wieczornym apelem, tuż przed zamknięciem baraków. Nazywali to „zrobieniem kółka". Spacerowali zawsze odwrotnie do ruchu wskazówek zegara. Niecałe dwa kilometry. Ile przeszedł w ten sposób przez pięć lat bez trzech miesięcy? Tysiąc osiemset dni i każdego dnia ponad kilometr, średnio, raz więcej, raz mniej. To jest około dwóch tysięcy kilometrów. Dwa tysiące kilometrów to jakby siedemnaście razy przejść z Warszawy do Łodzi albo sześć razy do Krakowa.

Kiedy staram się rozwiązać to zadanie, od razu się denerwuję. I stają mi przed oczami wszystkie te sceny, kiedy dziadek próbował mi wytłumaczyć zadania z matematyki. To jeszcze jest w miarę proste, najgorsze

236

było z kilkoma osobami, które wyruszyły z różną prędkością z punktu A i szły do punktu B. Na przykład on wyszedł z baraku 12a o 4 po południu i szedł do sali teatralnej na przedstawienie *Zemsty*, aha, z prędkością X. Nie spieszył się, zawsze wychodził odpowiednio wcześniej. Poza tym chodził szybko, dużymi krokami, jakby odmierzanymi zainstalowaną gdzieś wewnątrz miarą. Jego kolega, Danek, jeszcze grał w karty, chciał się odegrać, więc wyszedł z baraku kwadrans później. Z jaką szybkością musiałby biec, żeby zdążyć na przedstawienie o 5.00? Uff!

Można by mnożyć przykłady. *Zemstę* Fredry zagrano w obozie 34 razy, za jednym razem mogło ją obejrzeć tyle i tyle widzów. Niektórzy przychodzili więcej niż raz. Ile razy... itd.

Krążę wśród resztek drutów, resztek chlewni, pokruszonych cegieł. W strukturze niesprawnej pamięci. Porównuję furtki i przejścia, płoty i ogrodzenia wewnętrzne, zapory, jakie musieli pokonywać wtedy i jakie ja staram się pokonać, by do nich, tamtych, dotrzeć.

Świat pozacierał po sobie ślady. Jest mi zimno. Idę dalej, bo wiem, że trzeba, żeby mi tu było zimno.

Zastanawiam się, dlaczego nie pisał. Dlaczego miałby pisać? Próbuję po latach zarazić go moją obsesją zapisywania. Tylko zapisane istnieje. Nie takiego szukał pocieszenia, nie takiego ratunku. Bał się pisać, zapisane mogło zdradzić. Pozacierał ślady. On pierwszy. Moja matka, jego córka, wzięła to po nim, może to jedyne, co najgłębiej odziedziczyła. Zatrzasnąć przeszłość. Zabić deskami.

237

Dochodziłam do wartowni. Niewiele razy przekraczał tę bramę. Muzeum mieści się na terenie przedobozu, w jednym z budynków mieszkalnych przeznaczonych dla Niemców. Obok stoi ciągle dawne kasyno. Ma tę samą dębową podłogę.

Kiedyś któryś ze współwięźniów zebrał wszystkie zdjęcia dzieci, jakie ktokolwiek miał. Amatorskie, często podniszczone zdjęcia synów i córek jeńców. Dużo ich było, może dwieście, może trzysta. Tylko dzieci. Porozwieszał je na ścianach w obszernej sali, jedno obok drugiego. Główki i twarze, postaci na kolanach i wyprostowane, stojące z innymi, na rowerze i w wózku, w czapeczkach, beretach, kapelusikach. Wiele nocy nie mógł spać. Widział ciągle te buzie, roześmiane i zamyślone, oczy, setki par oczu, ile z nich przeżyło? Te zdjęcia mieli przy sobie, wychodząc z domu, dostawali je w paczkach lub listach, trzymali w kufrach i szafkach, przypinali pinezkami na pryczach. Siedem tysięcy mężczyzn, niewielkie miasto, tysiące dzieci grających w piłkę, w chowanego, uczących się pisać i czytać, uważnie słuchających listów z Woldenbergu, które matki lub starsze rodzeństwo odczytywali im kilkakrotnie, żeby lepiej zrozumiały. Uciekali z sali. Płakali lub milczeli. Czy jeszcze mieli dzieci? Co z nich zostało i co zostało z ich miłości do ojców, po roku, dwóch, trzech latach nieobecności? Tata w niewoli, tata wróci. Tata? Mój tatuś?

Moja mama nie widziała go pięć lat. Kiedy wyszedł z mieszkania na Krasińskiego, miała osiem lat, kiedy przyjechał po nią na kolonie do Wilgi, miała czternaście i nosiła stanik. Nie chciała iść z tym czarnym olbrzymem, który nazywał się jej ojcem. Nie pasowało do niego znajome imię „tatuś". I nigdy już nie pasowało.

W obozach były radioodbiorniki. Funkcjonowały konspiracyjne gazetki. Co wiedziano o sytuacji Żydów? Jakie tutaj przenikały informacje o gettach, akcjach likwidacyjnych, transportach do Treblinki i Bełżca, Chełmna i Oświęcimia? Jeńcy Żydzi czuli się stale zagrożeni, w każdej chwili mogli być wywiezieni i zgładzeni. Muszę znać prawdę, ustalić, co wiedzieli, ile wiedzieli, co robili z informacjami, jakie docierały z zewnątrz. To musiało być najgorsze. Bezsilność. To jak stać za murem i patrzeć na palące się getto, gdzie zostali najbliżsi. Ten kwiecień, ta wiosna, ten rok 1943, co o nim wiedzieli? Wielki Tydzień warszawskiego getta, Żydów Warszawy.

Na początku kwietnia dostali z Czerwonego Krzyża trochę cukru, herbaty, po siedemdziesiąt papierosów, plus jedną paczkę na barak. 10 kwietnia było pochmurno i padał drobny deszcz. Woda w kranach była. Ktoś na kuchence zrobił przysmak — naleśniki z serem. Udały się. Apele popołudniowe zaczęto znaczyć sygnałem rogu-trąbki. 11 kwietnia.

Pogodnie, a potem duże zachmurzenie. 15 kwietnia prasa niemiecka ubolewała w dalszym ciągu nad bestialstwem bolszewickim dokonanym na polskich oficerach w Katyniu, ujawniono liczbę czterech tysięcy zabitych. Po obozie krążyły pogłoski, że zbrodni tej dokonali Żydzi. Niemieckie łodzie podwodne zatopiły dwadzieścia jeden statków alianckich. 18 kwietnia, Niedziela Palmowa, msza święta o 9.30. Wiosna ustaliła się, zboże i trawa zaczęły się ładnie zielenić, drzewa mają już małe listki. Obozowi ogrodnicy czekali na nasiona rzodkiewki, marchewki i inne, chcieli wykorzystać skopane grządki. Zbierali koński nawóz. Dwa potężne konie rasy meklemburskiej zjeżdżały co rano z furgonem, żeby wywieźć śmieci. 22 kwietnia otrzymali po odrobinie chałwy, kakao i mleka z darów Czerwonego Krzyża. Dyżurni mieli urwanie głowy z dzieleniem. 23 kwietnia zaczęły kwitnąć sady. 24 kwietnia odwiedzano grób Jezusa, po południu noszono do święcenia sucharki i sól.

W czwartym roku niewoli dostawali paczki z Kanady, papierosy angielskie, znakomitą herbatę z Tel Awiwu, z Kairu ryż, bezcenny na żołądek, z Turcji rodzynki, czekoladę i kakao z Wenezueli. Dostarczono też bruliony, z którymi dotychczas było krucho. Tego lata dużo korzystali ze słońca. Opalali się, brali udział w zawodach lekkoatletycznych. Rekord obozu w skoku wzwyż wynosił 165 cm. Silne wiatry powybijały szyby w oknach baraków. Woda zaczęła przeciekać podczas ulewnych deszczy. Skrzypkowie grali kaprysy Paganiniego, kwartety kameralne Mozarta i Schuberta. Byli syci.

W czwartym roku niewoli Niemcy osnuli druty przewodami elektrycznymi. **239**

Kim był w tym stadzie posegregowanym na kompanie i bataliony? Inżynierem? Mężem? Ojcem? Synem? Nikim. Nic nie mógł nikomu dać, nikim się nie opiekował i nikogo nie ochraniał, nie ryzykował nic dla nikogo. Tłum upodobnił go do trybu w wielkiej maszynie, jaki daremny się czuł, jaki nieważny. Jeszcze gdy leżał, nie usiłował przynajmniej temu wyrokowi zaprzeczać. Drażniła go gorączkowa działalność innych, te kursy, wykłady, wyścigi, byle coś robić, byle zaprzeczyć oczywistości klęski. Po co się bawić w imitację życia, po co się nie poddawać, po co udawać, że jesteśmy kimś, że jeszcze coś z nas zostało, nasza wiedza, nasze uczucia, nasza duma? Nie ma nas, koledzy, nie macie co udawać. Pisać sztuki, tłumaczyć Szekspira, studiować sanskryt. Dziergajcie kilimy, haftujcie serdaki, dłubcie w drewnie i składajcie filozoficzne konstrukcje, bawcie się w cyrk i olimpiadę, jeśli to wam pomaga, jeśli rzeczywiście oddala wasz strach. Tylko mnie zostawcie w spokoju, nie dotykajcie mnie, idźcie stąd. Zostawcie mnie samego. Grajcie dalej. Szach i mat. Mat. Wczoraj ktoś znowu rzucił się na druty.

Jeden jedyny raz pragnął w obozie coś mieć, choinkę z kolczastego drutu. Wolał ją od choinki z chleba. Ale może to dobrze, że kolega nie chciał mu jej dać ani sprzedać. Nie wyglądałaby najlepiej w ich baraku z gwiazdą. Po wojnie każdego roku sam kupował i ubierał wielką, sięgającą sufitu choinkę. Po osiemdziesiątce położył się do łóżka. I wtedy wróciło obozowe marzenie. Tylko mnie zostawcie w spokoju. Idźcie stąd.

W raportach z wizytacji Międzynarodowego Czerwonego Krzyża z Genewy jest tylko jedna wzmianka o oficerach pochodzenia żydowskiego. Zapisana 25 lutego 1944 roku po rozmowie z mężem zaufania. Na stwierdzenie, że osiemdziesięciu sześciu oficerów Żydów pozostaje bez kontaktów z rodzinami i bez żadnych wiadomości o ich losach, zobowiązano się przesłać do Genewy listy z nazwiskami i adresami rodzin do sprawdzenia.

240 Amerykańskie mundury z bielizną i butami dotarły do obozu w połowie 1944 roku. Miały błyszczące guziki podobne do złotych dwudziestodolarówek. Obudziły w jeńcach męską próżność, przez lata skutecznie tłumioną błazeńskimi strojami z magazynu. Zabrano się za naszywanie polskich dystynkcji oficerskich.

W końcu sierpnia alianci wyzwolili Paryż. We wrześniu walki przeniosły się w rejon Antwerpii i Brukseli. 20 października do obozu przyjechało stu oficerów z powstania warszawskiego. Witano ich z honorami. Opowiadali o walce i o sytuacji w okupowanym kraju. Warszawa w gruzach. 30 listopada Samuel Przedborski, mój dziadek, skończył czterdzieści jeden lat. Bez echa. Wyzwolono Lotaryngię i większą część Alzacji. Armia niemiecka podjęła ofensywę w Ardenach. W styczniu 1945 roku naloty na Rzeszę trwały. Norymberga mocno ucierpiała. W połowie stycznia zaczęto mówić o ewakuacji. Jeńcy zbierają swój dobytek. Szyją plecaki z czego się da.

Barak muzeum jest zimny i przygnębiający, jak trzeba. Sprzęty obozowe — prycze i taborety, szafki i miski — wydają się małe. Podobnie wiszące na wieszaku mundury. Prawie niemożliwe, by należały do dorosłych mężczyzn w sile wieku. Czuję się jak wtedy, kiedy zwiedzałam po latach moją szkołę, w której gubiłam się na korytarzach, a na schody trudno mi było się wdrapać.

W baraku muzealnym zgromadzono dokumentację, dowody na to, że wszystko, co działo się za drutami, działo się naprawdę. Są tam płyty nagrobkowe z obozowego cmentarza i druty. Napisy wyryte na cegłach. Jest piecyk do gotowania wody i dmuchawa, tak zwana kręciołka. Lusterko made in Woldenberg. Metalowe znaczki identyfikacyjne. Jest fragment belki stropowej ze schowkiem na radio. Jest misternie rzeźbiona papierośnica ze skrytką do przemycania grypsów. Są rękopisy sztuk i afisze teatralne, pamiątkowy karnecik z rysunkiem przedstawiającym graną postać, dla każdego z aktorów Fredrowskiej *Zemsty*. Są kukiełki i maski. Nóż z kości zwierzęcej do otwierania listów. Srebrne sygnety. Drewniany model łodzi z dwoma żaglami. Zapalniczki. Pudełeczko z zieloną inkrustowaną koniczyną. Kasetki intarsjowane w winogrona. Jest krzyż z postacią Chrystusa, umocowany nad wejściem do jednego z baraków. Setki drzeworytów, także ilustracje do *Don Kichota*.

241

Są tysiące fotografii. Z wystaw szopek, z koncertów Brahmsa i Offenbacha, z przedstawień *Cyrulika sewilskiego* i *Marii Stuart*, zawsze mężczyźni w rolach kobiecych, z występów cyrku Neumanna, z wielu zawodów sportowych.

Nigdzie nie ma Samuela Przedborskiego. Nie ma jego zdjęcia. Nie ma jego nazwiska. Ani w sekcji zielarskiej, ani w chórze męskim Echo. Ani w kółku literackim, ani w jednej z kilku orkiestr, choćby mandolinistów.

Nie ma go w tajnym nurcie pracy konspiracyjnej ani w konkursie spółdzielczej zabudowy wsi. Nie ma w kole techników budowlanych i drogowo-wodnych ani w mistrzostwach w siatkówce. Nie zachowała się jego karta biblioteczna ani żadne świadectwo ukończenia kursu. Były kursy motorowe i pszczelarskie (życie pszczół, hodowla matek, choroby pszczół, produkty pszczele), kursy żeglarskie i kupieckie. Wedle statystyk uczestniczyło w nich 90 procent jeńców. Zachowały się indeksy z zaliczeniami wykładów, ćwiczeń, kolokwiów i egzaminów. Są czyjeś notatki z wykładów profesora Michałowskiego z egiptologii. Nie jego.

Nie ma go ani wśród sportowców, ani wśród kibiców. Nie starał się o zdobycie jenieckiej odznaki tężyzny. Obejmowała w grupie wiekowej do 40 lat: marsz, czas okrążenia − 19 minut, rzut piłką lekarską − 17 metrów, pchnięcie kulą − 13 metrów, skok w dal − 3,5 metra i bieg. Jest wiele karykatur, nie ma go wśród nich.

Jakby go wcale nie było.

Istniały zarządzenia niemieckie zakazujące udziału oficerów pochodzenia żydowskiego w życiu kulturalno-oświatowym obozu. Ale przecież ignorowano je. Zdarzało się, że Niemcy skreślali z programów odczytów i wykładów nazwiska żydowskie. Ponawiano jednak próby. Ulubionymi aktorami jenieckiego teatru, pianistami, skrzypkami byli artyści mający nieająryjską krew.

Nie chcę wszystkiego tłumaczyć strachem.

To musiało być w końcu stycznia 1945 roku, kiedy władze obozowe **242** kazały przygotować się do drogi. Zima była mroźna. Ewakuacja, pieszo, w głąb Niemiec. Nie na to czekali. Jeśli czekali w ogóle. Wyzwolenie miało mieć inny smak. Nie spali. Pakowali się długo. Plecaki nie mogły pomieścić jenieckiego dobytku. „Obrośli w pierze". Jaki dziwny jest język, to, w co obrośli, trudno nazwać tymi słowami, a przecież nie dało się spakować wszystkiego, co mieli. Miski i sztućce, noże, książki i listy, ubrania i jedzenie.

Budowali sanki. Bez namysłu niszczyli z trudem przez lata zdobywane stoliki, półki i taborety. Sanki wydawały się teraz najważniejsze. Pozwolą zabrać jak najwięcej. I nagle ci, którzy nie mieli nic, starają się zmieścić swoje skarby robinsonów, by nic się nie zmarnowało. Nagle ci, co nie mają, są lepsi od tych, którzy mieli. Gromadzący zapasy na czarną godzinę z bólem serca muszą się z nimi rozstać, tyle dobra znowu się zmarnuje, torby kaszy i grochu, konserwy jeszcze z początku wojny, trochę zawilgłe papierosy. Cukier i mleko pakowano do plecaków, słodkie mleko w tubie, które tak lubił, ułożył na wierzchu, pakowano książki i ciepłe ubrania, podobno zakopywano w słoikach obozowe manuskrypty. Pakowali cały wieczór, paląc w piecach jak nigdy dotąd. Spalili prawie połowę desek z prycz. W barakach panowało niecodzienne gorąco. Za oknami suche, mroźne powietrze, gwiazdy. Nie wiedzieli, dokąd pójdą, ale perspektywa ruchu, zmiany miejsca wydawała im się obiecująca. Gdziekolwiek, byle za druty.

Nie byli przyzwyczajeni do marszu. Po latach spędzonych na niewielkiej przestrzeni ta droga wydawała się nie mieć końca. Rwał się oddech. Wiał wiatr. Po czterech dniach obóz Wschód rozlokował się na noc w majątku Dziedzice, w okolicy Barlinka. Kładli się, jak stali, w stodołach i chlewach. Nazajutrz około południa na przedpolach Dziedzic zobaczyli radzieckie czołgi.

Niemcy próbowali walki. Pocisk z radzieckiego czołgu eksplodował w stodole pełnej jeńców. Kilkunastu ranił, kilku zabił. Zostali na miejscowym cmentarzu.

Szymon był jednym z ponad trzech tysięcy jeńców, którzy odzyskali wolność 30 stycznia 1945 roku.

Obrysy fundamentów. Nic innego nie przechował czas. W mieście gotycki kościół z rzeźbą Madonny Obozowej, dzieło jeńca oflagu, i szkoła ich imienia. „Woldenberczycy to byli wybrańcy polskiej inteligencji", mówią dzieci. Koryta i klatki dla świń. Po nich też nie ma już śladu.

243

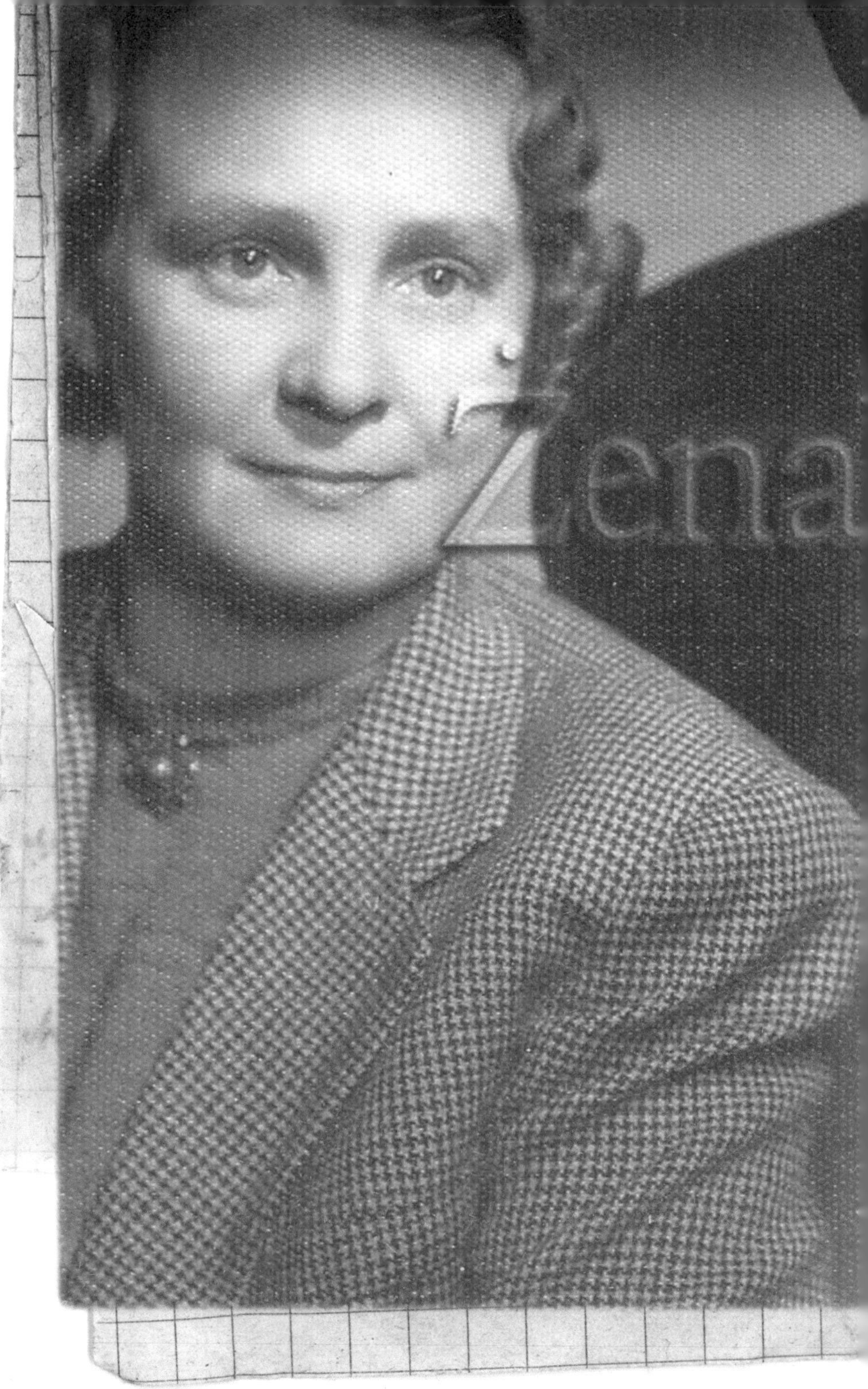

Myślę o Żenie, żonie mojego dziadka, 16 sierpnia 2002 roku, w dniu jej 86. urodzin. Dziadek zmarł w tym samym wieku trzynaście lat temu. Od tej pory Żena stale wybiera się na tamten świat. Napisała sobie nekrolog, który czeka w prawej szufladzie biurka, na dnie, pod rachunkami. Żena nie wierzy, że moja mama, jej pasierbica, będzie umiała sprawiedliwie się z nią po śmierci rozliczyć. Chyba słusznie.

Mama nie może jej zapomnieć wielu rzeczy, ale najbardziej pamięta wieszaki. Po pół wieku pamięta parę drewnianych wieszaków, ramiączek, jak je wtedy nazywano. Kiedy wyprowadzała się po ślubie z domu ojca do sublokatorskiego pokoju, Żena przypominała jej kilka razy, żeby nie zapomniała oddać. Może wieszaków było więcej, cztery na przykład, może dwa były metalowe, pół wieku minęło, ale moja mama, pasierbica, stale pasierbica, nie może tamtej przykrości zapomnieć.

Żena została sama jak palec w mieszkaniu dziadka, na rogu Puławskiej i Madalińskiego. W mieszkaniu, którego przez nią nie lubiłam odwiedzać. I do którego, po tylu latach, ciągle przychodzę, dla niej. Ma ciężką astmę i chorobę serca, zawroty głowy z utratą przytomności i te dziwaczne alergie na zapach ryb. To zawsze miała i wydawała mi się wtedy zaczarowaną królewną zaklętą w ropuchę, bo dlaczego — jeśli to nieprawda — miałaby być taka wrażliwa? Jakich perfum używano w rodzinie

245

tramwajarza z robotniczej Woli? Kaszanka i kotlety, kalafiory i kapusta też musiały wydzielać jakieś soki. Dziadek, który uwielbiał karpie i śledzie, nigdy nie mógł jeść ich w domu, na co godził się latami pełen rezygnacji. Ani w oliwie, ani w śmietanie, ani z jabłkami, ani marynowanych. Bez siekanej cebulki, która także przyprawiała ją o mdłości. Czasem siostry przynosiły mu potajemnie kilka kawałków śledzia w szczelnie zakręconym słoiku albo łby słodkiego karpia w galarecie, jak w domu. I choć jadł na stojąco, uważnie, bezszelestnie, zawsze wytropiła cień zapachu. Przestawała się wtedy do niego odzywać. Karała zawsze bezlitośnie.

Ona rządziła w tym domu, choć to mąż był duży i świetnie prezentował się w garniturach. Miała w sobie ten rodzaj wyższości, który ranił. Nie rozumiałam, dlaczego traktowała go jak intruza albo kogoś, kogo stale należy karcić. Starannie, elegancko ubrana, w kostiumach i kapeluszach, zwykle w drodze na koncert lub do teatru, dawała odczuć każdemu, że oto z wyżyny własnej wielkości zaszczyca go rozmową, choć tak naprawdę nie ma na to ochoty i robi to jedynie w drodze wyjątkowej uprzejmości. Miała zaciętą twarz, z tych, które nigdy, nawet w młodości, nie były ładne. Przez chłód i brak wdzięku. Nie wiem do dziś, jakiego koloru są jej oczy.

Ma nadal zgrabne łydki, w nylonowych pończochach, pantofle na słupku, zwykle brązowe i sznurowane na krótkie sznurowadła. Zawsze wydawała mi się stara, ale nogi zostały młode, jak nogi baletnicy. Zastanawiałam się, jakie to dziwne — takie ciało na takich nogach. Mogła na nich fruwać, a wybrała suchą ideologię i zasadniczość, która czyniła z niej rodzaj nowoczesnej wiedźmy. Jedzenie ma być pożywne, ubranie praktyczne, człowiek zaangażowany i pożyteczny.

Była kąśliwa jak osa. Inteligentna, przez co bardziej celna. Także okrutna. Nie znosiłam jej latami, a teraz, kiedy jest stara i zupełnie sama, jest mi jej żal. Przykrości, jakie nam robiła, pamiętam w formie anegdot. Po uroczystości w Pen Clubie, kiedy wręczano mi ważną literacką nagrodę, podeszła do mnie z gratulacjami i powiedziała z przekąsem: „Nawet królowa angielska nie poprawia sobie tyle razy włosów podczas jednego wystąpienia".

Nie przypominam sobie, żeby ktoś mnie uczył szacunku do starości. Samo się stało. Przez lata odpychało mnie od żony mojego dziadka, wydawało mi się, że nie ma uczuć. Poza złością. Ale teraz, kiedy została zupełnie sama, nie mogę jej po prostu opuścić. Przecież słuchała przed wojną wykładów Kotarbińskiego, oglądała Jaracza i Węgrzyna, od wczesnej młodości zarabiała korepetycjami, nosiła broń w powstaniu i spędziła z moim dziadkiem kawał życia. Cokolwiek o tym myślę, jest jedynym świadkiem wielu jego przeżyć, niektóre zdarzenia bez niej by nie nastąpiły. Mimo że o tym wszystkim milczy, to nie przestaje być faktem.

Starałam się ją odwiedzać. W tajemnicy przed mamą, która nie jest w stanie zrozumieć, jak mogę komuś takiemu poświęcać tyle czasu. Sama nie wiem, jak to się dzieje.

Monotonny ruch starej windy, w górę i w dół, trzaskanie drzwiami, bliżej i dalej, lub zupełnie blisko, dźwięki towarzyszące temu mieszkaniu, odkąd je pamiętam. Z góry na dół, z dołu do góry. I mosiężny wizjer przy drzwiach, duży, okrągły, na zawiasach. Oko dziadka w dwustrefowych okularach. Zdecydowany ruch, i po chwili otwarcie drzwi. Ona idzie do drzwi długo, szurając nogami.

Czasem nie otwiera, choć wcześniej się umówiła. Nie słyszy, a aparat gdzieś się zapodział, albo na chwilę traci kontakt ze światem. Nie wie potem, gdzie jest, i z trudem wraca do siebie. Nosi spodnie od dresu i luźne bluzki, każdego miesiąca wydają się luźniejsze. Mole są w tym domu syte i spełnione. Kostiumy, suknie, szmizjerki tracą wagę stopniowo i konsekwentnie. Kapelusze i baskijskie berety, niegdyś ulubione, rzadko jej już służą. Ceruje wszystko, stara się nie pozwolić im zniknąć. Sobie nie pozwala nie przeczytać codziennie kilku stron Platona lub Kanta. Przecież ubłagała ojca, żeby mogła się uczyć, a potem lata poświęciła walce z analfabetyzmem. Sprawność szarych komórek jest wprost proporcjonalna do ich surowej dyscypliny. Nie opuszcza od ponad pół wieku koncertów w filharmonii. Zmuszona była jedynie zamienić piątkowy abonament na sobotnie popołudnia, bo boi się wracać sama do domu po zmroku. Dopóki będzie przytomna, tak mówi, jeśli będzie przytomna, nie zrezygnuje. Nie może się poddać, nie ma nikogo, kto jej pomoże w razie potrzeby.

247

ZAMUTEK

Kiedyś zbierała pierścionki. Jeden z nich złoty, duży, prostokątny, z niebieskim oczkiem, podarowała Halince, mojej mamie, zaraz po swoim ślubie z jej ojcem. Mama pamięta, że było to w maturalnej klasie i koleżankom nie bardzo podobał się jej prezent. Sugerowały, że kamień to akwamaryna, o co zapytała macochę. Wtedy po raz pierwszy miała okazję przekonać się, jak to jest, gdy ktoś patrzy na ciebie jak na istotę niższego gatunku. „Czy sobie wyobrażasz, że mogłabym posiadać coś równie pospolitego? Wystarczy popatrzeć, przecież to prawdziwy szafir". Nieprzyjemny głos, twardy, niekobiecy, zawsze z przyganą.

Zamawiała biżuterię w spółdzielni ORNO, najbardziej lubiła komplety: pierścionek, bransoletka, naszyjnik. Srebrne. Sama wybierała wzory. Zdziesiątkowane przez czas, nieuwagę i kradzieże, leżą w nieładzie w zakopiańskich pudełkach. Nie wyjmuje ich już, nie ogląda, nie przesuwa po nich sękatymi palcami. Pożądliwie. Nic nie budzi już takich uczuć.

Ostatnie lata zmieniły ją. Okazuje coś w rodzaju troski. Boi się moich podróży. Ona, która zrobiła przed wojną kurs dla pilotów amatorów, boi się, że zostanie sama. Jeszcze bardziej sama. Zawsze mnie żegna z czymś w rodzaju wzruszenia i powtarza niezmiennie: „Bądź dobra dla siebie". Topnieje przy mnie. A ja ciągle jej nie dotykam, w obawie, że się pokaleczę.

Mieszkanie nie było remontowane od dobrych czterdziestu lat. Jest szare i zarośnięte czasem. Łuszczy się plastrami farb i tynku, smuży tłustymi odciskami rąk i brudu, zapada do środka wypełnione kurzem i papierami. Na kurz jest uczulona, ale nie ma siły na walkę. Nie pozwala innym dotykać swoich rzeczy. Nie rozstaje się z tym, co miała.

W mieszkaniu roi się od wszystkiego. Roi się. Jakby toczyła się tutaj jakaś podziemna praca.

Szare papiery pakowe zastygłe w kształcie jakichś ubrań i przedmiotów piętrzą się w stosach pod ścianami. Mnożą się wazoniki, drewniane miseczki, wycinanki, kieliszeczki, każde wypełnione swoją porcją przeszłości. Książki puchną, rozrastają się, rozpychają na półkach, zagarniając coraz więcej przestrzeni. Etażerki wydają się poruszać, może to

złudzenie, lecz wyraziste, rośliny w doniczkach szemrać, nawet karty na
orzechowym stole nie leżą martwo, rozedrgane jakąś tajemniczą siłą.
Przez kilka lat wydawało mi się, że to wszystko dzieje się jedynie
w sferze metafory. Ruch niepokoju. Ostatnio weszłam do kuchni. Insek-
ty szły ławą, szły czwórkami wprost na mnie, bataliony, kompanie, jak na
wielkie święto, jak na defiladę. Uciekłam.

Siedzi zawsze na biedermeierowskiej kanapie, wytartej w jednym
miejscu bardziej niż w innych, tam gdzie głowa i tam gdzie korpus, tak,
właśnie korpus, lekki, coraz lżejszy, opleciony jeszcze na chwilę szarą
skórą. Coraz bardziej zepsutą. Na stole książka z zakładką i karty, podobne do tych do pasjansa, jakich używał jej mąż, mój dziadek. Może
te same. Siedzi tak całymi dniami, właściwie półleży, położyć się boi, bo
kiedy łapie ją ból w piersiach, mogłaby nie wstać. Studiuje Husserla
albo powtarza dzieje cesarstwa rzymskiego, o umysł trzeba dbać, żeby
nie wyszedł z wprawy. Przypala garnki, przypala kolejne części gardero-
by żelazkiem pamiętającym Stalina. Nie pozbyła się go, jak nie pozbyła
się liczonych na metry broszur propagandowych, okólników i dzienników ustaw z lat, kiedy miała zawsze rację. Nadal mierzi ją amerykań-
ski imperializm. Medytuje nad klęską systemu, bezsilna wobec bezro-
bocia, pękniętej rury i zapachu farby na klatce schodowej. Uwięziona
w sobie. Do piwnicy, gdzie stoją powidła śliwkowe, już jej za ciężko, za
daleko.

Obok jest pokój dziadka. Założony papierami, podobnie poupycha-
nymi po kątach, zajmującymi też szeroki tapczan, na który ostatnio po-
wykładała ubrania, góry ubrań, w dziwnych kolorach i fasonach, może
jeszcze z lat trzydziestych. Wystawa na wizytację moli. Garsonki z wyle-
niałym kołnierzem, spódnice wełniane i plisowane, bolerka i kamizelki,
solidne palto. Już nie warto kupować nowych. Wystarczy dać tym ode-
tchnąć, muszą nabrać siły, jak ona, przestać się dusić. Nie może użyć
naftaliny, to by ją zabiło. Na pianinie stoją fotografie. Z innego życia.
Nie ma pewności, że je miała. Podobnie jak ten instrument z białymi
i czarnymi klawiszami, od lat niemy. Niekiedy Szymon usiłował grać.
Denerwowało ją to. On ją denerwował, doprowadzał do szału. Milcze-

niem. Milczeniem, za którym kryła się rozpacz, gdzie był świat, do którego nie miała dostępu i którego nie mogła dosięgnąć ani zranić. Pod oknem na wprost balkonu stoi niewielkie dębowe biurko. Biurko mojego dziadka, które uważam za swoje. Na jego zawartość nie mogę się doczekać. Szuflady zwiedzane przez kolejne pokolenia karaluchów. Obok znaczka identyfikacyjnego z jenieckiego obozu – Polonia Restituta.

Nie chce umierać w szpitalu. Prosiła, żebym przyrzekła, że nie oddam jej do szpitala. Przyrzekłam, choć wiem, że kiedy nie będzie mnie w kraju, oddadzą ją i już stamtąd nie wróci.

Nie chce umierać daleko od żółtych ścian, gdzie smugi układają się w znajome zarysy gór, które kiedyś kochała, daleko od brunatnego kilimu z parzenicą nad łóżkiem, daleko od wszystkiego, co uskładała i co i tak zostanie dla innych. Bez wartości, nie ma złudzeń. Zawsze była realistką. Niech już będzie ten kurz, własny w końcu, gromadzony przez wspólne lata życia z Szymonem, obok niego i gołębi, które po kryjomu karmił na balkonie. Nie znosi gołębi, niszczą begonie i cuchną, ten zapach, jeszcze jeden osad codzienności. Podpatrzyła go kiedyś, jak mówił do nich, mówił do spasionych szarych ptaków, które ona odganiała, ilekroć siadały na parapecie. Wygłaszał całe monologi, wtrącając słowa, których nie rozumiała. Słuchały. Mościły się w pustych skrzynkach, rozrzucały ziemię z nawozem, którą nosiła z kwiaciarni, gubiły pióra. Czasem łamały kwiaty, szafirki, bratki, pelargonie. Nie mogła tego znieść, zaczynała krzyczeć. Nie sprzeciwiał się, nie bronił, odchodził w swoje milczenie.

Testament zostawiła w serwantce, na trzeciej półce od góry, pod filiżanką z chińskiej porcelany. Stłukła ją, kiedy zmieniała go po raz kolejny, dzieląc inaczej resztki biżuterii, ale wymieniła na inną, wcześniej wyszczerbioną. Są dni, kiedy wszystko leci z rąk. Kiedy upadnie w kącie, na przykład w przedpokoju, nie wie, jak to się dzieje, tę chwilę zapomina, w przedpokoju przy pudłach z butami, skąd najlepiej słychać dudnienie windy, długo musi czołgać się do światła. Wszystkie okna są gdzie indziej i wydaje się, że już ich nie znajdzie. Jak w kanałach, podczas powstania. Nie była w kanałach, ale często czuje się, jakby tam była i jak tamci z trudnością łapie oddech na końcu drogi. Trudniej jest w nocy, ale wie, że i wtedy trzeba wypłynąć, światło, więcej światła, skoro ma dalej żyć. A żyć postanowiła, choć inni umarli. Czuje się gorzej, niż może się do tego przyznać, bo wtedy zaraz by ją oddali. Jacy oni, nie wie. Czasami przestawiają talerze i jogurt w lodówce.

Szymona nie oddała, choć nie miała sił go nosić i nie mogła znieść tego zapachu, który po tylu miesiącach wgryzł się w każdą szczelinę, w obicia i firanki, w meble, ściany i książki. W jej ciało. Prała jego spodnie — nie starczało nowych, długich, pasiastych — proszkami, płynami, moczyła, zapierała, wieszała na kaloryferach, przywierały sucho, nie starczało miejsca. Potem szorowała ręce. Do bólu. Zaduch trwał, czepiał się jej twarzy i sukienek, nawet gdy wychodziła, uciekała do parku, do muzyki, dokądkolwiek. Nie znikał, blakł nieznacznie, ale towarzyszył jej stale.

Stali przy windzie. Na parterze albo na drugim piętrze, raczej na dole, bo oboje, każde osobno i każde do siebie, wracali z pracy. Z pracy odpowiedzialnej, w poczuciu dobrze spełnionego obowiązku. Inżynier Przedborski miał zawiązany palec, kciuk albo wskazujący, powinna pamiętać, chyba kciuk, dużą kraciastą chustką do nosa. Zapytała, co się stało. Zakłuł się spinaczem. Co się w niej odezwało? Instynkt starszej siostry, wojenna sanitariuszka, cokolwiek to było, przypilnowała, by wymoczył palec we wrzątku. Trzy miesiące później się pobrali.

Gotowała wodę w aluminiowym rondelku z dwojgiem uszu. Patrzyła z rozbawieniem, jak ten duży mężczyzna stara się oszukać samego siebie, ledwie dotyka powierzchni wody i podnosi dłoń ze zbolałym wyrazem twarzy. Przytrzymała jego rękę, raz i drugi. Dla jego dobra, dla dezynfekcji, dla... — nie pamięta. Chwila słabości, bo przecież ślubowała samotność. Kiedy tamten nie wrócił z powstania, wytłumaczyła sobie, że tak już zostanie. Praca, muzyka, służba społeczna, budowanie kraju, za który on zginął. Nie wiem, kim był i czy naprawdę istniał. Jej chłopiec, jej powstaniec, niedoszły pianista, entuzjasta Karola Szymanowskiego, jej miłość. To słowo tak bardzo jest jej obce, że nawet tutaj, na tej kartce papieru, buntuje się i stara od niej odsunąć. Raz w roku chodzi na jego grób, od ponad pół wieku. Ułożyła sobie świat, musiała, w ścisły grafik godzin i dni, żadnych niespodzianek, rutyna, systematyczna praca,

251

sekwencja przyzwyczajeń. Ja, o mnie, dla mnie, reszta to obowiązek. Jak to się stało, że związała się z Szymonem, wdowcem z córką w harcerskim mundurku? Jak to mogło się stać? Nie może udawać, że nie zdawała sobie sprawy z tego, co robi. Może nie do końca, może jednak nie do końca?

Wiedziała, że cierpiał na depresję. Diagnozę potwierdziło dwóch lekarzy. Jeden z nich ostrzegał ją, że może stać się agresywny dla otoczenia. Przyjęła do wiadomości. Źródeł jego stanu szukała w wojnie. Niechętnie o tym mówi. Odgania od siebie przeszłość, broni do niej dostępu. Jakby przysięgała, jakby jej milczenie było następstwem tajnego paktu, łączącego nadal ich oboje. Broni swojego męża przed pytaniami, które mogłyby odkryć rany. Broni po grób. Za grób. Wierzy w życie pozagrobowe. Wierzy, że żyje dusza, której nie chce ranić.

Czasem dzwoni Blanka z Paryża. Denerwuje ją to, bo jej szkolna koleżanka nie lubi się ze sobą pieścić. Ciekawa świata i ludzi, nie rozumie, jak można marnować czas na wsłuchiwanie się wyłącznie w siebie. Są w tym samym wieku, ale Blanka nadal prowadzi sklep z galanterią skórzaną, gdzie obsługuje kolejne pokolenia swoich klientów. Zna ich troski i nikomu nie odmawia pomocy. Od niej wiem, że Żena jako jedyna z koleżanek Polek, a na jej weselu pod chupą wiele tańczyło, okazała jej po wojnie, po utracie rodziny, serdeczność. Chciałam napisać „serce", ale się zawahałam, choć Blanka, polska Żydówka z Warszawy, mówi: „serce". „Żena jedna jedyna przyjęła mnie z sercem".

252   Poinformowała sekretarkę, była wtedy urzędniczką wydziału kultury, że oto pojawiła się cudem ocalała koleżanka i musi się nią teraz zająć. Blanka nigdy jej tego nie zapomni. Nie zapomni, bo inni witali ją słowami: „Jak to, przeżyłaś, nie spalili was wszystkich?" I chociaż opuściła Polskę, gdzie zawalił się jej świat, stale, przez ponad sześćdziesiąt lat, utrzymuje kontakt z Żeną. Posyła jej prezenty i pieniądze. Zawsze ją usprawiedliwia, bo przecież jej samej jest ze sobą najtrudniej.

Ostatnio wzywa mnie częściej. Pełen gniewu głos w słuchawce, i pełen upokorzenia, bo nie daje sobie rady i wbrew zasadom musi poprosić o – o co? – pomoc, uwagę, łaskę. Nigdy nie prosiła. Opowiada, ile razy musi zejść na dół, żeby przynieść mleko, bułki, ser i gazetę. Albo jak filiżanki wypadają jej z rąk, że traci przytomność i obija sobie ciało, a potem czołga się do łóżka i leży, zanim to wszystko nie minie. Nie mija. Nie chce nikogo do opieki, ani na przychodne, ani na stałe. Kategorycznie odmawia wszelkich rozmów na ten temat i prób zorganizowania płatnej pomocy.

Kiedy zadzwoniła, szlochając, myślałam, że już, i powiedziałam: „Nie bój się, już jadę, pamiętam, nie będzie szpitala, czekaj na mnie". Nie mogłam uwierzyć, że chodzi o ulubionego dyrygenta chłopięcego chóru, którego aresztowano, bo od lat molestował swoich podopiecznych. Nie chciała przeżyć upadku kolejnego ideału. „To niemożliwe, powtarzała, niemożliwe, wszystko sięgnęło bruku. I dlaczego mnie przyszło tego doczekać?" Kilka razy alarmowała mnie w trybie pilnym. Na miejscu okazywało się, że musi mi podyktować, w co ją ubrać do trumny. „Pisz szybciej", niecierpliwiła się, podsuwając mi skrawek papieru w kratkę, „i żebyś się nie pomyliła: garsonka granatowa, biała bluzka jedwabna, tam leżą, na tapczanie Szymona, czarne pantofelki". Za każdym razem piszę od nowa. I pamiętam, że naszykowała dwie pary, bo nogi potem puchną i nie wie, czy te eleganckie nie okażą się za ciasne, więc leżą na wszelki wypadek drugie, takie schodzone. Czy będę umiała włożyć buty na jej zimne stopy?

Od bramy cmentarnej na grób Szymona szła długo. Oparta na lasce i na moim ramieniu, szurała nogami w miedzianych liściach dębu. Rozbawiło ją to i przypomniało dzieciństwo. Ten szelest przywoływał beztroskę, jakiej już nie spodziewała się doświadczyć. Główna aleja, kolejne rzędy, pięć, dziesięć. Przy grobie była znowu stara. Przetarła szmatką kwiaty sprzed roku, szare „mrozy", jeszcze się nadadzą. Obok okrągłego kamyka położyła wianek z jodły. Ustawiła znicz na szklanej podstawce. A potem gwałtownym ruchem objęła wezgłowie pomnika. Jakby chciała przytulić się do piersi Szymona, do jego żywego ciała. Kołysała się monotonnie, próbując wydobyć z piaskowej płyty ciepło, prosiła: „Odezwij się".

Kiedy odchodziłyśmy, pomachała mu ręką, gestem lekkim, niemalże zawadiackim, jakby mieli się spotkać za chwilę. Trochę się ociągała, to prawda, ale teraz to już naprawdę niedaleko.

ZAMUTEK

Znowu leży w przedpokoju, ostatnie, co pamięta, to słońce nienaturalnie czerwone, ale jeszcze nie wie, gdzie jest. Słup gazet, wtorek, 20 września 1970 roku, Szymon musi być obok w pokoju. Zawoła. Nie ma po co, i tak nie wstanie. Śpi? Ile lat nie spali w jednym łóżku, zawsze każde miało osobny pokój, ale czasami wpuszczała go do siebie. Jeśli zasłużył. Wiedziała, że to jej ślubny obowiązek. A potem znowu poukładane godziny biurowe, muzyka, rozmowa o bycie określającym świadomość. Ta gazeta ma kolor spieczonego chleba. Żena jest głodna. Nie może wstać. Coś boli w prawym ramieniu.

Tu gdzieś powinien być telefon, wystarczy podnieść rękę, ale po kogo dzwonić? Nie chce pogotowia, niech tak już się skończy. Ostatni elektrokardiogram przypominał końcowy fragment sonaty Beethovena. Patrzyła podejrzliwie na te rosnące i opadające znaki, próbując sobie przypomnieć układ lewej ręki na klawiaturze. W maturalnej klasie umiała to zagrać. Nie może rozewrzeć ręki. Te palce już nie obejmą oktawy. Obraz tej sekwencji dźwięków ma zawsze płytko pod skórą. Zaszyty. Jak się nazywa ta sonata? Późna? Księżycowa? Patetyczna? Niemożliwe, by zapomniała. Zapis krzyku.

Nie chce księdza. Chce do matki. Tam jest krzyż. Ale przecież nie wierzy, tak jak jej ojciec, stary PPS-owiec, tramwajarz. Była z niego dumna. Ciężko pracował na chleb, upominał się o równość społeczną. Odkąd nauczyła się składać litery, prosił, żeby czytała mu Marksa i Engelsa. Pamięta, jak słuchał, oparty na ręce, kiwając głową z aprobatą. Pamięta, jak jadł kartofle ze zsiadłym mlekiem, a potem ocierał usta wierzchem dłoni. Pamięta jego twardy zarost i pewność, co jest słuszne. Po nim ją odziedziczyła.

Dym, skąd tu dym? Swąd. Coś się pali. Szykowała sobie chyba pieczone jabłka nadziewane resztką konfitury. Zostawiła na chwilę, żeby znaleźć lekarstwo. Spojrzeć w lustro. Boi się patrzeć. Od kuchni do łazienki cały korytarz, złożony w literę L. Trzeba wstać, przynajmniej spróbować. Chwycić się ściany. Spada na nią. Pudła na buty, lecą pudła na buty, wysypują się, rozsypują, tyle par, tyle lat. Pokrzywione, pomęczone, łatane, zelowane tyle razy u szewca na rogu. Niemodne. Nigdy nie uznawała mody. Tyle dróg w nich przeszła, ciągle się nadają. Założyć buty. W butach lżej iść. Czółenka, botki, pantofle, pionierki sznurowane coraz to nowymi parami sznurowadeł. W butach wejdzie na tę górę. Trasę pamięta.

Co będzie dalej? Jaka różnica, czy się podniesie, zrobi herbatę, trzeba szklankę przykryć plastikowym wieczkiem, czasem coś w niej pływa, nie zapomnieć. W jakimś kawałku szkła widzi twarz matki, w chustce na głowie, jak wtedy, kiedy szła do ojca do więzienia na widzenie. Chce pocałować ją w rękę, jak zawsze, jak każdego dnia przed pójściem do szkoły. „Pocałuj mnie w kolano", wołają siostry, powtarzając słowa matki, kiedy była nieposłuszna. „Pocałuj mnie w kolano", śmieją się z niej, biegając dokoła stołu.

Co za różnica, czy się podniesie, czy nie. Jaka różnica, dla kogo? Kilku filozofów w domowej bibliotece przez kolejne lata nie ruszy się z miejsca. Niebo gwiaździste przetrwa. I prawo moralne, między okładkami. Miejsce w filharmonii, ósmy rząd, na środku, zajmie ktoś inny. Ta wiecznie sykająca o ciszę dziwaczka nie budziła sympatii. Sąsiadka będzie dzwoniła, uporczywie, do skutku. A potem otworzy drzwi zapasowym kluczem. Nekrolog gotowy.

RZECZPOSPOLITA POLSKA
Rada Narodowa m. O

D   **E**

je

w

3

Podpis wł. legitymacji

Sekretarz
A. Chlond
Aleksander Chlond

Otwock, dnia 1 9. IX. 1944

Getto

Legitymacja Nr *128*

Zaświadcza się że ob. *Zofia*

Zmiałowska

Łochów

pracownikiem Miejskiej Rady Narodowej

w Otwocku.

Legitymacja niniejsza ważna jest do dnia

Otwock

udnia 1944 r.

Na żądanie Władze wojskowe i cywilne

szone są o udzielanie pomocy.

Czarna torebka

Przewodniczący

Stanisław Balas

6438

KARTA ZGONU – II

1. Imię i nazwisko *Boruch Bajnas Przedborski*

Niepotrzebne sk. **m. ż.**

2. Płeć

Dn. *17* / *VII* 19 *41* r. o godz.

3. Data i godzina zgonu *10ᵉ rano*

4. Adres (miejsce zgonu z zaznaczeniem: mieszkanie prywatne, szpital, lecznica, przytułek, inne) *Twarda 24 m 22*

Niepotrzebne skreślić
a) położenie lokalu: **anteryna, parter, piętro, poddasze; front, oficyna,**

b) liczba izb, z których się składał lokal zmarłego (kuchnię wliczać do ogólnej liczby izb)

c) Liczba osób zamieszkujących lokal łącznie ze zmarłym

5. Warunki mieszkaniowe zmarłego (ej)

a) Datę zawarcia małżeństwa

b) Wiek pozostałego przy życiu małżonka

c) Liczba dzieci żyjących z tego małżeństwa

6. Jeżeli zmarły (a) był (a) żonaty (zamężna) podać:

Data *18/7 1941*

Podpis osoby wypełniającej

vorte

w statysty jakiego rodzaj

BIURO
GETTO
Warszawa, Grzybowska

№ *02859*

7. Karty zgonu

8. Imiona rodziców *Majer Ber, Ruda Rajfa*

9. Data urodzenia *1.1.1867*

10. Miejsce urodzenia *Łęczyca*

11. Wyznanie *mojż.*

12. Miejsce zamieszkania (adres w Warszawie podać ulicę, Nr domu. Komisariat Pol., poza Warszawą—gminę, powiat) Podać słownie *Twarda 24 m 22*

13. Jak długo przebywał w miejscu zgonu *od 12.12.39*

14. Stan cywilny (wolny, małżeński, wdowi, rozwiedziony, inny) *Żonaty*

15. Dla dzieci do lat 5 ślubne, nieślubne

a) Rodzaj zawodu *ekspedytor*

b) Stanowisko w zawodzie

UWAGA:
Dla zmarłych cudzoziemców podać ich obywatelstwo:

16. Zawód (dla osób do lat 15 i osób, będących na utrzymaniu, podać dane, dotyczące osoby utrzymującej: ojca, matki, opiekuna)

Data

Podpis Dyrektora Wydz. Ewidencji Ludności

Pieczęć

Borucki Zygmunt

Dela Goldstein. Moja babka.

Czy kiedykolwiek istniała?

Milczano o niej. Milczeniem potwierdzano jej nieobecność.

Wszystko jest niepewne i nie dokończone. Jej imię, jej nazwisko, jej los. Mówiono o niej Dela, kiedy już zaczęto mówić. Dela, Adela Goldstein, jak ci biedni łęczyccy Żydzi z oficyny, Przedrynek 9, od składu węgla. A kiedy poślubiła syna zamożnych sąsiadów, Samuela, nazywano ją już „pani Przedborska". Stanęła pod chupą w pożyczonej sukience, a nazwisko męża z elity łęczyckiej nosiła z dumą. Była nauczycielką, żoną inżyniera, absolwenta Politechniki Warszawskiej, więc Deli Goldstein właściwie nie było. Ani w mojej pamięci, ani w żadnym z dostępnych papierów. Wojna przebrała ją w jeszcze inny strój. Dalej nie było już nic.   **259**

Nie wszystkie księgi gmin wyznania mojżeszowego spłonęły. W Kole ocalała ta, gdzie zapisano moją babkę Delę, urodzoną tam 2 czerwca 1902 roku. Była córką Chany Rauf, miejscowej, i Jakuba Goldsteina z Łęczycy. Dano jej imię, jakiego nie znałam — Udel Sura. Przez lata figuruje w dokumentach meldunkowych posesji Przedrynek 9. Z czasem jako najstarsza z siedmiorga rodzeństwa Goldsteinów. Do Udel i Sury musiałam się przyzwyczaić.

Jeszcze trudniej było ją stworzyć. Dla mnie i mojego życia.

Długo nie miała twarzy, a potem zdjęcie z wojennego dokumentu wydawało się kłamać. Ta kobieta o ostrych rysach i dużym nosie, z przedziałkiem, czarne włosy spięte z tyłu, patrzyła na mnie oczami, które zdawały się nagie. Nie puste, ale właśnie nagie, bezbronne i chłodne zarazem. Za wąskie usta. Brwi dziwiące się światu. Była obca. Nie moja.

Nie znałam jej gestów ani barwy głosu. Nie wiem, jak mówiła, dużo czy mało, jakie słowa powtarzała, które zdrabniała, i czy była tkliwa. Czy zadawała wiele pytań i co chciała wiedzieć? Czy miała cierpliwość, czy musiała nad nią pracować? Czy gestykulowała, czy dużo się śmiała, przedtem, kiedy jeszcze to było możliwe. A może stale się martwiła, może siostry z łęczyckiej oficyny na Przedrynku znały jedynie codzienny trud?

W 1931 roku Dela urodziła córkę, Halinkę, moją mamę. Pierwsza wnuczka zaspokoiła oczekiwania dziadków Przedborskich, traktujących związek ich pierworodnego jako mezalians. Osiem lat później wybuchła wojna.

Czy Dela miałaby odwagę opowiedzieć mi wszystko po kolei? Czy by chciała? Czy pamiętałaby i jak by pamiętała? Jej córka myli do dziś wszystkie daty, wojenne miesiące, nawet lata. Wymazane z pamięci, wracają w najbardziej nieoczekiwanych wariantach. Ale Dela by pamiętała.

Pierwszego kwietnia 1940 roku Niemcy rozpoczęli w Warszawie budowę murów. Miały wyznaczać terytorium „obszaru zagrożonego epidemią", żydowską dzielnicę. Ostatniego dnia kwietnia w Łodzi zamknięto getto. W maju w mieście rozeszły się pogłoski o wysiedleniu Żydów na Madagaskar, czternastego czerwca upadł Paryż, tego samego dnia uruchomiono obóz w Oświęcimiu. Pamiętała dokładnie, bo powiedział jej o tym jej szwagier Oleś, mąż Frani, siostry Zamutka. Ten sam, który roztaczał najczarniejsze perspektywy i od początku mówił o zagładzie. Nie wolno pod żadnym pozorem dać się zamknąć, powtarzał, ale nikt z rodziny się z nim nie zgadzał. Wydawało się, że nie rozumieją, o czym mówił. Z zagrożonej gettem Łodzi przyjechała jej siostra, z Ozorkowa najmłodsza siostra Zamutka, Madzia, z Łęczycy jego matka i babka.

Wszyscy chcieli być razem. Razem nic się nie może stać. W czerwcu, kwitły już lipy w Łazienkach, ktoś powiedział, że bała się chodzić po mieście, ale i u nich, na placu Wilsona, pachniało obietnicą lata. Skończono budowę murów. Dwa miesiące później zamieszkali w getcie.

Dlaczego Dela zdecydowała się pójść do getta? Nawet się nie zastanawiała, nie brała pod uwagę innej ewentualności. Kazano. Wymagano. Wszyscy Żydzi mieli iść do getta, za mur, tam będzie bezpieczniej. Nie miała nikogo, kto by kategorycznie zaprotestował: „Nigdzie nie pójdziesz, ani ty, ani dziecko, ja za was odpowiadam". Zamutka nie było. Zabrano go do niewoli podczas obrony Warszawy. Od jesieni przychodziły regularnie kartki z oflagu. Nie miała w Warszawie znajomych, przyjaciół, nie orientowała się, jak, co i gdzie. A rodzina — rodzina chciała być razem. Tymczasowe kłopoty miną, jak wiele minęło, przeprowadzka, przenosiny, najważniejsze, żeby załatwić dobre mieszkanie, duże, w miarę wygodne. I pracę. Kiedy się pracuje, jest lżej.

Czy obecność jej męża, Samuela, ojca Halinki, mojego dziadka, cokolwiek by zmieniła? Nie sądzę. Nie sądzę, znając go z powojennych czasów. Był służbistą, lubił działać z linijką w ręku, wykonywać polecenia, wydawać je nawet, ale w ramach określonej struktury i ideologii. Nie wyłamywać się. Nie szaleć, nie z motyką na słońce, nie z karabinem na czołgi. A może jestem niesprawiedliwa, może poczułby się odpowiedzialny za rodzinę, może przewidziałby niebezpieczeństwo? Nie takim jak on się nie udało.

Moja babka, kobieta, którą nazywam babką, bo z rozdania losu taką powinna grać w moim życiu rolę, miała prawie czterdzieści lat, kiedy szła do zamkniętej dzielnicy żydowskiej, kiedy walczyła o bliskich, o siebie, o córeczkę. Stale wracam do myśli, co bym zrobiła na jej miejscu. Czy kiedykolwiek będę wiedziała? Chleb kartkowy, kilogram, 50 groszy, z czasem niemal drugie tyle. Bez kartek od 7 do 18 złotych. Talerz zupy od 20 groszy do 3 złotych. Lekarz brał za wizytę 50 groszy. Zwykły mieszkaniec dzielnicy zamkniętej dostawał dwa i pół kilo chleba miesięcznie. Coraz gorszy, coraz więcej trocin i otrąb. Robiła rachunki, dłu-

gie kolumny podliczanych cyfr, numerowane paczki. Mięso. Komu odej-
mować od ust? Najłatwiej sobie. Albo szmugiel. Większość żywności
w getcie pochodziła ze szmuglu. Jeszcze wytrzymają, jeszcze starcza, nie
można się narażać. Codzienna krzątanina. Tłok, tłum, tyle ludzi oznakowanych gwiazdami. Tylu nieznajomych. W Łęczycy była u siebie, tutaj wszystkiego trzeba
było się uczyć. Na Pańskiej — skład apteczny, pracownia gorsetów, pral-
nia, wróżka. Na Śliskiej — reperacja obuwia, patefonów, skup rzeczy używanych, buchalter. Łatwiej się zgubić, łatwiej się schować. Wtedy jeszcze
nie rozumiała.

Na Dzielnej — piekarnia, zakład stolarski, produkcja firanek. Niedaleko kilku fryzjerów. Mieli w getcie dużo pracy, rozjaśnianie włosów, fotografowanie, retuszowanie. Szczególnie od stycznia 1942 roku, gdy
wprowadzono obowiązkowe kenkarty. Dela nie farbowała włosów. Oba
ocalałe zdjęcia o tym świadczą. Żadne nie wygląda na retuszowane. Nie
próbowała?

Moja babka była nauczycielką. Czego uczyła dzieci, którym odebrano
prawo do bycia dziećmi? Organizowano tajne komplety w internatach,
kuchniach społecznych, sierocińcach, nieczynnych szkołach. Na pewno
brała w tym udział. Chciałabym, żeby uczenie było jej pasją, jej sposobem na poprawianie świata. Szkoły dla dzieci żydowskich zamknięto
w grudniu 1939 roku, pierwsze otwarto dopiero po dwóch latach, na
jesieni. Czy i ona, jak inne nauczycielki, zadawała wypracowania na temat zmian, jakie zaszły w rodzinach z powodu wojny? Czy musiała
czytać na kartkach wyrwanych z zeszytu, że mamusia sprzedała własne
palto, a gdy się jeszcze pogorszyło, to nawet szafę i stół, gdyż szafa była
już próżna? I to na długo nie starczyło. Leżeli jak trupy na łóżkach.
A może tylko bawiła się z dziećmi w kółko graniaste i stary niedźwiedź
mocno śpi, lepiła z plasteliny zabawne figurki, wyszywała czereśnie i po-
ziomki, rysowała marzenia? Na pewno pokazywała, jak składać z papieru
statki i ptaki, które miały moc pokonywania przestrzeni. Nie wszystkie
dzieci chciały odpłynąć albo odfrunąć daleko. Miały siostry i braci, rodziców i dziadków. Nie zmieściliby się wszyscy.

262

W wydobytym po wojnie spod gruzów Warszawy konspiracyjnym archiwum Emanuela Ringelbluma, w części dotyczącej szkolnictwa w getcie, zachowały się sprawozdania świetliczanek. Większość pisana suchym, kancelaryjnym stylem w końcu 1941 roku. Jedno z nich ze świetlicy na Bagnie 3–5 przy placu Grzybowskim podpisała S. Przedborska. Nie mam wątpliwości, że to ona, mimo iż nieczęsto używała imienia Sura. Nie wiem, czy była to pierwsza placówka wychowawcza, w jakiej pracowała. Centos, organizacja prowadząca opiekę nad dziećmi i sierotami żydowskimi, kontynuował swoją działalność także podczas wojny, w getcie. Trzeciej okupacyjnej zimy zawiadywał 35 punktami, dożywiając ponad 30 tysięcy dzieci.

Dzieci „nagie, bose, zaświerzbione, cuchnące" myła, leczyła, ubierała, karmiła. Niektóre nie chciały jeść w świetlicy. Bały się kary matek. Dela pisała, że matki biły dzieci, drapały za to, że zjadały śniadanie, a im nie przynosiły. Dbała o ciepło, higienę i naukę. Zorganizować piecyk, buty, koszule, dostawę kaszy. To ją zajmowało może bardziej niż czytanki z tekstami żydowskich pisarzy — Bialika, Sforima, Szolema Alejchema. Tamtej jesieni chorowała sześć tygodni na tyfus. Po powrocie wszystko musiała zacząć od początku, nie było chleba, maści, butów. Brud, ziąb, fetor.

Niewiele wiem. Nie wiem, jak można patrzeć takim dzieciom w oczy. Nie wiem także, czy moja babka miała wtedy czas czytać. Skąd brała książki? Nie zabierano ich ze sobą do getta. Rzadko traktowano jako artykuł pierwszej potrzeby. Księgarnie, wypożyczalnie, biblioteki były zamknięte. Zabroniono Żydom handlować książkami. A przecież pożyczano sobie Balzaka i Cervantesa. Ktoś nimi handlował, po domach, po podwórkach — uliczni handlarze też starali się żyć. Jak wtedy czytano? Jak smakowała fikcja? Jak przewodnik po nierzeczywistości, jak metafora, przestroga, niezasłużone wakacje? Nie każdy umiał sobie na nie pozwolić. Co chciałabym wówczas znaleźć w książce? Adam Czerniakow, prezes Judenratu, wrócił do Prousta.

Książki były z papieru, codzienność z utraty.

Chciałabym podsłuchać rozmowę mojej babki w getcie. Ale nie tę o mydle, które sama robiła: dwa kilogramy łoju, 7 litrów wody, 200 gra-

263

mów kalafonii, 300 gramów sody kaustycznej, gotować dwie godziny. Ani o tym, jak prać przy użyciu tartych kartofli. Z jedwabnych chustek do nosa wychodził cały brud, ale już nie miała jedwabnych. Do wełnianych szalików brało się kasztany, moczone w wodzie i przecierane przez sito, albo trzeba było wcierać mąkę pszenną. Nie zawsze ją miała. I znaleźć poszukiwane w dzielnicy zamkniętej kasztany. Trzeba było szyć, przerabiać stare ubrania, nicować, farbować. Chciałabym usłyszeć jej marzenie o nowym kapeluszu: skromny, ale gustowny, słomkowy ze śliwkową wstążką, a do tego kostium w podobnym kolorze. I może jeszcze letnia torebka. Rękawiczki. Wszystko to na spacer Alejami Ujazdowskimi. Mogłaby iść kilometrami, nawet z dalekiego Żoliborza, iść, bez ograniczeń, wszystko budziłoby się do życia taką pierwszą jeszcze, miękką i jasną zielenią. Chciałabym, żeby wierzyła w życie, które jeszcze się stanie.

Widzę ją w getcie, moją babkę, która nie zdążyła być babką, nie zdążyła się zestarzeć, nie zdążyła nawet zobaczyć swojej córki dorosłej. Widzę ją w mieszkaniu na Siennej, najpierw otoczoną dużą rodziną, potem coraz bardziej osobną. Jakby tamci odsuwali się w głąb, coraz mniej wyraźni. Widzę, jak robi makaron. Do mąki, której ciągle nie brakuje, wbija cudem zdobyte jajka. Po 70 groszy, po złotówce, po 2,40 trzeciej wiosny. Więcej nie płaciła. Wygniata na stolnicy ciasto. Długo i cierpliwie. Kilka razy dostała dodatkowe jajka na specjalny kupon, ze stemplem owalnym i podpisem Czerniakowa. Kilka razy kupiła proszek Erika, który udawał jajka, za co przepraszała się sama przed sobą. Ale jeśli się nie wiedziało — nie było wielkiej różnicy. Naprawdę. Sprawdziła. A te kilka groszy można było posłać do Łęczycy. Wałkuje drewnianym zużytym wałkiem obrusy cienkich placków. Przesypuje mąką. Kroi. I suszy. Suszy i pakuje do bawełnianych woreczków, które szyje wieczorami przy nikłym świetle. Makaron dla męża w obozie.

Nie płakała. Może stąd ten szczególny wyraz jej oczu? Jakby już poza granicą łez.

Jej kolejne adresy. Z getta znam dwa, pierwszy na Siennej, drugi na Lesznie. Oba jeszcze w rejonach wojennego dostatku. Do czasu.

Sienną nazywano Polami Elizejskimi getta. Wyspą spokoju, zieloną i czystą. Na Siennej spotykali się szmuglerzy i gettowy półświatek, w kawiarni u Tatiany Epstein występował pianista Władysław Szpilman. W restauracji na rogu Sosnowej cena obiadu sięgała 200 złotych, tyle co miesięczna pensja robotnika. Mary Berg, autorka okupacyjnego dziennika, patrzyła codziennie na elegancką panią wyprowadzającą na spacer pieska na smyczy. Na Sienną 16, do tego samego domu, gdzie mieszkała moja rodzina, przeniesiono Dom Sierot Korczaka. Stary doktor opowiadał czasami dzieciom bajki. Brano za wstęp 2 złote. Moja mama miałaby blisko. Nie pamięta, żeby słyszała bajki Korczaka. Nie widziała kukiełek ani przygód pajacyka Buratino. Z Siennej 16 doktor z dziećmi poszedł na Umschlagplatz.

Dopiero niedawno zdałam sobie sprawę, że to ja słuchałam bajek w tym miejscu. Gmach sierocińca przetrwał wojnę i rozebrano go dopiero pod budowę Pałacu Kultury. Stanął tam teatr Lalka. Mój pierwszy teatr z dzieciństwa. W ten sposób wszystkie drogi prowadzą do getta. Nie wiem, czy moja mama zdaje sobie z tego sprawę.

I Leszno, jak na getto, było elegancką ulicą. Było tam odpowiednikiem Marszałkowskiej, pełne tłumów, handlu, gwaru. Moja mama podała w powojennym kwestionariuszu okupacyjny adres: Leszno 58. To adres pogotowia, tego porządnego. Urząd Zdrowia. W tym samym domu mieściła się duża kawiarnia, z letnim ogródkiem. Niedaleko, również po parzystej stronie, Sztuka, kawiarnia z występami i muzyką, dalej inne lokale o egzotycznych nazwach — Splendid, Esplanada. Popołudniami pachniało na Lesznie perfumami, ostrym tytoniem, rybami i słodyczami. Jak dawniej.

Sąsiedni dom miał trzy podwórza i młyn, który wyrabiał kaszę. Podczas blokad mówiono tam o pieniądzach i o bohaterach Dickensa, czasem też o sposobach maskowania drzwi. Kryjówki były wszędzie. W podłodze starego antykwariatu, gdzie walały się meissenowskie talerze, świeczniki i obrazy, w zamurowanej piwnicy, której wejście zastawiał olbrzymi stół piekarski, były kryjówki eleganckie ze światłem, wodą i pryczami. Moja babka chowała dzieci w koszu z brudną bielizną albo za szafą, albo pod łóżkami. Zawsze udawało się zdążyć. Miejsce za firanką należy już do innego rozdziału wojny. Halinka, córka Deli, była najstarsza, miała dziesięć lat, potem coraz więcej, ale ciągle była drobna i łatwa do schowania. Umiała trwać w bezruchu przez kilka godzin, umiała się nie śmiać, milczeć, „zamarznąć", jak w tej zabawie, w której trzeba zatrzymać ostatni gest. Znała wiele sposobów. Jak Dela tłumaczyła dzieciom konieczność ukrycia się? Czy musiała tłumaczyć?

Moja babka przesłała futro na aryjską stronę. Wierzyła, że będzie żyć. A może nie przesyłała, może je przed pójściem do getta zostawiła na przechowanie? To ciągle dowód na nadzieję. Futro, które trzeba wietrzyć, wraca w skrawkach opowieści wielokrotnie. Futro miało być bezpieczne poza gettem. Poza gettem było bezpieczniej dla futra. Nie dla ludzi. Futro po aryjskiej stronie. Nie mogę tego pojąć. Musiała jednak je wysłać, nie mogła przewidzieć, że w ostatnich dniach grudnia 1941 roku Niemcy wydadzą rozporządzenie o oddawaniu futer przez żydowską ludność. Skoro miała w getcie żyć, powinna była myśleć o zimie, podobnie mroźnej jak ostatnie. Wydawała się przewidująca.

Wszyscy Żydzi mieli oddać posiadane futra w ciągu kilku dni, niezależnie od ich rodzaju i rozmiaru. Małe i duże, nurki, popielice, lisy, karakuły, palta, pelisy lub same tylko kołnierze, czapki futrzane i mankiety. Za nieoddanie groziła kara śmierci. Żydzi nie chcieli pozbywać się futer, nie chcieli oddawać ich Niemcom. Sprowadzali znajomych Polaków zza muru, sprzedawali. Zbierali każdy skrawek, który można było spieniężyć, z płaszcza, z sukni, z pantofli. Jedni wyprzedawali, inni chowali, jeszcze inni niszczyli.

Niszczono na różne sposoby, cięto, szarpano, deptano. Ale to wymagało siły, towar to towar. Jeszcze trudno było pojąć, że to wszystko i tak daremne. I futra, i życie. Więc najlepiej oddać, lepiej zastosować się do rozporządzeń. Dopóki jest się w zgodzie z prawem, nic złego nie może się stać. I chociaż kończył się trzynasty miesiąc zamknięcia, ciągle jeszcze pielęgnowano złudzenia. Oddamy futra, czegóż mogą chcieć jeszcze. W końcu to tylko futra. A jeśli jutro zażądają kolejnego okupu?

Akcją zbierania futer kierowała Służba Porządkowa. Wielu cisnęło się od rana do wieczora do urzędu, żeby uzyskać zaświadczenia. Zaświadczenie, kwit, papier wydawały się mieć wielką wagę. I tylko niektórzy przed oddaniem polewali futra wrzątkiem, potem suszyli. Po kilku dniach włosy wypadały garściami.

Futra odjeżdżały z Umschlagplatz na front wschodni dla niemieckich żołnierzy.

Czy Dela wiedziała, że w warszawskim getcie znalazł się brat jej ojca, Zelig Goldstein, z żoną Chawą? Ocalał jego ausweis z fotografią, z gwiazdą Dawida i odciskiem kciuka. Dalsze losy nieznane.

W getcie zmarł najstarszy brat Henryka Przedborskiego, Bernard. Mieszkał z żoną i trojgiem dzieci na Twardej. Zmarł w lipcu 1941 roku, w karcie zgonu jako bezpośrednią przyczynę podano płuca, chorował też na serce. Pochowany przez Biuro Pogrzebowe Ostatnia Droga.

Dela potrzebowała jajek, stale potrzebowała jajek na makaron. Chodziła na bazar wzdłuż Gęsiej, przynosiła marchew i cebulę, czasem gotowany bób, koninę lub końską krew, dziecko musi być silne, czasem dostawała sztynki, te małe rozkładające się rybki po złotówce za funt. Halinka nie chciała ich jeść. Rzadko jabłka. I jajka, drożejące coraz bardziej jajka. Nie może zapomnieć tych kilku policjantów, swoich, naszych, żydowskich policjantów w mundurach z wypchanymi kieszeniami. Z kieszeniami pełnymi jajek, widocznie starano się ich przekupić, jajka tłukły się, rozmazywały, płynęły lepką mętną strugą po nogach. Potłuczone skorupki podsuwały marzenia o pachnących keksach albo chociaż o koglu-moglu. 30 złotych za kilo cukru. Tyle jajek, tyle zmarnowanych jajek na makaron.

Potem już wszystko było dozwolone. Nie tylko palenie w piecach żydowskimi modlitewnikami, przy każdej świętej karcie prośba o przebaczenie, nie tylko praca w sobotę. W Torze napisano, że ludzkie życie jest najcenniejsze. Ślubna obrączka za butelkę mleka. Złoty pierścionek za białe mleko, chude, wodniste. Psalmy i komentarze, trumny, a potem już bez całunów, a potem w dym.

Na Lesznie zamieszkali naprzeciwko budynku sądów. Zapewne przypadkiem. Szukali dużego mieszkania. Prawdopodobnie ciągle jeszcze byli wszyscy razem. Dela z Halinką, Bronka, siostra Zamutka, z Bolkiem Kusznerem i Marysiem to pięć, Madzia, młodsza siostra Zamutka, z Olkiem i Henrysiem to osiem, mama Bronki i Madzi, babcia Jecia, i jej brat Bronek z Gienią i Adasiem to dwanaście i ich mama, Babunia, trzynasta. Wschodnia część Leszna, przemianowanego na Gerichtstrasse, znalazła się na terenie getta. Sądy pozostały po aryjskiej stronie. Wiodło tam wejście od ulicy Białej.

W sądach działała giełda, sprzedawano dolary amerykańskie, od stu złotych, franki szwajcarskie i złote ruble. Handlowano biżuterią i złotem. Z czasem coraz mniej było do sprzedania, drożały fałszywe papiery. Na początku za przeprowadzenie przez sądy płacono kilka złotych, tyle co za kilogram ziemniaków. Cena rosła.

Nie od razu się zdecydowała. Oleś, jej polski szwagier, musiał tłumaczyć, namawiać. Coraz ciaśniej zaciskała się pętla getta. Mijały miesiące znaczone epidemiami tyfusu i rozpaczy. Dekret o karze śmierci dla Żydów poza murami. Zaświadczenia o pracy ciągle jeszcze gwarantowały życie. Walczyła o nie. Zapewne była tam jeszcze latem 1942 roku. 22 lipca pojawiły się na murach obwieszczenia o przesiedleniach na Wschód. Czy zabrano ich wcześniej, czy wtedy, podczas wielkiej akcji? Mała Halinka zapamiętała słowo „blokada", więc wtedy. Matkę i babkę, siostrę i szwagrów, małego Henrysia. Czy samobójstwo Czerniakowa uświadomiło jej, co im pisane?

Nie wiem nic o jej strachu. Wyobrażam sobie, że dla dziecka uzbroiła się w siłę. Wszystko wskazuje na to, że wyszły któregoś chłodnego dnia na przełomie lipca i sierpnia. I tamtego lata bywało pochmurno, wiał zimny wiatr, padał deszcz. Mojej mamie się zdaje, że niedługo po opuszczeniu getta wybuchło powstanie, ale to raczej niemożliwe. Wątpliwe, by udało im się ocaleć do 1943 roku, poza tym wtedy już nie wychodzono przez sądy.

Dela musiała przećwiczyć całą tę trasę w głowie, w wyobraźni, przejść ją, zanim przeszła w rzeczywistości. Schody, szerokie schody przepełnione jak rozlewające się morze ludzkim tłumem. Bez oporu drzwi, stale ktoś przed nią, przy niej, obok, w nie milknącym ruchu. Musiał być gwar, a ja zawsze widzę tę scenę w zupełnej ciszy, jak w niemym filmie, w dusznej, nie do zniesienia ciszy. Potężne kuluary parteru, rzut oka w prawo i w lewo, na dwóch krańcach dwie klatki schodowe, na wprost korytarze prowadzące w głąb gmachu. Którędy? Tylko spokojnie.

Czy myślała wtedy o mężu? Stale o nim myślała, choć tak niewiele udawało się napisać w listach. Prócz najważniejszego, że żyją, że są. Ale już sądy i strach, telefony, błogosławione w getcie telefony, kontakty, umówienia, sprawunki, wyszarpywanie z codzienności jedzenia i ludzkich odruchów, wszystko to działo się już poza nim. Jakby przestali być mężem i żoną. Z jego matką dzieliła stół, z jego babką obierała ziemniaki, z siostrami opłakiwała listy i brak listów. Z Łęczycy nie docierały żadne wiadomości. Zamilkły jej siostry i jej rodzice, rodzice braci Kusznerów, Bolka i Aleksandra, dentysty. Mieli jeszcze dużo złotych zębów, które miały się przydać. Na chwilę odziedziczyła jego rodzinę, kiedy straciła własną. Na chwilę.

Z kim kontaktowała się po wyjściu na aryjską stronę? Czy kogokolwiek szukała i kogo mogła szukać? Dlaczego nie ufarbowała włosów? Czy umiała nosić podniesioną głowę? A ślad po opasce z gwiazdą jak wielką wypalił bliznę?

Nie chcę, żeby była blisko 19 kwietnia 1943 roku, kiedy wybuchło powstanie. Nie zgadzam się, by poszła na plac Krasińskich. Nie pozwolę, **269** żeby usłyszała dźwięki jarmarcznej muzyki i krzyki rozbawionej gawiedzi na karuzeli. Strzały i serie z broni maszynowej nasilały się i gasły w płomieniach. Niech będzie najdalej, niech nigdy się nie dowie.

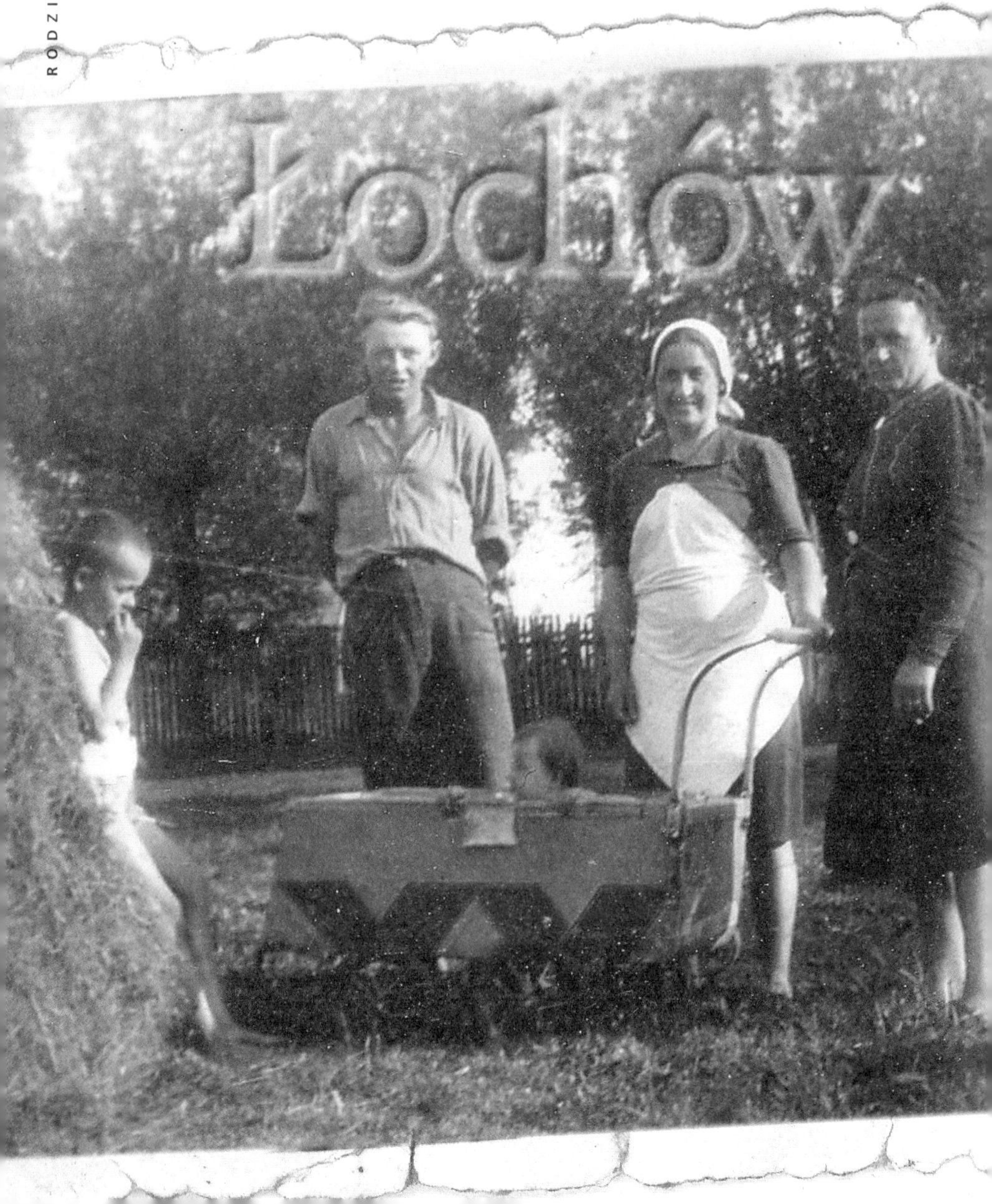
Łochów

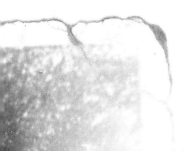

Chcę jechać do Treblinki. Jest dzień moich urodzin. Pojadę do Treblinki przez Wołomin, Tłuszcz i Łochów, gdzie moja babka spędziła jakiś czas w majątku Relin. Nikt dokładnie nie wie, jak długo, nikt też nie wie, gdzie to jest, ale zachowała się fotografia i kartka z adresem sprzed sześćdziesięciu lat.

Nie wiem, gdzie przechowała się ta niewielka szara fotografia. Zobaczyłam ją po raz pierwszy w albumie mojej mamy i nie zwróciłam na nią uwagi. Nie wiedziałam nic. O wojnie. O torebce. O futrach. Ktoś musiał to zdjęcie z ażurowymi brzegami przechować, z tyłu wpisane ręką Halinki, mojej mamy: Łochów 1943. Czy możliwe, że to ona miała je przy sobie? Zdjęcie matki posłane dziecku z letniska? Zdjęcie żydowskiej kobiety powierzone jej żydowskiej córce? Służąca na wsi? Mało prawdopodobne. Nie posyłano sobie wtedy podejrzanych fotografii. Nie wiem skąd. Jest.

271

Stoi w środku na tle drzew, uśmiecha się, niepewnie, ale wyraźnie. Ma zaokrąglone policzki. Te same ciemne włosy spięte z tyłu, widoczne mimo białej chustki na głowie, ten sam przedziałek. Po raz pierwszy widzę całą jej postać. Jest nieduża i tęga. Wydaje się nie pasować do dekoracji dojrzałego lata, w tle zielone drzewa, z boku stóg siana. Jakby doklejona z innej rzeczywistości między parobkiem a gospodynią i dwójką jej dzieci.

Tak naprawdę porządek zdjęcia jest inny i nie moja babka gra tutaj najważniejszą rolę. To fotografia gospodyni ze służbą. Gospodyni ma pewną siebie chłopską twarz, z koroną włosów zaplecionych do góry. Wie, czego chce, i kto tu rządzi. Ona jest panią tego terenu i tego popołudnia. Sukienka z lamówką i wycięciem pod szyją, z kieszonkami w okolicy piersi, nie dodaje jej kobiecości ani nie łagodzi zdecydowania. Na palcu lewej ręki obrączka.

Gospodyni nie lubi tracić czasu na niepotrzebne rzeczy, a za takie uważa niewątpliwie fotografowanie. Patrzy więc spod oka, niechętnie, bez sympatii. Jakby mówiła, że nie dzieje się nic nadzwyczajnego, więc po co całe to zawracanie głowy?

Kobieta stojąca po jej prawej stronie, moja babka, Dela Przedborska, z domu Goldstein, jest zmieszana. Uśmiecha się, co prawda, odsłaniając białe zęby, ale wydaje się skrępowana. Niespokojna. Jakby się czegoś obawiała. Owszem, stoi tu w pełnym słońcu, w ciemnej sukience z wykładanym kołnierzem i w fartuchu, nadającym jej godność służącej, ale nie jest na swoim miejscu. Ma ciężkie nogi i ciężkie ramiona, brzuch opięty bielą. Nie jest głodna. Znużona raczej, może zrezygnowana? Nie widać wyrazu jej oczu.

Młody blondyn obok w jasnej koszuli, z podwiniętymi rękawami, ucieleśnienie krzepy i beztroski, właśnie coś mówił. Fotograf zatrzymał go w pół słowa.

Dostatnie obejście. Żadnych śladów wojny. Dużo trawy i liści. Jedno dziecko w wózku. Z boku kilkuletni chłopiec w samych majtkach. Rzucony na ziemi rower, przyzwoity drewniany płot.

Nie wiem, ile czasu spędziła w Łochowie. Nie wiem, jak się tam znalazła i za czyją sprawą? Kto brał udział w znalezieniu tego adresu? Jakie inne wcześniej zawiodły? Brakuje wielu tygodni i dni w ewidencji okupacyjnej mojej babki. Nawet jeśli wyszła z getta z małą już w 1942 roku, latem, i trafiła do Łochowa następnej wiosny, jak chce napis na zdjęciu, po miesiącach na aryjskich papierach w Warszawie, ciągle jeszcze długo była na wsi. Może kilka miesięcy. Dłużej niż pozwalają to rozliczyć zidentyfikowane adresy. Giną całe tygodnie, po latach jeszcze trudniej je śledzić, ponad pół wieku później nie pozwalają ułożyć się po kolei.

Szczególnie, gdy robiono wszystko, by się nigdy nie udało. Była bardzo dobra w sztuce zacierania śladów. Po co mi Łochów, majątek Relin po latach, po tylu latach, które musiały zamazać wszystko, przekształcić w coś nie do poznania i nie do sprawdzenia? Ciągle chodzi o dotknięcia, o ziarno prawdy, o cień, echo, pogłos przeszłości. Rzeczywistość losu, cóż to miałoby znaczyć? Próbuję wejść w świat mojej babki, nieproszona i niechciana. Szara, sypka mazowiecka trawa, pszenna łagodność mijanych pejzaży. Bzy przekwitły i kasztany. Każdy rynek podobny do drugiego, z pozoru senny, jakby zatrzymany w kadrze, zmieniający się w miarę bliższej znajomości. Chrupiące bułki w piekarni na rogu, jagodzianki w dziecinnych rękach i piwo pite na ławkach na skwerku z braku lepszego zajęcia, jakiś zegar odmierzający cudzy czas, który przez chwilę zszedł się z moim. Obcy rysunek chodnika, zapach wietrzonej sypialni, duszne sny na sznurach. Świat, który jest obok i był obok wtedy. Zawsze obok.

Równina Wołomińska, miasteczko około pięciotysięczne nad Liwcem, dopływem Bugu. Ma kilkuwiekową historię, pałac z parkiem z początku XIX stulecia, kartę patriotyczną w powstaniu styczniowym. Puszcza Łochowska, zwana Czaplowizną, zarośnięta sosnami i olchami, rozjaśniona dwoma gatunkami brzóz.

Sam Łochów jak turecki bazar obwieszony pstrokacizną reklam i wschodnich dywanów, sprzedawane z ręki koszule, staniki, buty, sztuczne kwiaty i plastikowe zabawki. Bliskość lasu, uporczywość zieleni. Obiad jak u babci w Łodzi, zupa ogórkowa i kluski śląskie, pierogi z truskawkami. Tak się tutaj je, tak się je na wsi i w małych polskich miasteczkach. Wszystkie smaki przymierzam do podniebienia Deli. Najważniejsze, że nie musiała się martwić, co włoży do garnka. Zupa ogórkowa, zacierkowa, a może pomidorowa ze świeżych pomidorów, to luksus. Czy starczało na kluski, na pierogi? Był trzeci, czwarty rok wojny. Moja babka, przyjęta nieopodal do służby, mogła oddychać świeżym powietrzem, mogła wyjść na łąkę, na dwór. Czy to nie wystarczająca nagroda?

Na posterunku policji bez trudu dowiaduję się, jak dojechać do majątku Relin. Kilka domów przy wyjeździe z Łochowa, niedaleko młyna, obok ceglanego domu na sprzedaż. Nie można nie zauważyć. Kto tam mieszka, nie wiedzą, nie byli notowani. Ładomska Maria, czytam z ko-

273

perty. Nie wiedzą. W kiosku przy szosie łatwiej o plotkę. Relin, Sadomscy tam mieszkają. Pierwsza litera to stylizowane, zamaszyste „S", a nie „Ł". Maria Sadomska nie żyje, to musiała być matka Adama. Adam jest z żoną, a inną kobietę ma w sąsiedniej wiosce.

Łąka, którą mijam po prawej stronie szosy, łąka soczysta, na której pasą się białe kozy i stoją czarne krowy, ta łąka świeci odbitym blaskiem przeszłości. Na tej łące moja babka pasała krowy i może doiła też je czasem, na tej łące moja mama poczuła znowu zapach trawy i deszczu, darowanej wolności. Podobno się bała. Krów, ich kopyt, ich mokrych pysków, wymion, które nie dawały się wziąć w ręce, ale najbardziej się bała, że zaraz ktoś przyjdzie i wskaże ją palcem. Przyjdzie i znowu zaprowadzą ją do piwnicy albo za mur, odbiorą mamę. Z Relina pamięta syna gospodarzy, Adama, i parobka Jaśka. Wspomina małą Kasieńkę, z którą się bawiła w dom. Bociany i dzięcioły, sikorki i gile. Nigdy przedtem ich nie znała.

Popycham furtkę zdecydowanym ruchem, żeby nie można się już było cofnąć. Wrażenie ciszy ustępuje harmonii różnorakich dźwięków, dopiero kiedy zaczynam je słyszeć, rozróżniać poszczególne głosy, te wszystkie mruczenia, skrzypienia, pluskania, szurania, dopiero wtedy dostaję bilet wstępu do miejsca przede mną zatrzaśniętego. Wołam, ale nikogo nie widzę. Na ganku, zbyt małym, by móc się tam chować, panuje nieład. Pukam w otwarte drzwi. W kuchni, na końcu niewielkiego korytarza, kobieta w nieokreślonym wieku, z wysłużoną trwałą na głowie, jak wiele kobiet na wsi. Wyciera fartuchem usta, zaprasza do środka. Wyciągam rękę z fotografią i pytam, czy poznaje. W kuchni jest jaśniej, ale i tak potrzebuje okularów. Ma opalone, ogorzałe ręce, zgrubiałe i silne, zdjęcie wydaje się w nich wiotkie i nie na miejscu.

„Ta z prawej to moja teściowa", mówi bez wahania, „a ten mały blondynek przy stogu siana to mąż, Adam Sadomski". Pyta, skąd mam tę fotografię. Nie wiem. Nie wiem, jak znalazła się w moim rodzinnym albumie. Właściwie nie kłamię. Nie wiem kto, kiedy i jak przekazał ją mojej mamie. Jest zaskoczona, niespokojna, że męża nie ma w pobliżu, ale wyraźnie zadowolona z gościa. Idziemy razem poszukać go w sąsiednim domu. „Męża poproszę, on na pewno będzie wiedział, kto to ta druga kobieta i dziecko, i młody chłopak". Plac większy i większe podwórze, nie skończony duży dom, rozrzucone sprzęty, narzędzia, zagracone miejsce przed budynkiem. Mężczyzna, który podchodzi do furtki, jest wysoki, dobrze zbudowany, postawny, w kapeluszu na głowie, koszuli rozpiętej głęboko i poprzecieranych spodniach. Jest w nim pewna godność i wrodzona elegancja. Gdyby go ubrać po miastowemu, mógłby uchodzić za przystojnego. Ogorzały jak żona, która przy nim wygląda staro. Zdjęcie podaję przez furtkę. Już wiem, że to on, już potrafię wygrać tę wiedzę. „Ale pan się zmienił, niewiarygodne, i skąd się wzięło pańskie zdjęcie w moim rodzinnym albumie? Czy to naprawdę pan?" „Ja", odpowiada. Przekręca zdjęcie do światła, potrzebuje okularów, więc trzeba wrócić do domu. „Ja", potwierdza.

„Ja, a to moja matka, Maria Osóbka, z męża Sadomska. Albin, ojciec Marii, i Marcel, ojciec Edwarda Osóbki, byli rodzonymi braćmi, rodzina z Bliżyna koło Skarżyska-Kamiennej. A może pani z Osóbkami jakoś spokrewniona?"

Mój dziadek, inżynier Samuel albo Szymon Przedborski, zatrudniony przed wojną w WSM na Żoliborzu, współpracował z Edwardem Osóbką--Morawskim. Dziadka wzięli do niewoli podczas obrony Warszawy. Osóbka-Morawski jesienią 1939 roku wyruszył za Bug, skąd po kilku miesiącach wrócił. Gdyby nie jego pomoc, nie wiadomo, jak potoczyłyby się okupacyjne losy żony inżyniera Przedborskiego i jego córki.

Osóbka-Morawski był urodzonym społecznikiem. Studiów nie skończył, pracował jako instruktor spółdzielczości w samorządach gminnych i miejskich, a potem jako administrator osiedla WSM. Nie wiem, jak wyglądał, ale wiem, że w rodzinie mojego dziadka był ważną postacią. Podczas wojny — najważniejszym punktem odniesienia, poza rodziną. Na niego i jego kolegów można było liczyć. Przypuszczam, choć nigdy nie udało mi się tego sprawdzić, że to oni organizowali kolejne kryjówki dla Deli, załatwiali bezpieczne miejsca, zaopatrywali ją i innych ukrywających się na Żoliborzu Żydów w potrzebne papiery, dokumenty, adresy. Jak się okazało, także i ten.

Wisła Morawska, jego żona, opiekowała się okupacyjnymi dziećmi. Na kolonii w Borowiu, to pamiętała mała Halinka, modlono się do Wisły jak do Matki Boskiej. Obiecywała rychłe nadejście Rosjan, a wtedy już nikt na pewno nie zrobi im krzywdy. W jednym z listów do matki do Otwocka Halinka podawała radosną wiadomość, że Osóbka został premierem nowej Polski — „a ty go znasz". Może miała rację, że matka powinna jechać do Lublina i tam szukać pracy? Może gdyby pojechała... W notesie zapisała: „Lublin, Krakowskie Przedmieście 62, do dyrekcji Radia Polskiego".

„Tak, tak, jestem spokrewniona z Osóbkami". Czy możliwe? Na pewno. Nie wnikali w szczegóły.

Po pół wieku weszłam do domu ludzi, którzy, wśród wielu innych, ocalili moją babkę. Weszłam na jej aryjskich papierach. Co więcej, nie przyszło mi do głowy, że mogłabym zrobić inaczej. Nie miałam żadnych wątpliwości, że to jedyna możliwość. Ciągle nie umiem odpowiedzieć na pytanie, dlaczego?

„Zdjęcie musiał robić mój ojciec, Leon Sadomski, fotograf amator, z zawodu grawer. Ojciec był głuchoniemy. Pochodził z Warszawy i do 1942 roku mieszkał na Mokotowie. Później teściowie kupili tu gospodarstwo, 30 hektarów, i przenieśliśmy się z miasta. Kupili od Kowalików".

Czy spokrewnione z siostrami Kowalik? Jasne. Rodzina. Siostry Kowalik, panny służące z IV Kolonii WSM na Krasińskiego 18. Przed wojną u Rydygierów. To u nich Dela siedziała z Halinką we wnęce kuchennej, to narzeczony jednej z nich nie chciał jeść nie dosolonej zupy, szukał solniczki za firanką, szarpnął, i ona szarpnęła. Dlatego musiały odejść. Kto i jak załatwił to miejsce w majątku Relin? Czy siostry stale z daleka opiekowały się Delą i pośredniczyły w znalezieniu także i tego adresu? Nie będę wiedziała.

„To ja, ten pod stogiem siana, chudy, miałem osiem lat, to moja młodsza siostra, co umarła na dyfteryt w 1945 roku, a to pani Zofia, Żydówka, Brandauowa czy jak się ona nazywała, ta, co ją matka ukrywała. Niby to na służbę przyszła. Doktorową była, wielka pani ze Skarżyska, wielka pani. Uważała, że to matka moja powinna jej służyć. Z tyłu Jasiek, parobek, co matce w gospodarce pomagał. Długo tu siedziała, niby że na służbie. Na jakiś czas też dziewczynkę przysłali. Krowy pasła i tam obok w pokoju spały. Uczyć się nie uczyła, chyba że pacierza, jakby kto zapytał. Kiedyś, dużo czasu minęło, przyszedł granatowy policjant z ostrzeżeniem, żeby w domu Żydówki nie trzymać. Odeszła. Nie wiem jak i co, ale odeszła i nie wróciła nigdy. Matka ukrywała też Żyda Węgla z Łopianki. W stodole. I po cośmy to wszystko robili, po co się matka narażała, siebie i całą rodzinę? Po co to wszystko było, co oni teraz z nami robią? Hańba i wstyd, jak te Żydy cały świat opanowały. Nie wiem, po co ich było ratować. Drzwiami i oknami powracali, a podobno tylu ich zabili, i tu u nas chcą rządzić, Judeopolonię sobie tworzyć".

Jego antysemityzm jest gwałtowny, agresywny, prostacki. I groźny. Wie, kto zawinił całemu złu świata. Nienawidzi. Żydzi Polskę wykupili i Polakom w ich własnym kraju żyć nie dają.

Nie może się zatrzymać w swoim monologu oskarżeń i obelg. Aż żona próbuje go mitygować. „Wstydziłbyś się". Córka, nawet córka, która wyjechała do Kanady i pracuje na lotnisku, pracuje u Żydów, którzy opanowali cały świat. Kozy są łaciate, krowy czarne, łąka błyszcząca, las jak każdy nadaje się na kryjówkę. Widok z okna na drogę. Zza firanki. Dudniące pociągi na niedalekich torach. Treblinka niedaleko stąd.

W Łochowie pasły krowy, których się Halinka bała. Moja babka Dela, wtedy już Zofia Zmiałowska, musiała je doić, co więcej, sprawiać wrażenie, że dobrze sobie z tym radzi. Trzeba było sforsować olbrzymie **277** brzuchy, wedrzeć się pod spód, odnaleźć różowe wymiona i ciągnąć, aż ciepłe mleko popłynie strumieniem do wiadra. Krowy kręciły się, czując niewprawne ręce, przez pierwsze dni wydawało się, że będą chciały pozbyć się sprawiającej im ból dojarki. Ale potem przywykły, a może i ona pokonała niechęć i wstyd, zaczęła odczuwać wdzięczność dla tych istot, które pomagały jej żyć. Wiedziała, że musi trwać, uratować dziecko. Na polu wielokrotnie w ciągu dnia słyszała przejeżdżające pociągi. Przez pierwszą chwilę przywoływało to dom, Łęczycę, zaraz potem zamęt na stacji w Koluszkach, gdzie usiłowała odnaleźć męża, powołanego do obrony Warszawy. Niepokój początku wojny. Ale już po chwili pociągi znaczyły jedynie wagony odchodzące z rampy na Umschlagplatz. Pojechała Madzia z Henrysiem, Liba z Iziem, Babunia i teściowa, babcia Jecia, matka jej męża. Nie wiedziała, jak wywieźli jej rodziców z Łęczycy. Może nigdy nie dowiedziała się o ciężarówkach z rurami wydechowymi zwróconymi do wewnątrz, w których duszono Żydów w drodze do obozu w Chełmnie?

W torebce, którą w dniu śmierci miała przy sobie moja babka, są trzy listy jej męża, Szymona, z oflagu, adresowane do Leona Sadomskiego, Żelazna 51. Pierwszy z 22 maja 1944 roku, ostatni z 13 lipca. Pisane do „drogiego pana Leona", dostarczają informacji zrozumiałych tylko dla żony, na przykład o przyzwoitym podwieczorku, który urządzi sobie 2 czerwca (dzień urodzin Deli), bo i pieczywo słodkie miał, i mleko sproszkowane, i czekoladę, i wiele innych dobrych rzeczy. Do niej też skierowana była zapewne uwaga, że wspaniale wygląda, o czym się świeżo przekonał z nowego zdjęcia do legitymacji, lub innym razem – iż jest zdrów i wesół, ale ma do siebie pretensje o zupełne lenistwo. Nie uczy się, mało czyta, dużo, bardzo dużo dogadza swemu żołądkowi. W efekcie mocno zgnuśniał, roztył się i postarzał. Ale minęły bez śladu skłonności do zaburzeń żołądkowych.

W jaki sposób Leon Sadomski przekazywał Zofii Zmiałowskiej listy z Woldenbergu? Czy była jeszcze w Łochowie, gdzie przyjeżdżał do rodziny? Raczej tak. Szymon wyraźnie do tego nawiązuje. „Niech mi będzie wolno – pisze – wyrazić głęboką wdzięczność p. Marii za okazaną – tu myślnik – opiekę. Te proste słowa to niestety wszystko, czym jeniec dysponuje". Innym razem przesłał z oflagu paczkę z jakimiś rzeczami, prosił, by rozdzielić między potrzebujących, przedtem zaś – przerobić, uszyć, zreperować.

Wielokrotnie omawiał z Leonem sprawy finansowe: ile wypłaciła Praska, wyjaśnić u pani Stasi czy Trzcińskiej lub w biurze spółdzielni. Wspominał o Helenie i Ince, która się nie odzywa, o Mietku, któremu winien wdzięczność, i Antonim. Nie wiem, kim byli.

Zawsze przesyłał wyrazy „głębokiego poważania" oraz „ucałowania rączek Paniom". Lub też zasyłał szczery uścisk dłoni, licząc, że już niedługo za wszystko osobiście podziękuje. Czy tak się stało? Też nie wiem.

Janina Kowalik, jedna z panien służących z Krasińskiego, posyłała wiosną i latem 1944 roku pieniądze do Łochowa, od 500 do 1800 złotych miesięcznie. Innym razem kwity podpisywała sąsiadka spod 45, Helena Karolewska. Czy były to przekazy z Woldenbergu *via* SPB na Żoliborzu, czy fundusze za ukrywanie Deli? Miesięczny koszt utrzymania dziecka w chrześcijańskiej rodzinie wahał się wtedy pomiędzy 2500 a 3500 złotych. Podłużne tekturowe odcinki pocztowe Dela trzymała ułożone wedle kolejności. Obok leży do dziś banknot dziesięciozłotowy z pomnikiem Chopina i pięćdziesięciozłotowy z Sukiennicami.

Maria Sadomska narażała życie, żeby ratować doktorową Zofię i Żyda Węgla, narażała wszystkich bliskich, ryzykowała także życie swojego syna, Adama. Wtedy nie wiedział jeszcze, jaki podły jest naród, któremu jego matka pomagała przetrwać. Mój przystojny, budzący zaufanie Adam, towarzysz zabaw dziewczynki z czarnymi warkoczykami. Może się z nią nie bawił, może nigdy nie zagadał. Parobek Jasiek to co innego, chyba zalecał się do niej. Mam wrażenie, że się go bała. A przecież za Relinem tęskniła. W liście do matki z 22 czerwca pisała: „Ja bardzo często myślę o Relinie. Wyobrażam sobie, ile tam teraz ziela. A kwiaty pewno uschły, bo nie ma ich kto podlewać".

Parobek Jasiek żyje. Nazywa się Jan Grenda i nie jest parobkiem. Mieszka tuż obok. Po co jeszcze próbować? Już wiem. Poszłam. Nie mogłam się powstrzymać. Stary, chudy, z resztką włosów i zębów, **279** w granatowej niedzielnej kamizelce całował rączki. Długo. Na przywitanie i później, że radość i przy świięcie. Jeszcze raźno, o lasce, idzie przez podwórze po okulary. Dopiero w chwili, gdy przyjrzał się, kto jest na fotografii, coś się stało. Jakby odeszło z niego życie. „To ja", pokazał na siebie. „To pani... Nie wiem, nie znam, nie pamiętam". Odpędził dzieci, odpędził wnuki, siedział na ławce pod płotem, ciężkie ręce złożył na kolanach, pochylił głowę, bawił się tekturowym etui do okularów. Podnosił i opuszczał zdjęcie, podnosił i opuszczał, jakby jeszcze miał coś powiedzieć. Pomarszczony, z brakującym uzębieniem, powtarzał w kółko, jakby mówił: „To nie ja". „Nie wiem nic", powtarzał. „Nic".

To nie była panika, ale zapaść. Nie niepokój, ale przekonanie, że oto się stało, powaliło go, trafiło. „Skoro Adam, taki mały, pamiętał — nalegała żona — to i ty powinieneś".

Czy całe życie bał się tej chwili, że ktoś przyjdzie o nią zapytać? Co zrobił i czy zrobił? Czy ktoś rzeczywiście zadenuncjował Zofię? Może to jedynie wytwór mojej wyobraźni? Co sprawiło, że moja babka opuściła majątek Relin? Miała chyba szansę zostać tam do końca, doczekać ocalenia. Nie byłoby powrotu, niepewności, paniki, kolejnego adresu. Nie byłoby Otwocka i pracy w pensjonacie, i pocisku w dzień targowy. Co parobkowi Jaśkowi przypomniała fotografia z 1943 roku?

A może i tak Dela by nie ocalała? Może skończyłaby jeszcze gorzej. Pociągi do Treblinki szły stale jeden za drugim, jeden za drugim. Mogli też zastrzelić ją bez ostrzeżenia, bez życzliwego ostrzeżenia. Żyła jeszcze kilka miesięcy. Umieściła dziecko na koloniach. Znalazła pracę w Otwocku. Napisała do męża w oflagu i otrzymała od niego kilka listów.

Łochów można pamiętać w bujnej charakteryzacji zieleni. Usypia wówczas lęk. Ale w matowych, ostatnich promieniach słońca, przed zmierzchem, kiedy pociągi dudnią głośniej, bo świat szykuje się do snu, sielanka wsi staje się okrutną bajką. Treblinka jest o krok.

DOM ORWNA
SIĄŻKA MELDUNKÓW

m. i uzdr. Otwock

Nr. domu

iel domu

Otwock

Do Otwocka jeździłam na cmentarz. Odkąd pamiętam. Odwiedzałam z mamą i dziadkiem grób babki, o której nic nie wiedziałam. Nie lubiłam Otwocka. Pomijałam go dla siebie i w sobie. Instynktownie. Przez lata. Wrócił do mnie, kiedy przestałam się bać.

Żydowskiego życia w Otwocku nie ma. Oglądam je na przedwojennych fotografiach w muzeum. Teatralna sceneria natury. Pogodne wieczory wśród karłowatych sosen. Werandy, mansardy, wieżyczki. Żydowskie sanatoria: Atlantic, Beatrycze, Europa, Regia, Savoy.

Suche powietrze nazywano „krzepkim" lub „mahoniowym". Piaszczysta gleba oddychała inaczej. Szybciej wysychała, „jak w Egipcie", a las łagodził kaprysy natury. O zmierzchu nawiedzały kuracjuszy roje świetlików.

Idylla żydowskiego letniska w gablotach, za szkłem, zasypana piaskiem bezlitosnej klepsydry.

Niebieska gwiazda Dawida świeci na kawałku kafla czy łazienkowej posadzki, odprysk rzeczywistości byłego pensjonatu braci Nusbaum z Warszawskiej 42/43. Podczas okupacji Niemcy zajęli ten dom na komendę miasta. Czy wytłukli kafle, zanim zabili ludzi, czy później? Jak je niszczyli i jakim sposobem znalazły się, potłuczone, na śmietniku? A może obłupano je i rozkradziono po wojnie? Czy poniewierały się na wojennych ulicach Otwocka i czy Dela, moja babka, mogła

283

je widzieć u progu lasu, przy ściekach, obok odpadów zgniłych jarzyn na targu?

Wydaje się, że nie było widocznych śladów. Synagogę spalono zaraz na początku, drugą zniszczono doszczętnie w 1941 roku, śmierć dosięgła chedery, łaźnie, jesziwy i Żydów. Nie wydawano już żydowskich kartek żywnościowych, zostały polskie — dla dorosłych i dzieci — oraz niemieckie. Opuszczone domy zajęli sąsiedzi, właściwie nie ma nic takiego, jak opuszczone domy. Ani niezastąpieni ludzie. Ich maszyny do szycia, garnki, talerze, stoły, łóżka, poduszki, ich okna i drzwi służyły teraz innym, nikt sobie nie krzywdował. A kafle z posadzki w końcu nie straszyły gwiazdami Dawida na każdym kroku. Czy moja babka się bała, że stąpa po żydowskiej krzywdzie? O czym się myśli, gdy nadal się żyje, wbrew biegowi zdarzeń i kosztem innych śmierci? „Ty będziesz żyła", powtarzała córce. „Ty musisz żyć". Ile matek powtarzało daremnie te same słowa?

Dela Goldstein — Zofia Zmiałowska — znalazła się w Otwocku w końcu maja 1944 roku. Prawdopodobnie przyjechała pociągiem z Warszawy. Kolej Nadwiślańska działała nadal, jak wtedy gdy przyjeżdżali tu ludzie po zdrowie. Na niewielkiej kartce z notesu miała wypisany adres pensjonatu pani Czaplickiej — pani Marii Czaplickiej na ulicy Piłsudskiego 17. Jechała do pracy. Ktoś, nie wiem kto, załatwił jej posadę intendentki. Może ten ktoś narysował jej też plan, chciałabym, żeby tak było, nie musiałaby wówczas niepotrzebnie pytać o drogę. Drewniany, piętrowy dom z baniastą wieżyczką. Ktoś, może Słonimski, może Tuwim, może ktoś inny, znany wtedy, dziś zapomniany, nazwał ten styl „Świdermajer". Daleko od stacji, w sanatoryjnej, żydowskiej części Otwocka. Więc przez plac targowy, wzdłuż torów w kierunku Śródborowianki i na kolejnej krzyżówce w lewo, prostopadle. W sosnowy las, jak wszędzie dokoła. Szybkim marszem około pół godziny.

Co mogła wiedzieć moja babka Dela o otwockich Żydach? Nie była stamtąd. Nawet Warszawy nie znała dobrze, obce jej były podwarszawskie letniska, te wszystkie Miedzeszyny, Falenice, Michaliny, Józefowy,

Świdry, letnie przystanie starozakonnych, jak o nich pisano, pełne żydowskich pierzyn i pieluch, tych mniej zamożnych — od maja do września. Jej rodziny nie było stać na wyjazdy, nawet w celach leczniczych, a co
dopiero mówić o poprawieniu apetytu lub o nerwach, na co cierpieli
bywalcy podwarszawskich pensjonatów równie często, jak na gruźlicę.
Przyjeżdżali też chorzy na płuca i chorzy na serce, z rozstrojem nerwo-
wym, i rekonwalescenci, ci, którzy chcieli poprawić trawienie i apetyt,
gwarantowany przyrost wagi średnio 8 kilogramów miesięcznie. Wodo-
lecznictwo i pijalnie kumysu.

A co wiedziała pani Maria Czaplicka o swojej nowej intendentce? Nie
wiem. Nikt nie wie.

Dela musiała chodzić na targ. Czy wiedziała albo od kiedy wiedziała,
że rynek otwocki był tuż obok miejsca, skąd 19 sierpnia 1942 roku,
w pełnym słońcu, wywieziono do Treblinki wszystkich miejscowych Żydów? Plac przeładunkowy postawili własnymi rękami. Ogrodzili drutem
kolczastym wzdłuż Górnej do rogu Orlej. Wedle rozkazu, obok bocznicy
kolejowej. Stamtąd łatwiej było ładować do wagonów. Zaganiała żydowska policja, w mundurowych czapkach, z opaskami na rękawach, z pał-
kami. Siedem tysięcy, plus cztery tysiące rozstrzelanych na miejscu.

A potem nastała noc. Ocalały żydowski policjant, który do transportu załadował swoich najbliższych, opisywał fruwające pierze, stare karty
żywnościowe, fotografie, dowody osobiste. Polski motłoch siekierami
rozbijający drzwi i rabujący wszystko, co się da. Z czasem zniknęły par-
kany okalające getto. Letnisko Otwock nie przestawało żyć.

Do opuszczonych domów wprowadzili się inni ludzie. Zasiadali przy
stołach tamtych i kładli się w ich łóżkach, jedli z ich talerzy, przetrząsa-
li ich szafy i szuflady. Życie nie zatrzymało się w chwili, gdy tamtym
odmówiono do niego prawa, przeciwnie, gorliwie zagospodarowali puste
miejsca, zanim zrobili to inni, kolejni. Tkanka codzienności nie znosi
próżni.

Według spisu ludności Otwocka na rok 1943, liczba mieszkańców
wynosiła około trzynastu tysięcy. Przed likwidacją getta była dwukrotnie
wyższa. Wszystkie przedwojenne pensjonaty na ulicy Piłsudskiego nale-

285

żały do Żydów. Były średniej wielkości i wyglądały podobnie: kilkanaście pokoi, salon, obszerna jadalnia, pokoje służbowe w oddzielnym budynku, ogrzewanie piecowe. Bieżąca woda zimna i gorąca. Pensjonat pani Czaplickiej pod numerem 17 był jednym z trzynastu czynnych w mieście w roku 1944. Taksę klimatyczną obliczono na 39,60 za miesiąc.

Nie wiem, czy Dela czuła jeszcze zapach zagłady? Jaki to zapach? Czy idąc na rynek, myślała o szpinaku i kalarepie, czy starała się uwolnić od tamtego? Czy wiedziała, jak to się stało?

„Jak będą wysiedlać, to i tak zostawicie" — mówili Polacy do Żydów w gettach, tam i gdzie indziej. Najpierw Żydzi nie chcieli sprzedawać, by w końcu oddawać za bezcen. Wszystko, cokolwiek tamci chcieli brać, w zamian za chleb. Żeby żyć, jeszcze chwilę. Szybko zaczęli rozumieć nowe określenia — iść „na szmalec", „na giemzę", „na mydło". Nawet sami je wypowiadali, ciągle i do końca nie zdając sobie sprawy z grozy sytuacji. Za murami czekała ich śmierć, tak myśleli, tak Niemcy nauczyli ich myśleć, tak uczył ich strach przed Polakami.

„Żyd to wróg śmiertelny Kościoła i Wielkiej Polski" — pisano w *Kalendarzach Samoobrony Narodowej*. „Zło Polski dzisiejszej w żydostwie ma swe główne siedlisko". Broszura z roku 1939. „Usuńmy Żydów z Polski, a zło, które nas trapi, z niej zniknie". Czasami Żydom zdarzało się czytać te druki u Polaków, którzy ich ukrywali. Czasami Polacy, którzy ich ukrywali, nie umieli czytać. Żydowski policjant z Otwocka u takiej Polki się chował.

Co Dela robiła po godzinach pracy? Z kim się spotykała? Widzę ją na fotelu pod schodami, niedaleko jadalni na pierwszym piętrze, przy lampie, dającej słabe żółte światło, żarówka o niewielkiej mocy i złoty falbaniasty abażur, wertującą stare przedwojenne księgi meldunkowe pensjonatu Chanona Cetlina. Piłsudskiego 17. Pensjonat pani Czaplickiej.

Zeszyty dużego formatu, w tekturowych okładkach w marmurek. Granatowo-szary, brązowo-beżowy, sześć, osiem, dwanaście, może więcej, wyszmalcowane na rogach, miękkie, wyświecone śladami dotykających je rąk.

Może w pierwszym odruchu zamknęła szufladę i poszła do siebie. Ale nie mogła się powstrzymać, by tam nie wrócić. Siadywała w tym miejscu, robiła na drutach lub szydełkowała, a może tylko pochylała się nad tą samą lub kolejną książką.

„Miriam, córka Izraela i Sary" — czytała. „Rachela, córka Moszka i Racy". „Lejzor, syn Abrama i Rajzli". Nie wiadomo, jak to się stało, ona, czyli ja w niej, ja w jej głowie, którą zakopano kilkanaście lat przed moimi narodzinami, nie jestem pewna, co stało się w tym obrzędzie, jaki odprawiała wieczorami. Co prowadziło ją w ten świat, którego zagłady była świadkiem. Czy kształty liter, niewprawne w polskim języku, lekarz dentysta dużymi literami, z „L" wygiętym jak „s" i zaplecionym z dziecinną okrągłością i „D", jak żagiel nieczęsto stawiany na maszcie. „Kupiec" jak wycięty nożem w drewnie, „przemysłowiec" jak po wodzie podczas sztormu. I błędy. Kleinzwaig Jankiel z Ogrodowej 27 — „handlarz" pisał przez „ch". Czy brzmienie ich imion, Abraham, Boruch, Chaja, czy podobnie skrócone „mojżesz" z kropką w rubryce wyznanie. Czy ich adresy na Lesznie, Nalewkach, Miłej? Znaki stamtąd, skąd nigdy już nie spodziewała się usłyszeć słowa.

Myślę, że wracała do nich. Patrzyła na daty przyjazdów i odjazdów, na meldunki w miejscach zamieszkania, zawody, daty urodzin. Szukała czegokolwiek, co byłoby im wspólne. Znajdowała. Adres na Lesznie 37, pod 58 mieszkała z rodziną w getcie. Adres na lepszej ulicy, na Marszałkowskiej, tuż obok domu, gdzie przyjmował brat jej teścia, lekarz. Kilku inżynierów. Lankierowa, przy mężu, miała na imię Halina, jak jej córka, a jej matka Salomea jak ich Babunia. Rotsztejn Bronisława, jak siostra jej męża, dentystka z Muranowskiej 18. Zegarmistrz, subiekt, inkasent, pielęgniarka. Gdzie są dzisiaj? Leszno, Chłodna, Trębacka, plac Grzybowski. Ruiny. Zauważyła niewiele osób o wyznaniu rzymskokatolickim, niemal wszystkie służące, te nosiły inne imiona: Zofia, Marianna, kilka żydowskich kobiet z wyższych sfer miało także podobne imiona, ale niewiele. Jakaś modystka, żona adwokata z Trębackiej. Pensjonat Cetlina nie należał do eleganckich.

Ostatni wpis ma datę jesienną. Schon Ewelina, biuralistka, 31 lat, z Sienkiewicza 3, spędziła w Otwocku trzy miesiące 1940 roku.

287

DELA

W końcu 1942 roku nie było w Otwocku żadnego zarejstrowanego pensjonatu. Notatka tej treści z podpisem burmistrza leży na ostatniej karcie księgi meldunkowej. Nie wiadomo, jakie były losy domu Cetlina od chwili, gdy załadowano ich do wagonów, do momentu, gdy pani Czaplicka otworzyła tam swój pensjonat.

Chcę wiedzieć, jak to było. Nie wiem. Wiem, że nie miała szczęścia.

Nie miała szczęścia? Grzeszę. A więc miała szczęście. Miała szczęście, bo nie widziała, jak biorą jej rodziców, jak duszą ich i palą, jak biją i męczą, nie widziała, jak giną jej siostry, jak odbierają im dzieci, nie straciła mężczyzny, nie musiała radzić sobie z nieodwracalnością jego nieobecności, żywiła się nadzieją. Ocalała. Nie znalazła się w Treblince ani w Oświęcimiu, nie skakała z okien płonącego getta, szła po pietruszkę na targ, kupowała marchew i cebulę, bób młody łuskany, brukiew w pęczkach na wagę, buraki, fasolę i czosnek, dużo jarzyn, pomocnych w rekonwalescencji, dźwigała kilogramy ziemniaków i kapusty, każdego dnia albo tylko w dni targowe, a potem szła z wypchanymi siatkami i torbą, pomidory, pory, rzodkiew, rabarbar. Ciężko jej było, przystawała pod sosnami. Lubiła kolory miodu i szyszek, żołędzi i grzybów. Chciałabym, żeby lubiła.

Dużo czasu spędzała w kuchni. Ściany w kolorze jasnoperłowym. Siatki w oknach. Nie gotowała co prawda, ale dozorowała żywienie, pilnowała dostaw kumysu, kobylego mleka i wody mineralnej, stosowanej w wielu schorzeniach, przynosiła z targu zakupy, worki produktów, mąka, cukier, ryż — przez lata wojny nie widziała tyle. Los z niej szydził. Miała dostęp do kilogramów jedzenia i nie mogła się nim dzielić. Z matką i ojcem, z proszącymi o skórkę od chleba siostrami, z dziećmi, które nie pamiętały, jak wyglądają porzeczki i czereśnie. Brała do ręki każde jabłko i każdą gruszkę, to dla Halinki, to dla Henrysia, utrze mu z cukrem, dla Izia maliny ze śmietaną, Adasiowi usmaży śliwkowe powidła, Marysiowi upiecze szarlotkę. Czy ich jeszcze zobaczy? Kiedy Halinka jadła ulubione kosztele? Czy kwitną sady w Treblince i kto tam zbiera owoce?

Po tylu latach lęku przestała się bać. Wiedziała, że musi ocaleć dla małej. Wiedziała, że musi walczyć, bo nie ma nikogo, kto walczyłby za nią. Nie miała innego celu. Wszystko podporządkowała temu jednemu. Żyć.

Fildekosowe pończochy były podobno różowe, ten szczegół również pojawił się późno, tak mi się zdaje, bo nie jest możliwe, żebym go przeoczyła. Fildekos, zabawne słowo, w brzmieniu i fakturze rodem z rewii, a to tylko przędza kręcona z bawełny, używana do wyrobów dziewiarskich. Po francusku *fil d'Écosse*. Mogą być fildekosowe majtki albo fildekosowe pończochy, określane przymiotnikiem „porządne" już w końcu XIX stulecia. A więc przywiozła fildekosowe pończochy. Dziewczynki na koloniach nosiły je na zmianę, kiedy szły do Garwolina po zakupy. Przywiozła też inne ciepłe rzeczy, bo skończyło się lato, a Halinka, jak inni, przyjechała do Borowia jedynie na kilka tygodni.

Niemcy opuścili Otwock w nocy z 27 na 28 lipca 1944 roku. Rankiem do miasta wkroczyły oddziały Armii Czerwonej.

19 września wydano jej nowy dokument, już po polsku, ale nadal na to samo fałszywe aryjskie nazwisko. Legitymacja z fotografią, zaświadczająca, że jest pracownikiem Rady Narodowej miasta Otwocka. Rady Narodowej. To już była nowa terminologia. Może ktoś sobie przypomniał, że prowadziła ochronkę dla dzieci albo kierowała punktem pomocy PCK, rozdawała żywność czy ubrania. Chodziło o zaopatrzenie. A jeśli tak właśnie było, czy nadal mieszkała u pani Czaplickiej?

Nie wiem. **289**

Wczesną jesienią 1944 roku Otwock systematycznie ostrzeliwano zza Wisły. W wykrwawionej, wypalonej Warszawie dogorywało powstanie. Niemiecka artyleria atakowała co pół godziny, czterdzieści minut, przerwa, i znowu, przerwa, i znowu. Celowano w miejsca, gdzie było najwięcej ludzi, w stację kolejową, w bazar w dzień targowy. Niemiec strzelał, Pan Bóg kule nosił. Jeśli jeszcze ktoś wierzył w jego istnienie. Pocisk rozpryskiwał się na kawałki, trafiał od razu albo rykoszetem. Tak mogło być z Delą. Otoczona ludźmi, targ, panika, rozpierzchają się na boki, świst pocisku, padają na ziemię. Ból. Czy mogła iść dalej, czy zabrano ją z ulicy, i dokąd? Największe sanatoria zamieniono na szpitale.

Powiedziano mi wcześniej, już nie pamiętam, kto mi powiedział, że tego jesiennego dnia w 1944 roku biegła po Pradze, po lewobrzeżnej części Warszawy już wolnej, od niedawna, od niemieckich bombardowań. Kogo szukała na Pradze? Czy już zdążyła dotrzeć do siedziby Żydowskiego Komitetu i pytała o swoich? Moja mama długo podawała wersję, wedle której jej matka zginęła w czasie powstania warszawskiego od niemieckiej kuli. Dziś wiem, że prawdziwsza jest inna relacja. Pocisk trafił ją w Otwocku, też nad Wisłą, też na wolnym od Niemców terenie. Może szła na targ, może rozdzielała ubrania albo jedzenie. Może.

Jesień, jesień 1944 roku. Moja babka, Dela, Zofia Zmiałowska, dokumenty bez zarzutu, przeżyła wojnę.
Prawie przeżyła. Udało się przez tyle lat. Samej, samej z dzieckiem. Klęska Warszawy w 1939 roku, droga do getta, przeprowadzki w getcie, decyzja ucieczki, ucieczka, wyjście poza mur, tułaczka na aryjskich papierach, z miejsca na miejsce, sama i z dzieckiem, i te kluski dla męża w oflagu i myśl, że inni zaginęli, zniknęli, zostali zabici, płonące getto, które widziała z okien kolejnej kryjówki, miasto i wieś, brak listów z domu, nie było już domu, matki, ojca, sióstr, brata, ona trwała z dzieckiem, była, jeszcze była, w Łochowie, na Żoliborzu, w Otwocku, w Wildze. Była. I kiedy wszystko już miało się ku końcowi, kiedy się skończyło, kiedy trzeba było pracować, bo co będzie bez pracy, musiała zostać w Otwocku, trzymać się pani Czaplickiej, trzymać się życia. Wtedy właśnie dosięgnął ją pocisk Gruba Berta, nazywany też „krową". Nie zabił jej głód ani mur, ani blokady w getcie, nie zdradził wygląd ani spojrzenie, ani dziecko z czarnymi warkoczami, nie zawiedli ludzie, trafiła ją Gruba Berta.
Nazwa pochodzi od imienia kobiety, Berty Krupp, zarządzającej niemieckimi zakładami zbrojeniowymi. Francuzi w czasie pierwszej wojny światowej nazwali Grubą Bertą niemieckie działo wielkiego kalibru. Trafiało na odległość kilkunastu kilometrów. Od mostu na Wiśle do Otwocka jest niewiele ponad dwadzieścia. Ale „Berta" to nie to samo co „krowa", a „krowa" w terminologii drugiej wojny światowej to mio-

290

tacz min. Kiedy „krowy" ryczały i biły granatniki, najbezpieczniej było w schronach.

Uciekała, uciekała jak inni, słysząc nadlatujący pocisk. Może nie powinna była uciekać? Musiała. Trafił ją w nogę. Gdzie w nogę, w udo czy w łydkę, i w którą? Jak to się stało, że doszło do amputacji, i gdzie odbył się zabieg? Jeśli w szpitalu, dlaczego tak się skończyło? Brakowało środków znieczulających i opatrunkowych, krojono bez tego? Czy wdało się zakażenie? Czy nie wytrzymało serce? Moja mama mówi dziś: „Serce jej pękło". Już prawie wygrała tę grę.

Noga, kawał mięsa, poranione, polepione, zabliźnione mięso. Noga jest potrzebna, żeby stać, chodzić, żyć, bez nogi trudno się poruszać. Poszarpana odłamkiem pocisku, zszyta noga może dalej służyć, można biegać, skakać, nosić modne pantofelki. Moja babka straciła kawałek nogi. Czego jej zabrakło, aby przeżyła? Czasu, lekarza, rodziny, ratunku? Umarła sama, ci, którzy przy tym byli, nie wiedzieli, kim jest naprawdę. Nie znali imienia jej męża ani jej imienia. Nie wiedzieli o dziecku, o lęku, o konieczności ukrywania się. Jakie były jej ostatnie słowa?

Nie wiem, kto był przy jej śmierci. Chciałabym, żeby ktoś był, ktoś bliski, ktoś, kogo mogłaby trzymać za rękę, żeby bolało mniej. Nie miała nikogo takiego. Wiem, że nie miała, bo przecież szukałby jakoś z nami kontaktu, żeby opowiedzieć, przekazać cokolwiek, jak to się stało. To wszystko powinnam wiedzieć, ale już nikt mi nie powie.

Pochowano ją na katolickim cmentarzu w Otwocku, nikomu nie **291** przyszło do głowy inaczej. Leżała pod świerkiem, który z czasem zasłonił jej nieprawdziwe nazwisko i krzyż przy „świętej pamięci". Przez wszystkie powojenne lata Samuel Przedborski nie przeniósł swojej żydowskiej żony na inny cmentarz. Nie zmienił tabliczki na jej grobie. I ja odwiedzam dziś moją babkę na katolickim cmentarzu. Tam noszę jej kwiaty i tam palę świece.

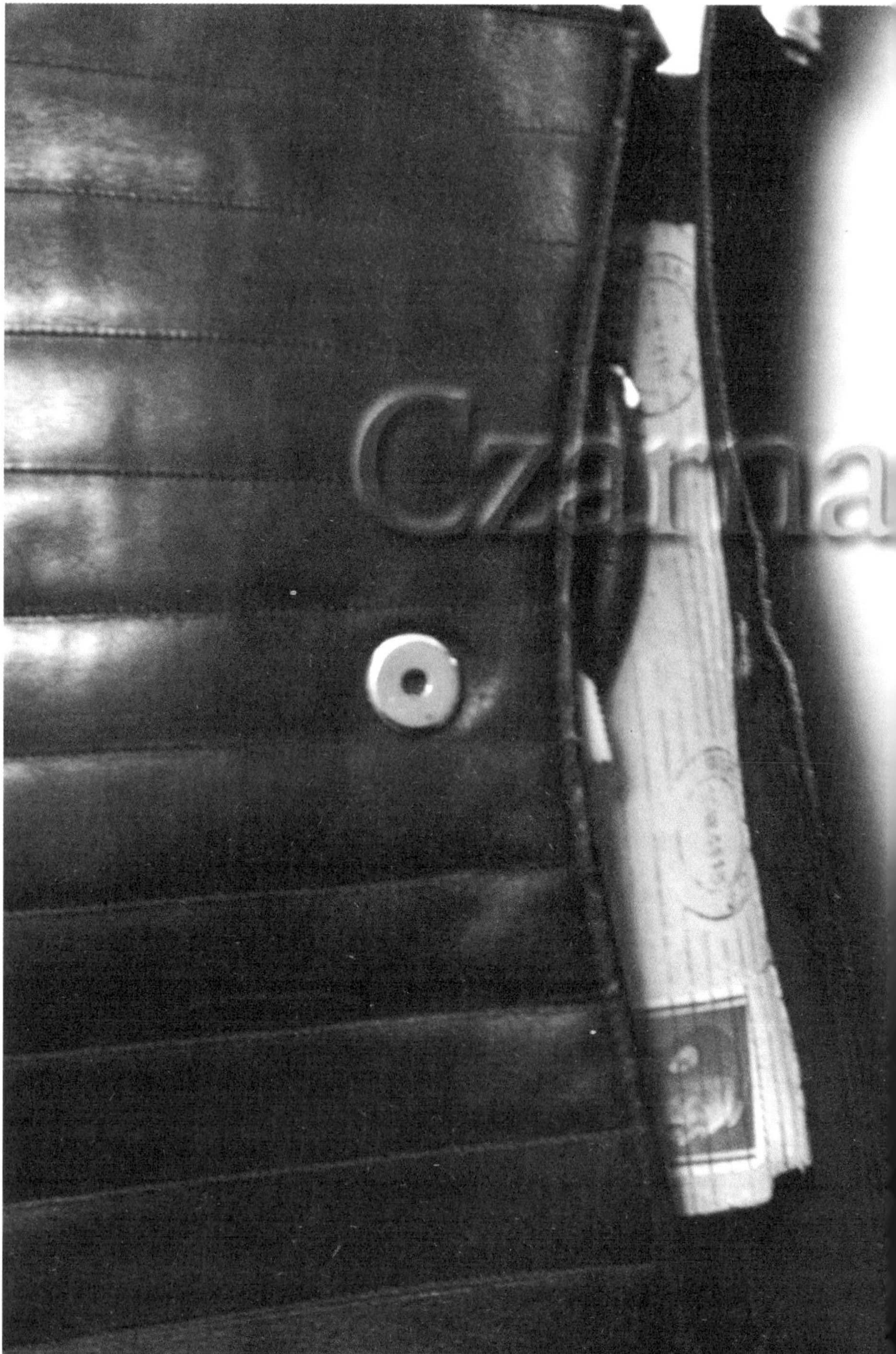
Czarna

torebka

Torebkę Zofii Zmiałowskiej z zawartością oddano jej mężowi zimą 1945 roku w parafii kościoła w Otwocku.

Kiedy dorosłam, mama przekazała mi czarną torebkę. Spadek po mojej nieznajomej babce. Wszystko, co o niej wiem, wszystko, co mam. Jej życie, jej serce.

Torebka. Niewielka, mieści się niemal cała w mojej otwartej dłoni. Wkładam pod pachę, przymierzam. Skórzana czarna torebka. Nadawałaby się na bal. Stebnowana pionowo, z maleńkim kołnierzem, zakładką, gdzie pod spodem było zapięcie. Został tylko fragment zatrzasku. Na górze sztywny rulonik zakończony dwiema spiczastymi gałkami z białego metalu. Wyglądają jak srebrne. Z tyłu rodzaj małej rączki, pasek skóry idący na skos. Nie wiem, czy kiedykolwiek noszono ją w ten sposób. Wklęsłość górnej części idealnie wpasowuje się pod pachę. Niewielka torebka.

293

Nosiła ją na co dzień przez całą okupację. Nie wiem, czy z powodu elegancji, czy dlatego, że nic innego nie miała. Nie wiem, jak to się stało, że torebka nie zginęła i wróciła do nas. Wiem, że wróciła po to, bym ją mogła odczytać.

DELA

Wewnątrz torebka jest większa, niż się to wydaje na pierwszy rzut oka. Można w niej zmieścić cały podręczny świat. Daje się czytać wielokrotnie. W otwartych przegrodach i ukrytych kieszeniach. Boczny pas skóry podwójnie się rozkłada, tworząc dodatkowy schowek. Dela wiedziała, że w każdej chwili musi być gotowa na konfrontację.

Nie znałam tej historii, wojennego losu pozbawiającego kolejnych praw — pracy, pożywienia, wolności, nadziei. W torebce Deli, którą w końcu dostałam, nie ma żadnych śladów naznaczenia, żółtej gwiazdy, getta ani lęku. Nic podejrzanego. Nic, co mogłoby zdradzić moją babkę. Ani jednego żydowskiego słowa, modlitwy, zdjęcia. Ani śladu rodzinnej Łęczycy, czulentu, świateł szabatu. Nikogo, kto był jej bliski. Wtedy i później.

Na widocznym miejscu w swojej jedynej wojennej torebce moja babka trzymała święty obrazek w sepii, z ozdobnie powycinanymi brzegami. Przedstawia bosego pasterza, Jezusa w białej szacie. W aureoli światła puka do drewnianych drzwi. Jasność otaczająca jego postać rozświetla mroczne tło. Jak go znalazła? Może weszła do kościoła, sama, jeszcze w Łęczycy i kupiła go w zakrystii? Ale w mieście wszyscy ją znali, to raczej mało prawdopodobne, żeby córka Goldsteina z Przedrynku, co sobotę towarzysząca rodzicom w bóżnicy, zdecydowała się na podobny krok. Poza tym wtedy jeszcze nie zdawała sobie sprawy, że rekwizyt spod znaku krzyża mógłby się jej przydać. W getcie na początku też nie przyjmowała do wiadomości, co im grozi. Wierzyła. Pozwalała sobie wierzyć. W co? W czyjego Boga? A może w człowieka?

294   Dopiero po kolejnej obławie, kiedy chowała dzieci — swoje, swojej siostry i szwagierki — do kosza z brudną bielizną i truchlała ze strachu, że się uduszą lub że wytropią je psy, duże niemieckie owczarki, nie wiedziała, która śmierć była gorsza, dopiero wtedy zrozumiała, że trzeba uciekać. Uciekać stamtąd. Za wszelką cenę znaleźć się po drugiej stronie muru.

Więc może dostała obrazek od szwagra, który zorganizował jej ucieczkę z getta, przejście przez budynek sądów na aryjską stronę, a potem jeszcze kilkakrotnie przychodził z pomocą, kiedy szantażowali ją szmalcownicy, kiedy nie miała dokąd pójść? Polski szwagier był zaradny i przewidujący, starał się też ratować innych. Mógł powiedzieć, jak się zachować, by nie zwracać na siebie uwagi, jak odmawiać pacierz, żegnać się szerokim gestem z lewa na prawo i „na wieki wieków amen" ze złożonymi dłońmi. Zapewne to on wyposażył ją w odpowiednie papiery.

Tuż obok duży złożony na dwoje dokument — świadectwo chrztu. W razie ostatecznej konfrontacji mogło się okazać najważniejszym dowodem niewinności. Najlepsze były autentyczne papiery uzyskiwane w parafiach, zwykle na nazwiska osób nieobecnych lub zmarłych — pod warunkiem że ich akt zgonu znajdował się gdzie indziej. Księża często wydawali papiery, nie pytając o cel.

Zaopatrywano się w fałszywe dokumenty na różne sposoby. Załatwiali je polscy przyjaciele, przedstawiciele podziemia albo najczęściej liczni sowicie wynagradzani pośrednicy. Płacono za nie niekiedy wygórowane sumy, aż do 500 dolarów w 1943 roku, podczas likwidacji gett na terenie Polski. Dolar skoczył wówczas w ciągu kilku miesięcy ze stu na trzysta sześćdziesiąt złotych, a wraz z nim ceny żywności.

W Archiwum Ringelbluma zachowało się następujące ogłoszenie: „Fabrykuje fałszywe papiery, świetnie podrabia pieczątki, z zawodu drukarz, każdy dokument 3000 zł". Sto złotych stanowiło równowartość ponad trzech kilogramów białej mąki, czterech kilo kaszy perłowej, półtora kilo cukru. Cena kury plus bochenka chleba, cena damskich butów i dziewięciu litrów nafty. Robotnik zarabiał do trzystu złotych, udawało się za to żyć miesiąc, a nawet dwa.

Kenkarta, czyli dowód tożsamości i zaświadczenie o zatrudnieniu, kosztowała kilkakrotnie więcej niż metryka.

295

Testimonium nativitatis et baptismi. Ksiądz Józef Rzeczkowski ze Stanisławowa wystawił w lutym 1942 roku autentyczną metrykę — zaświadczenie urodzin i chrztu. Po łacinie. Wydane w Stanislaopolis. Zapewne nie wiedział dla kogo.

Nazywała się teraz Zofia Zmiałowska, córka Hipolita, syna Mieczysława i Zuzanny Rymarkiewicz, i Agnieszki Hożelskiej, córki Józefa i Wiktorii Mękickiej. Urodziła się 10 kwietnia 1902 roku w Stanisławowie.

Stanisławów? Galicja, wschodnie kresy, Ukraina. Na południowy wschód (nie wolno się pomylić, na mapie to jest w dół i na prawo) od Lwowa, stolica województwa stanisławowskiego. Miasto założone przez Potockich, stąd ich wspaniały XVII-wieczny zamek. Może o zamku należałoby wiedzieć coś więcej? W jego pobliżu miała się przecież wychować... Pobliską Kołomyję i Drohobycz z pamięci wymazać. Zbyt wielu mieszkańców wyznania mojżeszowego. Pasmo lesistych Karpat.

Jak starała się zapamiętać, ułożyć w sobie i dla siebie tę nową skórę? Jedynie rok urodzin był autentyczny, wszystko inne trzeba było od nowa wypełnić sobą. Nie wolno się pomylić. Nawet w nocy. Córka Hipolita. Hipolit mógł reperować buty albo pracować w cyrku. Zelował obcasy albo chodził po linie. Ale cyrk zamknięto, takie czasy, zwierzęta zjedzono. Więc lepiej, żeby był szewcem, łatwiej byłoby mu zarobić, ludzie muszą chodzić. Agnieszka, jego żona, jej matka, krawcowa, szyła w domu. Chorowita była.

Musiała oswoić w sobie tę historię. Na jawie. Bo we śnie ciągle jeszcze miała dwie pary rodziców. Tata Szloma posiwiał i skurczył się. W wytartym chałacie siedział na niskim stołeczku w składzie węgla. Kiwając się miarowo w przód i do tyłu, mówił coś do gołębi. Była przerażona, bo mówił po żydowsku i wyglądał źle. Pokazywała mu na migi, żeby przestał, przykładała palec do ust. A wtedy mama, jej mama Chana, nagle ją zauważyła: „Dela", zawołała, „Dela", wyciągnęła ręce. „Mama?" Chciała biec do niej i słyszała własne słowa: „Ja się teraz nazywam Zofia, mamusiu, i mam inną mamę".

Wszystko zagłuszyła zaraz cyrkowa muzyka. Nowi rodzice w jaskrawych kostiumach wbiegli na arenę. Oklaski. Kłaniają się i przygotowują do swego popisowego numeru. Biczem, służącym zwykle do poganiania koni, zaczynają rozpryskiwać wodę święconą z dużego wiadra. „Niech będzie pochwalony, Spiritus sancti, z Bogiem..." Święcą wszystko, co jest nieczyste. Wszystko, co nie ich własne. Wszystko, co śmierdzi Żydem. Krople wody dotykają taty i mamy. Tata znika pierwszy. Znikają gołębie. I ona znika. To nie boli.

Podporucznik inżynier Przedborski Szymon nr 49178. Barak 12a Woldenberg 2. Offizierlager. Odkryte kartki pocztowe od męża z niemieckimi stemplami Kriegsgefangenenpost ułożyła w talię. Pierwsza ma datę 27 stycznia 1940 roku, ostatnia 3 lipca 1944. Kilka po niemiecku. Tak w formie, jak i w treści przypominały opisy rysunków technicznych. Monotonne spiczaste pismo, konkretne, silnie stojące na ziemi i na papierze. Pisał na różne nazwiska i różne adresy. Zwracał się do swojej żony per „Szanowna pani" lub „Szanowny panie". Informował o zdrowiu, pogodzie, pytał o pieniądze, czy dotarły. „U mnie wszystko w porządku", meldował niezmiennie. Niewiele da się wyczytać między wierszami.

Właściwie jest mi przykro, że pisał do niej w ten sposób. Nie tłumaczy go ani cenzura, ani przygnębienie upływających miesięcy i lat spędzonych w bezruchu zamkniętej przestrzeni. Myślę, że nie tłumaczy. Rozumiem środki ostrożności i konieczność zmylenia śladów. Ale i Polacy kochali się podczas wojny, czułość nie była ścigana, troski nie karano.

Minęli się na stacji kolejowej w Koluszkach 30 sierpnia 1939 roku. Podporucznik Przedborski jechał do swojej jednostki, Dela, z domu w Łęczycy, do Warszawy. Nie zdołali się pożegnać. Przez pięć najbliższych lat musiała znajdować oparcie jedynie w sobie. Nie towarzyszył jej ani w drodze za mur, ani w jego przekraczaniu, nie było go, gdy inni pomagali i kiedy odmawiali pomocy. Wszystkie najważniejsze decyzje podejmowała sama. W jakim stopniu jego nieobecność wyznaczała jej okupacyjny los?

Droga, Kochana,
Dziękuję za przesyłkę. Pachnie domem i Twoimi rękami. Ma ten zapach jedyny, za którym tęsknię każdego dnia i każdej nocy. Szczególnie w nocy. Szukam go bezskutecznie dokoła. To Twój zapach, kochana. Pamiętasz to miejsce nad Bzurą, gdzie siadywaliśmy popołudniami, kiedy przyjeżdżałem z Politechniki do domu na lato? Tam wszystko było pierwsze. Nasze. Jedyne. Rozmawiam z Tobą nocami, kiedy nikt nie słyszy.

Na taki list czekała. Takiego listu nigdy do niej nie napisał. Urodzinowe życzenia składał regularnie 2 czerwca.

Z dużej płachty znaczków pocztowych zostały jej dwa. Oba przedstawiają portret Adolfa Hitlera na czerwonym tle. 24 Deutsches Reich. Najlepszy dowód, że nie ma nic wspólnego z gettem. Znaczków „z podobizną" zabroniono używać w Dzielnicy. Wolno było posyłać tylko takie, które posiadają „wizerunek jakiegoś gmachu lub krajobrazu".

Maleńki kalendarzyk terminowy na rok 1941, z odpadającą okładką koloru przybrudzonej pomarańczy. Notatki różnymi kolorami ołówków i piórem, zamazywane często, jakby po załatwieniu sprawy. Adres na Śliskiej pod 15, na Pańskiej 69/5, na Dzielnej 67. Adresy znaczące pomoc, ratunek, życie albo tylko kolejne etapy drogi. Dziś nic nie mówią, niczemu nie odpowiadają, wydają się niewarte zapisania. Nie chcę się zgodzić na ich anonimową bezużyteczność.

Po drugiej stronie adres doktora Rosentala w Istambule. Skąd? Dlaczego? Adres w Bronksie w Nowym Jorku? I telefony rodziny i przyjaciół, głównie na Żoliborzu. Wszystko ostrożnie szyfrowane. Długie kolumny podliczanych liczb. Rachunki za paczki wysyłane do Łęczycy wiosną 1942 roku. Notatki o słoninie. Zapisała pantofle letnie na Madalińskiego, spotkanie w kawiarence z G. Kolejny etap wojennego tranzytu. Nazwisko Janiny Kowalik, panny służącej z IV Kolonii na Krasińskiego. Ważna postać. To u niej za firanką ukrywała się z Halinką po wyjściu z getta, przez nią otrzymywała też pieniądze od męża z niewoli. Kilka kwitów — dowodów wpłat z zapisem miesięcy. Sumy od 500 do 1800 złotych.

Skomplikowana siatka osób zaangażowanych w przekazywanie pieniędzy. Kto, komu i za co płacił? Płacili Żydzi Polakom. Płacili za swoje życie i za odwagę tamtych. Płacili obcym i krewnym.

Zginęły siostry mojej babki i jej brat, malarz pokojowy, jedyny, który nie chciał się uczyć. Zginęli ich rodzice, wujowie, kuzyni. W nieodległym od Łęczycy Chełmnie lub w Treblince. Nie mają grobów. Zginęli ci z oficyny i ci z mieszkania od frontu. Tylko Henryk zdążył przed wojną zasnąć w swoim łóżku. Zginęli jego bracia i szwagierki. Zginęła ich matka, Salomea Herman, głowa rodu wywodzącego się z kohenów, świętych.

Żadnych śladów w torebce. O ich śmierci. O ich istnieniu.

Ci, którzy byli w drodze, nie mieli pod ręką śpiewników i książek. A chciało się pamiętać patriotyczne wiersze i piosenki. Powtarzanie słów, które znali inni, pokrzepiało, podtrzymywało ducha oporu. Wspólne piosenki wyznaczały kręgi przynależności, stały się znakami rozpoznawczymi Polski patriotycznej, walczącej. Na wyrwanej z zeszytu kartce papieru w kratkę kopiowym niebieskim ołówkiem moja babka przepisała piosenkę o zakochanym sercu i żołnierzu. Zlitował się nad nim i zabrał ze sobą do plecaka. Wojna nie była mu już straszna, bo miał w zapasie drugie serce. „Tę piosenkę, tę jedyną, śpiewam dla ciebie, dziewczyno..." Popularna polska żołnierska melodia. Czy i jej musiała się uczyć od nowa? Pewnie tak. Jakie sama znała piosenki? Jakie powtarzała z siostrami nad rzeką? Jakie modlitwy?

Przed wojną uczyła dzieci czytać i pisać. Po polsku. W żydowskiej szkole w Łęczycy. Mówiła o przyrodzie i przyjaźni, omawiała *Serce* Amicisa i lepiła figurki z plasteliny. W warszawskim getcie także prowadziła komplety. W pomarańczowej kenkarcie na nazwisko Zofii Zmiałowskiej, w rubryce zawód, wpisano: ekspedient. Karta pracy nosiła datę: lipiec 1942. Czekała na nią po aryjskiej stronie. Nigdy w sklepie nie pracowała. Nie miała handlowej głowy. Liczyła z poślinionym ołówkiem w ręku, kilkakrotnie sprawdzając wynik. Pięknie recytowała wiersze Tuwima i Pawlikowskiej-Jasnorzewskiej.

Nie umiała gotować. Stąd w torebce tak wiele przepisów na desery. Pod koniec wojny zajmowała się układaniem jadłospisów. Kwartę przebranych poziomek udusić z łyżką masła, przetrzeć przez sito i ostudzić. Teraz sama rozwiązywała rebusy kuchni i piekarnika. Desery z poziomek i wiśni, ciasta piaskowe i drożdżowe, cielęcina i pierożki z kapustą. Uczyła się ich na pamięć, jak piosenek żołnierskich („Z młodej piersi się wyrwało, w wielkim bólu i rozterce i za wojskiem poleciało zakochane czyjeś serce...") i imion rodziców ze świadectwa chrztu świętego.

O jej lęku nigdy nie myślałam. Jej lęk mnie nie dotknął, nie bolał. Przez nikogo nigdy nie został wyartykułowany. Jeśli jest we mnie, to jako ta, która walczy, działa, biegnie. Biegnie przez ulicę, nie bacząc na niebezpieczeństwo. Biegnie aż... Ale przecież musiała się bać. Opaski

299

z gwiazdą Dawida, głodu, pociągów odjeżdżających z Umschlagplatz. Jeśli nie o siebie, bała się o innych.

Historię leguminy chlebowej zapisała na niewielkiej kartce w kratkę atramentem w kolorze dojrzałego nieba.

Ususzyć razowego chleba, utłuc i przesiać. Wziąć tego cztery łyżki stołowe, duże łyżki od świątecznego kompletu, nie żałować. Z kredensu wyjąć cukier, muszą być jeszcze zapasy cukru. Kubek cały wsypać do misy. Cukier był kiedyś biały, pamiętam, więc powstają biało-brunatne stogi. Dodać siedem żółtek. Kury ciągle znoszą jajka. Siedem żółtek, jedno po drugim, siedem otwartych skorupek. Nie pamiętam, kiedy ostatni raz widziałam tyle jajek. Z białek ubić pianę. Ubijać. A w moździerzu goździki, jak do pierników domowych, kiedy siadaliśmy przy okrągłym stole do kolacji. A jeszcze smak rumowy i smak cytrynowy, skórka z cytryny wybiela ręce, cukier waniliowy. Mieszaj, mieszaj wszystko razem. I jeszcze łyżka klarowanego masła. Dodaj ostrożnie pianę z białek, żeby nie opadła. Wlej w rondel wysmarowany masłem. Wstaw do pieca. Na kwadrans.

Pospieszny rytm liter kładzionych na papierze. Ściągnięte słowa, ale wyraźne. Nic nie wiem o barwie jej głosu.

Jej córka, moja mama, go znała. Pamięta, nigdy nie zapomni, ale nie potrafi opowiedzieć. Pamięta jej głos, ciepło i swoją pewność, że przy matce nic jej się nie może stać. Mama była z nią zawsze i zawsze po nią wracała. Do każdego mieszkania za murami, do każdej piwnicy, do ludzi, do pań i panów, którzy stale się zmieniali. Z mamą siedziała w pustym pokoju naprzeciw płonącego getta. Po raz pierwszy nie chowała się za firanką. Z okna na trzecim piętrze widziała wszystko. Obok na stole gorący rosół z makaronem, który życzliwa sąsiadka przyniosła im chwilę przedtem. Para z dwóch dymiących talerzy powoli zasnuwała szybę. Dela nie płakała.

Pensjonat pani Czaplickiej, Otwock — podkreślone — ul. Piłsudskiego 17 dla pani Zmiałowskiej. Znaczek ciemnoczerwony z portretem Hitlera,

24 Deutsches Reich Generalgouvernement. Pieczęcie pocztowe okrągłe. Lato 1944 roku. Koperty, niegdyś niebieskie, teraz spłowiałe szarożółte, jak znoszony płaszcz, miękkie od dotyku rąk i czasu. Zaadresowane ołówkiem, dziecinnym charakterem pisma. Moja trzynastoletnia mama nazywała się wtedy Alisia Szwejlisówna i nosiła czarne warkocze z granatowymi kokardami.

Pisała zaraz po przyjeździe do wyjątkowo dobrych, choć obcych ludzi. Pisała, że wszystko u niej w porządku i że bawi się z małą, młodszą od siebie o dwa lata Hanią, sierotą, mieszkającą u babci. Pisała, że byli już w cukierni z wujkiem Hani i na przedstawieniu w teatrzyku dla dzieci, które było śliczne. Wczoraj brały udział w południowej mszy w kościele, a na procesję pójdą dopiero jutro, bo dziś padał deszcz. Dom z ogrodem porównywała do innego, znanego im pewnie, u państwa Stanisławów. Tylko tutaj ogród większy, a całe mieszkanie eleganckie, jak pudełeczko. Ani śladu pyłku lub kurzu.

Nie przypuszczała, że u obcych ludzi może jej być tak dobrze. Nie podawała adresu, bo za kilka dni miała jechać dalej.

Tydzień później na połówce kartki wyrwanej z zeszytu w linię wspominała Relin. Próbowała przypomnieć sobie tamte łąki i kwiaty. „Ręczę — pisała — że wszystkie kury gubią jajka". Prosiła, by pozdrowić tatusia.

Ile razy zmieniała domy i mieszkania, Hanusie, Zosie, Janki, Stasie, babcie, ciocie, wujenki. Nauczyła się czekać. Nauczyła się nie skarżyć. Czasem jej się zdawało, że szmaciana lalka, nie własna, też pożyczona, jak wszystko, jest jej małą córką. „Nie bój się, nie bój się", powtarzała, a tamta trzęsła się i płakała. Obiecała jej, że kiedy skończy się wojna, nigdy już nie będzie musiała się bać. Na imieniny w 1944 roku dostała pamiętnik. Zawieruszył się gdzieś, jak pierścionek, który okazał się za mały.

Siódmego lipca była poważna. I naprawdę zaniepokojona brakiem wiadomości od matki. Używała dorosłych słów i powtarzała kilka ortograficznych błędów, najczęściej „otórz" i „odrzywiam się". Są wakacje, więc nie uczy się wiele. Powtarza francuskie słówka. Tym samym ołówkiem na podobnym pożółkłym dziś papierze donosiła, że urosła i utyła. Głowę ma już czystą, bo babcia całe świństwo wyniszczyła zaraz sabadylą. Co to takiego sabadyla? Ona wiedziała, wojenne dzieci musiały wiedzieć. Sprawdziłam w słownikach, bo przecież i mnie mogło się to zdarzyć. Czy wtedy wyglądałabym jak ona, czy jak ja?

Poprawnie powinno brzmieć: „sabadyl", rodzaj męski – kichawiec, taka roślina. Ekstraktu z nasion kichawca z dodatkiem wody i alkoholu używano zewnętrznie przeciw wszawicy.

Rzadko dostawała listy. Ostatni 11 lipca 1944 roku.

Niedługo później Halinka pojechała do Wilgi koło Garwolina na kolonie dla sierot, organizowane przez WSM, tę samą spółdzielnię, która pomagała rodzinom swoich przedwojennych pracowników. Została dłużej, kilka miesięcy, bo w Warszawie wybuchło powstanie.

Koleżanki zazdrościły jej, że może korespondować z mamą. „One już pewno nigdy nie zobaczą rodziców", stwierdzała w liście. Opowiadała jej, że uczy się najlepiej z całej klasy i pomaga starszej Lili. Że sweter bardzo ciepły, a majtki aż pieką. Stanik też akurat. Powiedziała opiekunce, że go oddała, więc teraz musi przed nią ukrywać. Stanik. Nosiła stanik. Czekolada jest pyszna.

„Najukochańsza Matusiu...", pisała. Pisała, że jest zdrowa i czuje się dobrze, co przecież jest najważniejsze.

A Dela układała jadłospisy.

Dela odwiedziła Halinkę w końcu sierpnia. Z Otwocka do Wilgi częściowo szła, częściowo podjeżdżała wojskowymi autami. Lewy brzeg Wisły był już wolny. Przywiozła jej ciepłe pończochy i bieliznę. Musiała wracać do pracy, obiecała odebrać ją najszybciej, jak to będzie możliwe.

Pięć dni później Halinka opowiadała jej w liście o rozdawaniu ciepłych rzeczy – flanelowych koszul nocnych (ja nie dostałam, bo mam swoją), sukienek (dostały te, które nie miały, ja mam tę różową), pończoch (także nie dostałam, bo tyś mi przywiozła). Ale poradziła sobie inaczej. Zamieniła te małe prążkowane pończochy na takie, jakie dostały dziewczynki — brązowe, fildekosowe, sięgające aż do pachwin. Będzie teraz miała na zmianę. Dostała też duży ciepły szlafrok. Sięgał jej do kostek. Zakładała go do śniadania i do kolacji. W szlafroku było cieplej. Wkrótce obiecano im dostarczyć płótno na paski do pończoch. Ubranie jest bardzo ważne. „Prawda?", upewniała się. I prosiła o list, o list, o list.

Matka milczała. Nie odpowiedziała na wiadomości od córki z 15 ani z 20 października. Minęła cała długa jesień bez znaku od niej. Minął październik, trzydzieści jeden dni, po dziewczynki zaczęli przyjeżdżać krewni. I listopad, trzydzieści, koleżanek było coraz mniej. Mijał świąteczny grudzień. Na pewno ustawiono dzieciom choinkę i śpiewano kolędy. Może pierwsze, jakie Halinka słyszała. Jak bardzo musiała się niepokoić. Rozpoczął się nowy 1945 rok, kończyła się wojna.

Koperta z zapiskami małej z października jest otwarta, choć Dela już tych listów nie przeczytała. Obok kawałek koronki na obszycie mankietów, niewielki kawałek, na wąskie nadgarstki. Lektura obowiązkowa mojej babki — Alina Gniewkowska, *Współczesna kuchnia domowa*, wydanie 4.

Torebka na aryjskich papierach. Słodka polskimi deserami, Jezusem Chrystusem, do którego wolno się było modlić, i miłością córeczki. Torebka drobnych i wielkich spraw, które trzymały ją przy życiu.

P O W T

ORKA

Na początku jest dziewczynka. Moja mama, która nie pamięta. Czasami robimy powtórkę, powtórkę pod tytułem – czego jest pewna.

Pewna jest opaski, białej opaski z niebieską gwiazdą Dawida, którą jej mama musiała nosić na prawym ramieniu. Nie jest pewna, czy na prawym. Opaska znaczyła, że jest się dorosłym. Moja mama obchodziła w getcie urodziny, na pewno raz, nie jest pewna, czy dwa razy, ale opaski nie założyła nigdy.

Nie miała lalki. I nie bawiła się w mur. Nie pamięta, żeby się bawiła. Choć na początku nie była w mieszkaniu sama, był Adaś i Marian, młodsi kuzyni, a potem mały Henryś i Izio. Maryś opowiadał o bogu, a właściwie o dwóch bogach. Słyszała, jak tłumaczył, że stali na ziemi, mieli wielkie buty i spodnie, i brody. Ten polski miał też twarz, a żydowski, lepszy, sięgał nieba. Żydowski to miał być ten nasz, ten właściwy.

Umiała opowiadać o zielonych drzewach, z igłami i bez. O lesie i szyszkach, nawet o morzu, gdzie była z rodzicami na wakacjach przed wojną. O molo w Sopocie, czyli takim miejscu do spacerowania na wodzie, jak drewniany most nad Chłodną. Zrobiono jej zdjęcie z kudłatym dużym misiem. Zginęło. Niewiele pamięta, ale podobno nauczyła się wtedy pływać.

Jest pewna, że pamięta łąki, były tuż za domem na Przedrynku, pełne żółtych jaskrów, maków, chabrów. Za łąką, z drugiej strony, była rzeka Bzura, ciotka zabierała ją czasem do parku, mama opowiadała, że chodzili tam z tatą, zanim się pobrali. Więc rzekę znała i łąkę, krowy i kozy, przed wojną kozy w Łęczycy były białe, skład dziadka Goldsteina czarny od węgla i białe gołębie z szarymi skrzydłami. W getcie wszystko wydawało się jakby przysypane popiołem.

W domu na święta zawsze był rosół. W getcie matka ciągle robiła makaron. A potem suszyła makaron. A potem pakowała w lniane woreczki. Makaron. Makaronu. O makaronie. Najwięcej wysyłała do ojca do obozu, resztę jadły same. „Nie chcę makaronu. Wije się jak wąż". Biegną ulicami ranne konie. „Nie chcę końskiej wątroby. Boję się jeść wnętrzności. Mamo".

„Uspokój się. Wolisz te rybki", jak one się nazywały, te małe, tanie, tak potwornie pachnące. Blondynki, szatynki, sztynki. „Wolisz te ryby?" „Nie, ale wolę makagigi".

Nauczyła się tego słowa i tego smaku w getcie. Nigdy potem i nigdy przedtem ich nie próbowała. Spieczone na kamień paluszki ulepione z maku lub czegoś podobnego do maku, mieszaniny maku, wytłoków maku z czymś słodkim. Z cukrem. „Nie z cukrem. Cukier w getcie? Co ty mówisz?" Ale smakowało słodko, słodko jak nic innego. Jadła powoli, żeby na dłużej starczyło.

W getcie, w okolicach jatki, zobaczyła po raz pierwszy w życiu harfiarkę. Nie była pewna, jak się nazywa ów złoty instrument, przypominający zaczarowaną łódź. Przystanęła na chwilę, choć miała przykazane, żeby nie zatrzymywać się w drodze z lekcji do domu. Kobieta wydawała się jej olbrzymką. W pąsowym kapeluszu z rozłożystym rondem i dużymi białymi rękami wyglądała jak egzotyczny ptak w tłumie postaci o matowych spojrzeniach.

307

Jest pewna, że nie bawiła się w mur.

Jest pewna, że skrzynki pocztowe w getcie były żółte.

Jest pewna, że Treblinkę zbudowano dla Żydów. Nie mogła sobie wyobrazić, że dla niej.

P O W T Ó R K A

Wiedziała, czym się różni „obława" od „obstawy".

Miała anemię. Potrafiła opisać bonę. Żywnościową bonę.

Nie wie, kiedy to wszystko znowu zapomni.

Kilkakrotnie zmieniali w getcie adresy. Żadnego nie pamięta. Długo razem, z babcią i jej mamą, z ciotkami, Bronką, Madzią, Libą, z dziećmi. Przenosili się z ulicy na ulicę, z piętra na piętro. Nie było czasu, żeby się przyzwyczaić, nie miała nic swojego. W każdej chwili należało być gotowym do drogi.

Jeszcze jedno mieszkanie, otwarte jak poprzednie, wybebeszone łakomymi rękami Niemców. Pootwierane szuflady komód i bieliźniarek, powyrywane drzwiczki kredensów i szaf, pomieszane, potratowane, podarte pokolenia fotografii, płaszczy, sukienek, spodni, serwet, obrusów, lichtarzy, talerzy, świec... Solniczki, czajniki, ręczniki, rachunki, guziki.

Na fotografiach, które leżały rozsypane na podłogach, dawniej pastowanych, miodowych lub dębowych, mieli czyste tałesy i długie odświętnie ułożone brody. Nigdy nie widziała tylu zdjęć i tylu religijnych Żydów. Dopiero w getcie. Ale tu Niemcy stawiali ich na beczkach i nożycami obcinali brody, zanosząc się od śmiechu. Kopali też i bili.

Pamięta oczy, dziesiątki, setki, tysiące patrzących na nią oczu. Z dołu do góry, z podeptanych zdjęć w sufity. Oczy, żywe oczy.

Słyszała, że z Umschlagplatz odjeżdżają pociągi pełne ludzi. Do pieców. Kiedy ma się dziesięć lat, trudno uwierzyć, że wymyślono piec, w którym cię spalą.

Kiedy po raz pierwszy usłyszała słowo „sądy" — w sądach, do sądów, przez sądy — kojarzyło jej się to z sądnym dniem, który Żydzi obchodzili w synagodze. Nawet ci asymilowani, tacy jak jej ojciec czy jego ojciec, nawet oni szli tego dnia się modlić. A więc dzień sądu, dzień kary.

Ktoś mógł pracować w sądzie, mieć w sądzie sprawę. Sprawę, czyli coś do załatwienia, bo chyba nie rozprawę. Rozprawę ma się, kiedy się zrobi coś złego, na przykład ukradnie. Na ulicach dzieci kradną chleb, wyrywają z rąk paczki, chapacze, małe głodne dzieci, i pochłaniają w jednej chwili, choć czasami to, co porwą, wcale nie jest jedzeniem. Wygląda jak ciastko albo bułka, a może być mydłem lub gąbką. Czy te dzieci mogą mieć sprawę? Kto sądzi o ich winie? Była pewna, że Niemcy, którzy mają teraz władzę nad wszystkim. Niemcy zamknęli nas w getcie, nikt już nie wierzy, że dla naszego dobra, ale ciągle każdy stara się pracować. Praca daje nam życie. Mamusia też pracuje i wujek, i drugi wujek kieruje stolarnią, tylko babcia Jecia nie chodzi do pracy i Babunia, i nie wiem, co się z nimi stanie.

Ostatnie mieszkanie było na Lesznie, prawie naprzeciwko sądów. Jest pewna, że budynek sądów miał cztery piętra, trzy jednakowe i najwyższe, z cofniętym gzymsem. Kiedy długo patrzyło się na ścianę, prostokąty cegieł przypominały kostki czekolady. Płytki, kawałki muru, słodkie. Nie pamiętała smaku czekolady. Usiłowała przypomnieć sobie te wszystkie kanapki z wędliną, które szykowała mama, a które ona wyrzucała ukradkiem do ubikacji. Jest pewna, że to, co ją spotkało, to kara. Jest pewna, że już nigdy nie wyrzuci nawet skórki od chleba.

Z okna widziała orła z koroną na głowie, polskiego orła, z którego nauczono ją być dumną. Odstawał trochę od muru, świecił bielą rozłożonych skrzydeł, jakby chciał gdzieś lecieć. Ptaki nie latają nad gettem, ten też skamieniał. Dzioba z daleka nie widać ani korony, ale wiedziała, że są, widziała wcześniej, przed wojną.

Otóż pewna jest wyjścia z getta przez sądy. Potężny gmach sądów na Lesznie pochłaniał wchodzące tam postaci, te z jednej i te z drugiej strony. Wydawał się anonimowy, jak każdy urząd, z jego mechanizmem wyższej konieczności. Plątanina korytarzy okazywała się labiryntem błogosławionym. Chciała wierzyć, że w brzuchu sądów było bezpiecznie. Dopiero za drzwiami światło zaczynało razić w oczy. Musiały nabierać szczególnego blasku. Po tym ich rozpoznawano.

Mama, ręka, buty znoszone, zapinane na klamerkę. Pod nogami zielona podłoga. Podłoga nie może być zielona. Linoleum. Zielono. Pod nogami było zielono. Nic więcej.

POWTÓRKA

Po latach przypomniała sobie schody. Wielkie schody, na które trudno jej było wejść, starała się bardzo, pociła ciągnięta za rękę, a one stale były i pojawiały się nowe. Odrastały kolejne. Schody jak w bajce o Kopciuszku, i jak w bajce wydawało się jej, że nie zdąży, że czar zaraz minie, że prawda wyjdzie na jaw, zapieje kur i wszyscy dowiedzą się, kim jest. Nie zgubiła bucika. Nie był zaczarowany. I wszyscy się dowiedzieli. Niedługo później.

Nie jest pewna, kiedy to wszystko się działo. Czy niedługo po pierwszej akcji w getcie, może w sierpniu 1942 roku, czy już podczas powstania w kwietniu roku następnego. Czasem się jej wydaje, że pamięta koszyczki z jajkami, jakie noszono po ulicach tuż przedtem czy niedługo potem. Ktoś jej wytłumaczył, że to święcone i że Chrystus zmartwychwstał. Wie na pewno, że wstał z grobu, bo się dopytywała, jak to było, nie wierzyła. Ale przecież mogła to usłyszeć kiedy indziej, może wówczas, gdy panie z Żoliborza uczyły ją pacierza i tłumaczyły, jak się zachowywać w kościele i przyjmować komunię. Nazywała się już wtedy Alisia i wiedziała, że są rzeczy, których nie wolno pamiętać.

Nie wolno pamiętać dziadka Jakuba, bo nosił jarmułkę i modlił się, kołysząc w przód i w tył. Nie wolno pamiętać dziadka Henryka, chociaż wyglądał jak szlachcic z podkręconymi wąsami i czytał tylko polskie książki. Nie wolno pamiętać taty, do którego mówiono przed wojną „panie inżynierze", ani mamy. Mamy, jak biegała dokoła okrągłego stołu w dużym pokoju od podwórka, tu, na Żoliborzu, i prosiła: „Halusia, zjedz kawałek, Halusia..." Najbardziej mamy nie wolno pamiętać.

Krzeseł też nie. Krzesła oddano na przechowanie do wujka Olesia na Saską Kępę, zaraz jak tylko przeniosły się z mamą do getta. Dębowe krzesła i stół, a może także gdański kredens. Na krześle z ciemnozielonym obiciem siadywał wujek Janek, brat dziadka Henryka. Nazywano go pediatrą, to znaczy, że leczył dzieci i zawsze namawiał mamę, żeby nie karmiła Halusi. Ale ona nie umiała inaczej. „Dziecko nie może być głodne!" „Jak się przegłodzi, przestaniesz mieć kłopoty, spróbuj, raz spróbuj", przekonywał wujek. Pocierał prawą dłonią skroń i przeczesywał ciemne włosy. „Dziecko nie może być głodne", powtarzała mama i kończyła dyskusję. Wujek Janek zawsze nosił elegancki garnitur i kapelusz, który zabawnie uchylał przy powitaniu. Przyjeżdżał do nich dorożką i zwykle się spieszył.

1 września 1939 roku nie poszła do szkoły. Wszystko było naszykowane, służąca Józia wykrochmaliła kołnierzyk i wyprasowała granatową sukienkę. Buciki stały przy łóżku. Ojciec spał jeszcze w swoim pokoju. Mama wróciła kilka dni wcześniej do Łęczycy, jej uczniowie czekali na lekcje. Kiedy przyjechała znowu do Warszawy, ojciec już był na wojnie.

Pewna jest, że dwie służące, które pozwoliły im zostać u siebie przez jakiś czas, za pieniądze, na parterze, te same, które miały wnękę kuchenną i firankę, nazywały się Hela i Stasia, a jedna z nich była dochodzącą u państwa Rydygierów. Smażyły placuszki z jabłkami i lubiły mieć wychodne. Szły wtedy na tańce, o czym ze śmiechem opowiadały. Tam Hela poznała narzeczonego, który lubił słoną zupę. Mama z Halusią zawsze wchodziły za firankę, ilekroć ktoś odwiedzał dziewczyny. Ciasno im tam było, a mama ściskała ją cały czas za rękę, jak ona przedtem małego Izia w koszu z brudną bielizną. Narzeczony Helenki sam chciał znaleźć solniczkę. Próbował szarpnąć firankę. Mama też, z drugiej strony.

Nazajutrz musiały się wyprowadzić.

Przedtem opuszczały kryjówkę tylko o zmroku, żeby pospacerować po podwórzu na IV Kolonii. Pamięta nazwisko dozorcy Pawłowskiego, bo trzeba było mieć się przed nim na baczności. Stale się za nim rozglądały. Strofował chłopaków, którzy coś zbroili, na przykład oblewali wiadrami wody przechodniów w lany poniedziałek, albo krzyczał, kiedy łamali gałęzie i deptali trawę. Wtedy znowu chciała być niewidzialna. Dela nie miała nawet woalki zasłaniającej twarz. I nigdy nie utleniła włosów. Dlaczego? Chodziły ostrożnie i tylko pod ścianami, sprawdzały, czy droga wolna, nie odzywały się do siebie. Wiedziała, że nie mógł ich zobaczyć. I nie zobaczył.

311

„Nazywam się Alisia".
Dygam i recytuję wierszyk o drzewach, jak w getcie.

„Zajęcia w RGO, nie wiesz, w Radzie Głównej Opiekuńczej, prowadziła moja mama".

„Twoja mama nie była, Alisiu, w getcie. W getcie zamykano Żydów".

Niektóre dzieci nie wiedziały, co to są pąki. Umiałam wytłumaczyć. Szyszki pamiętałam z lasu i wrzos. Groch kwitnie biało. Chwasty rosną najbujniej. Niektóre dzieci nie widziały klombu ani stawu, ani łabędzi. Łabędzie trudno opisać. Podobnie jak żyrafy.

Piosenkę o słońcu — „słońca nam nie zabierze nikt" — śpiewaliśmy na scenie.

„Nasza pani majstrowa — papierowe buty ma", lepiej to śpiewaj, to jest aryjska piosenka. Na pewno aryjska, choć śpiewał ją dziadek Henryk, a potem babcia Jecia, w getcie, synkowi swojej córki Frani, przez telefon. „Papierowe buty ma" — Frania była za murem i wszyscy bardzo się martwili, że ją Niemcy zabiją. Zabiją, bo ma męża Polaka i nie poszła za mur, jak kazano. Dobrze, że nie poszła. Dzięki niej, dzięki niemu, jak to mówiła Babunia — goj, ten goj — dzięki temu gojowi żyjemy. Żyją wszyscy, którzy pozwolili się uratować. Dlaczego pani majstrowa ma papierowe buty? Halina nie zastanawiała się wtedy nad tą piosenką. Czy majster był biednym żydowskim szewcem i nie było ich stać na buty dla żony? Nie mieli na buty, ale chcieli tańczyć. „Jak te buty obuje — z panem majstrem tańcuje". Ładnie śpiewał dziadek Henryk, ale umarł i nie zatańczy z babcią Jecią. Właśnie teraz zatańczy, w paradnych pantoflach, czarnych, wyglansowanych. Tańczą też dziadkowie z oficyny. Przygrywają skrzypce. Jak na żydowskim weselu. Popraw. Jak na weselu. Jak na wsi na weselu. Skrzypce mogą ujść jako aryjski instrument.

Pierwsze puste mieszkanie wydawało się jej olbrzymie. Skrzypiała podłoga i każdy ruch, a starała się być cicho i poruszać bezszelestnie, zwielokrotniało echo. Bała się siebie samej. Zajmowała niewiele miejsca. Przychodziły do niej panie, a potem te same panie zadecydowały, że teraz będzie w piwnicy. Piwnica mieściła się po przeciwległej stronie podwórza, które znała. Wszystko w przestrzeni kolonii WSM na Krasińskiego, skąd w najlepszym płaszczyku jeździła z rodzicami dorożką do ciotki na Wilanowską.

Pewna jest, że w piwnicy było ciemno. Przez niewielkie zabite deską okienko sączyło się nikłe światełko, ale nie mogła podchodzić blisko, żeby jej nikt nie zauważył. W ciągu dnia patrzyła przez szparę na nogi. Buty przechodziły po chodniku w prawo i w lewo, dużo butów, i do każdej pary można było dopasować historię. Duże brązowe pantofle na sprzączkę, podobne do tych, jakie nosiły panny służące, kilkakrotnie przemierzały drogę w tę i z powrotem. Może na targ albo do sklepu po sprawunki, może w odwiedziny do szpitala albo do biblioteki po nowe książki. Białe filcowe kapce zapinane z tyłu na trzy sprzączki i inne z łaciatej skóry, z sierścią. Robił je podobno sąsiad z III Kolonii. Dowiedziała się po wojnie. Chłopięce trampki i trzewiki — chłopcy bawili się w berka, a może grali na niedalekim placyku w piłkę. Raz upadła tuż koło niej, przez chwilę widziała z bliska jej żółtawą, miejscami otartą skórę. Ale zaraz wyciągnęły się po nią jakieś ręce i znowu nic się nie działo. Przejechał rower. Ktoś trzepał dywan, głuche, monotonne uderzenia. Dudniły wrotki własnego wyrobu. Przebiegał gazeciarz z kurierem. Wielkie kalosze dozorcy i wiklinowa miotła odgarniająca resztki codziennego zamętu, liście, paprochy, śmieci, resztki zwyczajności.

Po kilku dniach poprosiła panią, która przynosiła bułkę i mleko, o coś do czytania. Świeczka była niewielka i należało ją oszczędzać, a przede wszystkim trzymać z dala od wejścia i okna. Zrobiła sobie miejsce koło węgla, na ciemnym kocu, który dodatkowo zarzucała na głowę. Było duszno. Czytała *Chatę Wuja Toma*. W książce stale świeciło słońce. Niewiele więcej pamięta.

313

Któregoś dnia o zmierzchu zabrano ją stamtąd. Szła z kolejną panią małymi ulicami swojej dzielnicy, mało ją znała, krótko mieszkali tam z ojcem przed wojną. W mieszkaniu pod żółtą lampą czekała mama. „Mamo, nie zostawiaj mnie". „Pamiętaj, że zawsze po ciebie wrócę".

Umiała liczyć do stu. Nie umie policzyć mieszkań, w których ją zostawiano. Siedem, dwanaście, dwadzieścia kilka? Nie wie. Całe dnie nie miała się do kogo odezwać.

Śniło się jej pakowanie. Śni nadal. Pakowanie, według sennika, to przeprowadzka, a przeprowadzka to kłopoty i zamieszanie. Ma jedenaście lat i mieszka za murami. Jest sama i stara się zabrać wszystko, co jeszcze zostało.

Dokłada kolejne przedmioty, które mnożą się, puchną, usiłuje docisnąć klapę. Walizki pęcznieją od ubrań, talerzy, bielizny, ręczników, skarpet. Chce wziąć wszystko i nie może spakować wszystkiego. Robi się tłok, pantofelki warczą na siebie, pióra odpychają ołówki i plamią atramentem białe prześcieradła, grzebień wyrzuca szczotkę, spódnice spodnie. Panika. Fajansowe filiżanki kruszą się pod naporem garnków, jedwabne pończochy kulą się w sąsiedztwie barchanowych majtek, łamią się kapelusze i paznokcie. Panika, panika przed selekcją. Podjeżdżają nowe walizki, nowe wagony, wybielone gaszonym wapnem, zdezynfekowane chlorem, wchodzić, szybciej, szybciej. Coraz ich więcej. A jeszcze Piotruś Pan i Nastazja Filipowna, Lord Jim, król Lir i rodzina Montekich, no i ulubieniec babci Jeci — Meir Ezofowicz. Posuńcie się, dla niego musi być miejsce. Krzyk. Brak powietrza.

Starała się modlić: „Ojcze nasz, któryś jest w niebie, święć się imię Twoje. Przyjdź królestwo Twoje, nazywam się Alicja Szwejlis, bądź wola Twoja, zdrobniale Alisia, jako w niebie, tak i na ziemi. Chleba naszego, myślisz, że na tych papierach mogę spać spokojnie, powszedniego daj nam, jestem Aryjką, słyszysz, to nic, że nie ma białego chleba, powszedniego, jako w niebie tak i na, moja mama też ma polskie nazwisko Zmiałowska Zofia, zapamiętaj, amen. Dobranoc. Amen".

Nie jesteśmy prawdziwe. Nie mam żadnych dowodów. Na nic. Pacierz. I tyle.

Mama z tatą pobrali się pod chupą, to słowo trzeba zapomnieć, mama musiała pożyczyć sukienkę, bo na nową nie było jej stać. Pożyczyła od Bronki, siostry swojego przyszłego męża, mojego taty, Zamutka, która wcześniej brała ślub, może pod tym samym baldachimem. Dela była najstarsza i rodzice byli z niej dumni, bo skończyła seminarium nauczycielskie i uczyła w szkole w Łęczycy. Mnie podobało się najbardziej, że inne dzieci musiały jej słuchać. Miała czarne długie włosy, układane do góry na specjalnym wałku. Ale źle jest mieć teraz błyszczące czarne włosy, dlatego włosy mojej mamy straciły blask. Już nie przypominają plecionej chały. Nic nie powinno przypominać chały. Ani świec w srebrnych lichtarzach. A już na pewno nie wolno wspomnieć o świętach. Znam teraz inne: Boże Narodzenie, kiedy urodził się Jezus, i Wielkanoc, kiedy zmartwychwstał. Na święto Pesach były w domu specjalne naczynia, była maca i śpiewało się „dajdajenju". Drzwi otwarte, bo czekamy na proroka Eliasza. Przestań. Lepiej sobie przypomnij garnuszek na kawę dziadka Henryka, ten z portretami cesarzy. Albo butle czerwonego barszczu w spiżarce.

„A medalik, nie masz medalika z Matką Boską?" „Nie mam". „Niech będzie pochwalony", na przywitanie. „Jakie czarne oczka ma panieneczka, zupełnie, jak przepraszam, nie przymierzając, Żydóweczka jakaś..." Pochwalony. Chleba naszego.

Pamięta, że płakała ze szczęścia, kiedy na drodze do Garwolina witała z innymi dziećmi żołnierzy radzieckich.

Jest pewna, że gdyby matka żyła, przyszłaby po nią do Wilgi. Jest pewna, że wszystko wyglądałoby wtedy inaczej.

F R A

Frania

N I A

We troje

Sprawiedliwy

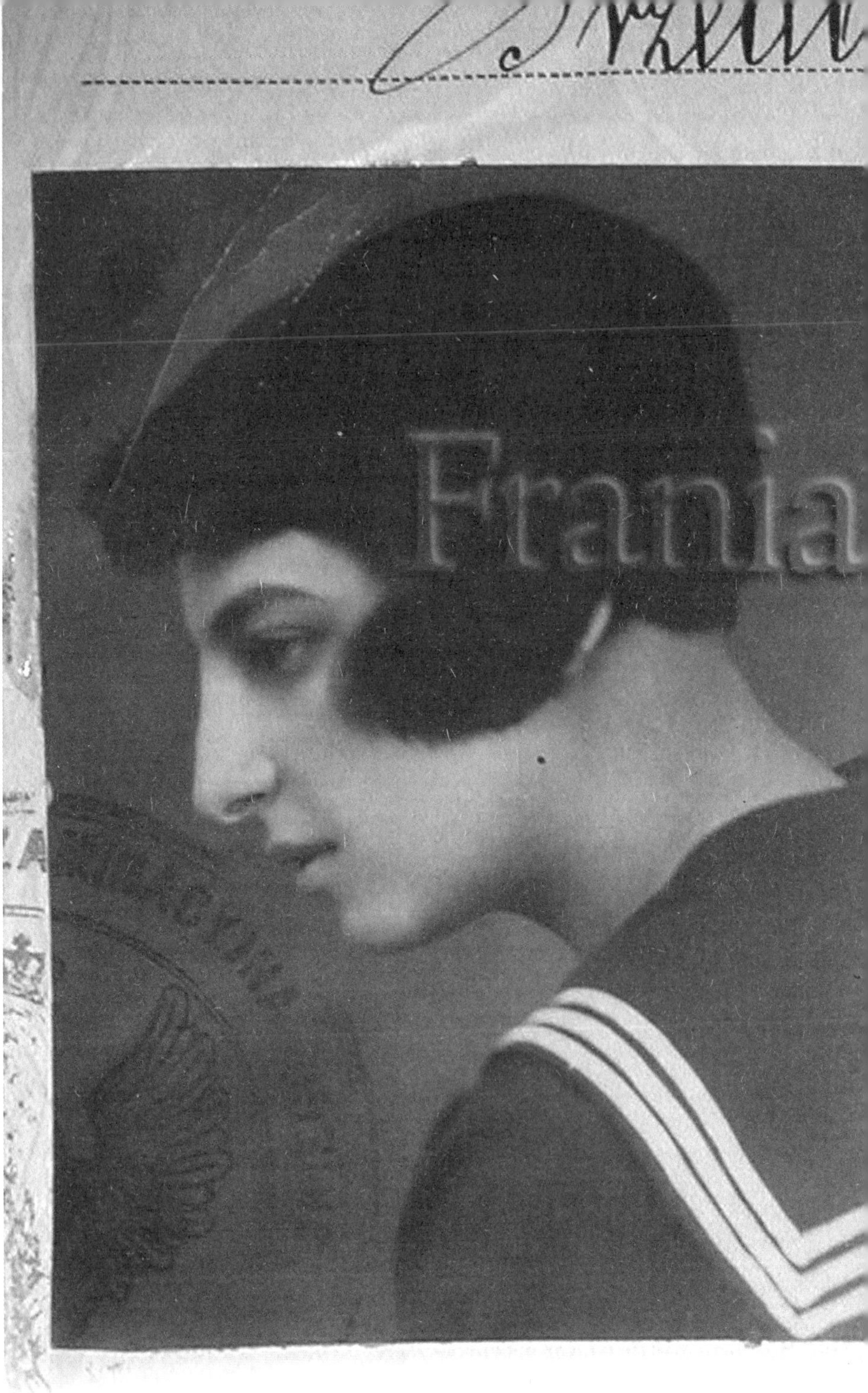
Frania

urodzon

roku

województwa

W rodzinie nazywano ją ciotką Franią albo Franuchną, choć naprawdę na imię miała Celina. Mówiono o niej zawsze przyciszonym głosem, z troską i nie wyjaśnionym skrępowaniem. Czułam, że dzieje się jej krzywda. Zdanie „Franuchna ma zmarnowane życie" słyszałam, odkąd pamiętam, ale długo nie rozumiałam, co to znaczy.

Frania, siostra mojego dziadka Szymona, wydawała mi się stara.

Zawsze była jak echo tych, przy których żyła. W ubraniach już przez kogoś noszonych, w butach po dawnych właścicielach. Ze sprawami innych, które przyszło jej rozwiązywać jak swoje. Na nią samą nie starczało miejsca. Między mężem i synami, między obiadem i kolacją, między sprzątaniem i praniem. Nikt nie zwracał uwagi na jej potrzeby ani marzenia. Z czasem pozbyła się ich, jak bezużytecznych wspomnień młodości.

Z dziecinnych wizyt w domu wujostwa Majewskich niewiele pamiętam. Ciasny przedpokój, w którym ledwie mieściłam się z mamą. Zdejmowanie palta jak taniec, od ściany do szafy, a szaf było kilka, mrok albo tylko wrażenie mroku. Duże posiwiałe lustro. Zawsze się bałam wychodzących na mnie z ciemności postaci. Czarownica na kilimie w stołowym należała do złej bajki, chłopiec i dziewczynka wyciągali ręce po zatrute jabłko.

FRANIA

Czekał na nas wujek i dwie ciotki, których nie lubiłam całować. Nie było nikogo do zabawy. Ich synowie dorośli. Miałam na sobie najlepszą sukienkę, a mama opowiadała o moich sukcesach w szkole. Bo wykształcenie jest najważniejsze.

Nie zastanawiałam się, dlaczego jeden wujek ma dwie żony. Tak po prostu było. Wiedziałam zawsze, że nasza, naprawdę nasza jest Frania. Tę drugą, Halinę, nazywałam „tamtą", ale tylko po cichu, dla siebie. Mimo że to ona miała ładne sukienki, uśmiechała się słodko i mówiła po francusku. Grzecznie przyjmowałam pieszczoty i czekałam, aż będzie można już wyjść.

Lata później Frania pojawiała się czasem w naszym mieszkaniu na Kasprzaka. Zawsze strudzona, z kilkoma ciężkimi siatkami, których niemal nie wypuszczała z rąk, i zawsze na chwilę. Od progu spieszyła do telefonu, by dowiedzieć się, jak sobie radzą bez niej w domu. Czuła się winna, że za długo już korzysta z nieprzepisowej wolności. Mówiła do mnie „córuchna" i pytała, kiedy wyjdę za mąż, bo najważniejsze jest założyć rodzinę i mieć dzieci. Nie spieszyło mi się ani do jednego, ani do drugiego. Dodawałam jej zmartwień. O sobie umiała milczeć. Ożywiała się na moment, gdy podawała mojej mamie przepis na karpia w galarecie. Przypominała, żeby po sprawieniu nie myć ryby dokładnie, powinno zostać trochę krwi. „Rozumiesz?" pytała ściszając głos, jakby dzieliła się jakąś tajemnicą. Przy takich okazjach wspominała o Łęczycy, ale nie zwracałam na to uwagi. Nie sądziłam, że kiedykolwiek może się to okazać ważne.

Frania nie dopijała herbaty i już stała w przedpokoju, żeby się pożegnać. Przed wyjściem przeglądała zawinięte w gazety sprawunki, układała starannie ogony jarzyn, pory, selery, marchew, coś tam szeptała przepraszająco do jabłek i śliwek, sprawdzała, czy ser biały nie przemiękał. Obok leżały obłożone w szary papier książki z dzielnicowej czytelni. Najbardziej lubiła czytać o miłości szczęśliwej. Cicho zamykała za sobą drzwi, zabierając niejasne poczucie konieczności cierpienia. Nie odprowadzałam jej na przystanek autobusowy, choć czekała ją długa jazda, z przesiadką, za Wisłę.

Byłam dorosła, kiedy regularnie, co roku, zaczęłam odwiedzać ich w mieszkaniu na Szczuczyńskiej. Rodzinny obowiązek podsycała ciekawość. Chciałam dostać się do środka sekretu ich związku. To trwało długo. Zapraszali zwykle w samo południe. O tej porze zmęczenie pokonywaniem kolejnego dnia nie dawało jeszcze o sobie znać. Przychodziłam nieco wcześniej, byli chorobliwie punktualni, i kiedy dzwoniłam do drzwi, wiedeński zegar w stołowym właśnie rozpoczynał swoje najdłuższe odliczanie.

Tak ich pamiętam, w tym samym powtarzanym kadrze. Triumfalne dzwony zegara. Oni we troje przy dębowym prostokątnym stole, nieruchomiejący w miarę utrwalania się dźwięku. Jak przed rozpoczęciem przedstawienia. Kurtyna.

Przeżyli wspólnie ponad pół wieku. Frania. Halina. I Aleksander.

To on jest wodzem. Niewysoki, ma dużą, prawie łysą głowę i skórę twarzy zwiotczałą, luźną. Kiedy się z czymś nie zgadza, wyciągnięte fałdy chybocą się na boki jak u starego psa. Stale podśpiewuje pod nosem. Oczy ma chyba szare, ale nie na pewno, rzadko szuka nimi kontaktu ze swoim rozmówcą. Nie potrzebuje potwierdzeń. Ostatnio widzi coraz gorzej, co znosi źle, nigdy dotąd nie tracił kontroli nad czymkolwiek. Uprzejmy przesadnie, po staroświecku, jednocześnie próbuje używać młodzieżowej gwary. Zadaje pytania i odpowiada na nie, własne i cudze, do siebie i do innych. Aleksander Majewski, Oleś, przedwojenny przedsiębiorca, powojenny dyrektor — monarcha absolutny.

Po jego prawej ręce, jak porcelanowa lalka, żona, Halina Schumacher. Okrągłe policzki ze śladami niesymetrycznie nałożonego różu, grube okulary i przekrzywiona peruka w kolorze jesiennych liści. Twarz z portretu kubistów. Albo zła charakteryzacja. Trudno uwierzyć, że przed wojną mężczyźni oglądali się za nią na ulicy. Córka znanego łódzkiego dermatologa, skończyła z wyróżnieniem prawo i została adwokatem. Należała do tak zwanych sfer. Przy stole nieobecna, a może nierzeczywista. Śpiąca. Zastygła w grymasie uśmiechu.

I druga kobieta, ta po lewej ręce. Też żona. Ma łagodną, pomarszczoną twarz, okoloną zaczesanymi w luźny kok siwymi włosami. Frania.

FRANIA

Franuchna. Bladoniebieskie oczy podbite łzami. Ramiona jej ciążą. Wydaje się, jakby stale potakiwała: nic nie da się już odmienić i tak jest dobrze. Bo w gruncie rzeczy mogłoby być gorzej. Kiedyś miała marzenia. Potem wyznaczono ją na śmierć. W końcu się nauczyła, że życie to służba.

Na stole, jak co roku, zimne zakąski, pieczona cielęcina, ogórki kwaszone, ciasto z kruszonką i butelka koniaku.

Wujek Oleś jest bigamistą. Jest też bohaterem. Lubię go. Imponuje mi. Z tą samą swadą opowiada godzinami o swoich erotycznych podbojach, jak i o Żydach, których ratował podczas okupacji. Jedno i drugie brzmi w jego historii równie naturalnie. Jeśli jest z czegoś dumny, to bardziej z własnej męskości niż z pomocy, jakiej udzielał potrzebującym. Ocalił kilka, może kilkanaście osób, nigdy nie oczekiwał nagrody. Przyzwoitość wydaje mu się oczywistym składnikiem człowieczeństwa. Nie wymaga usprawiedliwienia. Poza tym udało mu się coś, co wydaje się niemożliwe. Żył przez lata z dwiema kobietami pod jednym dachem.

Napisał w testamencie, żeby wyryć na ich wspólnym grobie trzy słowa: wierność, mądrość, odwaga. Dopiero kiedy odeszły, zaczął o nich mówić.

Frania, siostra mojego dziadka, była trzecim dzieckiem Justyny i Henryka Przedborskich. I jak jej starsza siostra Bronka miała niebieskie oczy. Żydówka z niebieskimi oczami to był sukces.

Mówiono o nich w Łęczycy „piękne panny Przedborskie". Nosiły kokardy we włosach, grały na fortepianie, umiały haftować i gotować. Kuchnią lubiła zajmować się Bronka. W domowym zeszycie z przepisami notowała własne wariacje na temat czulentu, ryb w galarecie, nadziewanych kaczek i kur. Stale się śmiała. Frania od początku była poważna. Zajęta muzyką i swoimi myślami. Wcześnie nauczyła się grać z nut. Czytała je bez wysiłku, jak słowa.

Jako małe dziecko spędzała wiele czasu w gabinecie ojca, u podnóża mahoniowych półek jego biblioteki. Zostawiano ją tam i zwykle znajdowano w tym samym miejscu. Czytała to, co mogła dosięgnąć. Najniżej stały najgrubsze tomy, encyklopedie, słowniki, atlasy, historia Polski. Do powieści o miłości musiała urosnąć. Annę Kareninę i panią Bovary poznała jeszcze przed swoją bat micwą, zanim skończyła 13 lat.

Nie była najzdolniejsza, ale chciała się kształcić. Jak jej starsze rodzeństwo, ukończyła polskie gimnazjum w Łęczycy. Maturę zdała w maju 1927 roku, a jedyną piątkę na świadectwie dojrzałości miała z religii. Ją uczył w szkole rabin, katolików — ksiądz, prawosławny pop miał najmniej uczniów. Na fotografii z tego okresu Frania ma modnie podcięte włosy, z grzywką à la Pola Negri, a w twarzy i wzroku determinację. Może już wtedy oznajmiła rodzicom, że opuszcza dom.

Dusiła się w prowincjonalnym miasteczku nad Bzurą. Ciągnęło ją dalej, za łąkę, za rzekę, za linię lasu. W świat. Miała dość koncertów orkiestry strażackiej, filmów w kinie Oaza, małomiasteczkowego rytmu wizyt i świąt. Chciała się uczyć, studiować historię, zostać nauczycielką. Chciała oddychać innym powietrzem. Nie wiedziała, które z tych pragnień było najsilniejsze, każde starczało na decyzję. Nie bała się jej. Wyjechała.

Nigdy przedtem nie była w oddalonej o ponad sto kilometrów stolicy, nigdy nie była w dużym mieście. W Łęczycy przez ostatnie lata mieszkała z babką, chorą na oczy, której czytywała głośno powieści drukowane w bulwarowych dziennikach. Teraz, w Warszawie, zamieszkała u brata ojca, zwanego stryjem Jankiem. Był znanym pediatrą, z apartamentem i gabinetem zawsze pełnym pacjentów na jednej z najelegantszych ulic miasta, Marszałkowskiej. Zaczynała z pozycji ubogiej krewnej, z nabożeństwem przypatrującej się wystawom sklepów i bywalcom kawiarni, pałacom dawnej magnaterii, rezydencjom królów. W samym centrum miasta, niedaleko głównego dworca i filharmonii, mieszkało niewielu Żydów, choć jedna z głównych arterii ciągnących się od Wisły do zachodnich rogatek nosiła nazwę Alej Jerozolimskich.

Większość Żydów warszawskich osiedliła się w północnej części stolicy. Pejsaci, w chałatach, wykrzykujący w jidysz straganiarze, domokrążcy, handlarze sznurowadeł, grzebieni i cholewek wypełniali egzotycznym tłumem ulice i labirynty oficyn. Pozostawali w strojach dawnej wiary, a wierność tradycji dawała im poczucie zakorzenienia i bezpieczeństwa.

Obok, na Nalewki, Leszno, Sienną, wprowadzali się bogatsi Żydzi — przedsiębiorcy, właściciele kamienic i fabryk, finansjera. Połowa handlu i przemysłu w Warszawie znajdowała się w ich rękach. W milionowej stolicy Polski co trzeci mieszkaniec był Żydem. Co drugi prywatny lekarz, co trzeci adwokat i notariusz mieli żydowskich przodków.

Stryj Janek był piątym, najmłodszym synem Markusa Przedborskiego, właściciela domu handlowego w Kaliszu i majątku pod Łęczycą. Swego żydowskiego imienia, Samuel Janas, nie używał, podobnie jak jego brat Henryk, który także nie nazywał się Enochem. Obaj mówili czystą literacką polszczyzną i fizycznie nie przypominali stereotypu Żyda. Jan jako jedyny z braci skończył wyższe studia, akademię medyczną w Kijowie. Teraz podjął się finansowania studiów bratanicy.

Swoją polskość obnosił z ostentacją. Wtrącał do rozmowy polskie przysłowia, powoływał się na przykłady z polskiej historii, recytował fragmenty romantycznej poezji. Jakby chciał swojej przeszłości i swojemu pochodzeniu zaprzeczyć. Ciotka Mania, kuzynka, często odwiedzająca dom Jana, o ortodoksyjnych Żydach z Nalewek wyrażała się z pogardą. Nazywała ich chałaciarzami. Zakupy robiła wyłącznie w polskich sklepach. Z upodobaniem jeździła „do wód".

Wedle spisu powszechnego z roku 1931, 10 procent Żydów uznawało polski za język ojczysty. Masy żydowskie żyły w kulturze sprzed wieków, ale niemała część inteligencji żydowskiej podlegała postępującemu procesowi asymilacji. Niekiedy, nierzadko, pociągało to za sobą zaprzeczenie własnego dziedzictwa, poczucie zażenowania i wstydu.

Mówiło się, że warszawscy Przedborscy należą do towarzystwa. Frania nie umiała być tak lekka i warszawska jak oni. Jeszcze nie. Był w niej niepokój nie dokonanego życia i ekscytacja przygodą. Asymilację traktowała jako drogę do osiągnięcia celu, do zdobycia wykształcenia i samodzielności. Nie przewidywała jej pułapek.

Żydzi mówią, że zmienić adres to zmienić przeznaczenie. Na razie tak czuła.

Przyjęto ją na Wydział Humanistyczny Uniwersytetu Warszawskiego. W archiwum uniwersytetu ocalały jej przedwojenne papiery, dowody na realizację marzenia. W uroczystym ślubowaniu na otwarcie roku akademickiego 1927/1928 przyrzekała, iż będzie przykładała się pilnie do nauki, a poza uczelnią prowadzić się będzie moralnie i z godnością.

Jej profesorami byli autorzy książek z biblioteki ojca, najwybitniejsi polscy humaniści, sławy na skalę europejską. Chodziła do nich na zajęcia z filozofii i kultury. Studiowała dzieje Polski w średniowieczu i geografię świata klasycznego. Ciekawiły ją Włochy, szczególnie Wenecja i Rzym, dwa miasta, gdzie po raz pierwszy stworzono żydowskie getta, symbole uwięzienia, ale i oazy, dokąd wycofywali się dobrowolnie, by kultywować własną religijną odrębność zgodnie z literą Talmudu. Zaliczyła dwa lata historii.

Światowy kryzys gospodarczy i wielki krach giełdowy uderzyły w Polskę jesienią 1929 roku. Wkrótce po Nowym Roku 1930 roku stryj Janek wezwał ją do gabinetu. Przykro mu, ale jej naukę musi uznać za skończoną. Dalej za studia płacić nie może. Ona i tak wkrótce wyjdzie za mąż, urodzi dzieci, zajmie się rodziną. Po co wydawać pieniądze bez sensu?

Nie wiem, czy protestowała. Nie sądzę, by poprosiła o pomoc rodziców lub babkę. Drukarnia w Łęczycy jeszcze prosperowała, jeszcze byli właścicielami składu win i wódek. Finansowali wykształcenie syna, Zamutek już pracował. Ale córka nie musiała się uczyć. Jej kształcenie traktowano jak kaprys. Wiedziała, że jeśli chce zostać w mieście, powinna radzić sobie sama.

W Warszawie, jak wszędzie na świecie, ustawiały się długie kolejki po darmową zupę, a na każde wolne miejsce pracy były setki chętnych. Poprzez zaprzyjaźnionego dyrektora banku stryj Janek załatwił jej posadę biuralistki w firmie Drago, rozprowadzającej produkty naftowe. Szefem firmy był młody, dynamiczny, pełen pomysłów Aleksander Majewski. Oleś.

325

Na wesele biurowego kolegi włożyła swój najlepszy kostium — modne bolero i wąską spódnicę do połowy łydki, z długim rozcięciem z tyłu. Włosy spięła w węzeł, jak matka. Pożyczyła sznur pereł, na szczęście. Był 24 czerwca 1930 roku, dzień jej urodzin. Kończyła 23 lata.

Tak się złożyło, że z przyjęcia wyszli razem z Olesiem. Byli niemal w tym samym wieku, ale jemu wydawała się młoda, znacznie młodsza, jakby życie dopiero się przed nią otwierało. Szef, w dwurzędowym garniturze i jasnym kapeluszu borsalino, przypominał jej bohaterów powieści, jakie czytywała babce. Kiedy powiedziała mu, że to jej urodziny, zaprosił ją na kieliszek szampana do legendarnej Adrii, najmodniejszego warszawskiego lokalu z jazzbandem i obrotowym parkietem.

To był jej pierwszy dancing i pierwszy kieliszek szampana. I jej pierwsza randka. Pierwsze wyznanie miłości. I pierwsza noc z mężczyzną.

Oleś twierdzi, że wtedy go sobie wybrała. Mimo iż miał żonę i liczne doświadczenia z kobietami, o czym chętnie opowiadał. Był w trakcie rozwodu. W swojej szczerości i zapamiętaniu wydawała mu się naiwna. Nie przywiązywał wielkiego znaczenia do jej zapewnień, że jest gotowa na wszystko, że nigdy nikogo innego nie pokocha. Nie chciała go na chwilę, chciała na całe życie.

Tę scenę pierwszego ich spotkania oglądam w wyobraźni wiele razy. Uśmiecham się na widok Frani wyzywająco pięknej i szczęśliwej, choć trudno mi w nią taką uwierzyć. Więc patrzę po raz kolejny.

Oleś wydawał się Frani spełnioną odmianą jej ojca, w każdym geście i słowie dawał do zrozumienia, że wie, co robi, i że wszystko musi się udać. Obaj grali na skrzypcach, dzielili upodobanie do muzyki, nawet te same arie śpiewali podobnie, głębokim tenorem. Pociągała ją siła Olesia, jakby chciała się z nią zmierzyć. Czuła się przy nim bezpiecznie, choć nadal mówiła do niego: „Panie dyrektorze", także wtedy, kiedy przynosiła mu dokumenty do podpisu i zamykała drzwi jego gabinetu. Był życzliwy i skupiony. Nie mylił się. Mówił dobitnie i z przekonaniem.

Nie pytała nikogo o zgodę. Nie sądziła, że powinna. Polak? Rozwodnik? Innowierca? Jej mężczyzna. Wybrała swój los, jak wcześniej nowy adres. Wszystko w życiu wymagało decyzji, a potem konsekwencji.

Pozornie ich codzienność nie uległa zmianie. W biurze zachowywali się wedle służbowych reguł. Mieszkali osobno. Każde z nich prowadziło własne rachunki i przestrzegało zasad wolności, jaką sobie dali. Ale na wspomnienie ich wspólnych nocy Oleś, dziś blisko stuletni, lśni światłem filmowego amanta. Opowiada tę namiętność słowami, których nie mogę użyć. Frania staje się wtedy na chwilę krewną słynnych gorszycielek, o ciele z łatwopalnego materiału.

Towarzyszyła mu sława casanovy. Musiała o tym wiedzieć. Może sądziła, że jej to nie zagraża? Nie wiem, kiedy zdała sobie sprawę, że nie jest jedyną kobietą w jego życiu. Nie wiem, co czuła, wiedząc o innych. Oleś twierdzi, że domagała się opowieści o jego podbojach. Twierdzi też, że w związku z nim czuła się pewna, a jego liczne przygody nic między nimi nie zmieniały.

Bywali razem w restauracjach i w teatrach, na koncertach i rewiach. Wiele czasu spędzali w Warszawskim Towarzystwie Wioślarskim, gdzie przychodzili na przyjęcia i bale polscy arystokraci, inteligencja, pracownicy ambasad. Oleś chętnie podkreślał, że Celina Franciszka, jak ją nazywał — nie zdrobniale, Franią, jak w domu — wszędzie uchodziła za Polkę. Wciąż podziwia jej urodę: brzoskwiniową cerę, oczy, piersi. Wydawała mu się egzotyczna, ale nie semicka. Czy byłby równie popularny w elitarnym klubie z półwiekową tradycją, gdyby odkryto, że Frania jest Żydówką?

Pamiętał Żydów z dzieciństwa. Czasem jej o tym opowiadał. Pochodził z Mazowsza, jego dziadek był chłopem, ojciec skończył gimnazjum. Tam zapalił się do socjalistycznych ideałów, do legendy Ludwika Waryńskiego. Poszukiwany przez rosyjską ochronę, ukrywał się w rodzinnej okolicy, nieopodal Nasielska. Żydowscy handlarze byli nieodłączną częścią pejzażu polskiej wsi, gdzie Oleś spędził dzieciństwo. Jego matka, krawcowa, stale czegoś od Żydów potrzebowała, a to igieł do maszyny do szycia, a to domowych sprzętów czy kuponów materiału. Sprzedawali, kupowali, doradzali. Stary Żyd z siwą brodą pojawiał się w domu Majewskich często. Siadywał przy stole w małej czapce z daszkiem i odmawiał skosztowania czegokolwiek poza herbatą. Kiedy Oleś jako mały chłopiec skaleczył się w nogę i wdało się zakażenie, ten właśnie Żyd handlarz uratował mu życie. Zawiózł gorączkujące dziecko do felczera. Oleś, który lubi wszystko w życiu uzasadniać, twierdzi, że wtedy, jako dziesięciolatek, postanowił, iż zawsze pomoże Żydom w potrzebie.

327

FRANIA

Zabierał Franię do Wielkiej Synagogi na Tłomackiem, gdzie podczas żydowskich świąt występowali światowej sławy kantorzy, Sirota albo Kusewicki. Uwielbiał chóry, sam śpiewał w kilku. Szli na spacer do żydowskiej dzielnicy, na Nalewki, wśród egzotycznego tłumu. Nie lubiła tego. Nie czytała żydowskich gazet, nie ceniła żydowskiego teatru. Kabarety, gdzie królował szmonces, odwiedzali rzadko. To raczej Oleś pijał pejsachówkę, a kiedy nadarzała się okazja, jadał koszerne potrawy. Nie wiem, czy chciał ją tym kokietować. Już wtedy daleko odeszła od własnych źródeł. W Warszawie żyli jej starsza siostra i jej brat, ale Frania patrzyła na świat oczami Olesia.

Bronka mieszkała na Powiślu. Jej mężem był Borys Kuszner, syn dentysty z łęczyckiego rynku, którego znała od dziecka, inżynier. Zamutek, też inżynier, budował osiedle WSM na Żoliborzu, gdzie miał służbowe mieszkanie. Delę, swoją żonę, poznał na podwórku rodzinnego domu. Najmłodsza siostra, Madzia, wyszła za mąż za brata Borysa Kusznera. Choć wyprowadzili się z Łęczycy, pozostali przecież w tych samych konstelacjach, jakie wyznaczyła im tradycja. Rosół u Bronki smakował jak w domu, na Przedrynku.

W opowieściach Olesia nie ma przedwojennego życia rodziny Przedborskich. Wspomina czasami niedzielną herbatę, z ciastem i plasterkami chałwy, ale nie mam poczucia, że mówi o ludziach bliskich.

Mimo kryzysu, przedsiębiorstwo Olesia, podpierane niemieckim kapitałem, kwitło. Jeździł po kraju, kilka dni w tygodniu spędzał w Łodzi, gdzie otworzył ekspozyturę firmy. Był pełen pomysłów i entuzjazmu, a jego koncepcje reklamowe ceniono jako pionierskie. Z czasem otworzył własny dom handlowy. Szło mu doskonale. W warszawskim biurze zatrudniał ponad dwadzieścia osób.

Oleś miał własną kawalerkę w mieście, jedną, drugą, zmieniał je w zależności od potrzeb. Frania już dawno wyprowadziła się od stryja, wynajmowała samodzielnie pokój. Kiedy Oleś wracał do Warszawy, zostawała u niego na noc. Trwało to długo — kolacje, rozstania, dworce, czas bez niego, czekanie i euforia tego, co wspólne. Mijały lata, kolejne urodziny, dwudzieste piąte, dwudzieste ósme, trzydzieste. Żenili się inni i inni mieli dzieci. Nie bała się staropanieństwa, nie myślała takimi kategoriami. Czuła się spełniona jak nigdy przedtem.

O małżeństwie nie mówili. Nie spieszył się, a i ona nie prosiła. Czy nie śmiała? Długo wystarczało jej, że są razem.

Był inny od jej brata, szwagrów, tych, których znała z dzieciństwa. W niedzielę rano podjeżdżał pod jej dom swoim czarnym angielskim motocyklem, strzelając z rury wydechowej. Gnał za miasto, a Frania tuliła się do pleców jego skórzanej kurtki. Zabierał ją na spływy kajakowe. Nie potrafiła wyobrazić sobie Bronki z wiosłem w ręku, Zamutka na rowerze, szwagrów na motocyklowym siodełku.

Tak ją widzę. Nie do końca rozumiem. Przecież były inne kobiety, przecież nie stanowiła centrum jego świata. A jednak trwali razem. Wreszcie, po siedmiu latach, powiedziała mu, że chce mieć z nim dziecko.

Miała wtedy trzydzieści lat, Oleś dwa lata więcej. Był rok 1937 — w Europie narastał nastrój grozy, ale wojna nie wydawała się jeszcze nieunikniona. Świat wyszedł właśnie z wieloletniego kryzysu. Oleś kupił samochód, opla, kabriolet. Lubił szybkość i pęd powietrza na twarzy. Jego dom handlowy stał się zaczątkiem wielosklepowej sieci. Nastąpił czas założenia rodziny. To on, a nie ona, zaproponował małżeństwo.

Mieszane związki polsko-żydowskie nie były w ówczesnej Polsce częste. Tylko wśród komunistów, programowo ignorujących tradycję, takie małżeństwa wydawały się naturalne i nie wywoływały komentarzy. Wszędzie indziej należało się liczyć z niechętną reakcją otoczenia — tak Polaków, jak i Żydów.

Cywilnych ślubów w międzywojennej Polsce nie było. Zanim stanęli przed ołtarzem, Frania musiała się ochrzcić.

Chrzest. Wydaje mi się, że samo słowo musiało budzić jej sprzeciw, nawet jeśli się do tego nie przyznawała. Chrześcijański sakrament. Jakkolwiek była wyemancypowana, zbuntowana i wolna, nie mogło jej to być obojętne. Konwersja wymagała wysiłku, nauka katechizmu trwała długo, akt przystąpienia do nowej wspólnoty religijnej zmuszał do zagłębienia się w obcym, wrogim nawet, świecie. Tę decyzję przemyślała, to nie był tylko impuls.

FRANIA

Chrzest katolicki był dla Żydów zazwyczaj wyrazem autentycznej wiary, a nie tylko sposobem zalegalizowania sytuacji osobistej. Konwersji nie popartych rzeczywistą potrzebą religijną dokonywano u ewangelików lub w Kościele prawosławnym. Oleś i Frania wybrali Cerkiew, jakby przewinienie pod innym krzyżem miało mniejszą wagę. Poza tym wobec Kościoła katolickiego Oleś nadal był żonaty.

Prawosławna parafia metropolitalna pod wezwaniem świętej Marii Magdaleny mieści się w pięknej cerkwi na Pradze, jednej z dwóch zachowanych w Warszawie. W aktach przetrwał zapis chrztu Celiny Franciszki, córki Enocha i Jachet Gitli z domu Herman, lat 30, żydowskiego pochodzenia. Otrzymała dyspensę Jego Ekscelencji Metropolity Dionizego. Sakramenty chrztu świętego, bierzmowania i komunii świętej wraz z nadaniem jej kolejnego imienia Zofia (Sofija), przyjęła 28 stycznia 1938 roku w obecności popa i dwojga świadków.

Nie wiem, czy wierzyła w Boga.

Już jako parafianka wyznania prawosławnego trzy tygodnie później poślubiła w tej samej cerkwi Aleksandra Majewskiego, rozwodnika. Była teraz Celiną Franciszką Zofią.

Ona sama nigdy o tym nie opowiadała. On zapamiętał wspaniałe chóry, przyćmione światło i złote korony. Odezwał się każdy z dziesięciu dzwonów odlanych w Westfalii.

Świadkami byli brat Olesia i koleżanka z pracy. Z rodziny Przedborskich nie zjawił się nikt. Ani z Łęczycy, ani z Warszawy. Panna młoda miała matkę, ojca i babkę, dwie siostry i brata, stryjów i stryjenki, ciotki, wujów, kuzynów. Nie było nikogo.

Dla kogo i jaki to wstyd, że Celina Franciszka, już nie taka młoda, po ośmiu latach związku z mężczyzną, zdecydowała się stanąć przed ołtarzem. Nie pod chupą, którą przeznaczyło jej urodzenie, nie w bóżnicy i nie w obecności rabina. Nie jak córka swoich przodków, ale jak obca, wychrzta, odszczepieniec. Rozumiem, że mogło to martwić babkę, dla niej podobny wybór był naruszeniem przykazania. Ale dla pozostałych?

W tym samym roku odbyła się też inna ceremonia. Henryk Przedborski, ojciec Frani, umarł jesienią. Nie wiadomo, czy nagle, na serce, czy na suchoty. Obie historie żyją w rodzinnej pamięci. Ta ostatnia łączy się z obrazem mokrych prześcieradeł w sypialni, które miały ułatwić choremu oddychanie. Na cmentarzu tłum płaczek z gminy. Za to relacja z pogrzebu jest jedna. Nikt oprócz Olesia go nie zapamiętał.

Wśród tłumu żałobników, obok rodzeństwa zmarłego i wdowy, ich dzieci, kuzynów z Łodzi, Kutna, Warszawy, Przedborskich i spokrewnionych z nimi Hermanów, sąsiadów i znajomych, zauważono obcego. Ktoś miał zwrócić uwagę rabinowi, że wśród żałobników jest Polak. Oleś twierdzi, że odmówiono mu wstępu na cmentarz, udziału w pogrzebie teścia. Czekał za bramą.

Czy historia, jaką Oleś przechowuje w pamięci, może być prawdziwa? Henryk Przedborski był łęczyckim radnym kilku kadencji, z Polakami prowadził liczne interesy. Należał do łęczyckiej elity. Czy możliwe, aby na jego pogrzebie nie zjawili się sąsiedzi, koledzy z magistratu, ludzie, którzy znali go przez dziesiątki lat? Nie znam przypadku, aby kogokolwiek, Żyda czy nie-Żyda, wyproszono z pogrzebu. Czy poszło o coś innego? Nie wiem.

Tego dnia Frania była w Łęczycy po raz ostatni.

Frania, Zofia Majewska, była w czwartym miesiącu ciąży, kiedy oddziały niemieckie wkroczyły do Warszawy we wrześniu 1939 roku. W piątym, gdy po raz pierwszy pojawiły się w mieście ogrodzenia z drutu kolczastego u wylotu żydowskich ulic. Niedługo potem każdemu Żydowi powyżej dwunastego roku życia nakazano noszenie białych opasek z niebieską gwiazdą Dawida. Oznakowano żydowskie sklepy i przedsiębiorstwa. Była w siódmym miesiącu, kiedy zakazano Żydom zmiany miejsca zamieszkania bez specjalnego zezwolenia, a potem zabroniono jeździć koleją. Zaczęto też mówić o stworzeniu getta.

Nie wiem, jak się bała. Nie wiem, czy pozwalała sobie na strach. Nosiła w brzuchu dziecko, któremu chciała dać cały świat. Kartki żywnościowe dla Żydów były już inne niż polskie kartki, a w marcu, w tym wymarzonym miesiącu, kiedy miała rodzić i urodziła, w warszawskich kawiarniach pojawiły się napisy zakazujące wstępu Żydom.

Żydzi — jak będą ich poznawać? Jeszcze wtedy nie zastanawiała się, co to znaczy mieć dobry wygląd. Była jak inni, nie wyróżniała się wśród Polaków. Tak jej się przynajmniej wydawało. Analizowała każdą część swojej twarzy, każda z osobna nie przedstawiała się najgorzej. Po kolei — usta zbyt pełne, jakby odęte, nos kształtny, choć nieco za duży, jak nos matki, włosy ciemne, ale bywają Polacy z czarnymi włosami, jej miały połysk i gęstość, i tylko oczy nie budziły zastrzeżeń.

333

FRANIA

Niebieskie oczy, jak polskie, jeśli nie pokazać lęku. To umiała. Nie ma się czego bać.

W czerwcu, kiedy upadł Paryż i uruchomiono obóz w Oświęcimiu, w środku Warszawy ukończono budowę murów. Trzymetrowy mur, uzbrojony tłuczonym szkłem, wyznaczał granice „obszaru zagrożonego epidemią". Do getta, które w listopadzie 1940 roku zamknięto, mieli się przenieść wszyscy Żydzi. Miejsce zamieszkania, adres, musiało zmienić ćwierć miliona warszawiaków — 140 tysięcy Żydów i ponad 100 tysięcy Polaków.

Jeszcze nie przeczuwali, co się stanie. Niektórzy spieszyli się nawet, by zająć lepsze mieszkania. Rodzina Przedborskich również wierzyła w naród Beethovena. Byli pewni, że posłuszeństwo zostanie nagrodzone, może trudnym, ale bezpieczniejszym życiem. Chcieli być razem, wszyscy, wraz z babką Salomeą, jej dziećmi, wnukami i prawnukami. W sumie zjechało się ich trzynaścioro. Pozornie, w swojej zewnętrznej warstwie, życie znów toczyło się normalnie. Był szpital, kawiarnie, czytelnie, nawet teatry i orkiestra symfoniczna.

Nalegali na Franię, żeby poszła z nimi. Matka, Dela, Bronka. Zamutka wzięto do niewoli, to było wystarczające nieszczęście. Jak można się w takiej sytuacji rozdzielać? Frania miała malutkiego Zbyszka, Bronka trzyletniego Marysia, Dela — dziewięcioletnią już Halinkę, która pomogłaby opiekować się młodszymi. Z getta w Ozorkowie przyjechała Madzia, najmłodsza siostra, z rocznym Henrysiem na ręku. Rodzina.

Frania nie poszła do getta. Wybrała aryjską stronę, jak wtedy, kiedy kilkanaście lat wcześniej przyjechała do Warszawy. Nie miała odruchu ucieczki. Miała męża Polaka, któremu ufała bezgranicznie. Jego słowa znaczyły dla niej więcej niż zaklęcia matki i rodzeństwa, więcej niż hitlerowskie zarządzenia.

Myślę, że przez pierwsze miesiące żyła tak, jakby niemieckie nakazy jej nie dotyczyły. Może nie czuła zagrożenia, może zamknięcie przerażało ją bardziej niż zasadzki życia poza murami. Nie od razu zdawano sobie z nich sprawę. A dla Olesia jej przenosiny do getta nie wchodziły w grę.

Kamienica na ulicy Okrąg, ich dawne mieszkanie, znalazła się w dzielnicy niemieckiej. Przeniosła się więc do rodziców Olesia na Stare Miasto, on został w jednej ze swoich garsonier. Tym razem tłumaczył to względami bezpieczeństwa.

Aby zobaczyć tych zamkniętych w getcie, potrzebna była przepustka. Bardziej obrotni załatwiali to łapówką dla pilnujących przejść wartowników, niemieckiego żandarma i polskiego granatowego policjanta. Ale głos najbliższych, choć oddzielonych murem, można było usłyszeć bez zezwolenia i bez trudu. Łączność telefoniczna z dzielnicą żydowską pozostała niezakłócona niemal do końca.

Frania codziennie dzwoniła do getta z czarnego aparatu z ebonitową słuchawką. „Jak się czujecie, co wam potrzeba?" Przez pierwsze miesiące wydawało się, że nie ma powodu do niepokoju. Pracowali, nie byli głodni. Wierzyli, że to nie potrwa długo. Przez telefon babka śpiewała małemu Zbyszkowi piosenkę o pani majstrowej. Po co komu papierowe buty? Na śmierć.

Minęła jedna wojenna zima, nadeszła druga. Frania dalej pracowała w biurze na Mazowieckiej, małym Zbyszkiem zajmowali się rodzice Olesia. Zmierzch zapadał wcześnie. Było prawie ciemno, kiedy Frania otworzyła drzwi nieznajomej kobiecie.

Halina Schumacher, adwokatka z Łodzi, przed wojną była radcą prawnym w firmie Olesia. Po wybuchu wojny została z matką, coraz bardziej przerażoną myślą o życiu po stronie aryjskiej. Jak wielu łódzkich Żydów, przyjechały do Warszawy.

Halina była zaradna. Co dzień przedostawała się przez budynek sądów na aryjską stronę, żeby zaopatrzyć dom i zorientować się w możliwościach życia poza murami. Takich jak ona było coraz więcej. Mieli lepszy lub gorszy wygląd, mniejszy lub większy związek z polską kulturą i językiem. Najważniejszy był jakiś adres. Halina wybrała Olesia.

Co dawało jej prawo myśleć, że on pomoże? Czy należała do tych kobiet, z którymi łączyły dyrektora Majewskiego jakieś szczególne więzy? On temu zaprzecza. Może powtarzano wśród znajomych, a znał wielu ludzi, jego deklaracje solidarności z Żydami, a oni sprawdzali je, gdy zawiodły inne możliwości?

Nazajutrz Oleś zatrudnił ją w biurze na Mazowieckiej jako telefonistkę.

FRANIA

Mury, płoty, zasieki, druty kolczaste, obszar zagrożony tyfusem wydzielony z granic miasta. Dzielnica dla tych, których według niemieckich plakatów należało się brzydzić i bać. Zohydzające wizerunki Żydów straszyły z murów Warszawy. Haczykowate nosy, chwytne, chciwe palce, wszy, zaraza. Trudno było wniknąć w ten świat ludzi gorszych, oznaczonych żółtą gwiazdą. Wachy — bramy prowadzące do getta — były pilnie strzeżone. Niewielu odwiedzało dzielnicę zamkniętą. Niewielu miało ochotę lub powody.

Frania trzymała się z daleka. Nigdy nie weszła do budynku sądów, nie zmieszała się z tłumem petentów, by wyjść po drugiej stronie i poszukać swoich. Nigdy nie wsiadła do tramwaju przejeżdżającego przez getto bez zatrzymywania. Nie widziała tego, co za murem, nawet przez okno. Czasami przez telefon umawiała się z siostrą lub matką, że podejdzie w miejsce, które one ze swojej strony będą mogły zobaczyć. Siadała z wózkiem, na ławce, przy fontannie, w parku. Czekała.

Skąd było widać aryjską stronę za trzymetrowym murem? Z wyższych pięter budynków, z kilku innych, gdy podchodziło się bliżej, z drewnianego mostu nad ulicą Chłodną. Mostem przy zbiegu z Żelazną zawsze szły tłumy. Czy wszyscy mieli ważne sprawy w innej części getta, czy może chcieli tylko popatrzeć? Nie wiem, czy na patrzenie nie szkoda było sił. Pięćdziesiąt stopni do góry, to trochę trwało, potem czas przejścia całej szerokości ulicy i kolejne pięćdziesiąt schodów w dół. Nie pozwalano się zatrzymywać, ale gdyby iść wolno, wolniutko, można by zobaczyć i wieżę pobliskiego kościoła, i Ogród Saski, kamienice na Marszałkowskiej, a nawet kawałek Wisły. Szara rzeka jak wypełniona rtęcią. I łachy piasku, jak kiedyś, jak przedtem. Na wyciągnięcie ręki. Blisko. Najdalej.

Nie, stamtąd nie udałoby się wypatrzeć wózka i fontanny. Siostry Frani musiały iść gdzie indziej, żeby móc zobaczyć zieleń, jakieś drzewa, ogród, żeby ją poznać, odróżnić od dziesiątek innych kobiet z dziećmi na spacerze. To nie mógł być Ogród Saski, za daleko, a poza tym „tylko dla Niemców", więc Ogród Krasińskich w pobliżu Franciszkańskiej, kadr z wózkiem, fontanną i ławką, gdzie Frania czekała, aż ją z tamtej strony zobaczą. Jak odnaleźć ten obraz przeszłości?

Do getta wchodził Oleś. Jako przedsiębiorca związany z niemieckimi firmami miał lepsze niż inni papiery, a jeden ze swoich sklepów oddał wysokiemu rangą urzędnikowi niemieckiemu w zamian za ułatwienia handlowe i podatkowe. Był, jak zawsze, rzutki i obrotny, potrafił szybko załatwić sobie stałą przepustkę uprawniającą do wizyt w dzielnicy zamkniętej. Mur odciął inny z jego sklepów, duży, ze składami i magazynami, na placu Grzybowskim.

W getcie Oleś zachodził do Przedborskich, najpierw na Sienną, potem pod kolejne adresy. Mieszkali całą rodziną, w trzynaście osób, w tym znajdując poczucie bezpieczeństwa. Nie byli głodni, stać ich było na naftę do lamp i węgiel do piecyków. Jeden z jego szwagrów był dentystą, drugi, inżynier, pracował w szopie, fabryce produkującej dla Niemców. Oleś namawiał do ucieczki na aryjską stronę, oferował pomoc i papiery. Dziś twierdzi, że przeczuwał, jaki los czekał Żydów. Próbował ostrzegać, straszyć, ale nikt z Przedborskich nie chciał mu wierzyć. Teściowa wyrzucała mu, że chce zgubić Franię, narażając ją na codzienne niebezpieczeństwo poza murami.

Jak to się stało, że Warszawa, która dla wielu z nich była przedwojennym domem, wydawała im się groźniejsza od okrutnej przecież rzeczywistości getta? Kiedy to się stało, w jakiej chwili? Czy to znaczy, że przed wojną też nie byli tam u siebie? Kogo bali się bardziej, Niemców czy szmalcowników? Nawet przed ostateczną zagładą getta zdarzało się, że Żydzi wracali z aryjskiej strony, wyczerpani stałym napięciem, koniecznością ukrywania się, lękiem przed denuncjacją.

Oleś do dziś pamięta białą emaliowaną pokrywkę do czajnika, którą kupił od starej kobiety w getcie. Zapłacił więcej, niż chciała. Powiedział nawet, że takiej pokrywki długo szukał. Nazajutrz nie zastał kobiety pod ścianą. Zastanawia się czasem, czy ostatniego wieczoru zdołała się najeść do syta.

Z czasem poprosili Olesia, żeby przestał do nich przychodzić.

15 października 1941 roku rozlepiono na ulicach Warszawy rozporządzenie generalnego gubernatora Hansa Franka o karze śmierci, jaka grozi Żydom opuszczającym bez zezwolenia dzielnicę żydowską. Kara śmierci groziła również tym, którzy udzielali im jakiejkolwiek pomocy. Duże,

drukowane litery „Bekanntmachung" przyciągały wzrok przechodniów. Oleś i Frania napotykali je na każdym kroku.

Postanowili, on postanowił, coraz częściej to on decydował o nich, że Franię ze Zbyszkiem będzie łatwiej przechować jako jego siostrę. Szybko zorganizował stosowne papiery. Ale do tego Frania, Zofia Majewska, musiała zostać kobietą stanu wolnego, z nieślubnym dzieckiem. Rozwód załatwił w tej samej cerkwi, w której brali ślub. Kiedy zażartowała, że znowu jest wolny, przyrzekł jej, że nigdy więcej się nie ożeni.

Halina Schumacher dalej pracowała w biurze Olesia. Jej rola szybko przekroczyła obowiązki telefonistki obsługującej centralkę. Kompetentna i zorganizowana, wkrótce stała się prawą ręką szefa. Zmieniła fryzurę i utleniła włosy, a po śmierci matki wyszła z getta. Zamieszkała u Olesia i Frani, ale nie wiem, które z nich było autorem tego pomysłu. Oleś podkreśla dziś, że Frania zgodziła się bez namysłu. Halinie dali dokumenty pierwszej żony Olesia. Dzieliły wspólne imię. Halina Schumacher, adwokatka z Łodzi, stała się Haliną Majewską, z domu Jakubiak, którą Oleś poślubił w kościele mariackim. Ich los coraz ciaśniej stawał się wspólny.

Moją ciotkę Franię Oleś nazywał Zofią — jej imieniem przybranym na chrzcie. Frani zdarzało się płakać. Zofii — nigdy. Ani się nie skarżyła. Opiekowała się dzieckiem, chodziła z nim na spacery, załatwiała sprawunki, wykonywała biurowe czynności. Bez słowa skargi. Zofia, skropiona święconą wodą, starała się zachowywać tak, jakby wojna nie kładła się na niej cieniem jej pochodzenia. Zofia była silniejszym, lepszym, aryjskim wcieleniem siebie samej, Frani z łęczyckiego Przedrynku. To Zofia nie różniła się od Polki przed wojną na balach i rautach w wysokich sferach. Nikomu nie przyszłoby do głowy, by Zofię łączyć z Krochmalną czy Nalewkami.

Olesiowi mylą się lata. Pomagał Żydom, wielu wyprowadził z getta, załatwił papiery, znalazł schronienie. Kto, kiedy, jakimi drogami — nie pamięta. Nie wie, czy najpierw wyprowadził z getta Bronkę, siostrę Frani, czy może przedtem zwracały się do niego o pomoc jego łódzkie znajome. Pierwsza, druga, piąta. Pomagał. Nie opowiada o tym, bo przecież nie ma dowodów, zresztą nigdy się o to nie starał. Więc milczy.

338

Wiem na pewno, że wyprowadził Bronkę przez gmach sądów. Nie poszło łatwo — ktoś ich zauważył, jechała za nimi druga dorożka. Polecił fiakrowi, żeby jechał na Szucha, na gestapo. Dopiero w ostatniej chwili, kiedy można już było rozpoznać dystynkcje niemieckich wartowników, szmalcownicy dali za wygraną.

Wiem też, że to Oleś dał pieniądze na okup za moją babkę Delę. Wiem, że koleżanka Olesia z podziemia, łączniczka Armii Krajowej, wyprowadzała przez sądy małego Marysia, syna Bronki. Oleś i jego wyciągnął.

Gdyby nie on, polski mąż Celiny Franciszki Przedborskiej, którego pokochała i poślubiła wbrew woli rodziny, gdyby nie on, gdyby nie Ty, wujku, nie byłoby po nas śladu. Nigdy nie przyszłabym na świat, bo moja mama ze swoją mamą Delą nie opuściłyby getta. A jeśli nawet by się to udało dzięki pomocy spółdzielców z Żoliborza, nie wydostałyby się z rąk szmalcowników, a potem z gestapo. Moja babka Dela nie dostałaby w prezencie od losu kilkunastu jeszcze miesięcy życia.

Jestem na końcu tego łańcucha. Babka Dela, mała Halinka, ucieczka przez sądy, szmalcownicy, dorożka, gestapo. Gdybyś wtedy się zawahał, gdybyś się zląkł, był zmęczony lub chwilowo nieobecny, Dela z Halinką nie wyszłyby z budynku na Szucha. Nie byłoby dalszego ciągu.

Dela zginęłaby już wtedy. Halinka nie odnalazłaby ojca, nie zakochała się, nie budowała domu, nie urodziła córki. Nie miałaby o czym pamiętać. Nie wiedziałaby, o czym zapomnieć. A ja nigdy nie doświadczyłabym smaku mojego dziedzictwa. Nie poznałabym sióstr dziadka, bo Bronka z synem zginęliby w Treblince albo za murem, Frania z dzieckiem nie dałaby sobie rady po aryjskiej stronie. Nie znalazłabym po latach kuzyna, Adasia Hermana, oddanego do polskiej rodziny, bo zabrano by go do gazu razem z matką. I innych, których los nie splótł się z moim.

339

Oleś opowiada o tym wszystkim bez sensacji, systematycznie, po kolei. Gdzie, kiedy, jak, co trzeba było przewidzieć, adresy, dokumenty, mieszkania, meldunki, żywność. Konkretny plan. I drugi plan, rezerwowy, na wypadek, gdyby tamten zawiódł. Pomoc Żydom wymagała podwyższonej ostrożności, nie tylko wobec Niemców. Także wobec Polaków. Ważne były pieniądze, ale ważniejsi ludzie.

FRANIA

Czy się bał? Był żołnierzem podziemia, a prawdziwy konspirator o strachu nie mówi. Nie wtajemniczał nikogo w szczegóły swojej działalności. Tak było bezpieczniej. Podczas okupacji w Polsce skazywano i zabijano za posiadanie broni, radia, złota i fałszywych papierów, za pomoc Żydom i szmugiel — za wszystko groziła śmierć. Wliczył ją w swoje wojenne rachunki.

Nigdy nie słyszałam przechwałki w jego głosie ani dumy. Jeśli tak, to tylko wtedy, kiedy opowiadał, jak mu się udało przechytrzyć Niemców, zmylić pościg, wywieść w pole szmalcowników, udaremnić pogoń, uniknąć łapanki. Kiedy aresztowano Franię, Oleś wydostał ją z posterunku. Zrobił policjantom awanturę. Przedstawił się jako współpracownik Rzeszy. W takich przypadkach jego niewzruszona pewność siebie, tupet, arogancja były jedyną nadzieją.

Słucham wojennego serialu przygodowego, choć wiem, że niesie dramat dotkliwszy niż grecka tragedia.

Oleś, Frania, Zbyszek, ich mały synek. Halina. Ile takich scenariuszy napisała wojna? To nie był w pełni oryginalny schemat, ale wiem, że zdarzył się naprawdę. Wędruję po tych śladach od dzieciństwa, najpierw nieświadomie, dziś z pragnieniem odkrycia kolein przeszłości. Nie wiem, kim dla Haliny Schumacher był wtedy jej młody, przystojny szef, który dał jej więcej niż pracę, bezpieczeństwo, dach nad głową. Oleś odroczył wyrok śmierci, na jaki ją skazano, choć mogło się wydawać, że ten wyrok nie podlegał apelacji. Czy już wtedy była w nim zakochana?

Nie wiem. Ale Oleś twierdzi, że to ona, Halina, powiedziała, że chce mieć z nim dziecko.

Przeprowadzili się za Wisłę. Saska Kępa, ulica Francuska, wille, ogrody. Po tej stronie rzeki nie było getta. Albo inaczej: getto było po drugiej stronie. W niewielkiej kamienicy na Szczuczyńskiej mieszkały obie Majewskie, żona i „siostra" Olesia. Jak dzieliły się obowiązkami, a jak pokojami?

Frania milczała. Milczała podczas kolejnych miesięcy ciąży Haliny. Tuż obok, trzeci miesiąc, piąty, ósmy, rosło przy niej dziecko jej męża. W brzuchu innej kobiety. Najdłuższa ciąża, jaką znała. Oleś był dla niej dobry. Mniej go widywała, znikał na całe dnie i noce, kursował między

Warszawą i Łodzią. W maju 1942 roku Halina urodziła syna, Andrzeja. Był inny niż Zbyszek, jasny.

22 lipca 1942 roku odjechały z Umschlagplatz pierwsze transporty do Treblinki.

Nie wiem, czy ktoś z mojej rodziny zdawał sobie sprawę, że jadą na pewną śmierć. Oficjalnie mówiono o wysiedleniu na wschód, do pracy. Najpierw wzięto najmłodszą Madzię z dzieckiem i mężem dentystą, który w getcie świetnie zarabiał. Do końca nie rozumiał, co się dzieje. Potem pojechali ci wszyscy, których Oleś nie zdołał uratować.

Po wielkiej akcji wywiezienia do komór gazowych ponad 250 tysięcy mieszkańców getta jesienią 1942 roku w Warszawie ukrywało się ponad 20 tysięcy Żydów. Pomagających Polaków było trzy razy tyle.

Nie należało kupować zbyt wiele żywności, to wydawało się podejrzane. Należało wyprawić Frani — Zofii, jego rzekomej siostrze Zofii — huczne imieniny, jak kazał chrześcijański obyczaj, i zaprosić na nie pół kamienicy. Bronka miała nie recytować poezji, kiedy starała się o pracę służącej. Dela musiała wiedzieć, ile kosztuje bilet tramwajowy.

Do końca 1942 roku w czterech ośrodkach zagłady położonych na polskiej ziemi zamordowano ponad 2 miliony Żydów.

Zapach lęku, myślę o nim. Może był najważniejszy? Ważniejszy od wyglądu i sposobu bycia? Bronkę, siostrę mojego dziadka, ochrzczono po aryjskiej stronie, w domowych warunkach, kilkoma kroplami święconej wody. Znajoma Polka powiedziała jej wtedy, że Bronka nareszcie nie pachnie Żydem. Ale to nie była prawda, oni Żydem pachnieli. Przedtem i potem. I jej siostra, i matka, kuzyni, kuzynki, wszyscy. Frania też, choć chrzest przyjmowała wcześniej, z miłości, i wydawało się, że taki lęk jej nie dosięgnie.

Ten zapach był w nich już wcześniej, okupacja tylko go wyzwoliła i wzmocniła. Teraz trzeba było specjalnych umiejętności, by się go pozbyć. Pachnieli strachem. Strachem, czyli Żydem.

Jak czuli niebezpieczeństwo tam, po drugiej stronie Wisły? Kiedy dziś stoję pod domem, gdzie nadal mieszka Oleś, mam wrażenie, że Saska Kępa przechowała duszę prowincjonalnego miasteczka, gdzie czas płynie inaczej, a ludziom do siebie bliżej. Jeszcze kilka lat temu wydawała mi się przedwojenna — warzywniak, warsztat kaletniczy, manikiurzystka. Prywatna wypożyczalnia książek.

Przez całe życie moja ciotka Frania uciekała od samotności w świat książek. Czytała zachłannie, romanse, powieści historyczne, kryminały. Z mieszkania na Szczuczyńskiej chodziła do czytelni po sąsiedzku, szperała w fiszkach katalogu. Przez pierwsze trzy lata wojny dzwoniła z wiszącego na ścianie aparatu do getta.

Czy ktoś podsłuchał jej rozmowę? Czy rzeczywiście miała tak dobry wygląd, jak sobie to wyobraża Oleś? Kiedy patrzę na jej maturalną fotografię w modnej wtedy bluzce z marynarskim kołnierzem, zachowaną w archiwum Uniwersytetu Warszawskiego, jej uroda odpowiada informacji „wyznanie mojżeszowe", wpisanej obok. Na okupacyjnym zdjęciu ma wypukłe usta i ciemne falujące włosy. Jest smutna.

Zadenuncjowano ją jesienią 1942 roku. Wracały z Haliną z letniska. Szły pewnie, wedle umowy odsłonięta firanka w oknie stołowego pokoju znaczyła, że jest bezpiecznie. Już spod drzwi zawrócił je dozorca, ostrzegając, że na górze są Niemcy.

Przyszli po Zofię Majewską, żonę Aleksandra. Po Franię.

Oleś zaprzeczał. Jego żoną jest Halina, a nie Zofia. Pokazał akt ślubu, który chcieli obejrzeć przy świetle. Rozsunęli firankę. Znak. W każdej chwili spodziewał się, że one nadejdą.

Oleś, Aleksander Majewski, z żoną i odpowiednimi dokumentami miał się stawić nazajutrz w budynku gestapo na Szucha. Donos należało sprawdzić.

„Wiadomo było, że Frania nie przetrwa konfrontacji — mówi mi Oleś. — Ale to Halina, sama, z własnej woli, zaproponowała, że pójdzie ze mną na Szucha. Jako żona".

Tej samej nocy w większej szafie w przedpokoju urządzili schowek. Frania weszła tam, gdy tylko zamknęli drzwi. Poradzą sobie, muszą sobie poradzić, nie mogą zostawić jej samej. Chodzi o dzieci, o jego synów. Nie modliła się. Już chyba nie umiała się modlić. Poza tym, jak mogła modlić się do żydowskiego boga, skoro od lat toczyła z nim wojnę. Jak mogła chcieć jego opieki, skoro zaparła się go po wielekroć. Poślubiła Polaka, ochrzciła się, wyparła swojego dziedzictwa. A teraz ukrywała się po to tylko, by ocalić własną skórę.

Trwało to nie więcej niż dwie godziny. Kroki, szelest, skrzypienie podłogi. Wrócili oboje. Frania nie patrzyła jej w oczy, kiedy powiedziała: „Halina, nigdy ci tego nie zapomnę".

Ocaliła jej życie. Frania była jej dłużniczką. Musiała nią zostać. Na resztę życia. Na zawsze.

Być może Halina ocaliła jej życie. Dlaczego: „Być może"? Powinno być: „Ocaliła jej życie. Ale wcześniej zaszła w ciążę z jej mężczyzną".

Nie śmiali się, nie płakali z radości. Ulga miała gorzki smak.

Nie wiem dokładnie, ile czasu spędziła Frania w schowku. Ile godzin, dni, miesięcy. Nie wiem, czy sumowały się w lata, czy w pory roku, czy układały w puste wzory nieprzespanych nocy. Wchodziła tam, gdy ktoś ich odwiedzał albo pukał do drzwi. Coraz częściej. Była jak pozbawiona woli, a przez to i zdolności decydowania o czymkolwiek. W złym, cudzym śnie. Zbyszek był mały, kiedy musiał się nauczyć być z daleka od niej. Zajęła się nim matka Olesia. Nie przestawał płakać, gdy ktoś inny go kołysał.

Siedziała na poziomej desce przymocowanej z tyłu szafy, tej największej, trzydrzwiowej, z owalnym lustrem. Wyborowane dziury w dykcie, okrągłe, nieduże otwory — wkładała w nie zmęczone bezczynnością palce. Mrok. O czytaniu, cerowaniu, szydełkowaniu nie mogło być mowy. Zabijać czas, przegonić uporczywe obrazy. Uporczywe jak dzień i noc, południe i zmierzch, te same, tłoczące się, lepiące, do siebie, do niej. Ojciec powtarzający monotonnie: „Córuchna, uważaj na siebie, na matkę uważaj", płaczący syn, Salomea Herman w wielkim łóżku, nieruchoma, wiśnie na lampie w stołowym na Poznańskiej, owoce są nadal czerwone i lśniące. I za chwilę już znowu wszystko przeglądało się we wszystkim, babka ustami ojca z trudem łapała powietrze, jej chłopczyk, jej mały Zbyszek, śpiewał piosenkę o pani majstrowej, nie umiał płakać, ale umiał mówić: „Nie martw się, córuchna, jakoś to będzie", powtarzał, trzymając ją na rękach.

343

FRANIA

Ale przecież ona też była Żydówką. Ta druga. Ta w jasnym pokoju. Ta z jej mężem.

Na Szczuczyńskiej były obie, dwie żydowskie matki. Ale jedna z nich bardziej uprzywilejowana od drugiej. Jedna w ukryciu, w schowku. Dlaczego ona? Czy rzeczywiście wyglądała o tyle gorzej? Czy była taka niearyjska, czy może jej to wmówili? Czasem myślała, wiem, że musiała tak myśleć, siedząc w skrytce w korytarzu, że oni to wymyślili, żeby mieć dla siebie więcej czasu. Czasu i spokoju. Może mu się znudziła, może go męczyła, przeszkadzała im. Ale przecież nadal odwiedzał ją w nocy. Ją także. Bawiła Andrzeja, wyobrażając sobie, że to Zbyszek. Marudził mniej.

Co słyszała? Z czego budowała czas — odgłosy stóp, buty, kuśtykanie, bieganie, podskoki. Puls klatki schodowej, puls wyczuwalny, po latach potrafiłaby o nim opowiadać. Otwieranie drzwi, odgłosy powitań i pożegnań, smużące się spod drzwi refreny gniewu, radości, a czasami melodii. Kawałki kolęd w okolicy świąt Bożego Narodzenia, polne piosenki dojrzałego lata, jakiś żołnierz z plecakiem i sercem.

W szafie wisiały ubrania. Sukienki. Kretonowa niebieska, zakładała ją wieczorami, na spływie kajakowym, po całym dniu na wodzie. Nazwał ją wtedy Psiapsią, to było na samym początku.

Z koronkami, suto marszczona, kupiona w zamian za tą, która płonęła na niej pod lasem koło Czorsztyna, kiedy wybuchł palnik gazowy i wydawało się, że od oparzeń umrze. Od tej pory rozbierała się już tylko w ciemności. I po raz pierwszy przestała patrzeć w lustro. Drugi raz przestała patrzeć w lustro w drugim roku wojny.

Ostatniego lata pojechali znowu nad jeziora już jako mąż i żona, zielona sukienka na motocyklu. Ta w maki, wygnieciona na łąkach w okolicy Naroczy, gdzie nareszcie zaszła w ciążę.

Badała zgrubienia drzewa, deska, drzewo, sęki, sosna, jesion, jakie to drzewo, nuty, takie łatwe się wydają, ale palce odwykły. Imiona lutników, ojciec ich uczył, że to nie Włosi, lecz Polacy. Nie może sobie przypomnieć ani jednego. Żłobiła palcem, palcami, łęczyckie ulice, a potem rzekę i łąki, ulice, rynsztoki, brud, nie przywoływać tamtych woni.

Przedrynek. Obrysowywała wskazującym palcem prostokąt, jeszcze raz, złe proporcje, potem pukała opuszkami, znacząc kocie łby. Dalej dom w formie litery L, wyszło jak U kanciaste, prosty rysunek z szeregiem oficyn od podwórza. Również palcami prawej ręki wchodziła po schodach, puk puk, puk puk, na pierwsze piętro, przypominała sobie rytm arii z popularnych oper, ojciec je śpiewał, idąc do magistratu na posiedzenie, ojciec, a potem brat. Brat i ojciec, łączyły ich skrzypce, nic więcej. Nie przepadali za sobą. Chmurny brat, przystojny. Miała matkę kilka miesięcy dłużej niż on.

Autorem donosu okazał się właściciel osiedlowej biblioteki. Oleś jeszcze raz sprawdził swoje podejrzenia. A potem osobiście dozorował wykonania wyroku, jaki podziemie wydało „za działanie na szkodę narodu polskiego". Władze podziemne zaczęły karać za szantażowanie Żydów późno. Brak wiarygodnych statystyk. Od lata 1943 roku zabito może dwudziestu z czterech tysięcy szmalcowników warszawskich.

Frania zamieszkała we frontowym pokoju. Nie wiem, w jakich okolicznościach zaczęto zamykać rozsuwane drzwi w amfiladzie. Miała swój tapczan i kilim jeszcze z Łęczycy. Nadal wisi. Wszystko jest na nim jak z bajki, wielki dąb i sowa, czarownica kusząca dzieci rumianym jabłkiem, smak zła i obietnica dobrego zakończenia. Oleś ciągle jeszcze odwiedzał ją w nocy. A może kilim znalazł się tam przypadkiem, jak lustro z szafy matki. Z Łęczycy przywędrowało na Okrąg, a stamtąd na Kępę, już nie chcieli zabierać go do getta. Lustro nie wydawało się potrzebne. Nie mieli sił patrzeć sobie w oczy.

345

O jednych nie wiedzieli, o innych nie chcieli wiedzieć. Potracili z sobą kontakt. Nie znali losów. Były wiadomości, których Frania nie umiała przyjąć. O babce, matce, siostrze. One były z prowincji, ale przecież inni, ci eleganccy, wykształceni, zamożni, polscy? Stryj Janek i jego polski nos. Tyle ludzi. Dla wszystkich ten sam piec?

Doktor Przedborski, Samuel Janas, jak zapisano w okupacyjnych papierach, został w getcie do chwili wyprowadzenia sierocińca Korczaka.

Swoje przeżycia zapisywał w zeszytach w kratkę. Przetrwały, on nie. Są w archiwum Żydowskiego Instytutu Historycznego w Warszawie, a w nich zapis jego losów w getcie. Potem narracja się urywa. Nie wiadomo, gdzie przechowywał się od lata 1942 przez cały następny rok. W lipcu 1943 roku dobrowolnie zgłosił się do Hotelu Polskiego na ulicy Długiej, gdzie Niemcy zastawili pułapkę na ukrywających się w Warszawie Żydów, kusząc ich obietnicą emigracji do Ameryki Południowej za znaczne sumy. Prawie wszyscy zginęli w Oświęcimiu.

Drzwi trzeba zamykać. Ale nawet zza zamkniętych drzwi dochodziły te odgłosy. Trudno je określić. Dwoje ludzi w ciemności usiłujących robić to jak najciszej. Czy mogło nie boleć, czy mogło być odbierane jak w znieczuleniu, jak w odrętwieniu przedłużonej narkozy. Trwać jak w stanie oddzielenia od siebie, ja i nie ja, bez czucia. Tak w niej tkwiło. Żyło, było, działo się, stale i ciągle od nowa. Ile razy? Czy zaciskała rękami uszy? Przyspieszony oddech. Ich, jej własny.

Co słyszała Halina?

Frania nie podchodziła do okien. Mówiła coraz mniej. A potem płonęło getto. Była Wielkanoc i ludzie szli do kościoła. Matka Olesia przyniosła do domu koszyczek ze święconym. Modliła się o zmartwychwstanie Jezusa Chrystusa. Nikt z ich trójki jej nie towarzyszył.

W czym ich codzienność była najbardziej dotkliwa? We wzajemnej obecności, ciągłym potykaniu się o własne ciała i lęk? W kuchni, w łazience. W dzień i w nocy. Olesia często nie było, wychodził rano, wracał po zmroku, załatwiał jakieś sprawy, w czymś uczestniczył, coś organizował. Nie dopytywały się. Rytm ich dnia wyznaczała konieczność zajęcia się dziećmi, karmienie, zabawa, sen. Wyćwiczyły dyżurne uśmiechy. Wzruszenia od nowa prawdziwe. Niezbędne czynności. Dodawały przeżyte miesiące, z nadzieją, że to się kiedyś skończy. Czy i jak o tym marzyły? Frania chciała podróżować, zwiedzać dalekie kraje. Nie wiem, u czyjego boku widziała swoją przyszłość. Moment, kiedy Halina stanęła po raz pierwszy na progu ich mieszkania, wydawał się zamierzchłą epoką. Ślub z Olesiem należał do innego życiorysu. Oboje byli teraz przy niej, obojgu zawdzięczała to, że jest.

Oleś wybrał je obie i ocalił. One wybrały jego, z miłości, nie wiedząc, że ocalenie przyniesie. Frania była pierwsza, Halina nieco w tyle. Wojna przełamywała kolejny rok, zbliżała się piąta zima. Na podwórku dzieci postawiły bałwana.

Kiedy Oleś poszedł do powstania, Frania z Haliną, po raz pierwszy w ich wspólnym życiu, zostały naprawdę same. Wiedziały, że muszą przetrwać. Przeczekać, przeżyć, zwyciężyć. Trochę handlowały gorącym krupnikiem na bazarze, trochę wyprzedawały to nic, co jeszcze posiadały. Chłopcy bawili się pod okiem teściowej.

Saska Kępa wyszła z bombardowań obronną ręką. Ich kamienica, poobijana pociskami, z powybijanymi oknami, stała na swoim miejscu. Mieli dach nad głową. Oleś wrócił z niemieckiej niewoli w końcu stycznia 1945 roku.

Na środku pokoju stał kulawy dymiący piecyk. Popijali wrzątek. Ocaleli.

Zginęło 98 procent warszawskich Żydów.

Sprawiedliwy

Franuchnę zaczęłam kochać za późno. Kiedy już gasła. Nigdy nie ośmieliłam się zapytać ją o nic naprawdę, nawet nie o wojnę, ale o rodzinę, o dom, i o to, dlaczego tak bardzo chciała się stamtąd wyrwać, opuścić Łęczycę.

Żyła, jakby nie miała przeszłości.

Nie wierzyłam opowiadaniom Olesia. Nie mogłam uwierzyć, że Frania sama reżyserowała własny los. Zbuntowana, niepokorna, niezależna. Jako młoda dziewczyna i dojrzała kobieta, jako żona, matka, kochanka, do wybuchu wojny i podczas niej. Co sprawiło, że stała się później ucieleśnieniem krzywdy? Co się stało z jej głodem świata, miłości, wiedzy? Dlaczego z własnej woli dzieliła swojego mężczyznę z inną kobietą? W moich oczach była ofiarą. Budziła czułość z odcieniem litości, nigdy podziwu.

Po zakończeniu wojny Frania też zarejestrowała się w Centralnym Komitecie Żydów Polskich. To samo zrobili Bronka i Szymon. Nie wiem, czyj to był pomysł, ale wtedy rejestrowali się niemal wszyscy ocaleni Żydzi. Był to jedyny raz, kiedy Frania oficjalnie przyznawała, kim była. Nigdy więcej nie nazwała się Żydówką. W dokumentach napisała też, że jest panną, uwierzytelniając w ten sposób wojenne rozstanie z mężem. W rubryce „sposób przetrwania" napisała „aryjska strona".

F R A N I A

Nie miała innego adresu.

Musiała być bardzo zmęczona. Nie wiem, ile w niej było powojennej euforii, świadomości, że życie znów zaczyna się od początku. Myślę, że poczuła się zwolniona z konieczności walki. Już nigdy nie zagrała głównej roli.

Jeszcze w 1945 roku Oleś z Haliną, bez Frani, zaczęli coraz częściej jeździć do Łodzi. Tam poznali się przed wojną, tam Oleś prowadził interesy, tam Halina założyła kancelarię. Trzeba było odzyskać jej dawne mieszkanie na Piotrkowskiej, głównej ulicy miasta, stosunkowo mało zniszczonej. W Łodzi mogli być razem, we dwoje, bez milczącego, wszechobecnego świadka. Występowali jako para, choć oficjalnie nie byli małżeństwem. Oleś twierdzi, że nie chciał złamać danego Zofii przyrzeczenia. Wojenne papiery nabrały mocy.

Z czasem spędzali w Łodzi coraz więcej czasu. Halina Schumacher, już wtedy Halina Majewska, odbudowała swoją praktykę adwokacką. Do Warszawy, do dzieci, które zostawiali z Franią, przyjeżdżali na niedziele i święta.

Aleksander Majewski, inteligent z awansu, w rubryce „wykształcenie" podawał z przewrotną dumą — „cztery klasy gimnazjum". Szczycił się chłopskim pochodzeniem, co było w powojennej Polsce dobrze widziane. Ale na tym kończyły się jego przywileje. Wrogi komunizmowi, do partii nie zapisał się nigdy. A jednak funkcjonował nie najgorzej. Błyskotliwy i pełen pomysłów, próbował wielu posad i zawodów. Miał doświadczenie w zakresie transportu i sprzedaży paliw płynnych, pracował też jako doradca ekonomiczny. Często pomagał Halinie w przygotowywaniu dokumentacji spraw, jakie prowadziła, a nawet w mowach obrończych.

Myślę, że to on podejmował wszystkie decyzje. On wiedział, co dla nich razem i dla każdego z osobna będzie najlepsze. Halinie przeznaczył domenę publiczną, sąd, salon, reprezentację, Frani — dom i dzieci. Z początku pracowała w państwowej instytucji, Zamutek, jej brat, zatrudnił ją i Bronkę w Biurze Odbudowy Stolicy. Ale Oleś był przedsiębiorcą z krwi i kości. W domu, gdzie mieszkali, wynajął dodatkowy lokal i zainstalował tam poniemieckie maszyny dziewiarskie. Firma Ama, od inicjałów Aleksandra Majewskiego, robiła swetry, na jakie w głodnej towarów i nie dogrzanej Warszawie był zawsze zbyt. Firmy musiała pilnować osoba zaufana: Frania. Odeszła z BOS-u, odeszła od brata i siostry, jak odchodziła przedtem, najpierw przed dwudziestu laty, potem w czasie wojny. „Dobrze, że mamusia tego nie dożyła", wzdychała Bronka, kiedy Frania przybiegała na chwilę. Zamutek milczał. Milczał prawie zawsze.

Słyszałam, że po wojnie Frania jeszcze raz zaszła w ciążę. Ale to Halina urodziła Olesiowi w 1947 roku trzecie dziecko. Syna nazwali Piotr.

A przecież umieli być szczęśliwą rodziną. Widziałam wiele fotografii z ich wspólnych wakacji, ich troje i trzech chłopców, nad morzem, nad jeziorami, w górach. Na szkolne wywiadówki chodziła tylko Frania. Występowała jako matka trzech synów. Nie wiem, jak mówili do niej w dzieciństwie. Ale to do niej wyciągali ręce i na jej ramieniu opłakiwali stłuczone kolano.

Na żadnym zdjęciu się nie śmieje. Ma chmurną twarz, szczególnie w porównaniu z Haliną, która zawsze się uśmiecha. Tamta otrząsnęła się z wojny. Widzę to, jak konkretną czynność, jak ptaka otrzepującego skrzydła z wody lub koszmarnego snu. Taka wydawała mi się Halina. Pamiętam ją inną niż Franię, pachnącą, elokwentną. A jednak obcą. We Frani wojna osiadła czernią. Ciężarem, którego nie umiała zrzucić. Czasami próbowała uśmiechu. Nie układał się. Jakby znała wszystkie powody, dla których radości nie ma.

Miała słuch. Pięknie grała na fortepianie. W domu na Przedrynku, koncerty, sonaty, walce. Nokturny. W mieszkaniu na Saskiej Kępie pianina nie było. Zamiast tego Oleś kupił jej w prezencie akordeon. Akordeon ma sto dwadzieścia basów, a Frania tak ładnie potrafiła znaleźć odpowiedni i grać na życzenie, ze słuchu, rozmaite melodie. Śpiewała altem. Wiele arii znała na pamięć, jeszcze z łęczyckich występów z bratem. Może miała talent? Wszystko, co miała, przeminęło. Talent, marzenia, miłość. Podczas świąt Bożego Narodzenia siedzieli razem przy choince i wspólnie śpiewali kolędy przy akompaniamencie akordeonu.

FRANIA

Oleś utrzymywał w domu porządek i dyscyplinę. Mniej życzliwi w rodzinie nazywali to tresurą. Nigdy nie podnosił głosu i nigdy nie musiał powtarzać czegoś dwa razy. Rządził w domu, nawet się nie starał o wizerunek demokraty. Synów chował twardą ręką. Dzieci go słuchały. „Tato, czy można zrobić herbatę?" Musztrował synów, a potem wnuki. „Dziadku, czy mogę wziąć rowerek?" Miało im to wyjść na dobre.

Decydował o tym, gdzie pojadą na wakacje i na której stacji kupić benzynę, czy są wystarczająco chorzy, by już wołać lekarza, czy pić kawę z filiżanek czy ze szklanki, jak, co i gdzie załatwić. Nic nie wymykało mu się spod kontroli.

Zadecydowali, zgodnie i we troje, jak zawsze, jak ze wszystkim, że Frania nie przepada za życiem towarzyskim. Nie zmuszali jej do tych wszystkich wizyt i przyjęć. Zostawała w domu, z dziećmi. Uznali, że nie lubi się przesadnie stroić. Wystarczało, że Halina ubierała się w piękne suknie od amerykańskich kuzynów. Na nią mówili Lala, na Franię — Psiapsia, czyli ta, która ugotuje jajko na miękko i posprząta ze stołu.

Nigdy się nie skarżyła. Nie chciała się buntować, czy może uważała, że nie ma powodu?

Nie walczyła już z losem. W cieniu było bezpiecznie. Chciała trwać, odrabiać zadania codzienności. Patrzeć przez okno, jak innym dojrzewa życie.

Halina tymczasem spełniała się w działalności zawodowej i społecznej. Walczyła o prawa kobiet, bitych, wykorzystywanych, upokarzanych. Zorganizowała darmową opiekę prawną w ramach Ligi Kobiet, doradzała, jak wyjść z opresji, pisała pozwy. Ci, którzy pamiętają ją z sądu, twierdzą, że reprezentowała wysoki poziom sztuki adwokackiej.

Chodzi o sploty lojalności. Za Hitlera pomagał swoim dwóm kobietom, chronił je i gotów był na wszystko, by ocalić im życie. Po wojnie on sam, jako były żołnierz Armii Krajowej, narażony był na niebezpieczeństwo. Wielu akowców odsiedziało swoje w więzieniach Polski Ludowej. Oleś pamięta o tym zagrożeniu. Może dlatego prowokował i drażnił — obcesowym antykomunizmem, przekorą, besserwisserstwem. Ośmieszał ideowe zaangażowanie brata Frani, Szymona, jej siostry Bronki i szwagra, Danka. Na użytek wspólnych podwieczorków wybierał antyradzieckie dowcipy i kompromitujące cytaty z partyjnej prasy. Używał określeń „dzicy" dla pierwszych sekretarzy z trybun i transparentów, dla tych, którym Przedborscy przyrzekali wierność i służbę dla dobra ludowej ojczyzny. Częstował gości drwiną i nie przebierał w słowach. Szwagrowie – Szymon i Danek, mąż Bronki – nie umieli ukryć niechęci wobec Olesia.

Nadal nie wierzy w bezinteresowne stosunki z ludźmi. Tak świadczą jego bliscy. Powtarza zawsze, że nie ma nic za darmo. Jeśli ktoś ci coś daje, to znaczy, że ma interes. Ważył jabłka, które przynosiła mu synowa. Pytał, ile jest winien. Każdy prezent miał cenę. I synowie się tego nauczyli. Istnieje jedynie wymiana interesów. Takie narzucił reguły gry. Cztery kilogramy jabłek warte były paczkę kawy. Ile jest warte pięć kilogramów pomidorów? Wszystko zapisywał albo kazał zapisywać. Nic nie było za darmo.

Jak to pogodzić z jego okupacyjną szczodrością? Tego, co zrobił dla innych, nie sposób przeliczyć na żadną walutę.

A przecież Oleś nie był ulubieńcem rodziny Przedborskich. Ci, którym uratował życie, poszli swoimi drogami. Nie celebrowali wspólnych spotkań, a jeśli się widywali, nigdy nie wspominali lat okupacji. Jakby nie czuli wdzięczności, raczej coś w rodzaju żalu za zmarnowane życie Frani.

Policzmy. Przedborscy: Frania, jej siostra Bronka z małym Marysiem, hałaśliwie semickim. Dela z Halinką, moją mamą. A więc pośrednio ja. Mały Adaś Herman. Doktor Stupaj, powinowaty.

Poza nimi nikt z Przedborskich nie przeżył, z wyjątkiem Szymona, Zamutka, polskiego oficera. W oflagu.

Pamiętali, że zatrzymał komplet mebli stołowych Deli. Szymon mu to przypominał.

Widzieli go w kostiumie despoty. Nie budził przyjaznych uczuć. Nie mieli dla niego ani ciepła, ani podziwu, ani wdzięczności. Może było inaczej, ale tak czytałam ich gesty, słowa, sposób bycia. Czy zapomnieli, co dla nich zrobił? I dlaczego pozwolili sobie zapomnieć? Może ta pa-

353

mięć niosła upokorzenie? Widzieli w nim krzywdziciela siostry, krewnej, naszej Frani, solidaryzowali się po cichu z jej losem, niebaczni na to, jak uwikłani byli w siebie, zależni od jej polskiego męża. Od dawna, od lat i przez najtrudniejszy czas.

Zatarli w sobie uczucia wdzięczności za ocalenie. I on im na to pozwolił, nie wspominając o okupacji, getcie, Hitlerze. Zachowywali się tak, jakby ich to nie dotyczyło. Nie chcieli, żeby ich dotyczyło. A on, milcząc, dawał im na to zgodę. Im i sobie.

Oleś nie mógł być w naszej rodzinie bohaterem. Nie mógł głównie dlatego, że trwałość tej żydowskiej, choć spolonizowanej rodziny budowano na zaprzeczeniu jej tożsamości i jej wielowiekowej historii. Z rąk Olesia przyjęto ocalenie i po jakimś czasie uznano to za normalne. Darowane. Nie wymagające bezustannych podziękowań.

Aleksander Majewski nie ma medalu Sprawiedliwy wśród Narodów Świata, jaki przyznają w Izraelu tym, którzy ratowali Żydów. Nie chce go mieć. Twierdzi, że nie mógł postępować inaczej. A poza tym chodziło o najbliższych. Dlaczego nie odznaczyliśmy go naszym rodzinnym medalem czułości i szacunku? Dlaczego milczymy o tym, czego dokonał?

Oleś liczył zawsze na siebie. Perorował o draniach i łobuzach, którzy rządzili krajem. Tak mu było łatwiej żyć, bez rozczarowań. Z czasem ogrodził kawał ziemi w swoich rodzinnych stronach i postawił drewnianą budkę. Nie chodziło o letni domek na wakacje, ale kryjówkę w razie nieszczęścia, głodu czy wojny. Zagrożenie traktował poważnie i starał się, by i inni o tym pamiętali.

Marzec 68 roku potwierdził jego polityczne koncepcje, zarówno przewrotności rządzącej władzy, jak i nośności antysemickich haseł.

Po marcu Frania straciła siostrę. Maryś z żoną i małym dzieckiem wyemigrowali do Danii. Bronka z mężem pojechała za nimi.

To Oleś, który nigdy nie mówił o miłości i, jak twierdzi, nigdy zakochany nie był, nie zgadzał się na rozstanie. Nie chciał żadnej z tych dwu kobiet od siebie puścić. Wrośli w siebie, nie wyobrażali sobie innego życia, nie umieli już być osobno. Wszystko załatwiali wspólnie — od zakupów do sypialni. Słyszę jego głos, słyszę, jak to mówi lata po śmierci obu swoich kobiet. Sześćdziesiąt trzy lata spędził z Franią, Halina dzieliła z nimi pół wieku. Przywykli do siebie.

Czy to wystarczy na życie? Przywyknąć? Zawsze we troje, nigdy osobno, rzadko osobno, najrzadziej. Wspólne wakacje, najpierw w Polsce, nad morzem, fotografia Frani gdzieś w Łebie czy Ustce, jak foka na piasku. Później, kiedy już można było wyjeżdżać, przemierzali samochodem Europę. Zwiedzili siedemnaście krajów, Oleś za kierownicą, Frania na przednim siedzeniu z mapą, Halina z tyłu. Od zabytku do zabytku, przez Koloseum, Most Westchnień, Luwr i antyczne teatry, od namiotu do namiotu, z noclegami na kempingach, przez pola lawendy i Lazurowe Wybrzeże, zawsze we troje, a między nimi tylko uprzejmość. Uprzejmość. Brzmi jak obelga. We troje przez ponad pół wieku. Magiczny trójkąt.

Sama wyjeżdżała tylko do siostry do Kopenhagi. To były jedyne dwa tygodnie w roku, jakie spędzała osobno. W sumie nie więcej niż sto dni, ostatni raz w 1978 roku. Pierwszy lot samolotem przywołał dawny niepokój. Stała się znowu obiektem, przechodziła z rąk do rąk, celnicy, urzędnicy, wojskowi, pytania, dokumenty, i jeszcze raz, niezrozumiałe, niejasne. Przerwa na niebo widziane z bliska, jak nigdy dotąd. Nie mogła się doczekać, kiedy znowu usiądą razem przy kuchennym stole. Był mniejszy niż w domu, mniejszy niż w Warszawie, ale herbata smakowała podobnie. Ale kiedy Bronka proponowała, że ją tam urządzi, nie chciała nawet o tym rozmawiać.

Wracała do znajomego przedpokoju, stolnicy i piekarnika. Minął czas, kiedy można było cokolwiek zmienić. Wszystkiego już doświadczyła.

Próbowała odejść. Raz. Wnuki już były na świecie. Przeniosła się do kawalerki, która od jakiegoś czasu była w posiadaniu rodziny. Po dwóch tygodniach Oleś przywiózł ją z powrotem do domu.

Dlaczego nadal wątpię w ten trójkąt? Bo widziałam ich troje przy stole. Bo wydawało mi się, że oczy Frani mówiły coś innego niż to, w co kazano mi wierzyć, w ich wspólne szczęście i harmonię. Miałam wrażenie, że ktoś kierował jej losem. Jakby tu była z nami, a naprawdę gdzie indziej. Ciało nosiła z trudnością, znużenie spowolniło jej ruchy. Za-

355

wsze gościnna, częstowała z wysiłkiem, podsuwając półmiski uważnie, bez uśmiechu, jakby przepraszająco.

Wiem, że cieszyła się na nasz widok, ale czułam jej ulgę, kiedy żegnała nas w drzwiach. W ciszy było lżej. W pokoju od frontu, tym mniej bezpiecznym. Gdzie makatka z czarownicą z Przedrynku, skąd uciekła.

Nie próbuję sobie wyobrazić, jak to było, gdy zostawały same. Już później, kiedy minęło życie, kiedy Halinę odznaczono za zasługi w adwokaturze, a Frania smażyła dla wnuków placki z jabłkami i wytrwale posypywała je cukrem pudrem. Jak siebie znosiły pustymi godzinami pod jednym dachem, jak nie znosiły? Jak je drażniła wzajemna obecność i pamięć, i brak pamięci.

Do łóżka, do okna, do stołu. Znały na pamięć własne odgłosy. Przez ścianę. Za ścianą. Dzieliły tyle zapachów i tyle rodzajów bólu. Kto prał ich prześcieradła? Myły się w tej samej, maleńkiej łazience bez umywalki, coraz wolniej, coraz bardziej niedołężne.

Pokoje zarastały kurzem i czasem, miejsca dla nich coraz mniej, a jeszcze tyle postaci z fotografii. One obie z dziećmi, rodzina, o rodzinie, w tylu odmianach lata i zimy. Dzieci się liczą, dorośli mężczyźni, ojcowie własnym dzieciom, reszta to dekoracje i rekwizyty. Coraz mniej potrzebne.

W pokoju Frani fotografia Bronki. Telefon do getta, telefon do Kopenhagi. Gdzie było dalej? Przecież Bronka przeżyła, ocalała. Teraz odpłynęła jeszcze raz, za ocean, bo syn przeniósł się z rodziną do Stanów, z ukochanym wnukiem. Musiała. Frania mówiła, żeby nie jechać tak daleko, kolejna zmiana w tym wieku, inne powietrze, trudności z językiem.

Bronka nie obudziła się któregoś popołudnia. Kiedy odeszła, dla Frani skończył się świat. Nie miała już nikogo. Płakała. A potem zamilkła. Niemal zupełnie.

Aż wreszcie Halina zaczęła tracić pamięć, powoli, nie od razu. Najpierw zapominała, co mówiła, i pytała o to samo kilka razy, potem przejęzyczała się i myliła. Szukała odpowiedniego określenia, przywoływała jakieś strzępy z przeszłości. Prosiła Franię, żeby zmieniła wychodne, bo przecież musi jej jeszcze poczytać. Wzrok traciła już wcześniej. Jeszcze jej nakładali perukę i sadzali przy stole. Wreszcie słowa zaczęły się odklejać od swoich znaczeń, nazywała samowar rowerem, a pożyczkę nożyczkami. Siedziała w pościeli z falbankami i szczebiotała jak rozkapryszona dziewczynka. Frania karmiła ją łyżeczką.

Frania umarła w szpitalu 9 marca 1993 roku jako Zofia Majewska. Sama, kiedy wszyscy wyszli. Pochowano ją w rodzinnym grobie Majewskich w Warszawie.

Podróżowałam. Mama napisała mi w liście, że Franuchna nareszcie, po sześćdziesięciu latach, będzie mogła pobyć sama. Czy zdążyła odpocząć? To trwało tylko chwilę.

Halina umarła kilka lat później. Jej ciało złożono pod tą samą płytą.

Ich niemal stuletni mąż ciągle jest po tej stronie. W sylwestrowe wieczory przepija do nich szampanem. W spokoju czeka na wezwanie na mleczną drogę. Prawie nic już nie widzi, ale wie, że do nich zawsze trafi. Jest pewien, że na niego czekają.

M

A

RYŚ

Maryś, Marian Marzyński, był najbliższym kuzynem mojej mamy. Łączyło ich wiele. Przez lata nie zdawałam sobie sprawy, jak wiele. Dziś są zapewne ostatnimi świadkami ich wspólnego świata. Zarasta czasem.

Jedyny i ukochany syn mojej ciotki Bronki od początku funkcjonował w rodzinie na specjalnych prawach. Rodzinna legenda głosi, że pozwalano mu siadać na nocniku na stole, gdy dookoła zaproszeni goście pili herbatę. To przed wojną.

Maryś pozostał nieznośny i potem, ale rzadko się na niego gniewano. Rozumiałam, że był jakiś powód, dla którego wybaczano mu więcej niż innym. Mówił dużo i głośno, szeroko gestykulował. Mógł wydłubywać rodzynki z ciasta, jeść rękami z półmiska, wstawać od stołu w środku obiadu. Bałaganić, rzucać się na matkę z pocałunkami, ni stąd, ni zowąd brać ją na ręce, a za chwilę opowiadać przy wszystkich, jak pękła jej guma od majtek na ulicy. Dopiero gdy różowe gatki spadły do kostek i zaczęły krępować jej ruchy, zorientowała się, co się stało. Opowiadał tę historię z lubością i patrzył na efekt, jaki wywołuje.

Wszędzie go było pełno. Wiedział, co się dzieje w ogrodzie i kto co czyta w ubikacji. Uwielbiał prowokować. Interesował się sypialnią swoich rodziców i intymnymi szczegółami pożycia gosposi. Zawsze szukał jedzenia, dlatego najlepiej czuł się w kuchni, blisko lodówki. Poślinionym palcem zbierał okruszki z obrusa. Nie krępował się niczyją obecnością. Krzyczał: „Bronuchna, znowu zębów zapomniałaś!"

Maryś wtedy już był dziennikarzem. Miał wielką zdolność zadawania pytań, które wywoływały konsternację. Nie wiem, czy bardziej wstydziłam się go, czy bałam. Wolałam, gdy nie zwracał na mnie uwagi. Kiedy zaczynał żarty, nie umiałam sobie z nim poradzić.

Widziałam go w telewizji, jak prowadził popularną audycję „Turniej Miast", w której wójtowie poszczególnych gmin demonstrowali lokalne przewagi, ścigali się w piciu piwa lub przeciąganiu liny. Często wyjeżdżał za granicę. Wracał nowym garbusem, w zamszowej kurtce, na Górnośląskiej pachniało francuskimi perfumami i koniakiem. Znowu pokazywał się w telewizji, opowiadał, gestykulował, brał Bronkę w ramiona, szczypał Halinkę, moją mamę, robił zamęt dokoła.

Tak go pamiętam, dziesięcioletnia, z ich domku na Górnośląskiej.

Moja mama kochała młodszego od siebie o sześć lat Marysia jak brata.

Kochała go, chociaż trudno z nim było wytrzymać, bo był bezczelny, mądrzył się, wszystko wiedział najlepiej. Bo ją podglądał, przedrzeźniał, wyśmiewał. Robił miny, kiedy się przeglądała w lustrze, żartował przy koleżankach, dobijał się do łazienki. Kochała go, bo był synem jej najdroższej ciotki, bo pamiętał jej mamę, bo razem siedzieli w getcie w koszu z brudną bielizną.

Dużo czasu spędzali razem w kolejnych mieszkaniach za murem. Halinka była z dzieci najstarsza. Musiała się nimi opiekować. Maryś był najbardziej nieposłuszny. Złościł się i tupał małymi nogami. Na pomoc wołał Bronkę. Miał pięć lat i nadal zasypiał, trzymając ją za ucho. W dzień rozrabiał, śpiewał, biegał. Starała się mu tłumaczyć, że jego ojciec wrócił z pracy po nocnej zmianie i chciałby odpocząć, a poza tym jest niebezpiecznie, mogą przyjść Niemcy. Nie przyjmował tego do wiadomości.

Ale podczas tamtej blokady na Lesznie był cicho. Jakby i on coś nagle zrozumiał. Nie mogli się zmieścić do tego kosza, wiklinowego kosza

361

z brudnymi prześcieradłami, ręcznikami, ubraniami. Było ich czworo, czworo dzieci pod stertą szmat. Dali im ciepłe mleko. Skąd matka wzięła mleko? A może tylko o mleku marzyli? Krzyki na podwórzu. Szybko, trzeba się spieszyć. „Nie będziemy się bali", powiedziała Halinka za wszystkich, „nie udusimy się", postanowiła. Najmłodszy Henryś, synek ciotki Madzi, złapał ją za warkocze, Izia ciotki Ceni trzymała przy sobie, przygarniając ramieniem, Maryś wgramolił się ostatni. Nie wyrywał się. Nikt nie zakasłał, nikt nie kichnął, nikt się nie poruszył. Wtedy jeszcze wszyscy przeżyli.

Halinka to pamięta. Maryś twierdzi, że wtedy już go w getcie nie było.

Dobrze jest mieć kogoś, kto pamięta nieżyjącą mamę i tatę, jak Maryś Delę Goldstein, a Halinka Bolka Kusznera, babcię, którą zabrali na Umschlagplatz i już nie wiadomo, czy kiedykolwiek istniała naprawdę. Ciotki, wujków, kuzynki. To wielki przywilej – mieć świadków swojego losu.

Oboje byli dla siebie takimi świadkami.

Rozstali się w getcie i przez kilka lat nic o sobie nie wiedzieli. To wtedy na Podwalu Maryś krzyczał z balkonu do dzieci na podwórzu: „Nie mogę się z wami bawić, bo jestem Żydem i tutaj mnie ukrywają". Jego ciotka niemal nie przypłaciła tego życiem.

On przyznaje, że wydarzyło się coś takiego, ale pod innym adresem. Wołał, że chce do getta. Miał pięć lat i tęsknił za rodzicami. Starano się go powierzyć opiece wielu obcych ludzi, ale zawsze go oddawali.

Resztę wojny spędził w przyklasztornym sierocińcu. Długo uważał, że ochroniła go wiara. Oddał się w opiekę Bogu, polskiemu Bogu, różnemu od żydowskiego, który był własny i sięgał do nieba. Ale wiedział, że ocalenie może zapewnić mu przynależność do Boga polskiego. Zaczęło się od udawania modlitwy, skończyło na poczuciu prawdziwej przynależności. Ksiądz w sutannie stał się jego ojcem i matką. A miejsce pod sutanną okazało się najbezpieczniejszym schronieniem, jakie znał sześcioletni Maryś.

Nie pamiętał żadnych religijnych zwyczajów z domu sprzed wojny. W getcie również nie stykał się z żydowskimi rytuałami. Nikt się nie modlił, nikt nie chodził do synagogi. Tworzyli zamkniętą społeczność, kilkanaście osób, rodzina. W większości inteligenci, dawno oderwani od liturgii, młode pokolenie, synowie i córki łęczyckich radnych miasta. Ojciec Marysia, Bolek Kuszner, komunista, był walczącym ateistą. Przed wojną, w Łęczycy, udało mu się sprzeciwić rodzinie – nie pozwolił obrzezać jedynego syna. Również Przedborscy nie należeli do religijnej większości łęczyckich Żydów. Ich dzieci uciekały do Warszawy i Łodzi. Postępowi i asymilowani, niewiele mieli wspólnego z ortodoksją. Żydostwo kultywowali wyłącznie jako tradycję wartości rodzinnych.

Maryś wiedział, że jest Żydem, pamiętał. Wiedział też, że żydostwo to jego największa tajemnica. Coś, co trzeba ukrywać. W tym nie różnił się od Halinki i od innych żydowskich dzieci wojny. Grał w chowanego. Grał o życie.

Nie wolno być Żydem, trzeba być Polakiem. Został Polakiem. Został przygarnięty przez polskiego Boga. Było mu tam ciepło i bezpiecznie. Chroniła go sutanna, chronił ołtarz, i to, że Bóg był nietykalny. Niemcy nie mogli go dosięgnąć. Ani świat. Wydawało mu się, że to łaska. I wtedy skończyła się wojna.

Przyszła po niego zimą 1945 roku. Stara wychudzona kobieta w chustce na głowie. Szła pieszo z Warszawy, kilkadziesiąt kilometrów. Wydała mu się podobna do przekupki z bazaru albo do kobiety ze wsi, która przynosi mięso lub jajka. Nie pamiętał jej. „Niech pani przyjdzie **363** kiedy indziej", powiedział do niej, „to porozmawiamy, teraz nie mogę mówić". Był czas rekolekcji.

Nie wierzył, że mówi prawdę. Że jest jego matką.

Halinka szybciej dała się przekonać ojcu, którego się bała.

Bronka przychodziła trzy razy. Ostatnim razem przyprowadziła siostrę, Frania miała być dowodem na istnienie rodziny. Podobnych argumentów używał wobec Halinki Szymon. Może się umówili? To musiało dziać się w tym samym czasie. „Czy pamiętasz ciocię Franię?" — zapytała Bronka swojego syna. Pamiętał, że miał piękną ciocię. Piękna ciocia Frania! Ta pani nie jest piękna ani trochę. Stała obok, chuda, wystraszona, w chustce zawiązanej pod szyją.

Ta wizyta zburzyła mu spokój. Coś zmąciła, przerwała, może religijne skupienie, porządek. Za późno przyszły. Prawdopodobnie jeszcze pół roku temu wszystko wyglądałoby inaczej. Ale teraz nie chciał nigdzie iść, tu miał swój kościół, swoją wiarę, swoje oswojone miejsce. Dom.

Nie chciał innego domu.

Takiego, ośmioletniego, przyprowadziła Bronka na Górnośląską. Obiecała mu choinkę na Boże Narodzenie i że będzie mógł być ministrantem. Obiecałaby mu wszystko, byle go odzyskać.

Wojna zabrała jej matkę i babkę, najmłodszą siostrę z rodziną, ciotki, wujów i kuzynów. Zabrała męża, bez którego zawalił się cały świat. Chciała wyskoczyć przez okno po wyjściu z getta, kiedy zrozumiała, że zginął. Nie mogła. Coś kazało jej żyć. Dla syna. Patrzyła na niego i widziała Bolka, od początku taki był do niego podobny, żywiołowy, z oczami jak węgle, z ciemnymi kręconymi włosami. Wszystkiego ciekawy.

Przy mnie i ze mną Bronka nigdy o Bolku nie mówiła. Nie wiedziałam przez lata, że Maryś miał innego ojca. Później nasłuchałam się rodzinnych opowieści o wielkiej miłości starszej siostry Przedborskiej do syna dentysty Kusznera, przyjaciela domu. To jedyna para w tej rodzinie entuzjastycznie przez wszystkich zaakceptowana. Bo Bronka taka śliczna, a Bolek taki zdolny, bo od chwili, gdy przyszła do gabinetu jego ojca, a on otworzył drzwi, właściwie się nie rozstawali. Bo, kiedy spacerowali razem w Alejkach, trzymając się za ręce, ona jeszcze z kokardami, on w studenckiej czapce Politechniki Warszawskiej, nie było piękniejszej pary. Idealnie dobrani urodą, sferą, uczuciem, nie to co Zamutek z ubogą Delą albo Frania z Olesiem — tutaj zniżano głos na Przedrynku — Polakiem, rozwodnikiem, o niej nawet wspominać nie wypadało. Bronka wyszła za Bolka za mąż zaraz po zdaniu matury, a wkrótce młody Kuszner skończył Wydział Mechaniczny Politechniki Warszawskiej i oboje przenieśli się do stolicy. Zamieszkali na ulicy Wilanowskiej, niedaleko Łazienek. Wiodło im się. Kiedy w 1937 roku urodził im się chłopiec, nie sądzili, że to na wojnę.

Do getta poszli razem z dzieckiem. Ten mędrzec Bolek, Bolek inżynier, który tyle wiedział o obróbce drewna i pile tarczowej, o dziennikarstwie i handlu, on też dał się zamknąć z innymi? Prowadził stolarnię. Nie wiem, jak to się stało, że po kilkunastu miesiącach znalazł się w transporcie do Treblinki. Dlaczego, mimo zatrudnienia, które gwarantowało życie, tak szybko wzięli go na Umschlagplatz? Dorosłego, silnego mężczyznę, który jeszcze mógł się przydać? Jak długo jechali, zanim udało im się z bratem wydłubać dziurę w dnie wagonu? Godzinę, dwie? Wyskoczyli pod Dęblinem. Poszli do lasu.

Wtedy jeszcze Bronka miała cel. Z getta wyprowadził ją za pieniądze żydowski policjant. Opłacała się, wtedy i później, złotymi koronami, jakie dostała na początku wojny od teścia. Kiedy już umieściła dziecko bezpiecznie u krewnych, natychmiast pojechała szukać Bolka. Nikt już nie pamięta, jak go znalazła. Siedzieli w stogu siana, obok budki dróżnika kolejowego. Blisko, bliziutko. Nie mogła się powstrzymać, jeździła kilka razy. Ostatnim razem, kiedy go pożegnała, nie mogła wiedzieć, że to ostatni, nigdy nie pozwoliłaby sobie tak pomyśleć. Z pociągu, którym odjeżdżała, usłyszała strzały pod lasem. Ludzie mówili, że Ukraińcy od dawna szykowali tę obławę. Bolek nigdy więcej się nie odezwał.

Maryś nie od razu się o tym dowiedział. Nie pamięta, jak i kiedy matka mu powiedziała, sucha informacja, żeby mniej bolało. Matka często płakała. Wiedział, że nie wolno pytać o wojnę. I Halinka wiedziała. Nie pytała ojca o matkę. Podsłuchała jedną rozmowę, na którą zareagowała płaczem i paniką. Nigdy więcej nie odważyła się do tego wrócić.

Trzeba było żyć. Trzeba było się chronić. I ich chronić, rodziców, tych, którzy zdołali dla nich ocaleć.

Tej samej zimy 1945 roku, kiedy Bronka odnalazła Marysia, nieco wcześniej wrócił z Woldenbergu jej brat. Przyprowadził ze sobą obozowego kolegę, Danka Marzyńskiego, którego znali sprzed wojny. Danek stracił w getcie żonę i synka, nie miał dokąd pójść. Został. Mieszkali przez kilka miesięcy na Górnośląskiej, w baraku gospodarczym na terenie budowy domków fińskich, w sąsiedztwie Szpitala Ujazdowskiego.

Maryś najlepiej zapamiętał Zamutka, brata matki, tyrana. Wysoki, w mundurze i okularach, mówił głośno, często krzyczał i wydawał mu polecenia. Czego nie ruszać, co wziąć, co robić i kiedy. Już na początku miała miejsce owa scena z mlekiem, które Maryś wypił bez pozwolenia, jak swoje. Zamutek uderzył go w twarz. Bronka chciała się natychmiast wyprowadzić.

Była też Halinka, której urosły warkocze i z którą Maryś lubił się drażnić. Piszczała wtedy, a on ją przedrzeźniał. Była Marysia, zatrudniona w biurze Zamutka. On z mamą. I Danek, o którego zrobił się zazdrosny, bo niemal od razu stał się dla Bronki opiekuńczy i czuły.

Dla Bronki, samotnej wdowy z dzieckiem, z którym trudno było sobie poradzić, jej brat Szymon i Danek stanowili oparcie i gwarancję, że nie zginie. Obaj nie znali strachu getta i aryjskiej strony, ich okupacyjne przeżycia bolały inaczej niż jej. Byli pokaleczeni i czuli się upokorzeni, ale przez pięć lat niewoli nikt ich nie uderzył, żyli w godziwych warunkach, otrzymywali paczki z Czerwonego Krzyża. Nawet ogródki uprawiali. Dla niej ci ocaleńcy w mundurach polskiej armii byli jak rycerze na koniach przynoszący nadzieję. To oni mieli być mocni za nią, pomóc jej i takim jak ona wierzyć... W co? W przyszłość, w sens dalszego trwania. W pokój, w równość, w braterstwo? W świat, który będzie umiał zabliźnić rany? Mimo utraty.

366 Myślę, że obecność dziecka zmusiła ją do podjęcia życia na nowo. I obowiązek, wobec tych, którzy zginęli.

Jej brat, Szymon, zaczął pracować w Biurze Odbudowy Stolicy, gdzie zatrudnił Danka, też inżyniera. Daniel Marzyński nadzorował budowę drewnianych domków fińskich na Jazdowie, przysłanych miastu przez rząd Związku Radzieckiego. Wkrótce dostał przydział na jeden z nich, szósty na I Kolonii. Wprowadził się tam z Bronką i jej synem. Decyzje podejmował szybko, pokochał ją i chciał budować nowe życie, jak budował nowe gmachy na gruzach Warszawy. Szymon przeniósł się z Halinką do ocalałej kamienicy w pobliżu, na Koszykowej. Codziennie bywał na Górnośląskiej, podobnie jak ich siostra, Frania, nierozłączna z Bronką. Po wyzwoleniu trzymali się razem. I jak najrzadziej mówili o wojnie.

Związek Halinki z Bronką był chyba najważniejszą z jej rodzinnych więzi. Kochała ją nie tylko jako siostrę swego ojca, ale i przyjaciółkę matki, z którą Bronka wychowała się na jednym podwórku w Łęczycy. To Bronka, chociaż młodsza, ale wcześniej zamężna, pożyczyła Deli sukienkę na ślub z Zamutkiem. Bronka znała rodziców Deli i jej siostry, gołębnik starego Goldsteina i przysmak tamtego domu — łuskany groch. Bronka pamiętała urodziny Halinki i akuszerkę, która ją odbierała. Woziła ją na spacery w wózku z budką. Widziała, jak rosła.

Moja mama zachowała w pamięci te wszystkie obrazy, ciepłe i słodkie, jak herbata na Górnośląskiej. Przywoływała je, ilekroć potrzebowała pocieszenia. Innych nie chciała pamiętać. A przecież Bronka była też świadkiem innych scen — ubożenia Hermanów, śmierci ojca, przymusowej sprzedaży drukarni. Kiedy Halinka była mała, jakiś chuligan wrzucił do jej wózka kamień, krzycząc: „Na żydowskiego bachora!" Kamień upadł na kocyk, nie sięgnął głowy. Ale przecież nie takie wspomnienia siedziały razem z nimi przy kuchennym stole. Przy Bronce, mimo wszystko, Halinka nie czuła się sierotą.

Bronka prowadziła magazyn chleba dla robotników w Stołecznym Przedsiębiorstwie Budowlanym. Potem pracowała jako księgowa w biurze przy budowie domków fińskich, a wreszcie w dziale kadr. Wkrótce sąsiedzi na Górnośląskiej piekli keksy i babki wedle jej przepisów. Bronka miała czterdzieści lat i sama potrzebowała oparcia, ale pociechę znajdowała w pomocy innym. W wypełnianiu zadań bieżących, drobnych, krok po kroku. Umiała się na świat otwierać, zupełnie odwrotnie niż jej brat. Znała wszystkich w okolicy i wszyscy ją znali. Interesowała się ich dziećmi i psami, chorobami, żywopłotem, krzakami porzeczek. Ratował ją wrodzony optymizm, ta rzadka jasność, którą mają nieliczni. Martwiła się o syna i o to, jak go wychowa bez ojca, ale codzienność podpowiadała rozwiązania i rozwiewała chmury. Miała obok Danka, a on marzył o rodzinie.

MARYŚ

Na biurku układał ołówki według długości. Przedzierał bilet tramwajowy, jeśli nie zdążył skasować go w wagonie. Widział świat w czerni i bieli. W cokolwiek się angażował, trudno było prześcignąć go w entuzjazmie. Inżynier, solidny, odpowiedzialny, rzeczowy — wszystko jak w matrymonialnej ofercie. Danek, przedwojenny harcerz żydowski z Pabianic, a potem członek komunistycznej partii żydowskiej Poalej Syjon-Lewica, mógł czuwać nad ideologiczną prawomyślnością rodziny. Czy to pod jego wpływem Bronka zapisała się do partii? Po latach lęku znajdowali równowagę we wzajemnej obecności.

Wkrótce się pobrali, a w 1948 roku Daniel Marzyński usynowił Marysia i zmienił mu nazwisko na własne. Zostali wedle przepisów i prawa rodziną Marzyńskich. Przez lata innego nazwiska nie znałam. Marian długo nie mówił do Danka „tata". Nie wiem, czy kiedykolwiek.

Nazywał go „panem Mannerkiem" od niemieckiego „mann" — człowiek. Bo taki przyzwoity z niego człowiek. Nie podobało mu się co prawda, że sypiał z jego matką, i często podglądał ich w sypialni, ale uznał pozycję Marzyńskiego w domu i nie buntował się. Pan Mannerek starał się zrobić z Marysia człowieka. Metody miał drastyczne.

Przede wszystkim należało wytrzebić z chłopaka katolicyzm, po wtóre uświadomić mu jego żydowskość. Wytłumaczyć, kim jest. Mówił dobitnie, akcentując co ważniejsze słowa. Szydził z religii.

Zbiegiem okoliczności, Maryś, który po powrocie do Warszawy przez jakiś czas służył do mszy, strącił pewnego dnia kielich z winem przy ołtarzu. Poczuł się zdemaskowany. Przyjął to jako znak i nigdy więcej nie wziął udziału w ceremonii kościelnej.

Przestał chodzić na lekcje religii w szkole. Danek polecił mu wychodzić z klasy, kiedy pojawiał się ksiądz, ale Maryś nie przyznał się żadnemu z kolegów, że jest Żydem. Mówił, że rodzice nie pozwalają mu chodzić na religię, mówił takim tonem, jakby nie wiedział, dlaczego.

Danek wkładał dużo energii, by go oswoić ze słowem „Żyd". Czynił to publicznie i wobec świadków. Przystawał na ulicy, blisko skrzyżowań lub sklepów, koło kawiarni i parku, a mieszkali w sercu miasta, i zaczynał mówić do swego pasierba podniesionym głosem, bardzo głośno, za głośno: „I tak wszyscy wiedzą, że jesteś zwykłym Żżżżydziakiem..." Przeciągał „ż" w zgrzytliwie warczący dźwięk, który ranił, przypominał naznaczenie, gwiazdę Dawida, opaskę, getto.

Bronka nie miała pojęcia o tej terapii.

Daniel Marzyński, który przeżył całą wojnę w oflagu, gdzie grano w karty i piłkę nożną, nie widział na oczy getta ani zabijania Żydów. Czasami zdawało się, że przybył jakby z innej planety. Stracił w getcie najbliższych, ale nadal nie w pełni pojmował, dlaczego Bronka i Frania potrafiły bez oczywistego powodu nagle wybuchnąć płaczem. Jak i pasierba, tak i je próbował leczyć terapią szokową.

Nie chcieli po wojnie opuścić Polski. Wrócili do siebie. I zostali tam, gdzie były tylko żydowskie cmentarze. Z każdych dziesięciu żyjących przed wojną w Polsce Żydów zginęło dziewięciu. Ale nikt nie chce żyć na cmentarzu, szczególnie po takim kataklizmie. Świat życia był polskim światem.

Maryś tak to pamięta. Polacy to było życie, Żydzi to była śmierć. Żydzi nie kojarzyli się z niczym innym poza śmiercią. Każde słowo „Żyd", nawet powiedziane do siebie, było przeklęte.

W środku byli Żydami. Mieli pamiętać, kim są, kogo stracili, kim była ich rodzina. Mieli pamiętać i rozpamiętywać. Nie smak modlitwy, ale smak wspólnoty. Także poprzez świeckie sedery, skupiające rodzinę i pozwalające wspominać rodzinne dzieje. Pozbawione elementów religijnych, jak przedtem. Opowiadali nie o tych Żydach, którzy wyszli z Egiptu, ale tych, którzy żyli w Łęczycy. Tworzyli własną, prywatną, cywilną Hagadę. Powtarzali sobie, dla siebie, co powiedziała Babusia (Jecia), a co Babunia (Salomea Herman), kto grał na fortepianie bolero Waksa (Bronka), kto akompaniował na skrzypcach (Zamutek), wszystkie historie, które się działy na Przedrynku 9 w Łęczycy, i w drukarni, i w składzie win i wódek na Poznańskiej. Opowiadali o dziadku, który czytał w klozecie, o degustacji tokajów i pejsachówki, które wąchali zamiast pić, i o tym, jak przed sąsiadami udawali szabas. Tak zwane bube-majses. To mieli pamiętać.

Myśleli o sobie w tym domu „my Żydzi" i mieli żal do krewnych, którzy w imię nowego życia zerwali z rodziną. Rozmawiali o nich, bo

369

stracili ich jakby po raz drugi. O siostrze Bolka Kusznera, której córkę przechowywała polska rodzina i zatruła antysemityzmem tak, że dziewczynka nie chciała znać matki. Mała wierzyła, że Żydzi śmierdzą, i bała się, że ktoś się dowie, kim jest. O Adasiu, którego Halinka pamiętała z getta, również straconym dla rodziny, odkąd zadał się z Polakami i wyparł swoich.

Ale kiedy się rozchodzili, kiedy wychodzili na zewnątrz, ci sami Żydzi mieli być pełnymi entuzjazmu Polakami, budującymi nowe szczęście w nowym kraju. Monolitycznym, jednoznacznym, jednolitym. Mieli być jak inni, jak wszyscy. Społeczeństwo powinno o ich żydostwie zapomnieć. Ale oni nie chcieli o nim zapomnieć. Chcieli tylko uprawiać je na swój wewnętrzny użytek. Za zamkniętymi drzwiami. Wśród swoich. „Rozumiesz?" — powinien tu zapytać Maryś, bo tak często kończono zdania w domu, „rozumiesz?" Staram się rozumieć.

Nie znałam słowa „amchu", nie wiedziałam, skąd pochodzi i z czym je należy łączyć. Podobno funkcjonowało w domu na Górnośląskiej tuż po wojnie. Amchu znaczyło swój, swój, czyli Żyd, czyli nasz. Amchu jako znak wewnętrznego porozumienia. Coś, co ty wiesz, a ja rozumiem. „Amchu?" „Amchu". Maryś pamięta. Czy było to zjawisko powszechne i w jakich środowiskach?
„Jest do sprzedania mąka".
„Jaka to jest mąka?"
„Amchowska. Nasza. Produkowana przez Żydów".
„Kto jest kierownikiem? Czy tam jest amchu, czy tam amchu siedzi?"
„Tak, ja zadzwonię do niego".
„Słuchaj, zadzwoń tam do kierowniczki sklepu tekstylnego, to jest amchu. I powiedz, że jesteś amchu, to ona załatwi".
Nigdy nie słyszałam tego słowa w ustach mojego dziadka. W niczyich ustach. Więc może tajemnicza „amchu-siatka" jest wytworem fantazji?

Danek zaczynał dzień od „Trybuny Ludu", partyjnej gazety, pisanej językiem propagandowych broszur. Tych, których widział jako wrogów ideologicznych, nazywał „karłami reakcji". O Olesiu, szwagrze swojej żony, tym samym Olesiu, który mu ją wyrwał z rąk Niemców, mówił, że jest warchołem. Warchołem i najgorszą zakałą. Dla inteligencji żydowskiej, dla Danka, dla Szymona, ta wojna była nie tylko wojną z Niemcami, ale również wojną o zmianę porządku społecznego. Bali się przedwojennego antysemityzmu lat trzydziestych, dojścia do głosu elementów narodowych, endeckich, faszystowskich. Nie chcieli dominacji Kościoła.

Ratunkiem mogła być nowa ideologia, wiara tak silna, że zaprzeczy wszelkiej dyskryminacji. Jesteśmy tacy jak inni. To obiecywał komunizm. Komunizm pomagał o żydostwie zapomnieć. Zamazywał je, wypierał, unieważniał. W zamian dawał nadzieję. Nie pytał o genealogie, pytał, co razem będziemy budować. Potwierdzał potrzebę asymilacji i dawał jej nowy wymiar.

Konwencja nowego porządku społecznego dowodziła, że nie ma różnicy między ludźmi. A skoro tak, to nie jest istotne, czy jesteś Ukraińcem, Żydem czy Białorusinem. To miała być Polska jednej narodowości, Polska zgody, Polska mężczyzn i kobiet, ludzi jednakowych.

Chcieli wierzyć w utopię. Uwierzyli. Mój dziadek i Danek, choć ich przedwojenne losy były różne, zaszczepili komunizm swoim rodzinom. W jak najlepszej wierze.

Takich jak oni było wielu. Po raz kolejny rozbudzali stereotyp „żydokomuny". Wykorzystywano ją jako element antysemickiej propagandy. Błędne koło.

371

Zasymilowani Żydzi w powojennej Polsce nie nazywali siebie Żydami. Nie używali tego słowa, jakby było wstydliwe lub nieprzyzwoite. A kiedy inni określali ich tym mianem, czuli się niemal zadenuncjowani. Jak głęboko musiało tkwić w nich piętno wrodzonej skazy. Czy niosła ją jedynie wojna?

Nie, to niemożliwe, że czuli się wyłącznie Polakami, że żydostwo wedle jakiejkolwiek definicji, nawet odarte z religii i tradycji, nie miało dla nich znaczenia. Nie da się bez konsekwencji odciąć z własnego życiorysu rodziców i dziadków. Czuli się dotknięci i zdegradowani, gdy ktoś inny, ktoś z zewnątrz, ktoś obcy, Polak, Polacy, wskazywali ich palcem jako Żydów.

Kiedy przyszedł rok 1968, szósty domek na Górnośląskiej spakowano w ciągu kilku tygodni. Rozmontowano całe dotychczasowe życie i poukładano w drewniane skrzynie. Kupiono na wyjazd dywan i platery. Bronka rozchorowała się ze zgryzoty. Nie chciała opuszczać kraju. Ale wyjeżdżał jedyny jej syn, z jej wnukiem, nie mogła zostać sama.

Gliniane garnuszki do zsiadłego mleka, pękate, chropawe, o kolorze wypłowiałej cegły, pojawiły się w naszym domu w końcu 1969 roku. Razem z nieco zużytymi sztućcami, trzepaczką do piany i łopatkami do keksów, których moja mama nie umiała robić, ale które Bronka piekła na Jazdowie. Dworzec Gdański, mówiono stale o Dworcu Gdańskim, ale nie o podróży nad morze, pakowali się w skrzynie. Nie rozumiałam, co się dzieje. Dlaczego skrzynie i dlaczego dywany, dlaczego składali dom do kartonowych pudeł i było go coraz mniej? Ogrodu nie ruszali.

Nie wierzyłam, że to możliwe, jak to możliwe i dlaczego. Nie wierzyłam, że pojadą. To, czego nie zabrali, porozdawali po domach. Niektóre naczynia do dziś przypominają mi Bronkę. Zniknęli wszyscy. I ona, i Danek, i stary jamnik Tymek, i Grażyna z Marianem, nawet mały Bartek, który niewiele wcześniej przyszedł na świat.

Nie wiedziałam, dlaczego wyjechali. I czy musieli wyjechać. I że musieli wyjechać.

Marian wyjechał, mimo iż to on pokonał Niemców i on się znalazł wśród zwycięzców. A przecież chciał być z Polakami, nie z Żydami, którzy zostali zgładzeni. I był. Aż mu przypomniano, że to nie jego miejsce.

Maryś był moim zaprzeczeniem. Był tym wszystkim, czym nie byłam. I czym nie chciałam być.

Uosabiał to, czego się wstydziłam. To, co po latach dopiero zdefiniowałam jako ekstrakt żydowskości. Jak to nazwać? Hucpa?

Po ich wyjeździe dochodziły echa. Dalekie.

We wczesnych latach siedemdziesiątych pojechałam z mamą do Kopenhagi. Nic z tej podróży nie pamiętam, prócz sklepów z pornografią i tego, że Danek przestał wierzyć w komunizm i mówił o „naszej królowej", mając na myśli królową Danii. Jeździli do wielkich supermarketów, daleko, po jogurt owocowy lub kotlety z kury, po każdą rzecz gdzie indziej, by oszczędzić kilka centów. Pamiętam, że przychodziły do nich stare panie na karty. Na Bronkę zaczęłam mówić Babusia, dlaczego — nie miałam pojęcia. Otóż Babusia zaczęła piec kruche rogaliki z rodzynkami, delicje, które po latach odnalazłam w żydowskich piekarniach na Brooklynie. Ale wtedy nikt nie mówił o Żydach, więc wciąż nie wiedziałam, dlaczego wyjechali. A może nie chciałam wiedzieć?

Marian z rodziną byli już w Ameryce.

Ameryka wydawała mi się końcem świata. Być w Ameryce, znaczyło niemalże nie być wcale.

Kiedy Bronka zniknęła z Jazdowa, z domku fińskiego, przestała istnieć. Po wizycie w Kopenhadze jeszcze była przez chwilę. Ameryka odebrała mi ją zupełnie.

Depesza o jej śmierci zdruzgotała Szymona.

Z Ameryki przychodziły czasami olbrzymie paczki, znużone wielotygodniową drogą okrętem, tekturowe pudła wypełnione najdziwniejszą garderobą, jaką zdarzyło mi się oglądać. Seledynowe koszule nocne z nylonowej koronki, palta i kurtki z wyleniałymi kołnierzami, bawełniane koszulki, zwykle nieco podarte albo maźnięte kroplą olejnej farby, swetry z pozaciąganymi oczkami, tęczowe rękawiczki nie zawsze do pary, buty w różnych rozmiarach, spódnice skrojone inaczej niż u nas. Czułyśmy się z mamą jak obdarowane Kopciuszki, nie wiem — szczęśliwe bardziej czy speszone. Z przypadkowego karnawału ciuchów kilka wchodziło w nasz codzienny obieg. Często przeżywały z nami kolejne życie ubogich krewnych.

Marian przyjechał do Polski po latach, w odwiedziny, z własną ekipą filmową. To musiał być 1981 rok, Solidarność, powiew wolności. Pamiętam, że do końca nie wierzyłam, że go zobaczę, wydawał mi się dotąd nierzeczywisty. Jakiegoś letniego dnia zapukał do drzwi naszego mieszkania na Kasprzaka, wtargnął na balkon z kamerą i filmowcami i zaczął kręcić, zadając te swoje dawne pytania, w których bielizna, bebechy i filozofia sąsiadowały ze sobą bez przeszkód. Wszystko toczyło się szybko, tak szybko, że nie zdążyłam pomyśleć, sformułować, przygotować. I już go nie było. Używał zaskoczenia jako dziennikarskiej metody. Pomagał stawać się dokumentalnej rzeczywistości, której był głównym bohaterem.

Wyjechał. Odetchnęłam. I znowu wydawałam się sobie bezpieczna. Był daleko. Nasze światy nie miały punktów stycznych. Nie mógł tego nikomu powiedzieć, nie mógł mnie zdradzić.

Nie zdawałam sobie sprawy, że rzeczywiście kręcił wtedy film. *Powrót do Polski, Return to Poland*, film o sobie, o swojej rodzinie, a więc i o mojej, o swojej i mojej żydowskiej rodzinie, o tym jak i dlaczego z Polski wyjechał.

Gdzieś jednak musiałam to wiedzieć. Jestem przecież na tym filmie, mówię, śmieję się, widać moją twarz. I jego twarz. A jednocześnie natychmiast to w sobie wymazałam, ukryłam, zapomniałam. Nie chciałam być jego rodziną. Jego — Mariana, czy Bronki? Czyja nie chciałam być, z kim łączona, spleciona, skojarzona? I dlaczego? Mój ojciec wyrażał się o nim z antypatią, uważał go za agresywnego arywistę. Pamiętał, że Maryś usiłował rozbić jego związek z Haliną. Czy to mogło mieć jakieś znaczenie?

Przez następne lata bałam się przyjazdów Mariana. Nawet później, kiedy po raz pierwszy pojechałam do Ameryki i zobaczyłam, że to bliżej, niż by się zdawało. Nie tylko geograficznie bliżej. Także bliżej do siebie — może najbliżej ze znanych mi miejsc.

W Nowym Jorku zaczęłam oddychać inaczej. Ciągle jednak „tam" było „tam", daleko od Warszawy, od Polski, gdzie byłam Polką.

Ostatni raz wpadłam z panikę z powodu Marysia w Paryżu. Niedawno, kilka lat temu. Dowiedziałam się, że jest, że wystąpi na tej samej

konferencji w senacie Francji, co ja. Chodziło o sprawy polsko-żydowskie. Znowu się bałam. Lęk to mało, to była prawdziwa histeria.

Wtedy moja przyjaciółka zapytała: „Czego ty się właściwie boisz? Co
takiego może się stać, co on miałby zrobić?"

Nie wiedziałam. Wyda się. On to powie wszystkim. Mój sekret.

M A R

Marzec

Bogdan '68

Nie pamiętam marca 1968 roku. Nie odróżniam go od innych marców. Święto kobiet, goździki dla pani w szkole, uroczyste akademie. Kiedy ma się dziesięć czy dwanaście lat, czas zachowuje się inaczej, jakby był niezmierzony, bez ograniczeń.

Nie ma jeszcze przeszłości, a przyszłość liczy się rozkładem lekcji, spotkań przy trzepaku, klasową wycieczką w góry. Ważne są początki roku i wakacje. Marzec, choć znaczył wiosnę, był dla mnie zawsze mniej ważny niż maj, miesiąc kiermaszów książek, Wyścigu Pokoju i moich urodzin.

Tamtej wiosny, a może już poprzedniej wiosny, w naszym domu na Kasprzaka zaczęto nagle słuchać zachodniego radia. Mama z Maćkiem spędzali dużo czasu przy trzeszczącym odbiorniku, próbując zrozumieć coś, co z obserwacji ich twarzy wydawało mi się trudne do zrozumienia. Kiedy się dobrze zastanowię, umiem wydobyć z pamięci słowo „syjoniści".

W naszym domu nie rozmawiało się o polityce i bardzo niewiele o codzienności kraju, w którym żyłam. O wszystkim, co się wtedy stało, dowiedziałam się znacznie później. Wiosną 1968 roku przez Polskę przetoczyła się fala protestów i demonstracji studentów domagających się poluzowania kagańca, który coraz ciaśniej zaciskała komunistyczna władza. Brutalnie interweniowała milicja. Szary spokój codzienności zakłóciły wybuchy granatów z gazem łzawiącym i wycie armatek wodnych.

Działo się to wszystko w centrum Warszawy, kilka przystanków tramwajowych od naszego mieszkania na Kasprzaka. Nie wiedziałam o niczym. Warszawska prasa, trzymana na krótkiej smyczy komunistycznej cenzury, milczała. Milczała też moja matka.

To, co miało wkrótce zmienić losy naszej rodziny, zaczęło się kilka dni później. Władze znalazły wyjaśnienie i odpowiedzialnych za wszczęcie zamieszek: to Żydzi. W gazetach, w radiu i w telewizji oskarżano ich codziennie, głośno, po nazwisku. To Żydzi, zwolennicy imperialistycznego syjonizmu Izraela, mieli zakłócić spokój i szczęście polskiego narodu dla sobie tylko wiadomych, nikczemnych celów. Komunistyczny rytuał nie pozwalał na publiczne użycie słowa „Żyd", zastąpiono je więc słowem „syjonista".

W biurach i na uniwersytetach, w redakcjach i w fabrykach, w instytutach naukowych i w wytwórniach filmowych, na zebraniach partyjnych i specjalnie zwołanych konwentyklach wywoływano Żydów po nazwisku i zarzucając im wrogość do komunizmu i wrogość do Polski, usuwano ich z pracy i z komunistycznej partii.

W telewizji pokazywano migawki z wieców, na których tłumy z transparentami manifestowały przeciwko zbrodniczej polityce Izraela i domagały się wyjazdu Żydów z Polski. Choć granice komunistycznego kraju były szczelnie zamknięte, władze umożliwiły w nadzwyczajnym trybie emigrację Żydów do Izraela, pod warunkiem zrzeczenia się obywatelstwa polskiego. Moi przyjaciele, którzy nie pamiętają wojny, opowiadają dzisiaj, że terroru i zastraszenia, jakie odczuwali wtedy, nie da się z niczym porównać.

Nie pamiętam zaburzeń rytmu dni, tygodni, miesięcy. I nie wiem, kiedy mi powiedziano, że Bronka z rodziną wyjeżdża do Kopenhagi. Nie spytałam dlaczego, choć zrobiłby to każdy na moim miejscu. Deklamowałam wiersze o Warszawie, wracałam ze szkoły, odrabiałam lekcje. Najważniejszy codzienny trud, najważniejsi szczęśliwi ludzie. Jak gdyby nigdy nic, jakby rzeczywiście to było najważniejsze w sytuacji, gdy moja żydowska rodzina, wszyscy razem i każdy z osobna, doświadczali najtrudniejszych swoich powojennych dni.

Od końca wojny minęło wtedy ponad dwadzieścia lat. Wystarczająco dużo, by wiedzieć, kim się jest, po co i dla kogo pracuje. Rodziny Przedborskich i Marzyńskich miały twardy grunt pod nogami, grunt budowy, odbudowy, osiągnięć i planów. Życie wydawało się w końcu mieć sens i kształt, o jaki im chodziło. Wykształcili dzieci, Halina pracowała w prasie, Marian w telewizji, syn Frani skończył studia, dwaj młodsi studiowali. Nie było żadnych znaków zagrożenia, znikąd.

Poczucie bezpieczeństwa brało się także stąd, iż nie nazywano ich Żydami. A przynajmniej nie było na to publicznego przyzwolenia.

Antyżydowska kampania w marcu 1968 roku dotknęła niemal wszystkich Żydów, którzy pozostali w Polsce. Pozbawiano ich pracy, stanowisk, przynależności partyjnej. Zwykle byli tak zaskoczeni, że nie umieli się bronić. I jak się bronić wobec zarzutów syjonizmu i zdrady polskości na rzecz proizraelskich sympatii. Jak dowodzić tego, czego dowiedli całym dotychczasowym życiem?

Nieważne, że ja nie pamiętam. I czego. Czytałam „Świerszczyk", pisemko dla dzieci, i bawiłam się kukiełką z kartoflanym noskiem. Ważna jest moja mama, która znowu zaczęła się bać.

Musiało tak być, choć nie mówiła o tym i nie mówi dziś. Zachowywała się tak, jakby nic się nie stało lub jakby jej to nie dotknęło. Była Polką. Chciała chronić dziecko. Ochroniła. Niebieskooka dziewczynka nie miała nic wspólnego z Żydami. Nie mogła mieć.

Gdzieś najgłębiej w sobie znalazła potwierdzenie, że jej wybór milczenia był słuszny. Bo bardzo łatwo człowieka napiętnować, wskazać palcem, potrzebna tylko odpowiednia okazja.

Trzeba być białym w rzeczywistości, która akceptuje białych, która z białych się składa, która innym kolorem gardzi. Trzeba zapomnieć w sobie wszystko, co ma związek z czernią, a choćby z cieniem.

Znów zagrała dla mnie rolę wymagającą siły i hartu ducha. Zamknęła się na otaczający świat. Postanowiła, że antyżydowska nagonka jej nie dotyczy.

MARZEC

Zawsze przestrzegała ustalonych godzin snu. Musiałam być w łóżku o odpowiedniej porze, kiedy przychodziła pocałować mnie na dobranoc. Cokolwiek działo się później, spełniało się za zamkniętymi drzwiami mojego pokoju, zza których czasami sączyło się światło. Wtedy było inaczej. Nie jestem w stanie stwierdzić, czy trwało to kilka nocy, czy dłużej.

Siadywali z Maćkiem w moim pokoju, w ciemności, pochyleni nad moim dużym radiem z wbudowanym adapterem. On na fotelu, ona na małym drewnianym krzesełku, wymalowanym w czerwone i złote owoce, które ojciec przywiózł mi z Moskwy. Migały zielone pasemka radiowego oka. Ze skrzynki, obok niewyraźnego głosu, wydobywały się szumy i trzaski, na które nakładały się fragmenty zagłuszających wszystko melodii. Nie rozróżniałam słów, choć wydawało mi się, że mówiono o wojnie. Czułam, że dzieje się coś ważnego, bo nikt nie zwracał na mnie uwagi.

Nie pamiętam z tamtych lat momentów podobnie nieokreślonego niepokoju.

Dziś wiem, że słuchali Głosu Ameryki lub Wolnej Europy, radiostacji uważanych wówczas za wrogie i w związku z tym stale zagłuszanych. Śledzili konflikt arabsko-izraelski, próbując zorientować się, jak naprawdę się rozwija i jaka będzie przyszłość świata, a potem reakcję na tę wojnę w kraju. Śledzili kolejne etapy kampanii antyżydowskiej w Polsce. Moja mama, Szymon z Żeną i Danek z Bronką, Maryś, może nawet i Frania, choć ona zazwyczaj dowiadywała się, co ma myśleć, z instrukcji Olesia. Dla niego nie działo się nic nowego pod słońcem. Spodziewał się tego.

Inni się nie spodziewali.

Wtedy, w marcu, po raz kolejny uświadomili sobie, kim są w tym kraju. Słuchając słów przywódcy partii komunistycznej, z którą się utożsamiali, poczuli, że grunt osuwa im się spod nóg.

Z czworga rodzeństwa Przedborskich, dzieci Justyny i Henryka, wojnę przeżyło troje, nieczęsty przypadek wśród polskich Żydów. Brat i dwie siostry odbudowali swoje rodziny. Zamutek z nową żoną, Bronka z nowym mężem, Frania w wojennym układzie. Łęczycki Przedrynek zamienili na trzy warszawskie adresy.

Nie wiem, na ile odległa wydawała im się wojna po dwudziestu latach. Czy budzili się w nocy z krzykiem? Jak żyły w nich okupacyjne życiorysy i jaki nadawały kształt ich wyborom? Jak zmieniały barwę codzienności?

Gdyby nie wojna, byliby innymi ludźmi.

Jej echa trwały. W każdym przejawie wrogości, rzeczywistej lub urojonej, w każdym pookupacyjnym antysemickim incydencie. Co zrobić, kiedy cię biją? Jak zareagować? A kiedy nie biją, kiedy tylko opluwają?

To wydawało się niepojęte. Złamano naraz wszelkie obowiązujące reguły gry. Unieważniono zasady życia społecznego, których dotychczas przestrzegano. Nie bito, nie stosowano fizycznej przemocy, ale słowa kaleczyły równie boleśnie.

Szymon, 64 lata

Mój dziadek zrobił to, co w takich chwilach umiał najlepiej — położył się do łóżka. Miał za sobą przeszłość budowniczego Polski Ludowej, oddanego służbie kraju pracownika. Przed sobą — plany kolejnych przedsięwzięć. Nie pojmował, co się działo. Wyrzucono go z biura i z partii. Odebrano sens i przywileje. Dlaczego?

„Dlaczego?", powtarzał do żony. I do ściany, bo leżał odwrócony do ściany. Niewiele mówił. Próbował analizować. Szukać jakiegoś logicznego wytłumaczenia. Kto ich ośmielił, dlaczego nagle znajdował na wycieraczce kartki: „Mosiek do Izraela!" Mosiek? Jaki z niego Mosiek, może Samuel, Szmulek, Zamutek — choć tego dziecinnego imienia nie wynosił na zewnątrz. Wybrakowany jest. Jak każdy urodzony z matki Żydówki, z ukochanej matki.

A miał być jak inni. I był. Przed własnym żydostwem uciekł w strój komunisty. Jaki z niego komunista, nawet komunistą nie był porządnym, bez podziemnej przeszłości, Hiszpanii, więzienia. Stalinowski pachołek. Jego szwagier miał rację. Nie ma się na co i na kogo obrażać.

383

Zdemaskowali go. Ojczyzna Mośków jest gdzie indziej, tutaj są obcy, tutaj są jak wrzód. Kadry powinny być narodowe, polskie.

Na początku jeszcze chciał interweniować na górze, odwoływać się do Komitetu Wojewódzkiego albo nawet do KC. Zanim się zorientował, że to stamtąd idzie. Przykład szedł z góry. I instrukcje. „Potępiamy agresywną i awanturniczą politykę państwa Izrael" — pamiętał te hasła wykrzykiwane obok innych, o bohaterskim narodzie wietnamskim, walczącym przeciwko imperialistom amerykańskim. Ale już nie szło o izraelskich agresorów ani o front antyimperialistyczny, chodziło o światowy syjonizm szkalujący państwo polskie. W sylwestra oglądali w telewizji noworoczny kabaret. W pewnej chwili ekran zaroił się od kukiełek z garbatymi nosami. Przez długą chwilę pełzały jak robactwo po wielkim globusie. Zapomniał?

Przestał wychodzić z domu. Tylko rano po bułki i gazetę, choć lepiej byłoby, żeby jej nie czytał. „Trybuna Ludu", jego pismo, organ jego partii, przewodziła całej tej kampanii w prasie. Wracał i kładł się na tapczanie. Wychodził rzadziej, odkąd znalazł na klamce ślady odchodów. Prawa dłoń w śliskiej, cuchnącej mazi. Obrzydzenie. Przerażenie. Kto? Dlaczego? A może mu się przyśniło? Dlaczego mieliby robić coś takiego?

Kiedy wyjeżdżali koledzy i towarzysze partyjni, przez chwilę też pomyślał o wyjeździe. Izrael? Ale to przecież burżuazyjny syjonizm, sam podpisywał protesty, niedawno. Przed tym wszystkim.

Tapczan na Puławskiej. Tak naprawdę nie chciał innego miejsca. Tego łóżka mu nie zabiorą, tu może leżeć. Nie chcecie, nie będę się pchał. Na trybuny i zebrania, na dywany i po przywileje. Ale Mosiek nie wyjedzie do Izraela. Mosiek jest stąd.

Tak został. Sam. Odwrócony do ściany.

Bronka, 62 lata. Danek, 64 lata

Bronka była inna niż brat. Ciepła, lubiana przez wszystkich. Nie wiem, jak i o czym rozmawiali ze sobą. Czy Zamutek tylko słuchał? Nie pamiętam, czy przysłuchiwałam się ich rozmowom. Danek, mąż

Bronki, ojczym Marysia, zawsze pouczał. Wiedział lepiej i czerwieniał wobec jakiegokolwiek sprzeciwu. Bez względu na to, czy mówił o drodze wyznaczanej ideami PZPR, czy o przemyśle jedenastokrotnie większym niż w przedwojennej Polsce. Co wtedy, w marcu i następnych miesiącach, tłumaczył Bronce? „Broneczko... rozumiesz?" Nie rozumiała.

Pozbawiono go stanowiska kierownika Zakładu Wytrzymałości Materiałów w Instytucie Techniki Budowlanej i wyrzucono z partii za niewłaściwe traktowanie podległych mu pracowników. Wiedzieli, że przed wojną należał do Poalej Syjon-Lewicy. Nie chcieli słyszeć, że to była żydowska organizacja komunistyczna. Syjonista. Nie ma dla niego miejsca w naszych szeregach.

Nie umiał sobie wyobrazić, że tam gdzieś, za jakąś granicą, gdzieś daleko, w innym języku i innym czasie, że tam jeszcze cokolwiek go czeka. Nie chciał innego miejsca. Na niskich, niewygodnych tapczanach, które synowa-architekt zainstalowała we wszystkich pokojach i z których trudno było się podnieść, był u siebie. Co rano szedł z jamnikiem Tymkiem po gazetę pod gmach sejmu, kioskarka odkładała mu tygodniki, spotykał sąsiadów. W tę codzienność był wpisany.

W domku na Górnośląskiej najważniejszy był teraz Maryś. To on przekonywał, on namawiał i wyjaśniał. Nagle zaczął rozumieć więcej niż rodzice, jakby w jednej chwili postarzeli się i stracili na ważności. Bez niego tych dwoje ludzi nie ruszyłoby się za próg. W ogrodzie kwitły jabłonie i wiśnie, na placek, na pierogi, na kompot. Czekali goście zaproszeni na kanastę i herbatę. Parasol trzeba wyreperować, krzesełka ustawić w cieniu. Kwiaty wypielić i podlać. Po pierwszomajowym pochodzie rozpoczynał się w ogródku sezon. W końcu 1967 roku urodził się wnuk, niech śpi spokojnie na powietrzu. Tu wszystko było własne.

Z tego rezygnować? W imię czego? Dlaczego? I za jaką cenę?

Bronka nigdy nie podjęła tej decyzji. Z własnej woli nigdy nie rozstałaby się z siostrą i bratem, z ich dziećmi, ze wszystkim, co mieli wspólnego. Z pamięcią rodziców i bliskością Łęczycy. To nic, że do niej nie jeździli, ale była na wyciągnięcie ręki, na odległość wspomnienia. Już się w swoim życiu pakowała, do getta, i już zaczynała od nowa, po wojnie.

385

MARZEC

Już zmuszono ją, żeby była kimś innym. Zamutek źle się czuje, wymaga opieki. I ona w nie najlepszym stanie. Języka żadnego przecież nie zna, uczyć się nie będzie. Czego w tym wieku można się jeszcze nauczyć? Dadzą sobie radę, już nieraz dawali. Nikt ich nie wyrzuca z domu. Nie zajmuje mieszkań, nie ma terminu oddania futer. Nic nie trzeba.

Maryś zdecydował inaczej. On jedzie, z żoną i dzieckiem. Nie ma mowy, żeby zostawił rodziców. Przyjmie ich Dania. Proponują pomoc finansową na początek. Są gotowi wpuścić Żydów wyrzucanych z Polski.

Kopenhaga, stolica Andersena, dlaczego nagle mieliby chcieć mówić w języku baśni? I której baśni, o sercu z lodu? Nigdy nie mieszkali w porcie, wśród zabytków niderlandzkiego renesansu, w sąsiedztwie lunaparku Tivoli. Nie wymyśliliby tego w koszmarnych snach. Bo skąd?

Bronka nie umiała i nie chciała żyć bez Polski. Ale nie przeżyłaby rozstania z synem i wnukiem. Wybrała lepszą z dwóch niemożliwości. Wyjechali.

Frania, 61 lat

Patrzyła w okno tak jak wtedy, kiedy po drugiej stronie Wisły było getto. To samo szkliste powietrze wczesnej wiosny. Czuła się stara i zmęczona. Sama nie wiedziała, dokąd miałaby pójść? Do swoich, ze swoimi, za mur? Mąż jej zabronił, dzięki temu ocalała, z synem. Za granicę, w nieznane, na kolejne wygnanie? Za późno. Jak wtedy, przed trzydziestu laty, wiedziała, że zostanie po polskiej stronie.

Nie odeszła od Olesia, chociaż Halina została z nimi jako jej następczyni czy zastępczyni, pod wspólnym dachem żyli we troje z trzema synami. Dlaczego miałaby uciekać teraz? Skoro nie zdecydowała się rozpocząć nowego życia po wojnie, bo dzieci potrzebują ojca i opieki, bo ktoś musi robić zakupy i gotować, a nikt tego nie potrafił tak jak ona, bo pranie, cerowanie, prasowanie, bo lekcje, kanapki, koklusze, szkarlatyny, bo rowery, trampki, narty, dyktanda, i wszystko na jej głowie, skoro wtedy nie uciekła, dlaczego teraz miałby ją przestraszyć jakiś polityczny policzek? Już zapomniała, jak piecze wstyd.

A poza tym nikt nie wiedział, kim jest. Kim są obie. Żyły w ukryciu. Halina też, pani mecenas z Zespołu Adwokackiego nr 20. Zofia Majewska i Halina Majewska. I dzieci, dzieci w szczególności. Żadne z nich nie wiedziało, że obie matki są Żydówkami. To sprawa instynktu samozachowawczego, jak tłumaczył Oleś. Dowodził, że są żydowskie tylko do połowy, więc odwracał je do świata białą, polską stroną. Ale Frania stale pamiętała słowa matki o dzieciach urodzonych przez żydowskie kobiety. Są nasze. Więc stale zagrożone. Dlatego już zawsze powinny się go trzymać, Olesia, Polaka, ich obrońcy, ojca trzech nie obrzezanych synów. On gwarantował bezpieczeństwo. To nic, że skończyła się wojna, zawsze trzeba się mieć na baczności. Najlepszy dowód, że miał rację. Znowu. Jak zawsze.

Nie stało się nic, czego nie można było przewidzieć, czego Oleś nie zapowiadał. W antysemickiej kampanii wiosny 1968 roku znalazł potwierdzenie swoich politycznych teorii.

Bolszewicy, „dzicy" — tak ich nazywał — okupujący Polskę po wojnie, wykorzystali Żydów do budowy nowego porządku. Mówił wyraźnie, tonem nie znoszącym sprzeciwu. „Twój brat był na tyle głupi, że nie potrafił lub nie chciał tego wiedzieć. W imię idei równości i sprawiedliwości, w którą prześladowani Żydzi uwierzyli żarliwiej niż Polacy, dawano im pracę i stanowiska. Wysokie stanowiska. Dlatego nie chciałem, żeby nasze dzieci chwaliły się w szkole, że ich matki są Żydówkami. Wiedziałem, jakie są nastroje". Czasami Frani się zdawało, że traktuje ją jak głupiutką gęś, starozakonną, używał niekiedy tego określenia w żartach i tylko w stosunku do niej. „Psiapsiunia, przecież musisz rozumieć absurd tego stanu! Żydzi dyrektorzy, naczelnicy, samochody, telefony, delegacje, i moje dzieci miałyby się demaskować?"

Tłumaczył jej to, jak tłumaczył wszystko inne, cały świat. Godziła się bez sprzeciwu. Jak bez słowa obierała mu jabłka i wkładała po kawałku do ust, jak ogryzała kości z jego talerza. Nie potrzebowała więcej dowodów na jego racje.

Nie chciała uciekać. Zresztą, dokąd miałaby uciec? Nie znała świata, w którym można być sobą.

387

Halina, 37 lat

Pracowała wtedy jako redaktorka w dziale kultury „Dziennika Ludowego", organu partii chłopskiej ZSL. Mieszkała w tym samym dwupokojowym mieszkaniu na osiedlu Kasprzaka, dokąd wyprowadziła się z domu ojca. Dbała o dobre stosunki z sąsiadami, krawcową i ślusarzem z czwartego piętra, inżynierem z trzeciego, nauczycielką z parteru. Dla nich pozostała żoną komentatora Wyścigu Pokoju, redaktora Tuszyńskiego, choć od kilku lat nie byli razem.

Poza Haliną w jej redakcji nie było Żydów. Może dlatego mówi dziś, że nic wtedy nie dotknęło jej bezpośrednio. W „Dzienniku Ludowym" nie zwoływano zebrań, na których wskazywano by ludzi wedle z góry przygotowanej listy, nie podpisywano rezolucji potępiających syjonistów. Może dlatego.

Z marca w redakcji pamięta kilka zdarzeń. Starszego od siebie kolegę, który cieszył się głośno, że Żydów wreszcie biorą za pysk. I Zofię Satanowską, swoją szefową z działu kultury, wierną komunistkę, w czasie wojny w lasach, w oddziale partyzanckim. Jej mąż był Żydem, któremu ocaliła życie. W marcu 1968 roku demonstracyjnie oddała legitymację partyjną w geście odwagi, na jaki wtedy zdobywali się nieliczni.

Halina miała wrażenie, że to wszystko jej nie dotyczy. Jaki Izrael, jakie pustynie, fronty walk, Arabowie? Co miała wspólnego z Palestyńczykami i ich ziemią, piaskami, palmami? Na mapie trudno by jej było to znaleźć.

Jaki syjonizm? Palma zamiast wierzby i brzozy?

To działo się poza nią. Protesty i strajki studenckie, represje cenzury, transparenty „Syjoniści do Izraela" na pochodzie pierwszomajowym. Koledzy szeptali po korytarzach za jej plecami i odwracali głowy, gdy przechodziła. Autor artykułów o ludziach obcej proweniencji, którzy powinni się z Polski wynieść, poklepywał ją po ramieniu, puszczając do niej oko. Że niby rozumie, że tak trzeba, ale oboje wiedzą, jak jest naprawdę.

Nie podejmowała tego wątku, nie dyskutowała, nie wyrażała swego zdania. Jakby nie o nią chodziło. Koleżanki pamiętają, że była jak zamurowana. Nie wyglądała na przestraszoną, raczej nieobecną, wyizolowaną od innych. Za szybą, gdzie nie można jej było dosięgnąć.

Czy kiedykolwiek myślała — my, Żydzi? Nie sądzę. Mogła myśleć — my, rodzina, Przedborscy, ojciec, matka, a potem koledzy z grupy, z dziennikarstwa, z polonistyki. Nie szukała wśród nich tych, którzy mieli podobne przeżycia. Nie myślała, że ten czy tamten profesor miał ojca rabina albo pochodził z żydowskiego miasteczka. I w związku z tym wyróżniał ją czy jej koleżankę, Joannę czy Werę. Żadna z jej przyjaciółek nie była Żydówką. Żadna o Żydach nie mówiła źle.

O emigracji nie myślała nigdy. Bała się zmiany, bała się drogi w nieznane. Nie zwolniono jej z pracy. Nie pozbawiono źródeł dochodu. Przykrości działy się na poziomie bufetu i pyskatej księgowej, krzywego spojrzenia depeszowca i pewnej niewygody bycia wśród ludzi. Pytanie w oczach, czy wiedzą, czy rozpoznają, jaka będzie ich reakcja. Kto i w jakich okolicznościach nazwie ją „Żydówą"? Na ulicy, w drukarni, przy kiosku Ruchu, w warzywniaku, w kinie? Nie wiem, na ile się tego bała. Z kim o tym mówiła? Nie z koleżankami, może z ojcem? Czym czuła się zagrożona? Jaką barwę miał ten lęk, czy odbijał się w niej echem wojennego strachu, czy bolał inaczej?

Marian, 31 lat

Wydawał się u szczytu swojej kariery. Miał świetną pozycję w Polskiej Telewizji jako dziennikarz i twórca popularnego programu rozrywkowego. Jeździł za granicę, skąd przywoził zachodnie maniery, ubrania i odrobinę innego powietrza. Kochał swoją żonę, Polkę, zdolną architekt, która właśnie urodziła mu syna, Bartka. Rodzice byli zdrowi. Pomysły cisnęły mu się do rąk. Świat stał przed nim otworem.

Marzec uświadomił mu, jak kruche były podstawy jego losu. Nagle się okazało, że każdy mógł do niego powiedzieć: „Ty Żydzie!", i to była obelga. Można go bezkarnie zdemaskować, nazwać zwykłym Żydziakiem, który próbuje ukrywać, kim jest. Poczuł się słaby.

Ktoś do kogoś powiedział w telewizji i ktoś mu to powtórzył, że gdyby mogli, rozgnietliby go jak muchę na ścianie. Nie uwierzył. Nawet nie myślał, że się przesłyszał, wiedział, co się dzieje, czytał prasę. Ale jakoś nie przyjmował tego do wiadomości. Dalej pracował. Powiedzieli też, że go lubią i dlatego nie pozbędą się go od razu, jak innych. Nie zawalił mu się przez to świat. Jego żona, Grażyna, uważała, że to dostateczny powód do natychmiastowego wyjazdu.

Od dawna chciała wyjechać. Należała do tych Polaków, którzy o emigracji marzyli. Dla niej to było rozwiązanie, szansa na wydostanie się z klatki na upragniony Zachód. Możliwość wyrwania się z systemu, którego nie znosiła, który ją więził i drażnił w każdym swoim przejawie. Nie lubiła ani ludzi, ani sposobu życia, stosunków, układów, chorych powiązań. Braku uśmiechu, partaczenia, kłamstwa.

Marian przyznał jej rację. Nie chciał już dłużej żyć w kłamstwie, a własne dotychczasowe sukcesy wydały mu się śmieszne. Nazwisko, pozycja, możliwości. Nie potrafił zrozumieć, dlaczego tak długo pozwalał sobie w tym trwać, poruszać się po peryferiach, nie dotykać tego, co najgłębiej go dotyczyło, stanowiło istotę tego, kim jest.

Żona nalegała, bardziej może niż on powodowana urażoną dumą. Bardziej też pewna, że przyszłość i prawdziwe szanse są gdzie indziej. Ale to Marian musiał przekonać rodziców, pokonać ich wątpliwości i opór, i rozpacz. Czy jego syn, Bartek, miał też spędzić życie w kłamstwie i lęku? Tak to tłumaczył Bronce, posługując się jej własnym argumentem — dziecko jest najważniejsze.

Czy kiedykolwiek spotkali się we troje, Szymon, Bronka i Frania, żeby naradzić się, co robić? Kiedy i jak Bronka oznajmiła bratu i siostrze, że zdecydowali się opuścić Polskę? Szymon nie uczestniczył już wtedy w rodzinnych spotkaniach. Mówiono ze współczuciem, że cierpi na melancholię. Wyjazd Bronki przemilczał jak wszystko inne, co działo się po marcu '68. Zbojkotował. Unieważnił milczeniem. Zabił. Maryś słyszał, jak Szymon mówił do Danka, że na Zachodzie będą się wysługiwać amerykańskiemu wywiadowi. To samo mówił Halinie. Domagał się od niej zerwania stosunków z opuszczającą Polskę ciotką, z resztką łęczyckiej rodziny, której udało się umknąć zagładzie. Bronka wolała z bratem nie dyskutować. Nie lubiła się komukolwiek sprzeciwiać, a jemu szczególnie.

Ostateczną decyzję Marian i Grażyna podjęli latem 1969 roku. Władze polskie ogłosiły, że specjalne przywileje emigracyjne dla Żydów pragnących opuścić Polskę zostaną skasowane. Choć wrzaskliwą kampanię antyżydowską w mediach wyciszono jeszcze w 1968 roku, wiadomość o wstrzymaniu emigracji spowodowała kolejną, największą falę podań o wyjazd. Marian wyjechał pierwszy, jesienią 1969 roku, volkswagenem garbusem, z bagażami i przerażonym starym jamnikiem. Bronka i Danek odjeżdżali pociągiem z Dworca Gdańskiego, gdzie polscy przyjaciele emigrujących Żydów zbierali się w ostatnim, symbolicznym i niezapomnianym geście pożegnania.

Halina nie przyszła na dworzec.

Dziś mówi, że zabronił jej tego Szymon. Również tego, aby przenocowała żonę Mariana, Grażynę, która z malutkim Bartkiem została jeszcze przez tydzień w Warszawie. Ich mieszkanie już zlikwidowano, rzeczy spakowano albo sprzedano. Zamknięty polski rozdział, nowy jeszcze nie otwarty.

Kilka dni do odjazdu, bilet lotniczy w kieszeni. Kilka dni, jeden poniedziałek, jeden wtorek, jedna środa i tak dalej, do końca, w sumie siedem dni i nocy, siedem razy dwadzieścia cztery, niecałe sto siedemdziesiąt godzin, z czego połowa snu. Mokry, wietrzny, rozmazany listopad, można nie ruszać się z domu. Czego bała się wtedy moja mama? Jakie mogło jej grozić niebezpieczeństwo? Co takiego było ciągle jeszcze w polskim powietrzu, w atmosferze jesiennej Warszawy roku 1969, już po marcu, po głównej fali nienawiści i paniki, co jej nie pozwoliło przygarnąć Grażyny z Bartkiem?

Z czym nie chciała się konfrontować? Z tajnymi służbami, skutecznie tropiącymi Żydów? Czy też z emigrującymi z Polski Żydami? Obawiała się zapewne, że ktoś ją z tamtymi skojarzy, postawi w tym samym szeregu. Nie chciała tego dla siebie ani dla mnie. Bała się przykrości, nieprzyjemności. Fizycznego zagrożenia nie było. Ale przecież miała niedobre pochodzenie, a wszechwiedząca komunistyczna milicja zapewne nie pominęła jej w swoich wykazach. Więc nie wiedziała, czego się boi. Bała się. Po prostu.

Czy wolno mi to oceniać? Mama chciała być Polką. Od razu, kiedy tylko skończyła się wojna. Unikała sytuacji stawiających ją w konieczności określenia się. Jeśli musiała, zawsze wybierała polskość. Do opłatka włącznie. Mówi, że dla mnie. Nie wiem. Dla siebie także. To budowało jej autoportret. Nie tylko w oczach innych, w swoich własnych również.

Szymon już nigdy nie zobaczył swojej siostry Bronki. Nie utrzymywał z nią żadnego kontaktu. Nie korespondował. Nie chciał jej znać. Za zdradę swojego kraju została wykreślona przez mojego dziadka z rodziny Przedborskich.

W następstwie wydarzeń, określanych dziś jako „Marzec 1968", wyjechała z Polski większość pozostałych tu jeszcze Żydów. Jedną trzecią stanowili ludzie z wyższym wykształceniem, profesorowie wyższych uczelni, naukowcy, intelektualiści, studenci. Emigrującym odbierano polskie obywatelstwo. W biurze paszportów otrzymywali dokument podróży uprawniający do drogi w jedną stronę, bez prawa powrotu. Dawano im miesiąc na opuszczenie terytorium Polski. Uważano powszechnie, że „wypadki marcowe" położyły kres tysiącletniej obecności Żydów na polskiej ziemi.

Część polskich Żydów została.

Kilkanaście tysięcy tych, którzy opuścili Polskę po marcu '68, odjechało z Dworca Gdańskiego do Wiednia i Kopenhagi, a stamtąd do Izraela i Ameryki. Z okien pociągów jadących na Zachód po raz ostatni widzieli to, co najbardziej znajome. Dziś z Dworca Gdańskiego odjeżdżają pociągi poza rozkładem do Rostowa i Woroneża.

Trzydzieści lat później, w 1998 roku, odsłonięto na Dworcu Gdańskim tablicę pamiątkową z inskrypcją pióra pisarza Henryka Grynberga: „Tu więcej zostawili po sobie, niż mieli". Zdarza się, że tablica oblewana jest farbą, a obok pojawiają się antysemickie napisy. Nie pada w nich słowo „syjonista". Dziś można już pisać „Żyd".

'68

W połowie lat sześćdziesiątych mój ojciec złapał wiatr w żagle. Ożenił się po raz drugi, został ojcem drugiej córki, zabrał się do pracy ze zdwojoną siłą. Dużo wyjeżdżał. Nie jak inni, do Rumunii czy do Bułgarii, ale na prawdziwy Zachód, za żelazną kurtynę. Nie musiał czekać na wizytę Rolling Stones'ów w Warszawie, by poczuć się obywatelem świata. Nie dotyczyły go kolejne kryzysy zaopatrzenia w mięso, podwyżki cen i narzekania w kolejkach. Zachowywał się jak człowiek, który wie, kim jest. Bardziej niż dotychczas radio stawało się jego domem.

Ktoś słyszał wiosną 1968 roku na korytarzu rozgłośni radiowej, jak mój ojciec mówił „dobrze, że wyjeżdżają", a mówił głośno, za głośno. Ktoś usłyszał, jak mówił „nareszcie". I że pozbyć się ich nie można, i że najwyższa pora. Dość narobili złego. Naszkodzili. Narządzili się i naszarogęsili.

395

Ira, która to także słyszała, a zawsze go broniła, bo siedzieli ponad dziesięć lat przy sąsiednich biurkach w redakcji sportowej, zamknęła go wtedy w pokoju i zwymyślała. Nie przebierała w słowach. Nie mogła pojąć, co mu się stało. Odwoływała się do żony Żydówki, byłej żony, ale wielkiej miłości, do życia, które chciał z nią spędzić, do dziecka, które ich łączyło. Nie rozumiała, jak mógł tak mówić, a jeszcze bardziej, że mógł tak myśleć. I na wszelki wypadek, dla jego dobra, dla przyzwoitości kazała mu w przyszłości milczeć. „Zamknij się — powiedziała — nie drzyj się tak na korytarzach, bo pół radia cię wygwiżdże".

Zawsze był narwany, poza tym łatwo ulegał wpływom. Coś wisiało w powietrzu. Jakiś utajony nurt, wewnętrzna siła wyzwalająca skrywane uczucia złości, niechęci, pogardy wymierzone przeciwko słabszym. Ci, o których myślał, wydawali mu się zawsze niesłusznie uprzywilejowani.

W marcu 1967 roku wstąpił do partii. Organizacja potępiała agresywną i awanturniczą politykę państwa Izrael. On sam miał kolegów w radiu, którzy głośno wyrażali radość z powodu zwycięstw armii izraelskiej w wojnie sześciodniowej. Sam słyszał, jak jeden z nich mówił o zwycięstwach „naszego wojska". „Jakie to, kurwa, nasze wojska?" Wściekał się. Jacy to Polacy, skoro identyfikują się z sukcesami militarnymi Żydów?

Kazik Zybert był bliskim kolegą moich rodziców, jeszcze z czasów studenckich. W radiu redagował codzienny, popularny program aktualności i komentarzy.

To było chyba późną wiosną 1968 roku. Wezwał go do siebie naczelny i spytał czy to prawda, że podczas wojny arabsko-izraelskiej, rok wcześniej, poszedł do ambasady izraelskiej, aby na ręce żony ambasadora złożyć wyrazy uznania dla izraelskiej armii. Kazik pomyślał najpierw, że to kawał kolegów. Zaprzeczył. Ale naczelny powiedział mu, że programu dłużej redagować nie może. Kazik protestował, oskarżenie nazwał prowokacją. „Czy pan w to wierzy?", zapytał szefa. „To nie ma żadnego znaczenia", odpowiedział naczelny redaktor.

W warszawskiej rozgłośni Polskiego Radia, gdzie pracowało wielu Żydów, nagonka trwała długo. Kazikowi, który czuł się na równi Żydem i Polakiem, nie chciało się wierzyć, że może go to spotkać w jego kraju.

Represje wobec Żydów członków partii miały zazwyczaj dwojaki wymiar. Niektórych oskarżano najpierw na zebraniach partyjnych, a następnie usuwano z pracy, tłumacząc, że człowiek, który stracił zaufanie organizacji nie może pełnić odpowiedzialnych funkcji. W przypadku Kazika było odwrotnie. Zebranie partyjne odbyło się już po odebraniu mu audycji. Przyjaciele ostrzegali go, że wyrok zapadł z góry. Miał być usunięty bez względu na to, co powie.

Kiedy Kazik po latach opowiadał historię tamtych dni, najlepiej pamiętał właśnie przyjaciół. Tych samych, którzy przed zebraniem klepali go po ramieniu i zapewniali, że wszystko będzie dobrze. Tych samych, z którymi na placu za budynkiem radia grywali w siatkówkę, a w soboty spotykali się na urodzinowych przyjęciach.

Było ich na sali pewnie ze sto osób. Wstawali po kolei. Krótkie, niewyszukane wypowiedzi, wedle kilku schematów, nieprawdziwe. Przedstawiały reakcjonistę i wstecznika, obcą narośl na polskiej glebie. Słowa miały moc kamieni.

Chciałabym, żeby ta opowieść była zmyślona. Wiem, że nie jest. Chciałabym.

Nie wszyscy go oskarżali. Jak mówił po latach, znalazło się kilku odważnych. Ale mojego ojca wśród nich nie było.

Mój ojciec, kolega Kazika z roku, z którym jeździł na wykopki i zbierał stonkę po polach, z którym razem zdawali egzaminy z marksizmu, a potem szli nad rzekę przytulając swoje dziewczyny — mojego ojca Kazik zapamiętał ze szczególną ostrością. Nie był w tym sam, obok występowało wielu innych, ale to właśnie on ugodził Kazika szczególnie silnie. Zwątpił w jego polskość. Powiedział, że Kazik zgubił swoje polskie serce.

Dlaczego to powiedział, jeśli powiedział? Bo niedawno zapisał się do partii i wydało mu się, że to zabrzmi odpowiednio? Nie wierzę. Bo złościł go Kazik ze swoim entuzjazmem dla wojska izraelskiego? A może mój ojciec tylko dał wyraz swojej niechęci do stalinizmu i jego gorliwych, nadgorliwych wyznawców? ONI, oni zawsze umieją się ustawić, zmieniają poglądy zależnie od potrzeb, więc i tak nic im nie zaszkodzi. Nic się nie stało, tylko trochę utarli mu nosa.

Czy chcę go tłumaczyć niedojrzałością, impulsywnością, odrodzonym nagle poczuciem krzywdy?

Najlepiej byłoby nie tłumaczyć go wcale.

Kazik zapamiętał zebranie z wiosny 1968 roku równie dobrze, jak mój ojciec pamiętał inne, sprzed szesnastu lat, na Uniwersytecie Warszawskim. Tam piętnowano wroga ludu, tutaj szczuto na Żyda. I wtedy, i teraz używano podobnych metod, posługiwano się pomówieniami i kłamstwem. Tam eliminowano ideologiczną obcość, prawdziwą czy domniemaną — tu obcość narodową, czyli niesłuszne pochodzenie. Mój ojciec opowiada, że jego najżarliwsi oskarżyciele sprzed lat byli Żydami. Czy w 1968 roku trafiła mu się okazja do odwetu?

Nie, to by było za proste.

Próbuję sobie wyobrazić, jak to jest. Jak to jest, kiedy wszyscy niespodziewanie obracają się przeciwko tobie tylko dlatego, że teraz należy atakować czarnookich i czarnowłosych. Rysopisy są wymienne. Jutro mogą się zdarzyć zielonoocy blondyni. Mechanizm pozostawał ten sam. Napadają, bo trzeba, bo wypada, bo to może się do czegoś przydać. Wytłumaczeniem jest idea, własny gniew, kompleksy, potrzeba zaistnienia, interes.

Wtedy był jeszcze młody, impulsywny i żywiołowy. Mówił szybciej niż myślał. Czy powinnam go bronić, stosować taryfę ulgową, starać się rozumieć coś, co dla mnie niepojęte? Rozdzielać to, co myśli, od tego, jak mówi. Przyjaciele próbują, w imię starej przyjaźni. Są pewni, że nie ma w nim nienawiści, a tylko zapalczywość, podgrzana dosadnością języka. W miarę upływu lat potęguje się coraz bardziej.

Gdzie przebiega granica między autentyzmem jego poglądów, jego obsesją wobec Żydów, a językiem, jakim o tym mówi? Nie wiem.

Mama zapewnia mnie, że podczas małżeństwa z nią taki nie był.

Odkąd pamiętam, wygłaszał takie tyrady. Nigdy nie kierował ich przeciwko mnie, jakby mnie nie dotyczyły. Jakby moje serce ulepione było z nadwiślańskiego piasku. Ile miałam lat, kiedy to się zaczęło? Dwanaście? Dziesięć? Jeszcze mniej?

Moja matka rzuciła go, kiedy miałam sześć lat. On też nie powiedział mi nigdy, że jest Żydówką.

Jak to połączyć? Przecież miał żonę Żydówkę, którą on, jego rodzina, oni wszyscy przyjęli jak swoją. Twierdzi nadal, że problem żydowski w jego małżeństwie nie istniał. Nie mówili o tym. Kochał ją i nie zastanawiał się, kim jest. Czy później, kiedy odeszła do kogoś innego, wszystko poukładało mu się w pewną całość?

Czy mój ojciec nie zdawał sobie wtedy sprawy, z kim stawał w szeregach? Wywodził się z tradycji robotniczej zbliżonej do PPS-u, w rodzinie nie było śladu antysemickich skrzywień. Jest ateistą, o Kościele nie mówi najlepiej. Nie ma związków ani ze spadkobiercami księdza Trzeciaka, ani z kościołem na Zagórnej, rozprowadzającym antysemickie druki. A więc jak to możliwe, że to właśnie on, pierwszy w rodzinie wykształcony chłopak, najmłodsze dziecko Polski Ludowej, zaraził się czymś, na co nie chorowała jego babka analfabetka, jego dziadek kolejarz, jego rodzice, wujkowie, ciotki. Jak zachowałby się jako student, gdyby Halinie kazano usiąść z innymi żydowskimi studentami po lewej stronie sali?

Wierzę, absolutnie wierzę, że usiadłby razem z nią. Więc skąd to wszystko? Gdzie jest dzisiaj ze swoim poczuciem odrzucenia przez nowe i nowych, żalem o nie doceniony, a przecież tak bogaty, dorobek życia? Jego gorycz kieruje się przeciwko elitom władzy, w której — jak zawsze — Polacy żydowskiego pochodzenia grają swoją rolę.

Kiedy kilka lat temu, w telewizyjnym programie *Godzina szczerości* zapytano mojego ojca o ulubioną melodię, wymienił piosenkę *Gdybym był bogaty* z żydowskiego musicalu *Skrzypek na dachu*.

A D R

E S Y

Granica października i listopada zaciera się. Na spojeniu jesieni z zimą święto grobów. Nie zmarłych, ci są ze mną, ale grobów właśnie. Trzeba je czyścić i polerować dla żywych. Żeby widzieli, że nie są opuszczone. Polski obyczaj, oswojony od lat. Poddaję się temu, sprzątanie uspokaja, w słodkim zapachu palonych świec, w słupie migotliwego powietrza poruszamy się jak polepieni czadem. Dzieci swoich zmarłych. Grzebiemy rękami w ziemi jak w piaskownicy. Układamy chryzantemy i świerkowe gałęzie. Bawimy się razem. Wszyscy Święci.

Groby zarośnięte czasem nie przestają mówić.

Nie mam wątpliwości, że ich tam nie ma. Obleczeni w stroje z kamienia, kamienieją w pomniki, a one osłaniają prawdę. Coraz mniej ich tam, coraz więcej we mnie. Obecni w końcu tylko w nas, jeśli obecni.

Do dziadka z Żeną. Cmentarz na Wólce.
Do babci z mamą. Cmentarz w Otwocku.
Do Frani sama. Cmentarz Bródnowski.
Do Łodzi. Wieczne odpoczywanie.

Zostali. Żena i Oleś.

Żenie oddychać coraz trudniej. Źle śpi, a kiedy się budzi, często nie wie, gdzie jest. Czasem jej się wydaje, że w grobie, czasem nie może uwierzyć, że tak łatwo poszło. Rozprostowuje ramiona, luźno, sięga rękami, nie czuje chłodu. Oddycha. Jeszcze nie. W każdej chwili. Już nie prosi, żeby tej książki nie pisać. Zamilczała ją.

Oleś nie wychodzi z domu. Zamyka się na kilka zamków, nie pozwoli się napaść ani oszukać. Od lat nie włożył zakurzonych kapeluszy borsalino. Walają się na półce w przedpokoju. Powtarza: „Nie dotykaj tego wątku. Nie zdajesz sobie sprawy z polskiego antysemityzmu. Pamiętaj — powtarza — może to nie jest czynny antysemityzm, może nie aktywny, ale wystarczy choć trochę poskrobać, zaraz ożywa". Sprzeciwiam się, może bardziej z przekory niż z przekonania. „Kiedy tak, wujku, skoro tak sądzisz, to może trzeba było opuścić ten kraj?" „Kraj?" zamyśla się. „Chyba całą planetę. Tak jest na całym świecie. Uważaj, to na pożegnanie, książka jest jak głos na mównicy, nigdy nie wiesz, w czyje ręce trafi".

Słyszałam już podobne przestrogi, także od tych, którzy nadal nie chcą się ujawnić.

Mama jest przerażona. Ojciec każe rozważyć sprawiedliwie racje jednych i drugich.

I tylko Maryś w Bostonie nie może się doczekać na historię rodzinną w moim wykonaniu. Mirka, łęczycka przyjaciółka Przedborskich, dzwoni z Tel Awiwu, pytając, czy dożyje publikacji.

Wyjazd uwolnił ich od tego lęku.

403

Ta książka nie ma zakończenia, ponieważ dzieje się dalej. Nie ma zakończenia również dlatego, że nie chcę dokonać wyboru jednego dziedzictwa. Oba — polskie i żydowskie — żyją we mnie. Oba mnie tworzą. Nawet jeśli ze sobą walczą i jedno oskarża drugie — do obu należę. I niech tak zostanie.

Pisałam tę książkę na wielu stołach, łatwiej mi było z daleka od domu, od Polski, od Warszawy. Zawsze miałam obok siebie srebrną mezuzę, przywiezioną z pierwszej podróży do Jerozolimy. Niewielki prostokątny pojemnik ze zwitkiem papieru zapisanego ręcznie fragmentem Tory. Nie umiałam jej przeczytać, ale chciałam mieć ją obok siebie. Podobnie jak nie umiałam przeczytać, zrozumieć i oswoić mojej przeszłości.

To była wspólna nauka. Odszyfrowywania liter, słów, znaczeń, wzajemnych związków, relacji.

Dopiero otwarcie rodzinnej przeszłości, przyswojenie pamięci, dało mi grunt pod nogami. Mam oparcie.

Nie boję się już. Wiem, kim jestem.

Zostanę w Warszawie. W miejsce śladów po mezuzach mogę wbić gwoździe i umieścić na drzwiach mojego polskiego domu znak przynależności. Jestem stąd i tu zostanę.

Z wielości adresów wybrałam jeden. Polski adres.

Jak to możliwe po tym wszystkim? Jak to możliwe po doświadczeniach mojej żydowskiej rodziny?

Dopóki trzymałam je w sobie, w zamknięciu, w sekrecie, bałam się. Bałam się tu być i bałam się o siebie. Już się nie boję. Z tym, co o sobie wiem, nie muszę już uciekać. Nikt mnie znikąd nie wygna. Nie jest w stanie mnie wygnać. Bo wiem, kim jestem.

Nie ma ostatniego słowa, bo życie trwa. I każde zamknięcie będzie przypadkowe. Mogę zacytować pacjentkę z ośrodka zdrowia, która wczoraj przez pół godziny ćwiczeń rehabilitacyjnych ręki wyrzekała na Żydów językiem tak wymyślnie plugawym, że sądząc z jej powierzchowności, zaklinałabym się, że nie zna podobnego słownictwa. Dałabym sobie rękę uciąć, gdybym nie słyszała. Niestety, słyszałam wszystko z sąsiedniego łóżka. Wściekłość i wstyd. Nie wiem, co mocniejsze.

Ale kiedy kilka dni wcześniej, w Brukseli, przyszło mi odpowiadać na zarzuty o polski antysemityzm — broniłam Polaków. Tłumaczyłam, jak wiele się tam zmienia i że nie wolno nie widzieć dobrego. Wojna skończyła się sześćdziesiąt lat temu i czas się od niej uwolnić. Pytali mnie, jak to możliwe, że Żydzi ciągle w Polsce mieszkają. Mogą, mieszkają, to także ich kraj.

Mogę też opowiedzieć o Ewie, mojej przyjaciółce, Polce, z katolickiej rodziny o tradycji niepodległościowej, która z poświęceniem walczy o budowę w Warszawie Muzeum Historii Żydów Polskich, bo wierzy w moc prawdy i siłę dialogu. Jej oddanie idei zlepienia polsko-żydowskiego dziedzictwa wynika z poczucia utraty. Żydów pozbawiono praw, godności, życia i ojczyzny. W imieniu tejże ojczyzny ona się o nich upomina. Bo Żydów także zabrano Polsce.

Dopóki są w moim kraju tacy ludzie, warto i trzeba w nim żyć.

To jest ta sama Polska. Polska Jedwabnego i dyskusji o Jedwabnem ponad pół wieku później, Polska tej stodoły, gdzie mordowano sąsiadów, i innych miejsc, gdzie dzielono się z nimi chlebem. Czy tych drugich było mniej? Zapewne, jak bohaterstwa w świecie.

Częściej niż dotychczas muszę przed sobą Polski bronić.

Poczucie ładu każe porządkować czas. Rok byłby niemożliwym chaosem, gdyby nie składać go z dni, tygodni, miesięcy, a potem pór roku, nie dzielić wedle tego, co podpowiadają gwiazdy. Przez lata znałam jeden kalendarz, od Bożego Narodzenia do Wielkanocy, jeden zestaw świąt. Gwarantował stabilność świata.

Były to znaki tradycji, nie wiary. Wiary w dzieciństwie nie otrzymałam. Nie pamiętam żadnego dotknięcia Boga, ani przed ołtarzem, ani pod krzyżem. Nogi Chrystusa przeżegnane tysiącami rąk miały skórę gładką, bolesną, ale dotykając jej, nie czułam nic. Nic z tego, co czuć powinnam. Ani wzruszenia, ani wdzięczności, ani potrzeby powrotu. Nie dotyczyła mnie wspólność tego obrzędu. Nie oczyszczała, nie przynosiła ulgi ani nie dodawała sił. Nie za mnie cierpiał. Nie rozumiałam ani nie czułam symboliki krzyża. Język liturgii chrześcijańskiej jest mi obcy.

Dlaczego później uległam złudzeniu, że muzykę klezmerską mam we krwi?

405

Przed pierwszą podróżą do Nowego Jorku w 1991 roku żydowski rytuał był mi jeszcze bardziej obcy. Czytałam o Rosz Haszana i baranich rogach — szofarach, w które dmie się na przywitanie Nowego Roku, ale nie znałam smaku popiołu w Sądny Dzień, nie miałam w ręku chanukowego bączka, a seder nie przywoływał ani gorzkich ziół, ani proroka Eliasza. Moje żydowskie doświadczenie mierzyłam krokami po kartach prozy Isaaca Singera.

A D R E S Y

Rzeczywistość Nowego Jorku okazała się bogatsza. Na Broadwayu, Lower East Side, w Williamsburgu wszystkiego można było dotknąć własnymi rękami. Bagels, Tory, hebrajskich liter, Woody'ego Allena i Barbry Streisand. Zaczęłam się uczyć, studiować kabałę, chodzić na lekcje hebrajskiego i czytać autorów, których korzenie sięgają miasteczek we wschodniej Europie.

Robiłam to wszystko upojona możliwościami, jakich nie oczekiwałam, ale jednak w tajemnicy. Jak zastraszona kuzynka z prowincji, pełna lęku i obaw, że zaraz jej wypomną koślawy nos, akcent, zapach czosnku i zawinione i niezawinione winy światowego żydostwa. Żeby być równym, trzeba zapomnieć o Żydzie w sobie — tak streszczała się wiedza mojego dotychczasowego życia. I tak było długo. W Polsce wolno było być Żydem jedynie w ukryciu. Z niedowierzaniem patrzyłam na nowojorskich adwokatów, psychiatrów, wydawców, profesorów, producentów filmowych. Nie mieli wątpliwości, kim są i gdzie jest ich „u siebie". Tworzyli nie tylko rodziny, ale i błyskotliwe środowisko miejscowej inteligencji.

Może tego najbardziej brakowało mi w Polsce. Zginęła pewna warstwa społeczna. Zniszczyła ją wojna, ludzie przestali istnieć. Ci, którzy ocaleli, powoli odchodzili, młodzi odkrywali i cenili inne wartości.

Minęło dużo czasu, zanim odnalazłam w sobie pokłady dumy. Lepiej znałam wstyd. I kiedy stary pan Adam Kaufman, Żyd z Łodzi, podczas pierwszej wizyty przywitał mnie wiadomością, że jesteśmy spokrewnieni, udawałam, że nie rozumiem, co mówi. Nie przyjmowałam jego słów do wiadomości, dziecinnym gestem unieważniałam fakty. Nie dotyczą mnie. Przestają istnieć. Nie tylko dla mnie, w ogóle, obiektywnie.

Ale pan Adam nie przestawał dzielić się swoim odkryciem ze swoimi gośćmi. Odwiedzały go tłumy Polaków, Amerykanów, Żydów, stypendystów z kraju, dziennikarzy, kolegów syna. Słuchał ich historii, opowiadał własne. O polskości swojej żydowskiej duszy, o więzieniu za komunizm, o rodzinie Przedborskich, która dała mu ukochaną żonę. Uważałam, że mówi o tym zdecydowanie za głośno. Czułam się zdemaskowana wbrew mojej woli.

Sama na ten temat milczałam.

Odnajdowałam w sobie echa reakcji mojej mamy, która odmówiła spotkania Michaelowi Kaufmanowi, synowi Adama, korespondentowi

„New York Timesa", kiedy w 1981 roku przyjechał do Polski. Nie chciała mieć z nim nic wspólnego. Nie chciała usłyszeć, że ma. Czy bała się tego samego, co nie pozwoliło jej przenocować swojej kuzynki w 1969 roku? A podczas wojny?

A jak by się bała, gdyby jej przyszło w okupacyjnej grze być Polką i gdyby ją postawiono przed koniecznością wyboru? Gdyby do jej drzwi zapukała mała dziewczynka z getta, zalękniona dziewczynka z czarnymi oczami, czy by ją przechowała?

Wiem, czego i dlaczego się bała. Nie umiem zaakceptować jej strachu. Nie mogłam już więcej znieść go w sobie. Polska była go pełna. Dlatego uciekałam. W Nowym Jorku po raz pierwszy poczułam, że nie trzeba się bać.

To był proces, który trudno mi z perspektywy lat opisać. I lęk, i wstyd, i niemożność wyznania prawdy.

Za długo żyłam w schizofrenicznej dwoistości wśród tych, którzy wiedzieli, i tych, którzy nie wiedzieli. Sprawa żydowska stawała się progiem, który przekraczali lub o który potykali się moi znajomi. Jakby zdawali egzamin, nie wiedząc o tym. Przyjaciółmi zostawali wybrani. Dużo rozmawiałam ze Sprawiedliwymi wśród Narodów Świata. Czułam się przy nich bezpieczna. Ciągle zresztą w rozmowach z ludźmi nie mogłam pozbyć się tej myśli: czy on by mnie ukrył, czy by przechował? Nigdy o to nikogo nie spytałam. Nigdy nie było to celem żadnej znajomości. Często wraca do mnie zdanie przywódcy powstania w warszawskim getcie, Marka Edelmana, że nie miał adresu po aryjskiej stronie.

Powoli zaczynałam wychodzić z ukrycia. Ale na pytanie, czy jestem Żydówką, jeszcze długo nie odpowiadałam twierdząco. Na szabatowych kolacjach byłam Polką, nie mogłam inaczej, choć wiem, że łatwiej by było w koszernym, religijnym domu gościć córkę łęczyckiej Żydówki. Miałam zamurowane usta, to było silniejsze ode mnie. Gdzie indziej fragmenty Hagady czytałam po polsku, co dodawało szczególnego smaku pesachowej wieczerzy.

Interesowałam się judaizmem, jeździłam do ortodoksyjnych dzielnic na Brooklynie, kupowałam jedzenie w żydowskich piekarniach i stołówkach. Słuchałam muzyki klezmerskiej na Lower East Side, pełnej cieni żydowskich emigrantów. Nadrabiałam zaległości. Ale wyznanie nie przechodziło mi przez gardło. Nie chodziło o nich, chodziło o mnie. Z czasem przestałam odpowiadać przecząco. Żydówka? Polka? Mówiłam, że to trudne i że muszę o tym napisać.

Dużo podróżowałam. Dzieliłam dumę Izraelczyków z kibuców, nawodnionych pustyń i gajów pomarańczowych. W każdym izraelskim domu widziałam lustro Łęczycy, a w ich kraju — ewentualność ojczyzny. Ale najchętniej wracałam do Nowego Jorku, gdzie każdy był obcy i każdy był u siebie. Ci, którzy interesowali mnie najbardziej, nazywali się amerykańskimi Żydami. Byli w większości zasymilowani, z autentyczną podwójną tożsamością. Gdyby historia potoczyła się inaczej, mogliby mieszkać na polskich ulicach, żyć w nadwiślańskiej rzeczywistości. Łatwo znajdowałam z nimi porozumienie i wspólny język. Mieliśmy podobne poczucie humoru, obchodziły nas te same sprawy. Zadawałam im dziesiątki pytań. Odmieniałam słowo „tożsamość" przez przypadki, smakowałam je i obracałam na wszystkie strony. Być Żydem, czuć się Żydem — jak to jest, co to znaczy. A jeśli się nie wiedziało, jeśli nie wychowywało się w ortodoksyjnym domu? Jakie są oznaki przynależności? Czy można się uwolnić od pamięci Holocaustu, czy wolno? Jak żyć, identyfikując się z ofiarami? Ciągle nie mówiłam, że chodzi o mnie, ale to stawało się oczywiste.

Miałam uczucie wielkiego rozdwojenia. Byłam po ich stronie — ja, córka Żydówki. I byłam po stronie przeciwnej — ja, córka Polaka. Czasem dla mnie samej stawało się niejasne, która „ja" siedzi na wprost kolejnego mojego rozmówcy, z której strony jest mur?

Nie od początku zdawałam sobie sprawę z mojej dwuznacznej roli w tych spotkaniach. Towarzyszyłam spowiedziom, najpierw wielokrotnie jako Polka. Polska uosabiała dla wielu miejsce najstraszliwsze. Byłam więc krewną tych, którzy denuncjowali Żydów i odwracali głowy, którzy wydawali w ręce Niemców lub zamykali drzwi. Częściej wiązali mnie z takimi Polakami niż z tymi, którzy mają dziś drzewka w Alei Sprawiedliwych w jerozolimskim Yad Vashem. Czasem odmawiali mówienia po polsku. Zdarzało mi się bronić Polaków przed Żydami. Wtedy gdy czułam, że to mój obowiązek. Innym razem wydawało mi się, że nie mam do tego prawa. Brałam na siebie polskie poczucie winy. Jednocześnie wiedziałam, że tak naprawdę jestem kimś innym.

W Nowym Jorku, w Bostonie, Waszyngtonie, a potem w Toronto poznałam ludzi, którzy przeżyli wojnę jako dzieci. Stworzyli po latach coś w rodzaju rodziny, nazwali się Stowarzyszeniem Dzieci Holocaustu. Nadal żyją tym, co naznaczyło ich dzieciństwo i co nigdy nie odsunęło się w przeszłość. Przy nich zobaczyłam, że to jest możliwe, ta jednoczesność czasu. Siedzieli przede mną lekarze, adwokaci, kobiety interesu — małe dziewczynki i chłopcy z szaf, spod łóżek, świadkowie zabójstwa matki, sióstr, braci. Tamto nigdy nie zarośnie, nie złagodnieje. Poznawałam też ich dzieci, drugie pokolenie, moje, podobnie skażone echem przeszłości.

Nowy Jork pozostanie dla mnie już zawsze miastem żydowskim. Moim żydowskim miastem, w którym po raz pierwszy przestałam się bać siebie. I tego, kim jestem.

Przez jakiś czas szukałam dla siebie kostiumu religii. Próbowałam piątkowych modlitw w różnych synagogach, bardziej i mniej ortodoksyjnych, szabatowych kolacji i błogosławieństw. Starałam się przymierzyć tradycję pokoleń, którą mi odebrano, i zbudować w sobie jej siłę.

W Nowym Jorku tłumy ciągną nad rzekę Hudson, ja z nimi. Żydzi w lisich czapach, kapeluszach, błyszczących surdutach i kapotach, odświętnie ubrane kobiety w perukach. Rodziny z dziadkami na wózkach, z gromadkami dzieci. Oczyszczenie noworoczne, tashlich, okruchy chleba znaczą grzechy, grzechów należy się pozbyć, utopić w wodzie z odpowiednią modlitwą.

Wchodzę w to jak w obraz, jak w płótno XIX-wiecznych mistrzów. Ja agnostyk, w dżinsach, na wrotkach. Z tęsknoty.

Żydowski Bóg nie daje rozgrzeszenia. Nie ma zwolnienia z grzechów po każdej spowiedzi. Ciężary judaizmu, kamienie. Jak te, które się nosi na cmentarz w miejsce kwiatów na naszych grobach. Obie moje babki leżą pod krzyżem. Jedna z urodzenia, druga ze strachu. Baruch ata Adonai.

409

ADRESY

W ciągu ostatnich piętnastu lat wiele się w Polsce zmieniło. Po upadku komunizmu tematyka żydowska, dotąd pozostająca tabu, zaczęła być szeroko dyskutowana, a w pewnych środowiskach nawet popularna. Powstało wiele inicjatyw mających na celu przywrócenie pamięci o polskich Żydach po niemal pół wieku trwającym milczeniu, i kontynuowanie ich tradycji. Zaczęła działać Fundacja Laudera, której celem stało się odrodzenie życia żydowskiego w Polsce. Działa żydowska gmina wyznaniowa, gromadząca również młodych. Ukazują się książki, odbywają odczyty i spotkania. Ale niemal połowa prenumeratorów żydowskiego miesięcznika „Midrasz" nie życzy sobie, by stempel pisma był widoczny na kopercie, którą listonosz wkłada do skrzynki. Podobnie z Dziećmi Holocaustu, dziś siedemdziesięciokilkulatkami, często zapisującymi się do stowarzyszenia w tajemnicy przed przyjaciółmi i rodziną. Jedynie w moim kraju − obok telefonu pomocy dla Anonimowych Alkoholików i chorych na AIDS − istnieje żydowski telefon zaufania, prowadzony przez przewodniczącego Dialogu Chrześcijańsko-Żydowskiego dla tych, którzy ze swoim żydostwem nie mogą sobie poradzić. Łatwo wyciąga się ostrze antysemityzmu, gdy ktoś zasługuje na atak. Można się o tym przekonać, śledząc internetowe grupy dyskusyjne lub tylko komentarze prasy codziennej.

Moje środowisko, środowisko moich przyjaciół i ludzi, z którymi jestem blisko, zmieniło się. Coraz więcej wśród nich Żydów, w Nowym Jorku, Toronto, Jerozolimie, albo Polaków żydowskiego pochodzenia tu w Polsce. Żydowskością zarażeni są także Polacy wokół mnie − historycy Żydów lub Holocaustu, działacze społeczni, socjologowie, dziennikarze. Częściej niż dotychczas spotykamy się pod pomnikiem getta warszawskiego na rocznicowych uroczystościach, na bar micwa i cmentarzu żydowskim.

W miłości również odnalazłam ten splot. Henryk jest jednym z tych studentów, którzy opuścili Polskę po 1968 roku. Nie było w jego życiu bardziej dramatycznej chwili. Przeze mnie dziś znowu mu do Polski bliżej. Kanadyjski paszport nie zrobił z niego Kanadyjczyka, pozostał polskim Żydem. W swojej bibliotece ma więcej książek polskich niż angielskich, choć za granicą spędził większą część życia. Nasze losy przeglądają się w sobie, a dwa domy po dwóch stronach oceanu pokazują warianty tego, co mogłoby się nam zdarzyć.

Kończy się kolejny rok, zaczyna zima, śnieg opatruje okna. Siedzę przy biurku w moim żoliborskim mieszkaniu, obok domów WSM, które budował mój dziadek. Niedaleko piwnicy na IV Kolonii, gdzie mama obchodziła swoje dwunaste urodziny. Myślę o tym, jaka będzie moja codzienność bez tej książki. Bez jej ciężaru, bez konieczności zachowywania tajemnicy. Bez ciągłych odpowiedzi na pytania. Daleka od wojny. Od strachu. Od aryjskich papierów.

Choinka. Odkąd mama, po przeczytaniu fragmentu książki o świętach w naszym domu, przestała kupować choinkę, poczułam się spadkobierczynią tradycji. Tradycji nie naszej, którą własną wolą podałam w wątpliwość, a przecież gdzieś głęboko mojej. Mojej, bo przekazanej w dzieciństwie i dzieciństwem pachnącej. I Andersenem. Wybieram duże drzewko, sprawdzam rozłożystość gałęzi i solidność pnia, wącham, obchodzę dokoła, a potem ustawiam na honorowym miejscu w salonie.

Ubieram choinkę we wspomnienia. Mikołaja, który nigdy nie miał dla mnie czasu i zawsze zostawiał paczki na wycieraczce, babci, której kilka gwiazdek ciągle jeszcze wieszam na czubku, choć dawno przestały być białe, dziadka, który obierał mi włoskie orzechy, podawał je na wielkiej suchej dłoni i narzekał, że fałszuję kolędy. Bombki pamiętają czasy moich pierwszych łyżew i roweru, mamy w sylwestrowych sukniach, ojca **411** roześmianego, bo chciał zmienić świat, tajemnicy, jaka się zdarza, kiedy ma się kilka lat.

Mam jedno marzenie. Nie wiem, marzeniem je nazywać czy życzeniem. Chciałabym mieć ich wszystkich przez chwilę w jednym pokoju. Chciałabym, żeby zjawili się wszyscy. Wszyscy, których nie miałam, których nie znałam, których mi zabrano, zanim mogłam ich poznać, albo zamilczano, żebym nie wiedziała. Niech przyjdą teraz do mnie. Babcia Jecia z Henrykiem, jej matka Salomea Herman z mężem typografem,

ADRESY

który zmarł młodo, jej dzieci, ich dzieci. Bracia ich ojca, siostry, babki, wszyscy, wszyscy razem, na wielkie spotkanie. Niech wyjdą z ciszy, z nicości, z nieistnienia. Z dymu, z grobu, z niepamięci. Zapraszam was do siebie. Do mnie. Do mojego dziecinnego pokoju, którego nie odwiedzaliście. Gdzie was brakowało. Gdzie pusta przestrzeń, gdzie milczenie. Tam, gdzie tęskniłam za wami, nie wiedząc nawet o waszym istnieniu.

Jestem i czekam.

Rodzina mojego Ojca

Jan Karliński, „Wania", 1886–1962. Mój pradziadek.
Kolejarz, hamulcowy i konduktor Kolei Warszawsko-
-Wiedeńskiej. Mąż Rozalii Krześniak, mojej prababki.
Umarł w Łodzi.

Rozalia Karlińska z domu Krześniak, 1890–1983.
Córka Agnieszki i Józefa Krześniaków. Moja prababka.
Urodziła dwanaścioro dzieci, dorosłości doczekało
pięcioro. Umarła w Łodzi.

Marianna Tuszyńska, 1909–1969. Moja babcia Mania.
Najstarsza córka Jana i Rozalii Karlińskich. Matka mojego
Ojca i mojego stryja Włodka. Umarła w Warszawie.

Stefania Karlińska-Bartosik, 1923–2001. Siostra
mojej babci Mani, córka Jana i Rozalii Karlińskich.
Umarła w Łodzi.

Romuald Tuszyński, 1913–1981. Mój dziadek. Syn
Waleriana Tuszyńskiego i Marii Pauliny z Hausmanów.
Pracownik kolei. Zmarł w Łodzi.

Bogdan Tuszyński, ur. 1932. Mój Ojciec, syn Marianny
i Romualda Tuszyńskich, dziennikarz sportowy, historyk
sportu.

Rodzina mojej Mamy

Henoch (Henryk) Przedborski, „piękny Henio",
1871-1938. Mój pradziadek. Radny miasta Łęczycy.
Mąż Jachet Gitel (Justyny) Herman. Ojciec czworga
dzieci. Umarł w Łodzi.

Jachet Gitel (Justyna) Herman, „babcia Jecia",
1885-1942. Moja prababka. Córka Samuela
i Sury Ruchli (Salomei) Hermanów. Zginęła ze swoją
matką w Treblince.

Samuel (Szymon) Przedborski, „Zamutek",
1903-1989. Syn Henryka Przedborskiego i Justyny
Herman. Mój dziadek. Inżynier, absolwent Politechniki
Warszawskiej. Oficer WP, żołnierz kampanii
wrześniowej, więzień Woldenbergu. Umarł w Warszawie.

Eugenia Gadzińska-Przedborska, „Żena", ur. 1916.
Pracownik administracji państwowej. Druga żona
Szymona Przedborskiego, mojego dziadka.

Bronisława Przedborska, „ciotka Bronka",
1905-1987. Córka Henryka i Justyny, żona Borysa
(Bolka) Kusznera i Daniela Marzyńskiego.
Matka Marysia. Umarła w USA.

415

Marian Marzyński, ur. 1937. Syn Bronisławy
z Przedborskich i Borysa Kusznera. Filmowiec,
dziennikarz, dokumentalista. Mieszka w USA.

Rodzina mojej Mamy

Celina Franciszka Przedborska, „Franuchna",
1907–1993. Córka Henryka i Justyny, żona Aleksandra
Majewskiego, Olesia. Matka Zbyszka. Umarła
w Warszawie.

Aleksander Majewski, „Oleś", ur. 1905. Mąż
Franuchny, ojciec jej syna Zbyszka i dwóch synów
Haliny Schumacher. Przedwojenny przedsiębiorca.
Uratował znaczną część rodziny Przedborskich.

Halina Schumacher, 1907–1995. Druga żona Olesia,
matka dwóch synów. Adwokat.

Jakub Szlama Goldstein, 1878–1942. Mój pradziadek.
Właściciel składu opałowego. Ojciec sześciorga dzieci.
Wszyscy, oprócz Deli, zginęli w getcie w Łęczycy lub
w Chełmnie nad Nerem.

Chana Goldstein, 1881–1942. Moja prababka. Żona
Jakuba, matka sześciorga dzieci. Zginęła w getcie
w Łęczycy lub w Chełmnie nad Nerem.

Udel Sura (Adela) Goldstein-Przedborska, „Dela",
1902–1944. Moja babka. Żona Zamutka, matka Halinki,
mojej Mamy. Nauczycielka. Zginęła w Otwocku.

Halina Przedborska-Tuszyńska, ur. 1931. Moja Mama, córka Samuela Przedborskiego i Deli Goldstein, dziennikarka.

Pracowałam nad tą książką cztery lata. Pisząc o ludziach mi najbliższych, po raz pierwszy poruszałam się po nie znanym obszarze, różnym od konstruowania cudzych biografii.

Bohaterowie moich poprzednich książek należeli do przeszłości, co pozwalało mi patrzeć na nich spoza bezpiecznej bariery czasu. Ich życiorysy były zamknięte, a moje ingerencje w ich losy nie dotykały w sposób bezpośredni osób żyjących. Nie spotkałam nikogo, kto mógł pamiętać findesieclową aktorkę Marię Wisnowską, a żydowski noblista Isaac Bashevis Singer zmarł kilka miesięcy przed moim przyjazdem do Ameryki. Znałam warszawską pisarkę Irenę Krzywicką, ale pracę nad jej biografią rozpoczęłam dopiero po jej śmierci.

Książka o mojej rodzinie stwarzała inne wyzwania. Choć czytałam amerykańskie biografie rodzinne, w polskim piśmiennictwie mało jest podobnych literackich wzorów. Zmierzenie się z rodzinną tajemnicą wymagało zatem ode mnie własnych decyzji, nie wspartych doświadczeniem innych. Pisanie o najbliższych, tych za ścianą, tych z fotografii, tych z cmentarzy, kazało mi odpowiedzieć sobie na podstawowe pytanie o granice, jakich przekraczać nie należy. Co i kiedy staje się zdradą? W imię czego wolno zadawać ból?

Odpowiedzi na te pytania bywały sprzeczne i niekiedy ciężko mi było pogodzić się z nimi.

Najważniejsi byli moi rodzice. Wiedzieli od początku, że ma to być książka dotykająca spraw przez wiele lat trzymanych w tajemnicy przede mną, ich jedynym wspólnym dzieckiem. W niezliczonych rozmowach zmuszałam moją Mamę i mojego Ojca do trudnego i mozolnego odkrywania obszarów pamięci, jakie starali się w sobie ukrywać. A przecież na żadne z moich pytań nie odmówili odpowiedzi. Ich otwartość pomogła mi pisać o tym, co i dla mnie było niełatwe do opowiedzenia.

Obrazu mojej rodziny dopełniły relacje ostatnich żyjących krewnych, których znałam z dzieciństwa — Stefy Karlińskiej-Bartosik, Aleksandra Majewskiego, Mariana Marzyńskiego i Eugenii Przedborskiej. Oprócz rodzinnych opowieści wnieśli do tej książki wiele szczegółów i obrazów, przechowanych w ich bogatej i szczodrej pamięci.

Za cenne wspomnienia wdzięczna jestem przyjaciołom i znajomym mojej rodziny: Romie Bojmart, Irenie Kiepuszewskiej, Hannie Lewandowskiej, Barbarze i Danielowi Lulińskim, Ewie Ostrowskiej, Cezaremu Papiernikowi, Witoldowi Stankowskiemu, Mariannie Zybert. Mirka Chwat z Tel Awiwu jest jedyną, która pamięta jeszcze moją prababkę. Nowojorski dziennikarz Michael Kaufman, mój nowo odkryty kuzyn, dzielił się ze mną swoją wiedzą na temat łódzkiej gałęzi rodziny Przedborskich.

Pracowałam nad tą książką w wielu miejscach, zbierając jej fragmenty w nie kończących się rozmowach z rozsianymi po świecie przyjaciółmi. Im wszystkim należą się podziękowania. W Nowym Jorku: Feli i Joasi Dobroszyckim, Phillis Levin, Davidowi Margolickowi, Monice i Wiktorowi Markowiczom, Shanie i Davidowi Roskiesom, Susan Stone. W Izraelu: Avivie Blum i Romkowi Waksowi, Lince i Władkowi Kornblumom, Wili i Michałowi Orbachom, Ginie i Kazikowi Rotemom, Marysi i Bronkowi Thau. W Paryżu: Marii Brandys, Jean Yves Erhelowi, Małgosi i Markowi Goldbergom, Irenie Milewskiej, Antoine'owi Perraud. W Toronto: Pauli Draper, Judit Szapor i Ewie Stachniak, życzliwej czytelniczce pierwszej wersji tej książki.

Ostatnim już chyba łącznikiem ze światem moich przodków był mecenas Ludwik Seidenman z Nowego Jorku, człowiek wielkiej mądrości i szlachetności, mój mentor i przyjaciel. Boleję nad tym, że czytał tylko fragmenty tekstu – odszedł, zanim zdążyłam skończyć całość.

Carol Mann, moja amerykańska agentka, Victoria Wilson, redaktorka domu wydawniczego Alfred Knopf, pisarze Paul Auster i Richard Lourie bardzo wcześnie uwierzyli w uniwersalne przesłanie historii splotu polsko-żydowskich losów. Pomagali mi radą, wiedzą i doświadczeniem w świecie literackim Nowego Jorku.

Pisanie w swoich ośrodkach pracy twórczej umożliwiły mi fundacje Rockefellera, Ledig-Rowohlt oraz MacDowell Colony. Jestem im także wdzięczna za przyjaźnie z poznanymi tam pisarzami, widzącymi mój projekt spoza zamknięcia polsko-żydowskiego kręgu: Chrisem Hirte, Patricią Duncker, Fentonem Johnsonem i Guillermo Martinezem.

W Polsce szukałam specjalnego wsparcia, borykając się z moimi własnymi dylematami, nieuniknionymi przy odkrywaniu rodzinnych tajemnic. Przyjaźnią i pomocą służyli mi Stanisław Bereś, Barbara Engelking-Boni, Konstanty Gebert, Jerzy Jarzębski, Stanisław Krajewski, Tomasz Pietrasiewicz i Janina Sacharewicz. Wnikliwe uwagi Ireny Majchrzak pomogły mi dostrzec więcej, niż widziałam przedtem. Wspomnienia mojej przyjaciółki z dzieciństwa, Agnieszki Lulińskiej, wzbogaciły i uzupełniły moje własne.

Za poświęcony mi czas i rozmowy dziękuję też rodzinie Sadomskich z Relina, gdzie ukrywała się moja babka podczas wojny, oraz rodzinie Jóźwiaków z Kuchar, dawnego majątku mojego pradziadka. Jednak historii moich żydowskich przodków nie odtworzyłabym nigdy bez

PODZIĘKOWANIA

ogromnej i bezinteresowanej pomocy Mirosława Pisarkiewicza, którego poznałam podczas pierwszej wizyty w Łęczycy, rodzinnym mieście mojej matki. To jemu zawdzięczam większość dokumentacji archiwalnej rodzin Przedborskich i Hermanów.

Kształt tej książki rysował się także w codziennych rozmowach z moją przyjaciółką Ewą Junczyk-Ziomecką, oddaną animatorką projektu Muzeum Historii Żydów Polskich w Warszawie. Lepiej niż wielu innych rozumie złożoność spraw, jakie starałam się rozwikłać.

Najbliżej był Henryk Dasko, towarzysz mojego życia. Od początku wierzył, że napiszę książkę ważną i potrzebną.

423

© Copyright by Agata Tuszyńska
© Copyright for this edition by Wydawnictwo Literackie, Kraków 2005

Redaktor prowadzący
Jolanta Korkuć

Redakcja
Wiesława Otto-Weissowa

Adiustacja
Wojciech Adamski

Korekta
Etelka Kamocki, Krzysztof Lisowski, Elżbieta Stanowska, Barbara Wojtanowicz

Redakcja techniczna
Bożena Korbut

Projekt okładki, stron tytułowych i układ typograficzny
Marek Wajda

Zdjęcie B. Tuszyńskiego na 1. str. okładki — S. Grzegorczyk; zdjęcie autorki na 4. str. okładki
— Rafał Latoszek; zdjęcie na s. 132 — z archiwum Ośrodka „Brama Grodzka — Teatr NN"
w Lublinie; zdjęcie na s. 376 — Tadeusz Zagoździński, zdjęcie na s. 394 — RSW PRASA CAF.
Pozostałe zdjęcia pochodzą z archiwum autorki.

Wydanie pierwsze, dodruk
Printed in Poland
Wydawnictwo Literackie Sp. z o.o., 2007
ul. Długa 1, 31-147 Kraków
bezpłatna linia telefoniczna: 0 800 42 10 40
księgarnia internetowa: www.wydawnictwoliterackie.pl
e-mail: ksiegarnia@wydawnictwoliterackie.pl
fax: (+48-12) 430 00 96
tel.: (+48-12) 619 27 70
Skład i łamanie: Infomarket
Druk i oprawa: Drukarnia Kolejowa Kraków Sp. z o.o.

ISBN 978-83-08-04057-7